哈佛新編
中國現代文學史

下

A New Literary History
of Modern China

王德威 ——— 主編

劉秀美 ——— 編修

陳婧祾　李浴洋 ——— 助理主編

目次（下）

哈佛新編中國現代文學史（下）

1949 年
「時間開始了。」

1958 年
「一秒鐘也不放過！」

時間開始了：大躍進

　　1949年10月1日，中華人民共和國的第一個國慶節，時間成為定義這個新生共產主義國家的關鍵。登在《人民日報》的新詩《時間開始了》，是胡風（1902-1985）紀念這個歷史性時間的著名詩作，它抓住了新時間計畫的精髓。「一剎那通到永遠」，「一剎那通到無際」，在這樣的詩句中，此時此刻不僅僅關乎新國家無窮的潛力，也關乎了中國之長存。更重要的是，它是構成中國歷史基礎的無數革命之一。

　　時間，如同中國社會的精神狀況，曾經衰敗而墮入虛空，現在要從胡風所紀念的「今天」、「神聖的時間」開始更新。除了這一新歷史篇章的開端外，在早些時候，已然發生過一次時間意義上的革命了。具有民族統一意義的、單一的「北京時間」，取代了此前國民黨採用的五時區制。共產黨「解放」的省份一一開始採用北京時間，以便與中央時區同步。這在時間的社會觀念上，是一項基礎改造運動。在共和國成立後的幾個月，國家的不同地區——新疆和西藏除外——都採用了北京時間，作為統一的時間標準。

　　隨著共產主義中國的建立，時間鮮活了起來。與屏住呼吸，恭敬期待的靜止人群形成對比，時間在民族面前「奔騰」、「一躍地站了起來」。時間

與民族在一種青春活力中重新振奮。為了努力鞏固時間的意義，也為了彪炳自己對時間文學性的沉思，胡風在作品最後註明創作及修改時間。他小心翼翼地記錄日、時、分，表現出對時間精確度的無比敏銳。雖然他想讓詩作進入歷史，但後來的人生卻充滿爭議，早早地被捲入一九五〇年代時間所帶來的另一種變化，那是共產黨發展計畫揭幕之時。

在一片歡呼聲中，整個國家面臨著恐怖的經濟挑戰：中國迅速增長的龐大人口，面臨高失業率，而政府把重點放在資本密集型的工業上，更加惡化了此問題。1957年開始的大躍進運動，是為盡速解決問題所提出的方案。目標朝向勞動密集型工業，特別是針對重工業的發展，比如鋼鐵、化工、機器，也帶入農業和輕工業等其他部門。備受爭議的是，它的重點是為了使所有部門迅速提高生產率，以獲得「共同發展」。

到了1958年，如大躍進運動所加強的，時間成為敘事的一種形式。出現的是一種對時間更加精確的感知，要求每一分、每一秒的詳細報告。這種對時間概念的高度調整，開始影響人們對日常生活的意識，尤其在那些新近工業化的城市與城鎮。民族主義的、集體主義的敘述，「一秒鐘也不放過」以及「計算每分每秒」，在生產競爭中獲得了一致性的意義。1958年8月26日，鞍山鋼鐵公司副經理谷正榮在《人民日報》發表鋼鐵頌詩〈大高爐拔步飛奔〉寫道：

> 統計鋼鐵要用億和萬噸，
> 計算時間要用秒和分，
> 咱們是鋼鐵的巨人，
> 知道怎樣做才算盡了責任。

谷正榮的詩作外，《人民日報》有兩則公告響應這種新分秒必爭的時間計算法。第一則是1958年國慶後一天刊登的一篇捷報，宣告北京首都鋼鐵廠9月29日產量達到1016.5噸，是上個月日均量的6.48倍。為了完成這一史無前例的生產紀錄，工人們被號召起來將「汗水揮入融化的鋼水，爭取每一分每一秒的時間」。第二則更像是一封公開信，刊於1959年，恰逢

「一秒鐘也不放過」的生產競爭高潮。作者王文濤思考了這一時期對時間的運用，他觀察到人們對最微小的時間單位也加以有效利用。他的重點擺在每一秒鐘的重要意義，以及如何「抓住」、「奮鬥」每一分鐘來提高個人的工作潛力。

隨著科學技術的進步，當共產黨迅速將工作重心由內戰後的重建，轉移到經濟增長時，這種轉變也改變了生產模式和與之相應的社會關係。全國皆組織了人民公社，以便於提高工業、農業的生產量和生產效率。「多、快、好、省」的口號決定了大躍進的整體氣氛。此外，中央政府也設定了雄心勃勃的生產目標。為了達到這一目標，努力將分分秒秒的時間觀念，深刻植入勞動人民的意識中。實際上，這場戰役喚起了一種新的時間敘事，動員全國人民，從一種截然不同於前的視角「解讀」歷史。

1958年6月23日《人民日報》署名一丁者發表了〈共產主義者的時間觀念〉，署名一丁，作者在新社會主義工業化時代來臨前，表達了對「時間的重要性」的觀點。

　　目前已經出現的工業、農業生產大躍進，這就是六億人口在黨的領導之下爭取時間的勝利……每一個共產主義者應當熱愛生活，應當愛惜時間，而不應當浪費時間。怎樣才算愛惜時間呢？不只是遵守時間，而且要抓緊時間；不僅是抓緊時間，而且要爭取時間，要善於合理地安排時間，充分地利用時間。這就是我們常常提倡的要和時間賽跑，要走在時間的前面。

這一生產狂潮，源自毛澤東與黨內支持者所提出的動員群眾和集體化方針，與其相對立的另一派，如周恩來、劉少奇和鄧小平（1904-1997）等人所提倡的，則是對立的、技術官僚制的方案。兩派爭議的關鍵，是關於農業部門的變革速率。對毛澤東一派而言，最重要的是速度。為了灌輸每分每秒的重要性，便需要提供最簡單的時間觀念。因此，城市和鄉村大規模使用鐘表，以便人們時時刻刻都能知道時間。在共產主義時代之前，鐘表製造業主要集中於上海、廣州。1949年以後，國家開始扶植本土鐘表業，北京、煙台、重慶以及天津，都設立了鐘表製造業中心。

　　鐘表成為日常四大需要之一。隨著計時設備需求的增加，鐘表維修業也開始擴大。比如，就在大躍進開始後的兩個月，北京第一鐘表修配生產合作社就貼出了大字報廣告，公告每週五中午十二點到一點半間，派遣員工到胡同蒐集和修理鐘表，可以為二十六種不同類型的計時器提供服務。當地居民視此為「大躍進的新事物」。這樣的服務不僅北京獨有，也拓展到其他城市，如武漢，也包括鄉鎮，這項措施極受歡迎。回首看來，這正是強烈時間意識發展的一部分。

　　為了養成一種更強烈的時間意識，共和國為時間概念注入了新價值，將人民塑造成個個守時的形象，尤其在大躍進過程中，新的時間是政治性的：人民群眾和工人們不再是受雇者，而是國家的主人，也是自己時間的主宰者。擁有一座鐘或一隻表，成為與這種革命性，與當下社會有所關聯的重要象徵。二十世紀五、六〇年代，知名的外國文學翻譯者及作家吳岩（1918-2010），在散文〈時間賦〉中坦承，一如其他人，解放後他也為自己買了一隻上海牌手表，「戴著這表下工廠，體驗沸騰的生活，結識不少努力走在時間前面的先進人物」。

　　1959年底，毛澤東的大躍進開始陷入困境，進而放慢腳步。黨內部分成員開始批評毛澤東的發展戰略，以彭德懷（1898-1974）的「意見書」為最，譴責公社制度和國家計畫的崩潰。雖然彭德懷因此失去了重要職務，但他的批評仍然標誌了一個分水嶺時刻。不久，大躍進的缺點在官方公報中被直接指出。這一運動無可避免地將要終結，毛澤東也只能接受。當他從黨的日常事務，以及中央首腦的位置後撤以後，較溫和的政策終得以實施，雖然此舉並無助於提高人民的生活水平。

　　儘管大躍進運動因為災難性的後果而鬆懈，但有關時間律令的主題及其意識，卻仍然存在於文學和政治思維中。吳岩於1961年發表的散文〈鐘〉中，人與時間的關係得到了進一步的深化。內容敘述一位無名主人公與他所分享的三則關於時間的故事。後來才得知這位主人公是一位勞動楷模，他被生產組織公認為是一位先進，通過他的回憶和個人經驗的講述，吳岩重構了人和時間正在變化的關係，這也是大多數公眾對於時間的感知方式。

　　焦祖堯（1935-）的短篇小說〈時間〉，發表於1965年《收穫》雜誌。

小說試圖通過一對父子的衝突，表現工人對於勞動與時間的態度。季陽春是一位青年礦工，依據他的一隻不鏽鋼手表遵守八小時的工作時間，準點上下班。他的父親季艾水卻相信時間不僅僅是鐘表上的刻度，也是「為偉大的共產主義革命事業而努力」。與兒子不同，他被革命事業的責任感所驅使，總是提早上班卻延遲下班。

同樣強調時間的重要性，還有數學家華羅庚（1910-1985），他的短文〈時乎時乎不再來〉1964年發表於《人民日報》。他想傳達給讀者的是，抓住流逝的每一刻，盡可能地利用工作以及工作以外的時間。他論述：

> 對一個革命者來說，整個的生命都屬於黨和人民，不僅在工作時間想盡方法使自己的每分每秒鐘都更有效地用於革命事業，而且在業餘時間也一定會把有利於革命事業作為經常的指導原則，即使在一個人工作的環境之下，必然也會「慎獨」，不至於僅僅滿足於不做壞事，必然也是積極地、忠心耿耿地、分秒必爭地做有益於人民的事情。

對焦祖堯和華羅庚而言，時間應被看作衡量生產的指標，還是被理解為一種充滿革命事業價值感和精神的質量，這兩者間是有顯著區別的。每一分、每一秒都與產量有關，但是這種對於機械時間的強調，常常被解讀為延長工作時間，不同於另一種更強化的對勞動力的動員。時間真正的價值，源自一個人對激進事業的激情與奉獻，工人應該不辭辛勞，為共和國更大的利益而鞠躬盡瘁。所以，即使大部分這類話語僅僅基於時間單位，不斷複述著那些提高生產的運動，但在時間的概念上，可被討論的卻遠不僅於此；它無疑是對徹底重塑人的意識與社會關係的集體號召，那是共產主義革命以及大躍進的核心。

參考文獻：

王文濤〈一秒鐘也不放過〉，《人民日報》1959年6月26日。

一丁，〈共產主義者的時間觀念〉，《人民日報》1958年6月23日。

Maurice Meisner, *Mao's China and After: A History of the People's Republic* (New York, Free Press, 1999).

簡夏儀（Har Ye Kan）撰，張屛瑾 譯

1950年3月16日

呂赫若失蹤

台灣才子呂赫若

　　呂赫若（1914-1950）為日本殖民時期（1895-1945）文學技巧造詣最高的台灣本土作家之一，他的短暫一生，充滿許許多多的第一次。呂赫若原為新竹州峨嵋公學校（現新竹縣峨眉國民小學）老師，二十三歲年紀輕輕已在日本頗具聲望的文學刊物《文學評論》發表第一篇小說〈牛車〉（1935）。爾後這篇小說被馬克思主義作家胡風（1902-1985）譯為中文，成為日治時期首篇被譯介至中國大陸的台灣小說。呂赫若是戰前第一位且是唯一一位出版過短篇小說集的台灣作家（1944），也是戰後少數成功將創作語言由日文轉為中文的第一人。他在日本有著豐富多彩的歌唱與表演事業。返台後，身兼記者以及厚生演劇研究會籌辦者和演員工作。呂赫若充滿活力地投身殖民地文化生活的方方面面，其多元的才華以及對藝術矢志不渝的奉獻，為他贏得「台灣第一才子」的美名。戰後，他的共產黨員身分，以及三十八歲離奇的早逝，都在台灣現代文學史上寫下了傳奇的一頁。

　　1914年，呂赫若出生於台中一個地主家庭，自幼接受現代及西式教育。1931年從台中師範學校畢業後，於新竹州峨嵋公學校教授音樂，並開始創作小說。1939年赴日學習聲樂，師從知名歌劇演員長阪好子（1891-1970），之後成為東京寶塚劇場聲樂隊的一員（1940-1942）。呂赫若非比尋常的音樂之路，或許不是他最成功的嘗試，但他與日本現代音樂史上具舉足輕重人物山田耕筰（1886-1965）的接觸，以及他對山田氏民族音樂理論的理解，都為其日後的音樂與演劇生涯奠定基礎。返台後，加入志同道合的張文環

（1909-1978）所主持的《台灣文學》雜誌編輯團隊，同時在這份刊物發表多篇短篇小說。

呂赫若對政治與藝術、私人與公眾，現代與傳統之間的矛盾有著犀利的洞察，同輩作家中無人能出其右。受過音樂與教師專業訓練且身為演員的他，在動盪不安的時代裡付出了巨大的個人代價。他看似優美的田園牧歌式抒情背後，滲透著深切的焦慮與幻滅，以及在浪漫理想主義與沉重社會現實間的猶疑躊躇。他的小說成就高於重要的台灣社會主義作家楊逵（1906-1985），也勝於他的編輯夥伴，台灣習俗、道德的記錄者張文環。楊逵對社會議題的過分關注，讓他的敘述技巧大打折扣，張文環的作品則泛濫著感傷主義。呂赫若對外部嚴酷現實的關注以及個人情感的抒發兩方面，做出了絕佳的平衡，且秉持著適度的莊重與尊嚴。

呂赫若的第一篇短篇小說〈牛車〉在大都會東京文學圈引起注意。故事講述現代化入侵鄉土社會，一個牛車夫的悲慘遭遇——隨著村莊建造公路，機動車盛行，威脅了他的生計。他擁有一小塊耕地的夢想也隨之化為泡影。現代化帶來的急速通膨，讓他的生活雪上加霜。他無力供養家庭，妻子被迫出賣身體維生。小說結尾，備受打擊的主人公因為將牛車開上了新修的公路，必須繳交高額罰款。為了繳付這筆兩圓罰款，主角偷竊兩隻鵝，卻被警察逮個正著。

儘管呂赫若來自農村，〈牛車〉也呼應著楊逵的社會主義傾向。但他接續的寫作，避開這種過於直白的抗議，選擇較為內斂的風格。這篇小說奠定了他日後創作的基調——即對小人物及其奮鬥寄予同情的關注。就某種意義而言，所有殖民地時期的台灣作家，無論是強調台灣與中國血脈相連的民族主義者，抑或是提倡獨特台灣身分的本土作家，乃至於提倡同化於日本文明教化的「皇民文學」作者，都無可避免地在他們或中國或台灣的傳統文化傳承裡，與日本殖民政權推崇的現代文化間擺盪。這個議題隨著創作語言使用的世代變遷更為複雜化，在「鄉土文學」論戰中可見一斑。呂赫若這一世代的作家雖然已多數使用日文創作，但和同世代中完全肯定殖民地現代性而支持全面同化的「皇民文學」作家卻是不同的。呂赫若的敘事更為複雜曖昧，經常喚起一種敏銳的失落感。呂與他的同輩作家一樣的世界化，但作為一個

寫作者，他總是注視著此時此地。儘管他的小說多數處理本土議題，甚少有日本人的角色或與日本有關的事件，但殖民體制的存在始終潛伏於文本之內。

1942年呂赫若返台後進入創作高峰期。戰前他的作品主要處理三個主題：新觀念下的家庭糾紛、新社會中的女性，以及年輕知識分子心灰意冷的憂鬱。〈財子壽〉（1942）、〈風水〉（1942）、〈合家平安〉（1943）、〈石榴〉（1943）屬於第一類；處理封建舊家庭制度下，因婚姻、財產、親屬關係所產生的糾紛，揭示新舊價值觀的摩擦。呂赫若筆下敘事者盡量求客觀，不偏袒傾向任何一方。故事的開放性結局模稜兩可，讓讀者自行揣摩人物價值體系中的種種矛盾。小說中人物紛陳：有頑固的封建家長、孝順的子孫、苦苦掙扎的農民，或因衝動失手殺死權貴的受欺壓小平民，矢志不渝的忠貞妓女，這些小人物都閃爍著人性的光芒。呂赫若尤其關注被稱為「媳婦仔」的童養媳，她們自幼出嫁成為夫家半個免費勞力，這是貧困年代傳統民間的一種習俗。〈月夜〉（1942）和〈婚約奇譚〉（1935）正是刻畫女性被父權與殖民主義壓榨，因而陷入困窘處境的作品。

呂赫若最為出色的作品是抒情篇章，如講述一位日本旅人與台灣小男孩短暫相遇的〈玉蘭花〉（1943）；充斥著年輕主人公無窮盡哀愁與焦慮的〈清秋〉（1944）。兩部作品所衍生的深切情感共鳴，是同時期作家無可比擬的。

呂赫若出生於日本殖民統治後二十年，是典型殖民教育體系下受教育的一代。該體系強調日語優於個人的母語。遺憾的是，呂赫若的作品大多是以日文創作和出版，因此今日一般台灣讀者必須閱讀中文譯本。這是直到一九九〇年代中期戒嚴法取消，殖民時期的研究開始獲得學術上的合法性之後，讀者和學者仍未觸及這樣一塊文學瑰寶的原因之一。戰後初期，許多作家無法適應語言由日文到中文的轉換，自此失聲。但呂赫若訓練自己以中文創作，成為少數成功切換語言的作家之一。他發表了數篇中文小說，如作於1947年二二八事件前兩個禮拜的〈冬夜〉。小說嘲諷了日治時期、國民黨接管下的新統治，以及在此混亂時刻謀求投機發財的人。

可以理解，呂赫若的戰後書寫對殖民時期的批判更為直接與明顯。雖然

這些短篇小說的中文造詣，無法和他已爐火純青的日文創作相提並論。但是他的獨特風格——疏離而又縝密的觀察，機巧又帶點黑色的幽默——在這些後殖民小說中依然十分鮮明。可惜對政治的熱情讓他一步步遠離文學世界。

1947年2月27日，國民政府緝私員和警察因查緝私菸和一名四十歲的女性攤販起了衝突，在沒收婦人的私菸與現款過程中開槍射傷婦人及一名路人。國民黨政府對平民過度地嚴酷處置，不滿情緒不斷累積，查緝私菸事件成了導致龐大民怨爆發的導火線。翌日，2月28日，台北市民罷工罷市，遊行至菸酒公賣局前抗議，向行政長官陳情。公署衛兵開槍掃射遊行示威者，造成許多市民傷亡。訊息快速散播全島，抗議此起彼落。國民黨政府接管台灣後的一年又四個月，台灣人民醞釀於心的不滿終於沸騰，因而引爆這起不幸事件。3月8日，國民黨軍隊抵達台北，以暴力鎮壓反抗，此舉加深了人民與政府間的不信任。3月10日，台灣進入戒嚴。

根據估算，在隨後的肅清行動中，國民黨軍隊殺害了一萬八千至兩萬八千多人，其中包括大部分的菁英分子，而那些未遭處決者，被迫轉為地下活動。二二八事件後，呂赫若加入了中國共產黨，擔任地下刊物《光明報》編輯。1949年，他受聘擔任北一女中音樂教師，並於中山堂舉辦個人演唱會。同年，蔣介石（1887-1975）領導的國民黨政府遷台，對在台灣的共產黨員加強鎮壓。8月，《光明報》籌辦人同時也是基隆中學校長鍾浩東（1915-1950）被捕。當國民黨特務前往逮捕呂赫若時，他逃往台北近郊鹿窟基地活動。1950年，呂赫若可能喪生於鹿窟基地。根據呂的遺孀回憶，當時他本來計畫逃往沖繩。直至今日，呂赫若的死亡仍然是一個謎，但有一說推測他是被毒蛇咬死，由家人埋葬。

白色恐怖扼殺了許多台灣之子的生命，他們本應是重建島嶼的強大力量。呂赫若的日記巨細靡遺地記錄了他寫作的心路歷程及家庭生活。呂赫若去世後，家人害怕日記惹來政治麻煩，因而將1942至1944年之外的日記全數焚毀。在戰後風聲鶴唳的政治環境下，沒有任何學者研究他的著作。1991年《呂赫若集》出版——這是一系列台灣作家作品選之一——1995年《呂赫若小說全集》出版，這些是恢復他在台灣文學史上應有地位的第一步。呂赫若雖然對傳統社會有所質疑，但對現代性的態度卻也相當曖昧。他選擇在文字

中不正面與殖民勢力交鋒，因為此舉在輿論控制森嚴的社會中不但十分危險，且可能僅僅徒勞一場。相反地，他堅持的是「寫更像台灣人的生活，不誇張的小說，有台灣色彩的東西」。時至今日，呂赫若的早逝令人不得不為失去的契機扼腕嘆息，如果這個活力充沛、才華橫溢的作家生命沒有過早凋零，他能否改寫台灣文學史？

參考文獻：

陳芳明《左翼台灣：殖民地文學運動史論》（台北，麥田出版，1998年）。

陳映真等著《呂赫若研究：台灣第一才子》（台北，聯合文學出版社，1997年）。

呂赫若《呂赫若集》，張恆豪主編（台北，前衛出版社，1991年）。

呂赫若《呂赫若小說全集》，林至潔譯（台北，聯合文學出版社，1995年）。

施淑編《日據時代台灣小說選》（台北，前衛出版社，1999年）。

楊逵《楊逵集》，張恆豪主編（台北，前衛出版社，1991年）。

葉石濤《台灣文學史綱》（高雄，春暉出版社，1987年）。

葉石濤〈清秋：偽裝的皇民化謳歌〉，刊於《台灣文藝》1982年77期，頁21-26。

阮斐娜 撰，陳抒 譯

1951年9月
王瑤出版《中國新文學史稿》

1952年9月
《文藝報》批判王瑤的新文學史

新文學史的命運

　　1952年9月，《文藝報》報導一場由出版總署與《人民日報》於1952年8月30日聯合舉辦的座談會，十八位知名的文學評論家和作家與會。座談會目的在於評價王瑤（1914-1989）的《中國新文學史稿》上冊（開明書店1951年9月出版）。王瑤當時是一位青年學者，專長為中國中古文學，1948年至1949年間，他曾在清華大學教授中國現代文學。《人民日報》和《文藝報》為中國共產黨最高宣傳機關，王瑤新書受到如此不尋常的媒體關注，標誌了此書作為新中國成立後第一本中國現代文學史著作的重大意義，中國現代文學史這一學科不久前新晉被確定為中文專業必修課。

　　出乎王瑤本人意料之外的是，他的書受到了嚴厲批判。罪名包括忽視新文學運動中無產階級的領導作用，以及全書論及「革命作家」和「反動作家」的篇幅幾乎相當。他的「純客觀」被貼上了「資產階級」或者「小資產階級」標籤。他被指控犯下嚴重的意識形態錯誤，因為他沒有採用階級分析，反而大段引用「反革命」作家的作品。作為一位政治敏感的學者，王瑤很快回應這些批評。他立刻要求書店停售他的《史稿》上冊，並向《文藝報》提交一篇自我批評的文章，檢討自己「資產階級」的藝術觀：他向來將藝術凌駕於政治之上。王瑤寫作《史稿》下冊時，同時修訂了上冊。1953年

8月，修訂後的上、下冊同時由新文藝出版社出版。

　　《史稿》上冊有三處進行了顯著的修改。首先，凸顯「無產階級文學」在「新民主主義文學」中的領導地位，魯迅（1881-1936）則被視為在共產主義引導下成為毛澤東（1893-1976）文藝理論的追隨者。其次，用來解釋1937年到1945年抗日戰爭期間、「進步」作家與「落後」作家共存現象的統一戰線，被階級鬥爭所取代，後者成了主導性概念，作家被分別以階級歸屬。比如說，徐志摩（1897-1931），作為一位高姿態的詩人，不再與「城市居民」的欲望相關聯，而是以「右翼資產階級思想」歸類。第三，現實主義被高舉為新文學的首選風格，其他文學流派（比如象徵主義和現代主義），則被視為落後的、甚至反動的而遭拒斥，它們代表革命文學的逆流。

　　為什麼王瑤如此積極地接受批評，且在一年內大幅修訂他的文學史？一開始他又為何要跨出自己的研究領域，自發性地撰寫一部中國現代文學史？為了回答這些問題，我們需要回到民國時期，當時古典文學居文學研究領域的主導地位，學校很少教授現代文學。在一九二○至一九三○年代，胡適（1891-1962）和周作人（1885-1967）都曾出版中國文學史的著作，但新文學在他們研究的漫長歷史中，僅僅占很小一部分。一九三○年代以後，一些歷史學家如王哲甫、李何林（1904-1988）開始專攻新文學。但總體而言，1949年以前，新文學史的書寫一直處於實驗階段。這一尚未發展的領域，在學術研究上亟需得到填補，這種緊迫感必定使王瑤感到興奮，但他同時也懷抱著意識形態上的動機。1934年，王瑤成為清華大學學生，且為一名激進分子，據說曾兩次被捕。他在1935年加入中國共產黨，但由於戰爭，他曾於1937年脫黨。1936年，他擔任《清華週刊》編輯，並發表不少有關社會問題的雜文，外號「小周揚」、「小胡風」——周揚（1908-1989）與胡風（1902-1985）都是當時著名的左翼文學理論家。年輕時期曾是這樣一位有抱負的左翼理論家，無怪乎王瑤會應清華學生的要求，教授中國現代文學，並且投入新文學史著作的書寫，以扶助中國共產黨的新文化政策。

　　王瑤對新文化政策的熱情擁護，獲得了應有的回報：1951年，他被邀請加入教育部發起的一個集體項目，那年他三十七歲。與資深的批評家與作家蔡毅（1906-1992）、李何林以及老舍（1899-1966）合作，王瑤參與起草

新文學的課程綱要，他把這項工作比做在為全國教師制定章程。1951年7月綱要出版，李何林在其中感謝了王瑤所作的貢獻，包括他起草的參考文獻，其中包含了毛澤東，以及周揚、胡風、馮雪峰（1903-1976）的著作。王瑤無疑是一九五〇年代初冉冉上升的一顆新星，但他的學術訓練，很大成分歸功於他的清華老師，尤其是朱自清（1898-1948），後者早在1929年就開始教授新文學。從1943年到1946年，王瑤在朱自清的指導下完成了研究生學業，成為一名頗受讚譽的古代文學研究學者。

1952年9月《文藝報》刊登《史稿》的批評文章時，王瑤已經隨著全國性的院系調整，從清華大學轉任北京大學。1952年的這場批評可以被解讀為三重危機的徵兆：第一，它向全國學者發出了政治凌駕學術的信號，從此個人和黨之間沒有商量餘地；第二，它預示了此後對知識分子週期性的鎮壓，以及中國共產黨越來越頻繁的政策變化，這是充滿風險的；第三，正由於黨的政策和文化政策的不確定性，顯而易見學者更易於受到批判。

儘管王瑤盡了最大努力對黨的路線亦步亦趨，1955年10月15日的《文藝報》，卻再次批判了他的《史稿》，因為下冊承認了胡風的文學史貢獻。當時，胡風和他的同仁都已被貼上了反黨集團的標籤——七月派（抗日戰爭期間圍繞胡風主編的《七月》雜誌的作家群）未能預知這一命運的轉折。但就像1952年一樣，王瑤故技重施，迅速於1955年10月30日的《文藝報》發表一篇自我檢討。然而他如何能料到，1957年興起了如此大規模的反右運動，於是他在《史稿》裡對於「革命」作家和評論家如丁玲（1904-1986）、馮雪峰等人的讚揚，突然變得政治不正確了。因為這些人被定位為「資產階級右派分子」，被「清理」出文學史。在如此難以預料的情況下，王瑤的《史稿》雖然已經印了五次，在1955年時還是被下架了——這一年此書的日譯本在日本發行——直到1982年才得以在國內重新出版。

1980年代初，文學史寫作在去政治化的「新時期」中被重新提出，「重寫文學史」成為重中之重。王瑤給予敘述對象一視同仁的處理方式，成為一種標準。王瑤的《史稿》問世之時，正是新政權的文化政策初步成形、且剛建立的現代文學史學科也亟需一本教科書的時候。短暫的過渡時刻讓王瑤有了一次難得機會，一方面綜合前人的文學史寫作成果，一方面發展出一種妥

協方法，既能使黨滿意又能承認近一百位意識形態與藝術追求各不相同作家們的文學成就。在這個意義上，王瑤的幸運是雙重的。當然，王瑤延伸了王哲甫在1933年寫作文學史的方法，結合理論研究、歷史敘述，以及對個別作家的詳細分析，也發展了李何林在1939年的文學史中，用標誌性的社會政治事件為歷史分期的做法，強調中國現代文學的意識形態「本質」。一如他的導師朱自清，王瑤依照文體組織對作家的討論，並在每個時期下分章論述詩歌、小說、戲劇、散文和報告文學。此外，1922年，胡適創造了一種進化範式，把「新文學」理解為「活的文學」，而它必將取代「死」或者「半死」的古典文學。王瑤採取了相似的思路，繪製了一幅朝向某個終極目標線性發展的文學圖景。不過在他的規畫下，中國文學「前進」的方向正是毛澤東1942年於〈在延安文藝座談會上的講話〉中所確立的目標，即為黨政服務，並吸引廣大群眾。

相形之下，王瑤之後的文學史作者就沒有他的幸運了，因為他們面臨著日益收緊的意識形態控制。丁易（1913-1954）於1955年出版的《中國現代文學史略》，十分明確地將作家劃分為「革命的」、「進步的」或是「資產階級的」。這三種區分方式，同樣出現在王瑤的文學史中。不過一年後，旋即被縮減成兩大陣營，即劉綬松（1912-1969）出版於1956年的《中國新文學史初稿》中「敵」「我」之分。他花了三章篇幅將魯迅重新定位為「偉大的共產主義」作家，雖然魯迅從未正式加入中國共產黨。極具悲劇性的是，即使從一九五〇年代中期開始，劉綬松的文學史就取代了王瑤的作品，成為中國共產黨採用的教科書，但劉卻仍然沒能逃過「文革」的政治迫害，與妻子雙雙於1969年自殺。他的悲劇讓人回想起中國歷來的政治迫害，再一次證實中國共產黨不會容忍對其嚴格歷史觀──雖然不時產生變化──的任何一點偏離。

王瑤是「幸運」的，他度過了多輪批判運動，部分歸功於他的適應能力，不斷進行自我批判──一九五〇至一九七〇年代所有中國知識分子都掌握的特種書寫。細細審視後則會發現，王瑤主動回顧和承認錯誤的積極態度，以及他的自我批判文中對政治話語的機智援引，不僅僅是一種自我保護──數十年後，人們也可以從中看出政治意識形態的鐵掌對學術的操控。

1958年他在一篇自我批判中寫道（1972年香港版《史稿》附錄）：「譬如對於一篇作品的分析，我最先注意的常常是人物性格是否鮮明，結構是否完整，以及是否有獨特的風格等等，而不是首先從主題思想和教育意義上來著眼。」王瑤為「分開了政治和藝術」而道歉，他說自己將藝術作為首要標準，站到了「資產階級立場」上，也就是站到了毛澤東〈講話〉的對立面去了，因為〈講話〉主張以政治為文學的首要標準。王瑤承認他的錯誤之一，就是犯了客觀主義的大毛病，把主流、非主流、以及逆流文學都混為一談。實際上，這樣的自我批判，使得後世讀者能讀出他是被迫的。

二十多年後，中國的研究者才得以重新審視王瑤《史稿》所提出的種種問題，以及他所作的自我批判，由此探討在嚴格的政治與藝術、社會主義與資本主義、革命與反革命的區分之外，可能存在的其他空間。回溯一九五〇年代，王瑤被迫寫下揭發胡風和馮雪峰的文章，但他仍然被他任教的北大學生當作批判的主要對象。他們的批判文集先是在1958年由人民文學出版社出版，1972年又在香港再版——他們沿用了王瑤使用過的那些政治批判術語，代表新一代知識分子急於批判前輩、擁護黨的最新指示。

王瑤在《史稿》裡最常用的一些短語，顯示了一九五〇至一九七〇年代間中國知識分子的困境。根據他的描述，許多中國現代作家遵循了這樣一條意識形態轉變的路徑，即從「不滿」到「反叛」或「抵抗」，然後趨向「進步」或「革命」。他的主要敘述邏輯是將「革命」等同於「現實」，「不革命」等同於「不現實」和「不進步」，以及「不恰當」與「不道德」。新中國知識分子的困境在於，雖然他們想要參與革命，幫助中國共產黨描寫其革命歷史，但他們無法跟上層出不窮的政治變化，更無法預知未來會有什麼政治後果將自己牽連入內。

1952年《文藝報》對於王瑤的批判，只是上述困境中的一個例子。王瑤原本雄心勃勃地想成為一流古代文學研究者，1952年他發現專長轉到現代文學上很難成為「一流的學者」。儘管如此，由於他寫作時的一視同仁和對藝術的敏銳，他的文學史仍被認為具有開創性意義，他也被公認是中國現代文學這門新學科的奠基者。

參考文獻：

李何林《中國新文學史研究》（北京，1951年）。

劉綬松《中國新文學史初稿》，卷一～卷二（北京，人民文學出版社，1956年，1979年再版）。

王瑤《中國新文學史稿》（上冊，1951年，下冊，1953年；香港，1972年再版）。

張英進〈中國現代文學史的制度化過程，1922-1980〉，《現代中國》第三卷第20期（1994年7月），頁347-377。

〈《中國新文學史稿》（上冊）座談會紀實〉，《文藝報》第20期（1952年），頁24-30。

Yingjin Zhang, "The Institutionalization of Modern Literary History in China, 1922-1980," *Modern China* 20, no. 3 (July 1994): 347-377.

張英進 撰，張屏瑾 譯

1952年3月18日

《人民日報》宣布，丁玲和周立波榮獲史達林獎

社會主義的世界文學

　　1952年3月18日，《人民日報》自豪地宣布，中國作家丁玲（1904-1986）和周立波（1908-1979）榮獲「史達林獎」（State Stalin Prize）。得獎致辭中，丁玲強調得獎對於她本人乃至中國文學整體的重要意義：「我是一個很渺小的人，只做了很少很少的一點工作……這個光榮是給中國所有作家和中國人民的。」史達林獎成立於1939年，旨在獎勵蘇聯科學和藝術方面的傑出成就者。一九四〇年代末，該獎成為一個國際獎項，相當於社會主義世界的諾貝爾獎，是作家和藝術家的最高榮譽。每年的遴選不僅著眼於近期出版的優秀作品，更注重獎掖富有創造性的新形式——尤其是與社會主義現實主義相關的作品——並推廣至整個社會主義陣營。對丁玲和周立波的認可，既確認了這兩位作家的成就，也證實了中國方興未艾的社會主義文學，已出色地運用莫斯科的文學規範，因而成為社會主義世界文學的一員。

　　丁玲和周立波站在社會主義世界主義潮流的浪尖風口。這股潮流把從柏林到北京、河內到華沙、布加勒斯特（Bucharest）到平壤的讀者和作家們整合為一體。兩人獲獎作品——周立波的《暴風驟雨》（1948）和丁玲的《太陽照在桑乾河上》（1948）——在描寫中國土改的作品中脫穎而出。在他們的虛構敘事裡，農民在中國共產黨領導下努力鬥爭以擺脫千年來的壓迫和剝削。虛構幾乎與現實同步，因為土改運動在各地農村裡正如火如荼地展開。作品中充滿質樸俚語，深深扎根於中國農村的微觀世界。吊詭的是，作為中國現代文學中宣稱地方性的一支，這兩部作品卻成了最具跨國色彩的文學典範。

　　兩部作品獲得莫斯科評審青睞，部分源自他們堅持社會主義現實主義的既定標準。1934年召開的蘇維埃作家代表大會，確立社會主義現實主義為文學創作的官方典範，一九四〇年代末更遍及社會主義世界。社會主義現實主義創造了一種共同語言，一整套共享的文學主題、敘事模式、描摹公式和詩學，方便社會主義陣營內各國文學交流。類似《太陽照在桑乾河上》和《暴風驟雨》等作品，都帶有鮮明的文化嫁接（transculturation）印記。所謂文化嫁接，就是通過改編和轉寫，將創造性文本引入本土語匯。這種親緣關係絕非偶然。比如，周立波作為一位翻譯家，曾將蕭洛霍夫（Mikhail Sholokhov, 1905-1984）的《被開墾的處女地》（*Podnyataya tselina*）譯成中文。這部備受讚譽的作品，描寫了哥薩克村莊集體化的過程。周立波在翻譯過程中也學習到寫作技巧。後人指責周立波剽竊，羅列蕭洛霍夫的小說和周立波小說之間大量雷同之處。這種批評並不準確：移植國外形式與經驗並將其融入本土語境，恰恰是推動形成泛社會主義新文學行動背後的邏輯。這一新文學超越國界，吸引整個社會主義世界的讀者。丁玲和周立波的努力得到了回饋：至一九五〇年代中，《太陽照在桑乾河上》至少有九種語言的譯本，而周立波的小說則被譯為東歐和東亞各國的八種語言。當丁玲在莫斯科領獎時，主辦單位告知她的小說在蘇聯已銷售五十餘萬冊，或許超過當時中國境內的銷量。獲獎更加鞏固了她的跨國作家地位。

　　中國小說暢銷蘇聯，蘇聯小說同樣風行中國。整個一九五〇年代，中國各出版社推出了數量龐大的蘇聯文學譯著：社會主義現實主義經典、史達林（Joseph Stalin, 1879—1953）死後所謂「解凍」時代的新蘇聯小說、蘇聯探險小說、科幻小說以及兒童文學，都讓中華人民共和國讀者愛不釋手。1955年的一份書目羅列了超過1,500種在中華人民共和國最初五年間出版的蘇聯長篇小說、詩歌、戲劇和短篇小說，總印刷數多達一百萬冊。奧斯特洛夫斯基（Nikolai Ostrovsky, 1904-1936）的小說《鋼鐵是怎樣煉成的》（How the Steel Was Tempered）在中國歷久彌新。中國讀者對這部小說長久持續的喜愛遠超俄羅斯讀者。沒有其他蘇聯小說能如此緊緊抓住中國讀者的想像力。它不僅是社會主義中國最受喜愛的小說之一，也是中華人民共和國小說創作的最佳樣板。

　　《鋼鐵是怎樣煉成的》歌頌英雄主義，並將戰爭時代的冒險經歷與精心設計的愛情故事合而為一，中國讀者趨之若鶩。小說的主人公保爾‧柯察金（Pavel Korchagin，中文譯本稱為保爾）生長在烏克蘭一個貧窮的工人家庭。被退學後，他先在哥哥工作的機車廠、接著至一家發電廠當學徒。十月革命後，保爾參加了紅軍的騎兵和共產主義青年團，與奉行干涉主義政策的外國軍隊作戰，最終布爾什維克一方凱旋而歸。保爾付出慘痛代價，在戰鬥中失去一隻眼睛，犧牲是模範戰士保衛社會主義共和國和政黨的必經之路。然而，更多試煉接踵而至。保爾退伍後擔任共青團委書記，全心全意在生產前線為社會主義建設奉獻。小說第二部分中，保爾與浪費、腐敗、蓄意破壞和官僚主義展開了鬥爭。他為確保城市擁有足夠柴火禦寒而領導工作，但也因為過度操勞而感染肺炎。保爾多種疾病纏身，在克里米亞療養院靜養時，一度興起自殺念頭。他最終沒有選擇輕生，反倒創作了一本自傳體小說，從而投身另一條新的戰線。他斷言沒有人在革命鬥爭中一無是處，深信人人都能夠為偉大的目標付出生命。

　　毫不掩飾地讚美革命，極力宣揚英雄主義與意識形態純潔性，《鋼鐵是怎樣煉成的》因而對共產主義推動者有著莫大的吸引力。小說如其名，以鮮明的事例呈現了革命英雄的鍛造：一個血氣方剛的青年如何蛻變為一名對意識形態具有成熟意識的老練戰士。然而，中國和其他地方的讀者，與保爾在許多其他方面亦有連結。小說第一部分戰爭年代裡的插曲，描寫保爾在馬背上與罪惡鬥爭，並為受苦難和壓迫的人民展開復仇。這些段落言辭優美外，更採用了傳統冒險故事和民國時期流行的武俠小說中慣有的說教口吻。保爾的浪漫愛情故事，與中國多種體裁也有呼應，從五四敘事裡的「革命加戀愛」，到感傷的鴛鴦蝴蝶派小說，都有著異曲同工之妙。事實上，二十世紀五、六〇年代處於道德清教主義時期，許多中國讀者為小說所吸引，正因其熱烈的情愛所致。《鋼鐵是怎樣煉成的》中的欲望話語，當然根植於小說更大的意識形態框架。保爾深愛著共青團的幹部同事麗塔，但不願意因私情而怠工。若干年後兩人重逢，麗塔已婚並育有一女。然而，最吸引中國讀者的（儘管他們幾十年後才願意承認）是保爾的初戀情人冬妮婭（Tonia Toumanova）。冬妮婭是一位地方官的女兒。這個來自小資產家庭的女孩擁

有所有中產階級女性的特質。兩人分手緣於冬妮婭要求保爾放棄革命事業。保爾告別冬妮婭參加紅軍前，兩人激情的擁吻——是中國社會主義小說絕無可能出現的——大大提升了小說的魅力。

　　《鋼鐵是怎樣煉成的》1932年開始連載，蘇聯單行本出版於1936年。小說英文版 *The Making of a Hero*（《英雄之路》）由布朗（Alec Brown, 1900-1962）翻譯，於1937年出版。中文譯者梅益（1913-2003）乃依布朗譯本，一九五〇年代早期再參照俄文原本仔細修訂。一九九〇年代其他中文譯本發行，但梅譯本流暢生動的語言，一直是中國讀者的最愛，印行至今。梅譯本最初於1942年出版，中華人民共和國成立以前已經在各個共產黨根據地發行過數個版本。1949年後，奧斯特洛夫斯基的小說成為中國最暢銷的蘇聯作品，二十世紀五、六〇年代銷售了上百萬冊。1942年，小說由頓斯闊依（Mark Donskoy, 1901-1981）執導改編成電影。電影的流傳更加深讀者對小說的喜愛。為年輕讀者與識字教材而發行的大眾刪節版，讓更多讀者了解這部作品。與一九五〇年代流行中國的其他蘇聯小說不同，《鋼鐵是怎樣煉成的》在文化大革命之後仍大受歡迎。1999年，中國中央電視台攝製組前往烏克蘭，以奧斯特洛夫斯基的小說為底本，拍攝一部二十集的電視劇。許多當地人難以置信，他們對《鋼鐵是怎樣煉成的》早已失去興趣。電視劇可想而知在中國大獲成功，保爾、冬妮婭和麗塔的名字至今仍家喻戶曉。

　　《鋼鐵是怎樣煉成的》啟發了二十世紀四、五〇年代不計其數的中國作家，不僅提示他們戰爭主題、為社會主義建設奮鬥的小說該怎麼寫，更提供英雄成長的公式，讓中國作家積極模仿。保爾的成長，逐步馴服的青春熱情，乃至他如何成為一位意識形態鮮明的戰士，這些都重現在一系列英雄人物身上，比如杜鵬程（1921-1991）小說《保衛延安》中的周大勇，楊沫（1914-1995）小說《青春之歌》中的女主人公林道靜等。然而，蘇聯翻譯小說是在更廣泛的文學層面上成為中國作家的繆思。奧斯特洛夫斯基小說開篇中的機車廠和發電廠，不僅是工業現代化和進步的象徵，也成為中國工業小說先驅草明（1913-2002）前兩部小說的背景。杜鵬程的《保衛延安》則借鑑了蘇聯作家所描繪的軍旅生活和戰場上的運籌帷幄。新的環境和象徵需要新的美學。從機車的呼嘯、柴油機的轟鳴，到機關槍的連擊聲，蘇聯和中

國虛構作品裡的英雄爭先恐後為祖國、為革命拋頭顱灑熱血。

並不是只有中國作家利用這種新的文學語言，包括情節結構、英雄崇拜、象徵主義和美學。作為社會主義現實主義的典範之作，奧斯特洛夫斯基的小說被譯成東亞與東歐社會主義各國的語言，和中國兩部獲得史達林獎的譯作《暴風驟雨》和《太陽照在桑乾河上》一起獲致廣大讀者青睞。其他來自東歐、堅持同樣的敘事類型、人物描寫和詩學的獲獎作品也有中文譯本。這些作品交相輝映，彰顯了社會主義世界各國共同關心的問題和共同的文化。新中國社會主義文學不是一個孤立的事業，讀者和作家將其視為社會主義發展大業的一部分。一九五〇年代的中國，已然成為某種新的世界文學的一員。

參考文獻：

Mark Gamsa, *The Reading of Russian Literature in China: A Moral Example and Manual of Practice* (New York, Palgrave Macmillan, 2010).

Donghui He, "Coming of Age in the Brave New World: The Changing Reception of the Soviet Novel, *How the Steel Was Tempered*, in the People's Republic of China," in *China Learns from the Soviet Union, 1949-Present*, ed., Thomas P. Bernstein and Hua-yu Li (Lanham, MD, Lexington Books, 2010), pp. 393-420.

Nicolai Volland, "Inventing a Proletarian Fiction for China: The Stalin Prize, Cultural Diplomacy, and the Creation of a Pan-Socialist Identity," in *Dynamics of the Cold War in Asia: Ideology, Identity, and Culture*, ed., Tuong Vu and Wasana Wong-surawat (New York, Palgrave Macmillan, 2009), pp. 93-112.

Nicolai Volland, *Socialist Cosmopolitanism: The Chinese Literary Universe, 1945-1965* (New York, Columbia University Press, 2017).

Rudolf G. Wagner, "Life as a Quote from a Foreign Book: Love, Pavel, and Rita," in *Das andere China: Festschrift für Wolfgang Bauer zum 65. Geburtstag*, ed., Helwig Schmidt-Glintzer (Wiesbaden, Germany, Harrassowitz, 1995), pp. 463-476.

傅朗（Nicolai Volland）撰，唐海東 譯

1952年6月7日
「輪子不斷地轉。有人在新加坡辦報。文化南移乎？」

報人、文人與旅人：劉以鬯在南洋

　　1952年6月7日，籌備三年之久的《益世報》終於在新加坡發行，成為南洋報界的一樁大事。《益世報》原是民國時期羅馬天主教會在中國印行的中文報紙，是當時中國四大報刊之一，由天主教神父雷鳴遠（Frédéric-Vincent Lebbe, 1877-1940）1915年於天津創辦，但在1949年解放後停刊。其後，《益世報》的總經理劉益之得到于斌（1901-1978）主教的支持到新加坡辦報，還成功聘請了當時香港報界的「五虎將」——劉以鬯（1918-2018）、劉問渠、張冰之、鍾文苓、趙世洵——前往當地任職。其中，劉以鬯擔任副刊主任，負責編輯《別墅》與《語林》。此次南下開啟了劉以鬯五年的南洋之旅。

　　1952年南來新加坡的劉以鬯已是頗有名氣的報人與文人。劉以鬯1941年上海聖約翰大學哲學系畢業，太平洋戰爭爆發後，上海淪陷，劉以鬯便逃往重慶，經父親友人的介紹在《國民公報》編輯副刊。幾個月後，又經大學同窗楊彥岐（1920-1978）的介紹到《掃蕩報》負責電訊翻譯。抗戰勝利以後，《掃蕩報》改名為《和平日報》，劉以鬯回滬編輯該報副刊，一年後離職，創辦懷正文化社。懷正文化社旨在推廣中國新文學，出版了如戴望舒（1905-1950）、施蟄存（1905-2003）、姚雪垠（1910-1999）和徐訏（1908-1980）等名作家的作品。但內戰的爆發導致出版社發展受阻，劉以鬯結束出版事業，1948年獨自離滬南下闖蕩。他原本希望在香港延續其出版理想，拓展以海外華人為對象的業務，但因資源問題作罷，隨即加入了《香

港時報》、《星島周報》等報紙的編輯行列，在香港報界逐漸闖出名堂。後因事業不順而接受劉益之邀請，前往新加坡辦《益世報》。

　　戰後四、五〇年代的新加坡與馬來亞報業尤為興盛，需要大量具經驗的報人主持大局，因而吸引了許多文人南下辦報。但是，由於行內競爭激烈，再加上五〇年代新馬政府著力打壓黃色與政治立場偏激的新聞，許多報刊的壽命十分短暫。即便《益世報》創刊時聲勢浩大，後來卻因資金與銷路問題於短短四個月後結束，震驚了整個南洋報界。《益世報》的曇花一現更預示了劉以鬯南洋事業的坎坷。《益世報》結束後，他輾轉於不同的新馬報刊擔任總編輯或主筆，曾出任吉隆坡《聯邦日報》總編輯，但該報也在幾個月後停刊，只好回新加入《中興日報》，之後曾短暫任職於《新力報》、《鋼報》、《獅報》、《鐵報》和《鋒報》等不同小報。相較於重慶與香港時期的豐富辦報經驗，劉以鬯在南洋的報人事業可謂不盡順心。

　　劉以鬯在南洋雖不得志，但他在南洋編報的經驗卻恰恰給予作為南來文人的他，了解五〇年代新馬文學與社會的契機。新馬華文報的副刊一向被視為新馬華文文學的搖籃。劉以鬯身為副刊編輯，不但掌握時事動脈，也深入了解馬華文學的發展趨勢。劉以鬯旅居新馬時文學活動頗為豐富。除了參與文學活動鼓勵年輕作家外，他也以「劉以鬯」、「令狐冷」、「葛里哥」（該筆名受到劉以鬯喜歡的美國好萊塢演員Gregory Peck的啟發）等筆名在《南方晚報》、《新力報》、《鋒報》與《鐵報》等報紙副刊發表作品，更在新加坡出版了兩本小說——《龍女》（1952）、《雪晴》（1952）。

　　1957年返港後，劉以鬯繼續為南洋與香港的報刊雜誌供稿，發表了大量以新馬為背景的小說。1958年至1959年期間，劉以鬯應新加坡《南洋商報》總編輯李微塵（1903-1977）的邀稿，創作了一批富有南洋色彩的短篇小說，發表於副刊〈商餘〉。馬來西亞作家馬漢（1939-）在回憶起這批受讀者歡迎的小說時表示，劉以鬯的小說善於使用當地語言與讀者熟悉的題材反映馬來西亞人民的生活，構成其小說的「南洋色彩」。

　　雖然這批作品主要刊登在面向南洋大眾讀者的副刊裡，或許會被視為具有商業考量的「娛人」作品，但我們也應該從戰後新馬華文文學本土化的脈絡下考慮劉以鬯小說「南洋色彩」的經營。新馬政府五〇年代中期開始與英

殖民政府展開「默迪卡」（馬來文merdeka，即獨立）談判；直至1957年，
新加坡與英國政府對自治達成共識，馬來西亞聯合邦也正式脫離英國獨立。
與此同時，新馬也正籠罩在冷戰的陰影下。馬來西亞緊急狀態時期
（Malayan Emergency, 1948-1960），政府為阻止共產主義的傳播，1958年頒
布禁書令，禁止中國書本的進口。這導致新馬中文讀物嚴重短缺，當地書商
必須另闢中國以外的貨源，以及自行為新馬讀者出版書籍。面對中文讀物的
短缺以及華社的不滿，新馬政府呼籲作家配合獨立建國的發展趨勢，放眼本
土題材，努力創作屬於馬來西亞人的馬來西亞文學，以建立國民的身分認同
感。對執政者而言，培養馬來西亞華人的國家認同尤其重要，因為這將有助
於減少華族面向中國的意願，從而防止共產主義的滲入。新馬作家為配合如
火如荼的獨立運動，作品也逐漸從面向中國的「僑民文藝」轉型為著眼本土
的「馬來西亞華文文學」。

　　面對馬來西亞獨立之事實，許多作家都通過書寫異族戀愛與友誼等題材
的小說，以示各種族齊心建設多元獨立馬來西亞的憧憬。就如劉以鬯在電懋
雜誌《國際電影》中介紹其連載小說《馬來姑娘》（1959）時寫道，有心的
藝術工作者在其創作中不能不正視馬來西亞多元種族的事實。《馬來姑娘》
連載於香港《星島晚報》，描述巫族少女拉絲蜜與華族少年鄭九的戀愛，以
寓言的方式強調各種族團結與和諧相處之必要，鼓勵馬來西亞人民「在和平
與有秩序的方式下，合力撰寫馬來西亞歷史上的輝煌時代」。小說原本計畫
由歐陽天（1918-1995）籌劃改編成電影，林黛（1934-1964）和喬宏
（1927-1999）主演，電懋發行，但計畫後來因製作費昂貴而遭擱置。

　　雖然電影版的《馬來姑娘》最終胎死腹中，但此計畫卻說明了這股關注
本土的趨勢不限於文學領域。南洋當時的三大電影巨頭——邵氏兄弟、光藝
以及電懋——也積極推出有關南洋題材的電影，如邵氏的《獨立橋之戀》
（1959）以及光藝的「南洋三部曲」《血染相思谷》（1957）、《唐山阿
嫂》（1957）以及《椰林月》（1957）。劉以鬯另一篇涉及異族戀愛的短篇
小說〈熱帶風雨〉（1959）便刊登在邵氏雜誌《南國電影》的文學欄目中。
劉以鬯以類似民族志（ethnography）的寫作手法，詳細描寫了馬來婚禮傳
統、音樂舞蹈、回教習俗、娘惹（即土生華人）的生活習慣以及南洋獨特的

建築物等等，極具電影畫面感。小說描述了來自新加坡的華族都市少年「我」赴馬來西亞的一個「甘榜」（馬來文kampung，即鄉村）參加親戚的婚禮，認識了巫族少女蘇里瑪。「我」對身穿傳統馬來服飾甲峇耶（kebaya）的蘇里瑪一見傾心，「她很美，美得像一朵淡黃的檳榔花。她穿一襲淡黃色的甲峇耶，薄紗製的，圍著一條五彩紗籠（Sarong），束得很緊，越發顯得身段苗條」，初次見面後心裡老是「惦念那胸脯高高的馬來姑娘」，其凝視不斷地回到少女充滿熱帶風韻的豐滿身體。兩人雖彼此相愛，但「我」卻害怕觸犯法律而不敢帶蘇里瑪逃離她的包辦婚姻。蘇里瑪絕望至極，逃入充滿毒蛇猛獸的熱帶叢林，以死殉情。

　　早期「過番」（閩粵方言，即下南洋）的華人以男性居多。劉以鬯或許是為了呼應新馬華人社群這段集體記憶，因此小說中最常出現的人物即是漂泊在南洋的離散華族男性——像以自己經驗為原型的苦悶南來文人、南下謀生的「新客」（泛指十八世紀末以後移民新馬的中國人）、或是常年奔走而居無定所的男性。這些四處旅行與游離的華族男性經常與定於一處的巫族女性譜出戀情，但這些當地女性又往往被刻畫為充滿熱帶風情、抑或是沉默被動的「他者」。又如，刊登於《南洋商報》的短篇小說〈巴生河邊〉（1958）雖然講述的是巫族少女莎樂瑪在馬來西亞巴生河邊，耐心等候華族男友鄭亞瓜歸來的故事。但整篇小說卻以鄭亞瓜與順風車司機間的對話為敘事結構，讀者僅能從對話中拼湊出莎樂瑪的形象，想像鄭亞瓜口中的莎樂瑪單純沉默的性格。莎樂瑪直到結尾才出場，但讀者也只能通過兩個男人的視角，遙望靜靜佇立在巴生河邊的莎樂瑪和她懷中的孩子。易言之，劉以鬯異族婚戀小說中那些穿著甲峇耶或爪哇沙籠等傳統服飾的巫族女性不僅成為其「南洋色彩」的承載體，劉以鬯也以位置固定的巫族女性身體意指漂泊南洋的男主角落地生根的希冀。因此，除了強調馬來西亞多元文化的現實與團結之重要性外，劉以鬯異族婚戀小說的人物設定似乎更有意探索新馬華人社群如何通過異族婚戀落地生根的可能性。

　　若進一步推論，我們或許也能視劉以鬯南洋小說中的異族戀愛為這段時期馬來西亞文學發展其本土性的隱喻。就如同小說中漂泊的華族男性通過與巫族女性的結合在南洋落地生根，劉以鬯也以散發熱帶風韻的巫族女性構成

其作品的「南洋色彩」，參與了馬來西亞華文文學主體性與本土性的建構，在其時「南洋僑民」向「馬來西亞國民」身分轉型的社會現實下，以文學作品協助讀者樹立馬來西亞國民身分的認同。儘管這在某種程度上反映出劉以鬯作為南來文人的東方主義式的南洋想像（Nanyang orientalism)，但這也說明了馬來西亞文學本土性與新馬華人的離散經驗、性別政治以及文化認同之間錯綜複雜的關係。

　　相對於劉以鬯的上海背景以及其經典香港文學作品如《酒徒》（1962）與《對倒》（1972）等，劉以鬯早期的南洋小說與編報經歷未受到多大的關注。但是，我們不論從劉以鬯小說主角所不時透露的南洋記憶片段，抑或是他後期通過《香港文學》雜誌推動新馬華文文學的努力來看，就不難發現這段經歷在其文學生涯中所留下了的深刻印記。劉以鬯旅居南洋時逢新馬獨立運動與東南亞冷戰的關鍵歷史時刻，而此時的報業與文學領域也成為意識形態相互較勁的重要場域。作為作家與報人身分重疊的南來文人，劉以鬯的南洋作品不但能讓研究者一窺來自上海的南來文人如何參與新馬華文文學的本土化運動，亦能說明劉以鬯對當地文化與讀者需求的敏銳度，展現他「嚴肅作家」身分以外的通俗面向。

參考文獻：

劉以鬯《熱帶風雨》（香港，獲益出版社，2010年）。

梁秉鈞、譚國根、黃勁輝、黃淑嫻編《劉以鬯與香港現代主義》（香港，香港大學出版社，2010年）。

陳麗汶（Jessica Tan)

1952年7月
張愛玲永遠離開中國

文學史的異端

　　1952年7月的一天，張愛玲（1920–1995）跨越中國大陸和香港邊界，展開流亡生活。上海是她此前十年發跡的所在，一座啟發她文學創作的城市。張愛玲童年和青少年時期的大多數歲月是在上海度過。她個人第一部也是唯一一部短篇小說集《傳奇》（1944），收錄了她最為人熟知的十個短篇作品。這些小說最初於1943和1944年間，在上海的一些文學雜誌如《紫羅蘭》、《萬象》等連載，內容描述都市中複雜的情感糾葛和錯綜複雜的家庭關係，讓張愛玲在第二次中日戰爭（1937–1945）的動盪時期，成為中文文壇上一顆冉冉升起的新星。

　　中華人民共和國成立不久，張愛玲就決定離開中國。她的出走不可避免地呈現出某種象徵姿態，傳達出她對新的共產主義國家占主導的政治文化感到不安。儘管這是一個私人決定，但出走的後果遠遠超出了個人層面，標誌中國現代文學史上一次意義深遠的轉向。1949年前後的中國現代文學史，不僅還未與一統的單一國族敘事整合，更分裂為多種相互競爭的歷史敘述。碎片化的景觀反映出二戰結束後，不同政治體制有不同的意識形態和立場。此後，一旦人們談到中國現代文學史，心中就不能不喚起某種關於民族國家邊界的尖銳意識，邊界分離了邊界內外的人民。如何在那破碎的歷史與地理中，安置像張愛玲這樣在一九五〇年代初便越界的重要作家，從來就不是件容易的事。

　　十多年之後，張愛玲在一篇題為〈重訪邊城〉（A Return to the Frontier）

的英文文章中回憶起這一關鍵時刻。她特別記得一名在邊界巡邏的年輕人民解放軍戰士：「中共站崗的兵士就在我們旁邊，一個腮頰圓鼓鼓的北方男孩，穿著稀皺的太大的制服。大家在灼熱的太陽裡站了一個鐘頭之後，那小兵憤怒地咕嚕了一句，第一次開口：『讓你們在外頭等著，這麼熱！去到那邊站著。』」這個農村小伙子跟鐵絲網另一邊的香港警察（「一個瘦長的，戴著奇大的墨鏡，看上去又涼爽又倨傲廣東靚仔」）形成了強烈對比，深深地打動了張愛玲，讓她感到「種族的溫暖像潮水沖洗上」。她對人民解放軍戰士有種冷靜的認同感，儘管這不足以讓她回頭，但也透露了她的內在矛盾。她即將成為一個離散者，正面臨著重大的個人與歷史轉折。這個轉折點最終讓她成為二十世紀後半整個華人世界里最神祕且具爭議的人物。

　　張愛玲從中國出走，不僅呼應更預示了日後她文壇際遇的關鍵性轉折。此前，她是一名一九四〇年代上海淪陷時期的文壇明星，以創作流行浪漫故事的才情受到廣泛認同。在一九五〇年代到一九八〇年代的中國大陸官方文學史中，張愛玲的名字卻徹底消失了。然而她寫於一九四〇年代的短篇小說在台灣、香港和其他海外社群擁有穩定的粉絲群，這主要歸功於旅美文學批評家夏志清（C. T. Hsia, 1921–2013）。他在影響深遠的論著《中國現代小說史》（*A History of Modern Chinese Fiction*）中對張愛玲推崇備至。若說張愛玲從所謂的中國本土中心出走只是冷戰政治的症候性體現，那麼她在一九九〇年代以壓倒性的姿態回歸幾近所有的華語社群，便意味著某種從冷戰創傷中的復原方式。更重要的是，它代表了不同華語世界間的新聯盟，這些世界為了因應全球化已然重組。就某種意義上說，張愛玲屬於所有時代。張愛玲以文學見證了華文世界中各種政治和社會歷史，她的一生充滿了試煉與磨難，促使我們就歷史（文學史是其具體形式之一）這個概念本身進行批判性的反思。不同地域的讀者對張愛玲作品的接受不盡相同，這是否也標誌歷史本身的偶然與非理性？屬於任何地方，也不屬於任何地方的張愛玲，詮釋了不同華文地區的哪些集體現代經驗？

　　如果張愛玲本人可以就「歷史是如何創造的」發表觀點，她會如是說，一如一九四〇年代她所敘說的一則則故事，歷史是朝向毀滅的宿命前行。在短篇小說集《傳奇》第二版的前言中，她帶著些許憂鬱的筆調寫道：

　　時代是倉促的，已經在破壞中，還有更大的破壞要來。有一天我們的文明，不論是昇華還是浮華，都要成為過去。如果我最常用的字是「荒涼」，那是因為思想背景裡有這惘惘的威脅。

　　這些表述當然不是用來解釋某種虛無主義世界觀。張愛玲本人也無法跳出所謂的自我毀滅的歷史，她在其中也扮演了一個悲劇角色。如果把這番觀點和《傳奇》中的故事並置，它們傳達了張愛玲對現代性的整體理解：現代性意味著暴力和創傷。這一灰暗的看法可以說呼應了二十世紀華人的集體經驗，但卻和官方論述大不相同。張愛玲也與五四典範扞格不入。她書寫另一種關於現代性和文學史的觀點。

　　張愛玲小說關注暴力和創傷的日常性，這種暴力和創傷，不被權威歷史所敘述，卻盡顯於普通人的心理狀態。張愛玲多數作品關注無家可歸、被剝奪權力的個體，尤其是女性。她將人物置於複雜的愛情和微妙的家庭關係中，場景經常設置在從傳統向現代過渡階段的中國社會，或是第二次中日戰爭的頹敗氛圍中。這些故事儘管以浪漫關係為中心，卻不符合西方浪漫故事或感傷小說的模式。在張愛玲的現實主義描繪中，大多角色都是「普通人」，但她們「比英雄更能代表這時代的總量」（〈自己的文章〉）。張愛玲的現實主義與二十世紀三、四〇年代、主要由中國左翼作家宣揚和實踐的經典現實主義不同。絕大多數左翼現實主義實驗建立在革命或民族主義的政治理念上，而張愛玲離經叛道，她不把被污辱、被損害的人物等同無產階級成員。從一開始，張愛玲就是從鴛鴦蝴蝶派的通俗小說，以及經典的傳統白話小說如十八世紀的《紅樓夢》等，汲取不一樣的靈感，表達與「普通人」的感同身受。她模仿傳統小說的風格，導致某些人批評她沒有直面重大的政治主題和社會問題。儘管論者盛讚張愛玲早期小說的形式技巧和語言，但整體而言中國文學界對她的作品語焉含混。

　　實際上，張愛玲絕非政治冷感。面對人際關係的微妙和民族歷史危機中的倫理與權力問題，她的纖細敏感超乎尋常。例如《金鎖記》中，她專注描繪大戶人家中的權力鬥爭與壓迫。女主人公曹七巧初登場時，是一位不知人心險惡的新嫁娘。隨著故事的進展，她逐漸轉變成滿腹怨苦的寡婦和虐待子

女的母親。她此前的受害經歷反倒轉成虐待狂心理。張愛玲一邊揭露「普通人」面對的不公不義，一邊也時刻提醒讀者：受害者也同樣可以是加害者。雖然她有時也像流行小說一樣提供皆大歡喜的結局，但是她對人心陰暗面和欲望細緻入微的探索，令她的作品有別於絕大部分市場導向的通俗文學。

在另一種意義上，張愛玲是中國現代文學史的局外人。她通雙語，既用中文書寫，也用英語創作。她最早的作品是1940年代初投給英文報紙《上海泰晤士報》（*Shanghai Times*）和英文雜誌《二十世紀》（*XXth Century*）的一系列英文散文。儘管這些散文是為了那些對中國文化習俗知之甚少的英文讀者所寫，其中部分篇章卻明顯流露出張愛玲對中國文化和跨文化交流眼光獨到。她的短篇小說儘管都是中文創作，卻傳達出獨特的跨文化的敏銳。在諸如《沈香屑》和《紅玫瑰與白玫瑰》等愛情小說中，張愛玲特別關注東西跨文化交流中失衡的權力關係，並嫻熟地描繪了在殖民城市，跨族群關係中細密、複雜的感情糾葛。

在香港短暫居住兩年後，張愛玲的雙語寫作因移居美國而轉向。她迫切希望吸引冷戰時期華文世界以外的讀者關注，於是和美國新聞署（United States Information Agency）合作。美國新聞署的主要任務是藉由文化交流與宣傳，加強美國的全球影響力。這次合作她將愛默生（Ralph Waldo Emerson, 1803–1882）的文章和海明威（Ernest Hemingway, 1899–1961）的長篇小說《老人與海》（*The Old Man and the Sea*）翻譯為中文，並以英文寫作兩部帶有明顯反共色彩的長篇小說《秧歌》（*The Rice-Sprout Song*）和《赤地之戀》（*Naked Earth*）。這兩部小說將她捲入了不利於她的冷戰歷史地緣政治中，然而小說證明她一如既往，給了受苦受難普通人發聲的機會。張愛玲對日常細節的描寫駕輕就熟，筆下中國人的日常生活也顯得層次豐富，這種能力讓她或多或少超越了冷戰時期地緣政治對華人作家的局限，同時也避免了對中國事物東方主義式的抽象概括。

移居美國後，張愛玲用英語重寫了早期的一些作品。儘管英語得心應手，她的嘗試大多差強人意，有時甚至一敗塗地。在1995年去世前的幾十年間，張愛玲選擇了一種離群索居、自我流放的生活。但從她去世後始出版的作品——《小團圓》、《雷峰塔》（*The Fall of the Pagoda*）和《易經》（*The*

Book of Change）——可以看出，她念茲在茲的主題仍舊離不開中國生活和一去不復返的世界。她早期的故事在在透露出，縈繞不去的往事更容易激發她的想像力，面對未來的允諾她則顯得無動於衷。

　　張愛玲的短篇小說在華文世界的影響力遠遠超過在英語世界。然而，如果因此便認定她在美國期間的創作不值一提，未免失之過嚴。儘管身陷語言和文化差異深淵，儘管身為一個懷才不遇的移民作家，張愛玲仍然是雙語和跨文化寫作實驗的先驅。或有論者從民族主義出發理解「中國性」（Chineseness）的概念以及中國文學史，強調語言的純粹性。張愛玲的作品整體而言質疑了這種看法。透過她的雙語寫作，我們得以洞察中國現代文學史中一個為人忽略的面向，也就是具有跨文化背景的離散移民作家和非中國作家，用非標準中文或非中文所創作的作品，正在中國境外各個不同地區流通。張愛玲預示了中國文學蔓延的全球版圖，也因此，時至今日她的作品仍和我們息息相關。

參考文獻：

張愛玲《赤地之戀》（香港，1954年；後來以 *Naked Earth* 為標題於2015年在紐約發表）。

張愛玲《傳奇》（上海，雜誌社，1944年）。

張愛玲《紅樓夢魘》（台北，皇冠文化，1976年）。

張愛玲《流言》（上海，五洲書報社，1944年）。

張愛玲《小團圓》（北京，十月文藝出版社，2009年）。

Han Bangqing, *The Sing-Song Girls of Shanghai,* trans., Zhang Ailing (New York, Columbia University Press, 2007).

Zhang Ailing, *The Book of Change* (Hong kong, Hong Kong University Press, 2010).

Eileen Chang, *The Fall of Pagoda* (Hong Kong, Hong Kong University Press, 2010).

Zhang Ailing, *The Rice-Sprout Song* (New York, 1954).

Zhang Ailing, *Rouge of the North* (London, 1967).

沈雙 撰，唐海東 譯

1952年10月14日

「專利獲批准：林語堂設計的中文打字機走向全球」

林語堂與「明快」打字機

　　1946年4月，林語堂（1895-1976）發明的中文打字機，向紐約美國專利局提交一份申請。與此前嘗試不同的是，這種中文打字機極可能是革命性的發明。鍵盤包括二十六個拉丁字母，六十四個拆解自漢字的方塊鍵，能夠打出九萬個漢字。僅僅是構思的成型，就已耗費林語堂多年時間。他經歷過數次失敗，與賽珍珠（Pearl S. Buck, 1892-1973）及其丈夫沃爾什（Richard Walsh, 1886-1960）的友情也因此受影響——是他們邀請林語堂到美國從事寫作，向美國人介紹中國。然而與其寫作的成功恰恰相反，這項發明打字機的冒險嘗試，使得林語堂負債高達十二萬美元（以現在標準而言，這筆錢相當於一百四十萬美元）。但他的努力是值得的，這種「明快」打字機將漢字書寫體系導入了電傳打字機、無線電電傳打字電報機、萊諾（Linotype）排字機的尖端技術領域。不僅如此，它也將漢語推向了世界舞台，參與冷戰時期的軍事研究、密碼使用法以及機器翻譯，乃至於中國自身的語言戰爭中。

　　甚至連林語堂也始料未及，自己對打字機的癡迷竟然會引發如此波瀾起伏的連鎖反應。作為二十世紀上半葉中國最著名的中英雙語小說家和散文家，林語堂對漢語一往情深。除了思考某個特定漢字如何在不同時地而發音不同，以及轉寫與分類讀音的最佳方法外，林語堂也立志將漢字書寫轉化為一種現代科技。這與十九世紀晚期漢字書寫的改革息息相關。西方傳教士在這方面，起到了一定的帶頭作用——他們引進了新的轉寫體系，用以快速掌握漢語，俾便使用異教徒之語言傳播福音。繼這些先例之後，中國人也開始

設計較為簡單、以語音為基礎的書寫體系，目的在於減少中國文盲的比例。以激進的科學客觀性為名義，部分早期中國改革家，主張完全廢除漢字。

　　到了林語堂的時代，漢字的書寫難度，普遍被視為妨礙中國實現現代化的障礙。然而隨著民族主義的興起，廢除漢字成了天方夜譚。人們將注意力轉向該如何改善及挽救現存的書寫體系——學會它們相當耗時，做到運用自如則要付出更大的努力。其時中國人力求通過翻譯大量吸取西方知識，使傳統的「中學」與時俱進，確保中國在國際關係中不要居於劣勢。為了滿足現代化的需求，漢語存在許多不足之處。重要的知識分子、改革家胡適（1891-1962）曾經指出，漢字的書寫問題，是所有挑戰中最大的。他同時也承認由於技術上的極端枯燥以及辛苦費力，改革漢字書寫並非清高知識分子所願意從事的工作。但他也堅持認為這方面的努力至關重要且不可或缺。像重組和翻新「國學」遺產這樣的基礎工作——更別提在字典中輕鬆查找一個字這類更基本的事——全都仰仗著這項入門技術。因此對於信息和貿易的流通與控制而言，如何解決漢字書寫問題，影響極其深遠。而對於正在如火如荼進行的基礎建設，信息、貿易的流通和控制，繼而轉化為對國有產權的保護。

　　林語堂和一些人共同接受了這項挑戰。儘管「明快」打字機是一項獨立的成就，但其概念上的深厚淵源，卻是其來有自。一九三〇年代，林語堂以寫作上獨具特色的幽默感及優美風格，在中國和美國皆確立了作家聲譽。在此以前，他與著名的語言學家趙元任（1892-1982）、錢玄同（1887-1939）一起參與了中國進行的國語標準化的迫切工作。他大力地主張國語的拉丁化／拼音化，即一種以北方官話為基礎的字母體系。與他們主張不同的是，瞿秋白（1899-1935）在俄語啟發下提出以地方方言為基礎的拉丁化體系（「拉丁化新文字」）。林語堂將研究擴展到傳統的聲韻學和方言學，在中國豐富的古代聲韻，以及現代西方語言學中尋求靈感。1923年，他獲德國萊比錫大學歷史音韻學博士學位，博士論文研究的正是中國傳統音韻學。他對所學抱持一種批判反思的態度，反對不加甄別地輸入現有的、簡單的英文拼寫模式，不贊成通過簡單的挪借與替代來解決漢字書寫的問題。一九三〇年代早期，瑞洽慈（I. A. Richards, 1893-1979）試圖憑藉與C. K. 奧格登（C.

K. Ogden, 1889-1957）所合著的《基本英語》（*Basic English*）一書，打入中國的教學市場。其體系只包括了區區八百五十個英文單詞，讓林語堂不但覺得相當匱乏，且認為其中帶有一種殖民主義的目的。與此不同，林語堂相信中國有其自身達成拼音拉丁化以及簡化漢字書寫的途徑。

　　從一九一〇年代開始，關於漢字書寫的媒介問題，林語堂有了自己的思考。在1917、1918年撰寫的兩篇關於中國傳統詞典學的文章中，他首次討論了如何依照經驗性和可預知的規律，對漢字進行分類、編排、以及檢索。他的觀點引發了一場尋找最佳「漢字檢索法」的競賽。這場自下而上的運動從一九二〇年代延續至一九四〇年代，吸引了社會各階層人士提交數百份的提議與方案。與此同時，中國正處於政治上最為動盪，分裂最為嚴重的歷史時期。但不知為何，這場運動卻發展成一個風行一時的休閒活動，全國一致。工人、圖書館員、官員、業餘愛好者、語言學家，以及記者編輯等全都熱中投入——或許是為了將注意力從當下黯淡的現實轉移開來。在所提交的方案中，有些雖然較為突出，但作為這場運動的發起者，林語堂仍然保持了領先地位。其他人繼續在他最初提議的基礎上，亦步亦趨或是尋求改進，他卻早已把注意力轉回到中文打字機的問題上。他最初提議要依照對漢字構成元素的重新定義來解析漢字，回復漢字結構，而不是依照整個漢字或傳統的偏旁部首。這是一項前所未有的突破，也是「明快」打字機的鍵盤得以發展起來的基礎——然而，更多的艱難考驗正等著他。

　　從提交專利申請到1952年10月專利被批准的這段時間，林語堂展開了無數的推廣活動，也接受了無數次的採訪——為的是展示他的發明。他的女兒，也是他後來的傳記作家林太乙（1926-2003）與他一起在宣傳照片中合影，也參與打字機的現場展示活動。她扮成一名打字員，林語堂則手拿菸斗站著，姿態看上去很悠然。然而，1947年發生的事件，幾乎使他一蹶不振。那年夏天，紐約曼哈頓的雷明頓（Remington）打字機公司，表示有興趣看一看林語堂的樣機——該公司在1921年曾試圖研發一種以語音為基礎的漢字書寫鍵盤，但未能成功。一天下午，林語堂將打字機仔細包裝，在傾盆大雨中出席這次會面。在會議室中十位雷明頓公司的高層主管面前，林語堂介紹這部機器運作的原理以及其重大意義。接下來，他示意女兒開始演示。據林

太乙後來回憶，她打開機器，在每個人的注視下按下了一個鍵鈕，打字機卻沒任何反應。她按下第二個鍵鈕還是沒反應。會議室內一片死寂，連一根針掉到地上的聲音都能聽見。隨著在座的人開始漸生疑慮，敲鍵盤的聲音漸漸微弱，在長長的會議桌前開始有人相互耳語。這時，林語堂自己嘗試在機器上打字，但只不過證實了他的徹底失敗和尷尬處境。

　　這一次打字機沒能啟動，是由於機械故障。事實上，他所遭受的挫折，在中文打字機史上絕非個案。即使在運作完全正常下，一個理念也會很快地被另一個理念超越。美國長老會傳教士謝衛樓（Devello Zelotos Sheffield, 1841-1913）1897年所發明的中文打字機，是最早也最笨重的一部。其外觀既像一台留聲機，又像現代電台音樂主持人的轉盤桌，用起來要花費相當大的力氣。後來的中文打字機，都是由海外華人和國內的中國人所製作的。周厚坤（約1889-?）和舒震東先後為中國出版業龍頭商務印書館所聘用，曾是家喻戶曉的人物。在商務印書館的支持下，通過借鑒周厚坤的樣機，舒震東所製作的打字機，在1926年費城舉辦的世博會一百五十週年紀念展會上展出，並贏得一個獎項。在不具備如商務印書館這樣強而有力後台支持的情況下，其他發明者，就採用別的方法力圖技高一籌。眾所周知，像俞斌祺這樣的業餘發明者，因為剽竊了一種日本打字機而遭到調查。正是因為其剽竊行為，他後來還被當成漢奸而遭受雙重迫害。林語堂在專利申請中，沒有提及這些中國的發明者。相反的，他指出一些其他先例——同他一樣，這些人非常了解西方打字機製造的機械原理，以及西方的文字學原理。其中包括政府派出的大使隨員夏邦（Pan Francis Shah），一位曾就學哥倫比亞大學的學生祁暄，以及中文電傳打字機發明者高中芹——後者是林語堂最強的競爭對手之一。

　　當專利申請尚未被批准、資金卻即將告罄之際，林語堂依然堅持其推廣活動。1947年春天，在極度窘迫下林語堂聯繫了賽珍珠夫婦——他們是負責出版林語堂英文作品的出版公司老闆。林語堂坦言需要一點資金挹注該項項目。賽珍珠遺憾地表示拒絕，林語堂因而處境變得極其窘迫，他們多年的友誼也因此產生一道深深裂痕。1951年，林語堂最終以兩萬五千美元的價格，將專利權賣給了墨根特勒（Mergenthaler）萊諾排字機公司。

　　由於運作費用非常高，「明快」打字機從未被投入大量生產。但商業價值上的失敗，卻標誌了一種意外後續效果的起始。大約與此同時，美國空軍啟動了一個研究項目，考察機器自動翻譯的可能性——這一項目一直延續到一九七〇年代。雖然冷戰時期該項目的目標語言主要是俄語，但美國空軍對語言的研究極感興趣——尤其是針對那些具有複雜語義單位和句法規則的語言。這促使他們開始關注中文。經過多次訪詢，他們最終認定他們需要林語堂發明的指數化打字鍵盤，作為進一步研究的原型。接下來，他們將此項目移交給國際商業機器公司（IBM）。

　　與美國多所大學漢學家合作，IBM的研究中心自一九六〇年代開始，便全力開展這一項目。1963年夏天，IBM在《科學人》（*Scientific American*）雜誌發表自己研發的「中文寫手」（Sinowriter），當中提到了對機器翻譯英、俄兩種語言所作的並進研究。在金（Gilbert W. King）的領導下，研究團隊發展出一種影像儲存和檢索視覺信息系統，大幅提高機器儲存和檢索漢字的速度，以及其記憶功能。從根本上說，他們掌握了一種提高處理功效的方法，但是缺乏一種適當的鍵盤付諸實現。他們缺乏的正是一種中文鍵盤——這種鍵盤應該要相對容易掌握，使用者不一定要懂得漢語。至關重要的是，林語堂的「明快」打字機功能，就是任何人都能很快上手。使用過程包括三步驟：第一步，在無需讀懂中文的情況下，使用者區分出一個給出的漢字示例的上下部分。第二步，在鍵盤上找到與這兩個部分對應的鍵鈕，然後同時按下這兩個鍵鈕。這時，依照林語堂先前對漢字分類法的研究進而得出的統計分析，將會有五至八個符合要求的漢字，顯現在靠近打字機頂部的窗口顯示器。這個窗口顯示器或稱「魔術閱讀器」中的漢字，是由一個內置卷筒推動而被顯示出來的漢字字符——依照最初按下的那兩個鍵鈕間的一種對應關係，這個卷筒被調整到了適當位置。一旦從所列出的、可供選擇的字符中，挑出了想要的那個字符，打字者敲下八個鍵鈕中與選中字符號碼一致的鍵鈕

　　這八個鍵鈕是按照數字1到8的順序排列的。今天的中文軟件是一種相似的設計，先針對想要的字符進行假設，其方法是在輸入後，一個水平展示窗口將會列出一系列可能的待選字符。任何涉獵過這種軟件語言的人都會發現，這無疑是承繼了林語堂最初設計的視覺選擇方法。

　　林語堂這種提取漢字字符法的設計，為漢語提供了一個與外在世界聯繫起來的關鍵交接點。它通過另一扇門登上國際舞台。任何超前於其所處時代的觀點，都曾遭受這種默默無聞的待遇。放棄按照部首偏旁分類的舊體系，這一想法繼續在當前數位化時代中發揮著巨大影響，更新了對漢字書寫的結構邏輯的觀念，即字符的每一部分都要發揮其作用，就如同字母表中的字母一樣。由此，漢字書寫能夠被拆解、再重組，成為一種由有限的基礎單元進行編碼或者解碼的語言，同時它也在電腦螢幕上首次亮相。

　　這種提取漢字字符的體系，是一次成功的沒有字母表的字母化，沒有羅馬的羅馬化。從其最終意義上來說，它實現了中國在二十世紀初所確立的現代性雙重要求，即同時擁有「賽先生」（科學）和「德先生」（民主）。林語堂發明的打字機，是對中文這一充滿文化意蘊的象徵所做的一項科學演繹。任何人都能夠使用它——包括外國使用者。相較於通過拼音或其他語音體系將中文拉丁化的努力，這種對語標結構（logographic structure）的重新定義，才是語言學上真正的一次革命。歸根究柢，你可以將漢字書寫與字母表分離，但無法將基礎結構單元與漢字分離。

石靜遠（Jing Tsu）撰，金莉 譯

1953年2月
紀弦發表現代派信條

現代派在台灣

　　戰後台灣現代主義的發生，用鄭愁予（b. 1933）有名的詩句來說，應該是個「美麗的錯誤」。

　　國民黨政權退守台灣，痛定思痛，務求武裝文化思想，抗拒赤化威脅。五〇年代的文化論述，從反共文學到戰鬥文藝，強調的無非是意識形態的正確性，對形式的要求，則不脫狹義的寫實主義。彷彿只要能夠掌握文字複寫現實的竅門，就能夠通透人生，直達真理。

　　這樣對寫實主義的堅持，其實延續了五四文學「文以載道」的信條，而且很吊詭的，竟然和彼岸文學的現實主義風潮，有異曲同工之妙。然而國民黨畢竟不是共產黨；它的文工機器再怎麼運作，總是百密一疏。也虧得如此，現代主義「達達的馬蹄聲」，敲開了一輩台灣文人的心防。

　　1953年2月，紀弦（1913-2013）創立《現代詩》季刊，開宗明義，要求以「橫的移植」代替「縱的繼承」。「新大陸」有待探險，「處女地」必須開拓；「知性」需要強調，「詩的純粹性」成為圭臬。紀弦在三〇年代就側身上海的《現代》雜誌圈，之後創作不輟，始終堅持現代主義風格。當他渡海來台後，憑著前此的經驗登高一呼，自然有相當傳承意義。

　　但戰後台灣的現代主義也另有其他淵源。日據時代的作家像楊熾昌、龍瑛宗、楊雲萍等，都曾取法日本的創作、翻譯，淬練出饒富現代主義風格的詩文小說。尤其楊熾昌與同仁組成的「風車詩社」，堪稱是戰前台灣現代主義的主要陣營。戰爭及戰後初期又有「銀鈴會」的成立，接續了風車詩社的

實驗傳統。「銀鈴會」部分成員如林亨泰、詹冰等在五○年代繼續寫作，並與大陸來台的詩人往還。至此，現代主義的基礎已經奠定。

到了六○年代初期，又一輩的年輕作家崛起。他們受到歐風美雨的影響，面對乏善可陳的文壇現況，莫不有躍躍一試的野心。其中最令人矚目的應該是由白先勇等台大學生創立的《現代文學》這份刊物，還有其他先後出現的刊物如《創世紀》、《藍星》、《現代詩》、《文季》、《笠》等，對六○年代台灣文學的面貌，都有深遠影響。

如前所述，現代主義風潮在此時台灣出現，有其外在因素。冷戰期間的國際情勢，台灣孤立而不確定的政治位置，政府的高壓統治，在在對有心作者形成桎梏。而西方戰後的藝文思潮，從存在主義到荒謬主義、心理分析，再到實驗小說、劇場、電影，更成為島上的知識分子和作家的借鏡。

而現代主義者最終的挑戰是文字形式。恰與標榜反映人生的寫實主義相反，現代主義作者操作晦澀的文字意象，內向化的敘事，荒誕疏離的人生情境，究其極致，他們的寫作姿態和形式，**就是**他們的寫作內容。他們「自行其是」，譁眾卻未必取寵，當然要讓衛道者不安。

論者不論左右統獨，往往批判現代主義離經叛道，背棄歷史現實。而現代主義都會的、舶來的、個人主義的傾向，尤其受到詬病。但如果我們探問現代主義的根源，則可知「現代」之所以為現代，正是出自對時間斷裂的危機感，對道統、意義、主體存亡絕續的焦慮心情。對照上述的五、六○年代台灣歷史情境，我們要說是現代主義，而非寫實主義，才最能體現一個時代的徵兆。作家從王文興（b. 1939）、七等生（1939-2020）到歐陽子（b.1939）等的作品，也許都蒼白而「病態」，但卻無礙他們為現實營造豐富的想像氛圍，比起日後成為正統的鄉土文學，毫不遜色。而我們記得，鄉土作家如黃春明（b.1935）、王禎和（1940-1990）甚至宋澤萊（b.1952），都曾接受現代主義的洗禮。他們的回歸鄉土，與其說是返璞歸真，更不如說是為台灣鄉土文學的「現代化」進程，作了有力的現身說法。

現代主義成員的背景差異極大，對什麼是「現代」的體會也各有不同。五○年代中期，一群大陸來台的年輕軍人在等待反攻的空隙，開始以詩歌相互唱和。洛夫（1928-2018）、瘂弦（b.1932）、商禽（1930-2010）、鄭愁

予、張默（b.1931）等，實驗文字，發揮想像，創造了一個與官方説法極其不同的世界。艾略特（Thomas Stearns Eliot, 1888-1965）、波特萊爾（Charles Pierre Baudelaire, 1821-1867）、馬拉美（Stéphane Mallarmé, 1842-1898），阿坡里奈爾（Guillaume Apollinaire, 1880-1918）──有了台灣的呼應者。

其中的瘂弦來自河南，他少小離家，卻在台灣找到文學繆思。瘂弦的創作時期不長，但他的詩歌以其題材多變，文字瑰麗，贏得廣泛好評。〈深淵〉、〈如歌之行板〉等作，寫盡一種憊賴空虛的情致：

　　溫柔之必要
　　肯定之必要
　　一點點酒和木樨花之必要
　　正正經經看一名女子走過之必要
　　君非海明威此一起碼認識之必要

苗栗詩人詹冰（1921-2004）早在四〇年代就是台灣現代派詩社「銀玲會」的成員，戰後因為政治顧慮和語言隔閡，一度停筆。五〇年代末期詹冰再度出現詩壇，並在1964年與林亨泰等人，成立《笠》詩刊。詹冰是本土現代主義最重要的引渡者之一，強調詩人「應將情緒予以解體分析後，再以新的秩序和形態構成詩」。他的風格反映在他對文字視覺風格的營造，以及知性修辭上，如〈插秧〉，〈液體的早晨〉。

1968年，鹿港少女李昂（b. 1952）寫出〈花季〉。小説中一個逃學的女高中生和一個年老猥瑣的花匠不期而遇，一起做了趟冬日花園之旅。故事結束，似乎什麼都沒有發生，而女孩已為自己上了生命中最重要的一課。〈花季〉行文寡素，卻充滿意淫象徵。李昂的早熟，還有因為早熟所造成的人小鬼大的形象，曾引來一片喧嘩，她則夷然的領我們進入一個個曲折詭媚，蠱惑瀰漫的世界。

而談現代主義創作的清堅決絕，又有誰比得上王文興？王文興出身台大外文系，六〇年代初期曾是《現代文學》健將之一。他對寫作的執著，尤其

對文字的講究，早年已可得見。〈最快樂的事〉寫性、寫虛無頹廢、寫死亡，很可以作為批判現代主義的反面教材。但王文興的用心顯然不在字面意義。文字本身的「演出」才是他的用心所在。這是一個極其骨感的短篇。暗潮洶湧的事件和情緒都被作者化為冷凝的敍述。去蕪存菁，現代主義對文學形式——甚至對生命形式——的極致要求，不能不引出內裡的兩難：求全就是自毀。

對王文興而言，行走在這兩難間，畢竟還是最快樂的事吧？以後三十年他要以修行般的姿態創作。他的惜墨如金，不會讓我們意外，而他小説內容的驚世駭俗恰恰印證他文字操作的驚世駭俗。《家變》，《背海的人》上下冊，如今早已成為見證現代主義到台灣最狂放，也最寂寞，的經典。

王德威

1953 年末

老舍，美國著名作家，據稱已死亡

老舍和美國

　　1953年末，賽珍珠（Pearl S. Buck, 1892-1973）的好友老舍（1899-1966）回中國後音訊全無，她非常擔心。1946年，中國小說家老舍受美國國務院邀請訪美，賽珍珠和她的丈夫沃爾什（Richard Walsh, 1896-1960）擔任老舍在美期間的擔保人。一九三〇年代中期，三人在上海相遇前，賽珍珠已拜讀過老舍的小說《駱駝祥子》，心生敬佩。老舍也曾以崇敬之情拜讀過賽珍珠的小說《大地》。1949年末，隨著中華人民共和國的成立，老舍決定返國。賽珍珠因厭惡共產主義與社會主義，力勸他留在美國，她確信老舍如願意留下，美國政府會給予他公民身分。賽珍珠憂慮這些極具創造性的作家，在共產主義新中國裡的人身安全。老舍對她的擔心一笑置之，他企盼著回國，相信自己能在毛澤東（1893-1976）領導的政權下獲得一席之地。老舍回國初期寫給美國朋友的信件，都是令人鼓舞和安心的，他敘說著國家環境安全而有朝氣，人民生活幸福。但由於中美關係惡化，老舍信件逐漸變少，至1953年音訊全無。賽珍珠非常擔心。在寫給曾經是老舍合作者浦愛德（Ida Pruitt, 1888-1985）的信中提到，唯一的解釋是：老舍已經死了，被政府殺害了。

　　老舍踏入美國前就已揚名美國。短短四年，更是成了美國文學界名人。一九四〇年代初，賽珍珠推動了翻譯老舍的寫實主義小說《駱駝祥子》。《駱駝祥子》1936年9月開始在上海《宇宙風》半月刊連載，至今仍為中國寫實主義小說經典之作。這本書由前美國國務院官員金（Evan King, 1906-

1968）翻譯，小說英文譯名——*Rickshaw Boy*（《洋車夫》），1945年由美國
雷納爾－希區考克出版社（Reynal and Hitchcock）出版，小說出版後竟然成
為暢銷書。一九四〇年代初，中美因戰爭關係成為盟友，美國大眾渴望了解
關於中國的所有事物。此前，老舍的朋友林語堂（1895-1976）已在美國出
版一系列暢銷英語小說，如《京華煙雲》（1939）等，為美國讀者接受《駱
駝祥子》鋪平道路。戰爭結束在即，美國政府渴望與中國建立關係，並設法
邀請一位受歡迎的中國作家到美國作「國家的客人」。他們徵詢賽珍珠以及
日後成為哈佛大學傑出歷史學者的費正清（John Fairbank, 1907-1991）的意
見，賽珍珠和費正清推薦了他們共同的朋友老舍。加之《駱駝祥子》廣受歡
迎，讓政府更易於作出邀請老舍的決定。

　　儘管老舍在中國政治裡越來越認同左翼，他對美國方面的邀請旋即接
受。1945年，美國和中國共產黨仍然保持某種外交關係，但他輕而易舉的首
肯仍然讓人驚訝。他為何如此渴望前往美國？老舍的許多左翼同行如茅盾
（1896-1981）等人如果受到邀請，是否也會如此迅速接受邀請，甚或願意
接受？令人懷疑。老舍遞交給美國國務院人事交流申請書中，顯示他對美國
意想不到的喜愛。他寫道：「美國是一個偉大的國家」，並總結，「它有一
個令人驕傲和可敬的民主傳統……然而中國現在仍然是一個剛起步的現代國
家，可以從這傳統中學到很多東西。」文章有著一股非常認真的態度，沒有
絲毫虛情假意。如果讀過這篇文章的美國官員深信老舍對美國民主的欽佩，
是因為這篇熱情洋溢的申請書，流露出作者真心相信美國的民主。

　　老舍在紐約市居住十個月。他開始與著名的作家與漢學家浦愛德合作，
將小說《四世同堂》合譯為英文。然而這項工作很快就超越簡單的翻譯關
係，浦愛德和老舍經常一起坐在房間，老舍大聲朗讀中文原稿，中文流利的
浦愛德迅速在紙上用英語寫下意思。老舍看完便糾正浦愛德的英語，並經常
改變她的措辭，過程往往持續數小時，日夜進行，工作繁重，而靈感時時閃
爍其間。他們的合作，不啻回歸至晚清時期中西文人的「翻譯／寫作分工合
作」——不僅僅是機械式地將中文譯成英文，過程中意義被創造，新的想法
迸發，原文已經改變了。「我的意思是說……」「這不是我的意思，讓我試
著找到正確的詞」「啊，是的，這就是我的意思，是的！」在這樣無止盡的

相互切磋中，一部新的文學作品誕生了。這部作品題為 *The Yellow Storm*，是中國作家老舍和浦愛德合作完成的《四世同堂》英譯本。但它的意義遠不僅於此，這是一項合作。

這部翻譯小說非常暢銷，出版商打鐵趁熱，急於推出後續。老舍開始創作新小說《鼓書藝人》，他原以為可以再次與浦愛德合作英譯本。然而他們的關係日漸惡化，老舍向賽珍珠抱怨，浦愛德在合作翻譯過程，態度過於強硬。她對「中國」有一些先入為主的成見——一如今日所稱的「東方主義」。老舍在寫給編輯的一封動人信裡，描述了他寫小說的願望，他希望用「苦力」的語言，呈現「苦力眼中所見」的世界。他想改變洋人對中國苦難東方主義式的奇觀式看法，著重於「苦力」本身意味著什麼。浦愛德是一個傳教士的女兒，一心一意想像「老北京」，兩人再也無法達成一致的意見。浦愛德覺得她的貢獻應該獲得更多回饋。事實上，她告訴出版商希望與老舍翻譯的下一部小說，可以與老舍並列，因為她所做的「不僅僅只是翻譯」。浦愛德認為自己是一位創造者，她不想屈居老舍之下，自認與老舍享有同等地位。

即使與浦愛德的合作關係瓦解，老舍對美國文壇仍然寄予厚望。他對一九三〇年代「美國民主」的觀念產生了濃厚興趣，他看到了美國文學中理想主義傳統的源泉。在友人左翼記者兼小說家史沫特萊（Agnes Smedley, 1894-1950）的協助下，他獲得紐約州北部「雅鬥作家基地」（Yaddo Writer's Colony）的邀請，在那裡度過數月。第一個月是愉快的：早晨陽光充足，有安靜的寫作時間，下午和晚上則有可口的飯菜，以及與作家同伴激動人心的暢談。但雅鬥的日子很快變了，這是美國「紅色恐怖」的開始。著名美國詩人及爾後的冷戰主義者洛厄爾（Robert Lowell, 1917-1977）決定圍剿雅鬥的左派作家，他稱這些作家為反美的「共產主義者」，史沫特萊成了他的首要目標。在洛厄爾看來，史沫特萊的作品令文學被政治玷汙。洛厄爾曾是一位極端現代主義者，崇尚純粹主義的藝術觀，認為文學作品是獨立於政治或社會背景，是個人天才的具體表現。反諷的是，洛厄爾非常滿意以此作為一種意識形態、一種政治武器，攻擊日益流行的蘇聯文學理論。無論如何，史沫特萊不得不離開。中央情報局特工監視雅鬥內史沫特萊一樣的左派同路人，

老舍也遭到池魚之殃，陷入了多重困境。這也許是老舍在美國最離奇的時刻：一位不具名的中央情報局特工在見過他以後，寫了一篇簡短報告。他認出老舍是「舒（Shoe）先生」，一位有些知名度的中國作家。

中華人民共和國成立，熱烈邀請老舍於1949年底返國，他接受了。作為一位文化激進派，他認為新中國希望無窮，特別是中國文化的復興，他迅速再開始以中文寫作。一九五〇年代初，老舍發表了一些符合中國文學典型精神的散文及小說，他加入不斷擴大的左翼作家陣營，批評美國是帝國主義、資本主義國家，但他仍然保持著與美國的聯繫。在公開場合他抨擊美國文壇，私下卻給賽珍珠和沃爾什寫溫馨的私人信件。他甚至繼續接受《四世同堂》英文版的版稅。他告訴賽珍珠，這筆錢讓他位於北京的住宅得以翻修。也許老舍只是在中國扮演眾所期望的角色。這時期他的反美言論真槍實彈，而寫給美國朋友的私人信件，又透露真情實意，或許他正掙扎其中，有以致之。

在中國的政治氛圍下，老舍很快就無法再繼續與美國友人保持聯繫。到一九五〇年代中期，老舍與賽珍珠等人中斷聯絡。美國的朋友對此做了最壞打算。事實上，往後十年，老舍在中國生活得相當不錯，文學成就也非常可觀。他是否想念過太平洋彼岸的那些朋友？我們無從得知。此後他再也沒有以書信或任何文字，提及那些美國朋友和他的美國歲月。過去似乎從記憶中消失，從來不曾存在。但我們知道老舍的內心一直掙扎著。這時期的著作充滿了對中國新政權的矛盾，共產主義革命後，他在香港觀望了很長一段時間，日後才應周恩來（1898–1976）之請回國。

一九六〇年代中期，老舍的悲劇終於上演。文化大革命一開始，這位受人尊敬的作家便成為國家的目標，遭受嚴重迫害。1966年8月，據稱他在北京投太平湖自盡。中國著名作家老舍走向了最令人扼腕的結局，這與他的另一個身分——美國著名作家老舍一樣，二者同樣因為毛的革命政權而被迫了斷。

他最後的想法是什麼？當太平湖水進入他的心肺，意識永遠消失前，他的腦海裡曾閃過什麼記憶？他有沒有想起那曾經的美國歲月？那段時光他是否曾感到美好？他曾後悔離開美國嗎？我們揣測他最後的想法，不由興起一

種改寫歷史事實（counterfactual history）的擬想。如果老舍留在美國且成為美國公民，他可能仍然是重要的美國作家。也許他會在二十世紀六、七〇年代，加入甚至（如他所長的）引領正在崛起的亞裔美國人的政治和文學運動。今天他可能會像湯婷婷（Maxine Hong Kingston, 1940-）或趙健秀（Frank Chin, 1940-）等重要的亞裔美國作家一樣為世所矚目。這類反事實的擬想令人低迴不已，特別是因為老舍的死本可避免。他本可留在美國，但卻執意求去。老舍曾對美國種種不以為然，但我們所知道的就這麼多。如果我們還記得他的美國時光，並想像歷史的另一種可能性，我們就應該永遠記住老舍的「選擇」所蘊藏的悲劇：在美國鬱鬱以終，還是在中國死於非命。無論如何，老舍未竟的故事已隨他永遠沉入湖底。

參考文獻：

夏志清《中國現代小說史》（上海，復旦大學出版社，2005年）。

C. T. Hsia, *A History of Modern Chinese Fiction* (Bloomington, IN, Indiana University Press, 1999).

Lau Shaw [Lao She], *Rickshaw Boy,* trans., Evan King (New York, 1945).

David Der-wei Wang, *Fictional Realism in 20th Century China: Mao Dun, Lao She, Shen Congwen* (New York, Columbia University Press, 1992).

蘇真（Richard Jean So）撰，張屏瑾 譯

1953年
王蒙（b. 1934）寫作《青春萬歲》

2019年
王蒙發表《生死戀》；〈地中海幻想曲〉

已經寫了六十七年

　　從1953年寫《青春萬歲》時算起，我的文學寫作已經六十七年。2019年中篇小說《生死戀》與小小短篇小說〈地中海幻想曲（兩則）〉發表。那代表我進入第六十六個寫齡了。

　　不知道是什麼命運，《青春萬歲》（1979）是寫了四分之一個世紀以後才全文出版的。而《這邊風景》，是1973年開始寫作，過了四十年，2013年才全文出版的。能耐受數十年的銷磨，然後至今仍然出現在書店裡、出現在青年的閱讀中，這倒是少見的安慰。

　　回想我出生三年後，1937年日軍占領北京，我的整個小學階段是在占領軍的刺刀陰影下度過的。1945年二戰結束，我的愛國主義激情燃燒。從1946年十一歲餘就與中共的地下組織建立了聯繫，我破例被吸收為中共地下黨員。我是一個入世很深的人，擔任過高高低低的各種領導職務，但我堅信自己是真正文齡長的寫作人。甚至擔任文化部長時候，也沒有停過筆。

　　與一些從事寫作的朋友不同，我學生階段同時極度喜愛數學和文學，喜歡邏輯推理論辯，喜歡語言文字抒情。少年時期我立志做一個職業革命家。到了1952年，我被「五年計畫」所吸引，甚至想報考土木建築專業，這些都沒有實現。革命的凱歌行進，中華人民共和國的百廢俱興，在一代青少年心靈激起的

波瀾，我久久不能忘懷。我還感覺到，這樣的青春激情、革命激情、歷史激情，未必能長久保持下去，只有文學能延伸我們的體驗，能記下生活、記下心緒，能對抗衰老與遺忘，能煥發詩意與美感，能留下痕跡與笑容，能實現幻想與期待，能見證生命與滄桑。能提升與擴容本來極其渺小的自我。

「所有的故事都是好故事」，很奇怪，這句話不是小說家而是前美聯準會（Fed）的主席柏南克（Ben S. Bernanke）講出來的。文學使一切都不會糟蹋：愛情是美麗的，失戀也可能更動人；一帆風順是令人羨慕的好運，飽經坎坷的話，則意味著更多更深的內心悸動。獲得是舒適的，而失落的話是更好的故事胚芽。甚至窮極無聊的最最乏味的煎熬經驗也能成為非同尋常的題材，如果你是真正的文學人。

開始，寫作如同編織。如我的詩：「所有的日子都來吧，讓我編織你們。」後來，生活遭遇如同傳奇故事，荒唐的經歷，其喜劇性超過了悲劇性。我始終鼓勵著自己，如我的詩：「不，不能夠沒有鳥兒的翅膀，不能夠沒有勇敢的飛翔，不能夠沒有天空的召喚，不然生活是多麼荒涼。」

還有我在新疆的十六年經驗，我手抄的波斯詩人迦謨（即海亞姆，Omar Khayyam, 1048-1122）的烏茲別克語譯文：「我們是世界的希望與果實，我們是智慧的眼睛的黑眸子，若是將宇宙看作一枚指環，我們就是鑲在上面的寶石。」

2020年，我已經滿八十六歲了，中國的說法是青春作賦，皓首窮經。我近年也寫過不少談「孔孟老莊」的經典的書，同時我一直興高采烈地寫著新的小說。只有在寫小說的時候，我的每一粒細胞，都在跳躍，我的每一根神經，都在抖擻。

文學是我給生活留下的情書。文學是我給朋友留下的遺言。文學是人生的趣味和佐料，辣與鹹、酸與甜、稀與稠、鮮活與陳釀。文學，是比我的生命更長久的存在。

我也喜歡德國作家葛拉斯（Günter Grass, 1927-2015）對「你為什麼寫作」的回答：「因為別的事沒有做成。」雖然有些小朋友對我的引用表達了遺憾。他們終究會明白，畢竟我絲毫無意貶低文學。

王蒙

1954年3月12日－7月13日

胡風在朋友們的協助下，趕寫完成《關於解放以來的文藝實踐情況的報告》
（即「三十萬言」）

胡風和他的追隨者

1954年3月12日至7月13日的某一天，北京地安門內太平街甲二十號胡風
（1902-1985）家小院的客廳內，賓朋滿座，氣氛嚴肅而熱烈。胡風正在與
他在京的幾位親近的朋友——蘆甸（1920-1973）、路翎（1923-1994）、
綠原（1922-2009）、謝韜（1922-2010）等，進行文藝理論的模擬答辯。
據綠原回憶，在胡風全力撰寫準備提交中共中央的長篇報告《關於解放以來
的文藝實踐情況的報告》的整整四個月的時間裡，這樣的模擬答辯進行過多
次。每當胡風進入答辯情境之時，這位身材高大的理論家，總是情不自禁地
站起身來，在「客廳裡走來走去，滔滔不絕地辯駁著」。

胡風辯駁的對象是林默涵（1913-2008）和何其芳（1912-1977）。作
為建國初期文藝工作領導層的理論代表，林默涵和何其芳分別在1953年《文
藝報》的第2號和第3號上發表了〈胡風的反馬克思主義的文藝思想〉和〈現
實主義的路，還是反現實主義的路？〉。這兩篇署名文章，同時也標誌著建
國之後反對胡風文藝思想的運動進入全國性公開批判的階段。

胡風，1902年出生於湖北蘄春。1929年赴日留學，在日期間加入了日本
共產黨，參加日本普羅文學研究工作，接受了馬克思主義文藝理論。1933
年，因為從事反對日本侵華的宣傳活動，遭日本當局逮捕並被驅逐回國。回
到上海之後，胡風擔任過一段時期的左聯宣傳部長、行政書記，但很快就由
於與時任黨團書記兼組織部長的周揚（1908-1989）工作思路發生分歧以及

個性不合，被後者排擠出左聯。從1935年開始，胡風在魯迅（1881-1936）的鼓勵和支持下，選擇了自由作家的生活方式，主要寫作文學評論，並很快以第一本評論集《文藝筆談》（1936）中的〈張天翼論〉和〈林語堂論〉，奠定了左翼首席批評家的聲譽。至中華人民共和國成立初期，胡風共有九本評論集面世。

1937年7月，全面抗戰爆發，胡風隨即創辦了大型文學刊物《七月》，總共發行週刊、半月刊和月刊三十餘期，一直堅持到1941年才被迫停刊；1945年，胡風又創辦了大型綜合性文學和文化批評雜誌《希望》，至1946年共出版兩集八期。在近十年的時間裡，胡風依託著《七月》和《希望》以及與這兩大雜誌緊密相關的系列「七月叢書」，發現並培植了一大批充滿生機的左翼作家，後來的文學史家把這些追隨在胡風身邊的作家統稱為「七月派」。「七月派」中較著名的有報告文學和詩論作家阿壠（1907-1967），小說家丘東平（1910-1941）和路翎，詩人艾青（1910-1996）、田間（1916-1985）、綠原和牛漢（1923-2013）等等。

在編輯經營刊物的同時，胡風的文藝思想「主客觀化合論」也在民族戰爭的血與火的洗禮中焠鍊成熟。胡風主張，文學作品，應該是作家這一創作主體（主觀精神）和他的創作對象（客觀現實）進行相生相剋之後的產物：作家以他強旺的主觀戰鬥精神與血肉的現實人生展開肉搏，突進到生活的深處，直至與對象完全融合，然後在對象的具體的活的感性表現裡面，把握對象的社會意義，並融鑄進同感的肯定或反感的否定精神，在對對象既攝取體現又克服批判的過程中，創造出包含著歷史真實性的藝術世界。

主客觀化合論，誠然源自於胡風對古今中外傑出作家創作經驗的總結，當它被「七月派」作家視作創作指導原則共同自覺遵循之後，又催生出了路翎的《財主底兒女們》（1945）、《飢餓的郭素娥》（1943）、丘東平的《第七連》（1939）、阿壠的《南京》（即《南京血祭》，1987）等優秀作品，其理論的生命力也由此獲得了充分驗證。但同樣不可否認的是，自形成和誕生的一開始，它也一直被胡風當作有力的武器，用以批判盤踞在左翼文壇之上逐之不去的兩大不良創作傾向：將文學創作當作冷靜地記錄自己的觀察的客觀主義；藉客觀事物表現自己靈魂的主觀公式主義。因為在胡風看

來，現實主義必然是作家的主觀精神與客觀現實的化合。以此為標準，則前一種偏向是作家奴從地對待生活事件，客觀脫離了主觀；後一種偏向則是作家廉價地發洩情感或架空地傳達理念，是主觀離開了客觀。

胡風與左翼同仁們的對立，在雙方進行的一系列理論論爭中逐步累積和尖銳化。在1940年的「民族形式」問題論爭中，胡風與左翼同仁已經表現出了文藝政見的分歧。1943至1944年，胡風和「才子集團」諸人在重慶發起的反教條主義運動，是他們在自己沒有意識到的情況下與政治發生的首次碰撞。胡風在「才子集團」受到黨內嚴厲批評、運動被遏止之後，繼續在《希望》創刊號上發表了舒蕪（1922—2009）的〈論主觀〉，由此引發的1945至1946年的「主觀」論爭，致使對立急劇升級。邵荃麟（1906-1971）、何其芳與王戎（1919-2003）關於「主觀」與現實主義的論爭，以及何其芳與呂熒（1915-1969）關於「客觀主義」的通信，事實上就是對胡風文藝思想的一次缺席批判。可是胡風及其追隨者對於其中的政治嚴重性卻渾然不覺。

1948年，邵荃麟等人在香港創辦《大眾文藝叢刊》，試圖以毛澤東〈在延安文藝座談會上的講話〉（1942，以下簡稱〈講話〉）的文藝模式來改造和規範國統區的左翼文藝運動，調整「文藝的新方向」。《叢刊》不僅沿用了重慶「主觀」論爭時的調子，點名批判了胡風文藝理論的小資產階級傾向和主觀論的唯心主義，同時還特意組織了原本屬於「才子集團」但這時已經轉變思想的人員，如喬木（喬冠華，1913-1983）、胡繩（項黎，1918-2000）的多篇批判文章，作為敦促胡風轉換思維方式、檢討和改造自己的文藝思想的示範。然而，胡風對批判者的意圖毫不領會，寫作了長篇答辯《論現實主義的路》（1948）。胡風的反應讓批判者大失所望。

1952年，周揚、林默涵等人組織了四次「胡風文藝思想座談會」，原本期望胡風能夠在與會人員的批評和幫助下，「公開承認自己的錯誤」，「做出深刻的檢討」之後將書面稿交付發表。但又因為胡風的自我檢討令組織者「很不滿意」，因此不得不以發表林默涵和何其芳的批判文章作為代替。林、何一致認定，胡風的文藝思想「在許多原則性問題上」存在「一系列」根本性質的錯誤。胡風的《關於解放以來的文藝實踐情況的報告》（以下簡稱《報告》），就是針對林、何的理論指控所做的辯解甚或反擊，報告的核

心為第二部分「關於幾個理論性問題的說明材料」。因為《報告》全文長約三十萬字，所以亦稱「三十萬言」。

雙方分歧的中心問題即對於現實主義的理解。胡風將林、何在這個問題上的意見整理成三個論斷和三個結論。結論即判定胡風的罪名：看不到舊（資產階級）現實主義和社會主義（無產階級）現實主義的根本區別；片面地不適當地強調所謂的「主觀戰鬥精神」；否認文學藝術的黨性原則。論斷則基本上是林、何對社會主義現實主義內涵的正面闡釋：首先要具有工人階級的立場和共產主義的世界觀；創作方法和世界觀只能是一元的；無論怎樣的現實主義都是有階級性的。

胡風知道，林、何著重做文章的，是在蘇聯作家協會章程所載的社會主義現實主義的定義「藝術描寫的真實性和歷史具體性必須與用社會主義精神從思想上改造和教育勞動人民的任務結合起來」中的「社會主義精神」，但胡風認為正確的闡釋應是：「社會主義的根本精神」，「是對人的關懷，人類解放的精神，人道主義精神」。社會主義現實主義只不過是將「民主主義的人道主義發展成了社會主義的人道主義」。這才是它與古典現實主義的「根本區別」。

承接這樣的理路，胡風將「主觀戰鬥精神」進一步明晰化：「主觀精神，革命人道主義的精神」。在新文藝中，它可以具體體現為「民族解放和人民解放的鬥爭要求」。「主觀精神」始終處於主客觀化合的框架之中，目的在於指出「在生活經驗基礎上的創作過程中」，作家的與創作對象生死與共的情感態度、和人民痛癢相關的胸懷，亦即「對於敵、友、我的愛愛仇仇的熱情態度」的重要。胡風進而指出，主客觀化合，也就是蘇聯作家協會章程上的社會主義現實主義的定義，即「寫真實」與「社會主義精神」的結合。在一定程度上，現實主義和黨性能不能勝利，最後就取決於這兩者是否結合。

林、何判定胡風反對《講話》提倡的知識分子的思想改造。而胡風回答，他固然「強調」了知識分子的進步性，但同時也指出他們的進步性很難「一貫」，所以為知識分子辯護並不像林、何所簡單推論的那樣，就是否定作家「深入實際鬥爭」、「拒絕學習理論或馬列主義」。關鍵的分歧在於思

想改造的途徑：胡風始終認為，作家的思想改造必須在創作實踐中才能逐步完成。作家從生活得來的經驗材料（素材），和他對於材料的理解（思想）和感情態度，在創作過程中一定要進行一場相生相剋的決死鬥爭。在此鬥爭中，經驗材料通過作家的血肉追求顯示出潛伏的內在邏輯，作家的主觀世界又被那內在邏輯帶來了新的內容或變化。而林、何認為思想改造只能在創作過程以外進行，世界觀可以「首先具有」、一次完成，且不能有「缺陷」，這是對思想改造極其庸俗的理解。

胡風與他的左翼批判者的理論分歧還體現在「生活或生活實踐」、「民族形式」和「題材」等問題方面。通過對林、何兩文觀點的詳盡分析，胡風提出了反批評，稱林、何的理論邏輯無異於在讀者和作家頭上放下了五把「理論」刀子：作家要從事創作實踐，非得首先具有完美無缺的共產主義世界觀；只有工農兵的生活才算生活；只有思想改造好了才能創作；只有過去的形式才算民族形式；題材有重要與否之分並決定作品的價值。胡風最後指出，在這五道刀光的籠罩之下，整個文藝戰線出現了混亂和蕭條的現象，這和「革命勝利的偉大的年代」極不相稱。

正是為了確保所有分析和反批評的理論觀點經得住反覆推敲，胡風和朋友們就《報告》所涉問題進行了多次模擬答辯，他們幾乎是懷著必勝的信心將《報告》遞交給最高領導層的，未料結果卻是以他們自己被打成反革命集團分子而告終。

林、何對胡風文藝思想的批判和胡風的理論反擊，可以理解為中國左翼文學史上兩種現實主義理論模式的一次全面交鋒和總對決。除了「思想鬥爭完全用命令主義來代替」、在文藝領域用「政治」解決一切等錯誤以外，在世界左翼文學運動史上，理論上的庸俗社會學和創作中的公式化和機械化等頑症，都不是在單個國家中所僅見。因此，長期遭受不公正的排擠、然而更加注重作家的主觀體驗和作品的審美品質的胡風文藝思想，就尤其值得關注左翼文學的學者的重視。「胡風事件」的產生及其處理中的經驗教訓、文學與革命、左翼文學運動的組織方式等問題，也都需要反覆檢討。此外，胡風及其朋友們身處橫逆而對文學藝術癡心不改，堅持獨立思考並對自己認定的理論執守不遷的風骨，也應當被歷史記取。

參考文獻：

胡風《胡風全集》（武漢，湖北人民出版社，1999年）。

曉風主編《我與胡風》，二版（增補本）（銀川，寧夏人民出版社，2003年）。

王麗麗《在文藝與意識形態之間：胡風研究》（北京，中國人民大學出版社，2003年）。

王麗麗《七月派研究》（北京，新華出版社，2017年）。

王麗麗

1954年9月25日－11月2日

《天仙配》在華東區戲曲觀摩演出大會獲得極大成功

地方戲登上國家舞台

　　1954年9月底至11月初，華東區戲曲觀摩演出大會於上海舉辦。安徽省參演劇目黃梅戲《天仙配》，獲得了諸多頭獎，於是立即決定改拍為電影。電影由石揮（1915-1957）執導，其後來因被打成「右派」於1957年自殺身亡，成為反右運動的犧牲者。電影1956年初首映，為一九五〇年代票房最好的一部電影，至1958年底，觀眾超過一億四千萬，其中許多人一看再看。電影在境外也極受歡迎，甚至激起香港和其他地區的導演拍攝大量的黃梅調電影。文化大革命時期《天仙配》被打成「一株毒草」，但一九八〇年代初再次上映時，觀眾熱情一如以往，電影裡的小調至今依然流行。女主角嚴鳳英（1930-1968）在文化大革命中被迫害致死，她的故事已被改編成小說、電視傳記片以及黃梅戲。

　　《天仙配》的成功事先毫無徵兆。1949年前，安慶以外的人甚至對黃梅戲一無所知，此前在上海演出的幾齣黃梅戲，都未能成功。《天仙配》演的是孝子董永的傳奇，是民間識字不多者皆知的故事，因為董永的故事被畫入《二十四孝圖》，成為帝國晚期及之後廣泛採用的蒙學讀物。那些無法由此管道接觸這個故事的人，從流行歌曲和民謠、舞台劇的改編，或者寺廟的壁畫也能知曉。然而儒教社會的美德孝道，卻被現代中國的改革者和革命者視為落後的根源：孝道要求年輕一代無條件地服從長輩。人們譴責傳統家庭倫理下的孝道，阻礙了青年男女順從自己內心的意願選擇伴侶。二十世紀初浪漫的愛情取代孝道成為一種基本價值觀，「自由戀愛」（選擇自己婚姻對象

的自由）成了所有進步青年的理想，像巴金（1904-2005）的《家》等小說
就描述了傳統家庭制度的多重罪惡，頗受讀者歡迎。其他民間傳說如白蛇傳
和梁山伯祝英台等挑戰禁忌的浪漫愛情故事，很容易進行改編以便服務於現
代化和民族國家建設工程，孝子董永的傳奇確實很難成為這種改編的選項。

　　董永傳奇的發展可以追溯至兩千年前。傳奇中的董永可能源於東漢
（25-220）初年的貴族之家，他父親因行為不端而喪失貴族地位。到二世紀
時，董永因父親生前盡孝而聞名；但往後幾百年間，他的孝道美名卻來自為
籌辦父親葬禮而賣身為奴三年。《二十四孝圖》對這一行為及其神蹟有如下
記述：

> 漢董永家貧，父死，賣身貸錢而葬。及去償工，路遇一婦，求為永妻。
> 俱至主家，令織縑三百匹乃回。一月完成，歸至槐陰會所，遂辭永而去。

> 葬父將身賣，仙姬陌上迎。
> 織縑償債主，孝感動天庭。

　　上述情節是這個故事的經典版本，傳奇的後續版本「仙女」變成了「織
女」。再往後的版本她成了董永的妻子，董永兒子的母親，但如此所衍生的
問題是，眾所周知傳說中的織女喜歡的是牛郎，所以「仙姬」也經常被說成
是七仙女，織女的妹妹。

　　在敘事文學中流傳下來的董永傳奇往往從一個男性視角講述。因此，
「仙女」被當作一個客體：是玉帝獎賞給孝子的禮物。但這則故事一經改編
成「傳奇」搬演——明清傳統戲劇形式——劇中男女主人公則被給予平等機
會，得以相互傳達彼此的愛意。此後，董永和織女的傳奇就成了橫遭阻撓的
愛情典型。織女初嘗人間的愛情，卻被迫在玉帝設定的百日相聚後離開。明
代董永和織女戲劇全本已佚，但從殘存的幾幕可以看出，劇作家精心地設計
了兩人首次相遇的滑稽場面；被派至凡間的織女強迫心不甘情不願的董永接
受自己，以此與最終分手的感傷場面形成對比。面對依然沉浸在幸福中的董
永，織女不知如何表達被迫分別之情。這齣戲在地方戲裡版本眾多，但總是

流行的戲碼。許多戲搬演的是借貸給董永的地主，在七仙女回天庭後，把女兒嫁給董永，而地主的兒子想勾引七仙女卻碰了一鼻子灰，製造了喜劇性的效果。

二十世紀最初幾十年間，董永和織女的黃梅戲愛情故事在農村大受歡迎。二十世紀前半，黃梅戲尚未脫離雛形，戲目多為滑稽短劇，時常帶有強烈的性暗示，搬演俚俗風流韻事。即使黃梅戲發展至一種更加成熟的戲劇體裁，並吸引安慶的城市觀眾，它的音樂仍然非常簡單，伴奏樂器主要以鼓和響板為主。

中華人民共和國建立後，情況迅速改變。新政府不信任1949年前的商業劇場及其支持者，又受到延安時期京劇和地方戲改革經驗的鼓舞，於是開啟了一項戲改運動，構想內容、人員和組織上的改造：封建的、不愛國的或者猥褻的戲遭禁演，男女演員需接受思想改造，劇場老闆和經理人被國營和集體劇團所取代，且各有自己的黨委。政府鼓勵地方當局強化地方劇種，修訂傳統劇目以滿足觀眾所需，並配合新時代的意識形態指標。為展示戲曲改造成果，1952年秋北京舉辦全國戲曲觀摩演出大會。這次觀摩演出沒有安排黃梅戲，但由於一些改造過的黃梅小戲（以及一些折子戲）在上海獲得積極回響，安徽省當局決定成立一個安徽省黃梅戲劇團，總部設於合肥。儘管有來自安慶的反對，最好的男女演員還是被分配到這劇團；導演被調來以增強演出品質，作曲家也被動員來發展黃梅戲的音樂。華東區戲曲觀摩演出日期一定，省當局就確定安徽呈遞的劇目之一是《天仙配》。劇本由陸洪非（1924-2007）執筆、並經集體修改，1953年秋於安慶演出，非常成功。1954年夏天，劇本、音樂、演出和布景都做了進一步的改進和修訂。董永的角色由經驗豐富的演員王少舫（1920-1986）擔任，七仙女則由年輕女演員嚴鳳英扮演。他們的精湛演出和動聽的黃梅曲調讓觀眾如醉如癡，並且歷久不衰。

在新的政治氣候下，為使《天仙配》為觀眾所接受，陸洪非和所有參與這齣戲的修訂者對故事和人物進行了大幅度的改動。傳統版本裡窮困潦倒的書生董永，變成了英俊、誠實的農民，他的苦難不是源於自己而是源於社會結構——他的孝順被淡化了。這齣戲的主要人物是七仙女，她落入凡塵不是

出於玉帝的命令，而是自己從天界（她覺得那像一座監獄）偷跑出來的，因為她愛上了董永——她只能在凡塵一百天，就得返回天界，否則天庭威脅要將她的丈夫碎屍萬段。借貸給董永的地主不再是個地方善人，而是貪婪的地主階級代表。他千方百計要剝削這對夫妻，幸運的是，每次都被七仙女以智取勝。地主的女兒在改編的戲裡消失了，兒子則被簡化為一個愚蠢的傢伙，他勾引七仙女時的淫詞笑謔令新政權反感，必須淨化。傳統戲裡七仙女返回天界後的許多後續故事（董永回到地主那兒，他把織女所織的錦緞獻給皇帝，因而被任命為高官，後來他與地主的女兒成親。）也都被刪除。簡言之，《天仙配》被重寫成一部有關傳統社會裡，青年男女為自由戀愛而波折重重的戲。但這齣戲並未搬弄沉重的意識形態教條，也幾乎沒有任何明顯的說教色彩。全戲的高潮是最後一幕的開始，董永和七仙女完工回家路上，享受著一起勞動、彼此相愛的樂趣。興之所至，他們放聲唱出對未來的期待。但他們的歡樂急轉直下。七仙女私自下凡為天帝發現，被迫立即返回，她和董永生離死別。

　　《天仙配》改編為電影時，由石揮執導，他是一九四〇年代中國電影最具天賦的演員和導演之一。從一開始，石就堅決不用戲曲紀錄片形式拍攝。他大致遵循桑弧（1916-2004）的劇本，卻在許多細節上另有巧思，拍出了一部具有「神話歌舞故事片」色彩的戲曲片。石揮善於利用特效凸顯神話因素，又強化黃梅戲動聽的音樂性。陸洪非、桑弧和石揮也許把《天仙配》的政治訊息包裝得曲折婉轉，但他們目的仍然明確。然而大多數觀眾喜聞樂見的仍然是愛情悲劇。《七仙女》電影版的成功使王少舫和嚴鳳英一夕成名，也讓黃梅戲成為全國最流行的地方劇種之一。

參考文獻：

Wilt L.Idema, *Filial Piety and Its Divine Rewards: The Legend of Dong Yong and Weaving Maiden, with Related Texts* (Indianapolis, IN, Hackett Publishing Company, Inc., 2009).

Wilt L. Idema, *The Metamorphosis of "Tianxian pei": Local Opera under the Revolution*

(1949-1956) (Hong Kong, The Chinese University of Hong Kong Press, 2015).

Wilt L. Idema, "Old Tales for New Times: Some Comments on the Cultural Translation of China' s Four Great Folktales in the Twentieth Century," *Taiwan Journal of East Asian Studies* 9, no. 1 (2012): 25-46.

Paola Iovene, "Chinese Opera on Stage and Screen: A Short Introduction," *Opera Quarterly* 26, nos. 2-3 (2010):181-199.

伊維德（Wilt L. Idema）撰，劉子凌 譯

1955年2月8日
《書劍恩仇錄》開始在香港《新晚報》連載

金庸武俠地形圖

　　1955年2月8日，金庸（查良鏞，1924-2018）以處女作《書劍恩仇錄》橫空出世，開始書寫華語文學史上的傳奇與神話。金庸描摹他本人最熟悉的故鄉海寧（浙江），以及華語讀者大多不太熟悉的戈壁、回疆，小說地理場景橫跨江南與塞北、大漠與帝都。全書最大的祕密圍繞「紅花會」老當家于萬亭攜奔雷手文泰來深夜「闖宮見帝」，面見滿清乾隆皇帝，揭示其非滿實漢的複雜身世。全書鋪陳的敘事主線，除了始於戈壁、西域的傾國傾城之戀，還有總舵主陳家洛挾乾隆於江南，海寧觀潮，遊六合塔，以及江湖群雄恢復漢室江山、反清復明的舉動。最終紅花會眾人逐鹿未果，豹隱回疆。

　　江南、中原、塞外、帝都，構成金庸文學地理的四大座標，錨定其筆下人物的武俠行跡與思想演變。從一九五〇至一九七〇年代的報刊連載版（尤以《明報》為根基），到一九七〇至一九八〇年代的全面修訂版（甚至包括2003至2006年富於爭議的「世紀新修版」），金庸憑藉十五部武俠小說，「飛（狐外傳）、雪（山飛狐）、連（城訣）、天（龍八部）、射（雕英雄傳）、白（馬嘯西風）、鹿（鼎記），笑（傲江湖）、書（劍恩仇錄）、神（雕俠侶）、俠（客行）、倚（天屠龍記）、碧（血劍）、鴛（鴦刀）」以及《越女劍》，與梁羽生、古龍、溫瑞安等一道，開啟了新派武俠小說的時代，並成為其中最傑出的代表。金庸作品在小說、電影、電視、廣播劇、舞台劇、流行歌曲、評書連播、動畫、漫畫、電腦遊戲、主題公園、IP改編翻拍等層面經久不衰的跨文類流行現象，穿越了華語語系世界的地緣政治疆

域，從香港、新加坡、馬來西亞、澳門、泰國，從台灣到中國大陸乃至海外
華人社區，成為從冷戰到後冷戰時代全球受眾共享共用的文本。

　　回望1949年開始的「新紀元」，冷戰意識形態的對峙如火如荼，想像中
國的方法形形色色，一九五〇年代大陸的文藝政策將屬於鴛鴦蝴蝶派小說之
一種的武俠小說視為毒苗，一舉斬草除根。台灣武俠小說雖名家輩出，但畏
於時忌，避免以歷史興亡為背景而撰寫「時代闕如的無根幻境」。唯有香港
在英國政府自顧不暇、相對寬鬆放任的殖民地文藝政策下，成為冷戰地緣政
治與殖民地宰製版圖上一塊異常獨特的化外之地，堪稱新派武俠小說的母體
和策源地，並在1949政治大分裂之後的華語語系文學文化地形圖上留下一座
不可磨滅的地標，金庸小說堪稱翹楚。

　　作為攜帶背井離鄉體驗的移民、遺民、逸民、義民、軼民、棄民、流
民、南來作家、南渡客（甚至偷渡客），他們如何描述或界定自己冷戰時代
的身分認同？他們怎樣收起離愁別恨，描摹、懷想故鄉風物；或是落地生
根，指認新鄉為故鄉，從頭編撰時空易位的歷史地理、軼事傳奇？他們又如
何另起爐灶，以香港為基地，開疆拓域到東南亞乃至歐美的華人社區，在大
陸之外的華語語系世界另闢蹊徑，互動往來，並在一九八〇年代後經多種途
徑進入大陸，在文學閱讀與文學史收編的過程中，成為既例外又例內、既補
充又多餘的異質構成？……冷戰時代，夏濟安、陳世驤、余英時從金庸的武
俠小說裡面，辨識出家國之外、漂泊離散的羈旅心事。

　　一九九〇年代陳平原將仗劍行俠、快意恩仇、笑傲江湖、浪跡天涯解讀
為千古文人不滅的俠客夢想。嚴家炎將金庸的武俠作品視為「一場靜悄悄的
文學革命」，這是從大陸看香港，描述金庸小說在大陸當代文學史場域的消
聲狀態，及其潛藏的能量：挑戰教育體制、課程設置、雅俗對峙、文學史寫
作標準等固有規範。如果考察香港乃至海外的華語語系世界，以及二十世紀
八〇年代以降金庸小說播散、接受的過程，那麼金庸的武俠敘事並非「驛外
斷橋邊，寂寞開無主」，而是行銷甚暢，流傳深廣，逐漸演變成「全世界華
人的共同語言」。

　　筆者所謂的金庸武俠地形圖，一方面指的是有據可考的真實歷史地理場
景，另一方面則是小說人物萬水千山縱橫的萍蹤俠影。金庸武俠地形圖的測

繪與制定，遊走於歷史與想像、事實與虛構之間，既在真實的空間裡踵事增華，又在虛構的敘事裡落到實處，其筆下江湖客的行跡跋涉五湖四海，從廟堂到塞外，從城市到邊疆（邊陲），遍訪（闖）中國的名山大川以及帝都的隱祕角落。冷戰期間的香港作家幾乎無法親訪中國大陸的勝景野域，但在「想像的版圖」上，在武俠地形圖層面，金庸的華語語系書寫卻嘗試再現遼闊中華的山河歲月，遠眺並顯影跌宕多姿、可望而不可及的華夏歷史地理。大陸的山川咫尺天涯，然而借助武俠小說的空間想像與身體僭越，消逝的傳奇可以重現，地理的阻隔得以超越，現世的命運關懷被編織投射到前朝的嬗變興替，華語語系世界的歷史憂患與文化記憶變得可觸可感可讀可鑒。

《碧血劍》中袁崇煥之子袁承志為報父仇，從中原到帝都（從華山到泰山，再擅闖帝都紫禁城），意圖刺殺崇禎皇帝，卻誤入長平公主的寢宮寧壽宮，而長平公主曾喬裝青竹幫女弟子，與袁承志中原歷險、同闖江湖。最後袁承志猶疑並放棄刺殺，彷彿《水滸後傳》的李俊（遠赴東南亞，避居暹羅，成一國之主），「空負安邦志，遂吟去國行」，壯志難酬，遠避海外東南亞之渤泥國（汶萊）。

《鹿鼎記》中寫實的清朝「輿地全圖」與想像的武俠地形圖之間的交疊互動最為豐富多彩。「神行百變」動輒「逃之夭夭」的「小雜種」韋小寶，可謂「行者」的變體，「情僧」的變種。他生於揚州煙花柳巷，天生情種，義字當頭，行跡遍及江南、帝都、中原與塞外，五台山救護先帝，助康熙平定西南，收復台灣，安頓鄰邦羅剎國。這位「古往今來第一小滑頭」在廟堂與江湖之間上下幹旋，左右逢源，無往而不利。《鹿鼎記》所呈現的金庸想像中國的方法，最微妙的例證，可見於雙兒為韋小寶編織、拼湊、補綴、勾連數千塊碎片而終於完成的一幅完整的圖譜：「只見桌上一塊大白布上，釘滿了幾千枚繡花針，幾千塊碎片已拼成一幅完整無缺的大地圖，難得的是幾千片碎紙拼在一起，既沒多出一片，也沒少了一塊。」小說結尾，韋小寶帶走拼貼完整的八旗藏寶圖，知悉但不掘斷大清的龍脈，自己富可敵國，卻遠離帝京，帶著七個大有來歷的老婆，歸隱揚州、大理無可尋覓之所，不知所終。

在金庸的武俠地形圖裡，中國顯影於明處，香港隱遁於暗處。中國被

「包括」卻在香港「之外」，成為江湖俠客行走、僭越的地理場所；香港被「排除」卻暗藏於想像方法「之內」，金庸不寫今朝寫前朝，演繹數百年前的歷史傳奇，卻加入現代香港現實政治與文化的關懷（無論是香港獨特的殖民地處境，還是冷戰時期左、右兩派互搏的格局，無論是中國大陸文化革命的風雲激盪，還是五四啟蒙之後擺脫家長權威的壓抑和束縛、追求個人主義情感與自由的濫觴）。

金庸在香港這「借來的時間」中再一次租借時間──租借前朝的歷史與傳奇，構造香港乃至華語世界讀者受眾在冷戰與後冷戰時代的集體俠客夢；他也在香港這「借來的場地」裡面再一次租借場地，或者更確切地說，不是租借，而是反轉殖民地被宰制的境遇，憑借文學想像武俠行跡，翻山越嶺，開疆拓域，重申對中土的占領。他隱去香港本地的在地感，重訪、重繪、重新連綴中國的地理，以武俠行跡，想像式、隱喻式凸顯冷戰時期香港殖民地的文化中國想像。

王德威指出：「如果遺民意識總已暗示時空的消逝錯置，正統的替換遞嬗，後遺民則變本加厲，寧願更錯置那已錯置的時空，更追思那從來未必端正的正統。」陳家洛在江山與美人之間的搖擺和憂鬱，袁承志刺殺崇禎、皇太極之際的症候式躊躇，韋小寶在各方各派間絞盡腦汁的圓滑斡旋（其母親為揚州青樓女子，接客不分漢滿蒙藏回，韋小寶的父親身分無可辨識），不正可例證「後遺民」心態／身分的定位難明、「後遺民」敘事姿態的曖昧不清？《書劍恩仇錄》偏遠的回疆，《碧血劍》更為迢遙的渤泥國，《鹿鼎記》中無可尋覓的韋小寶揚州、大理隱匿處，不恰可說明「後遺民」位置的無法確認、難以辨識？「後遺民」意識的幽靈，徘徊顯影於金庸的武俠地形圖上面，既招魂且還魂，既往事已逝又「傳衍留駐」，正可謂進一步錯置王朝興衰之際那已然錯置／錯亂的時空，暗示著前朝更替的「世代」在當代香港敘事中的「完而不了」，並以冷戰期間香港的當代視角、以及殖民地「講故事的人」的身分，新編、重述華夷之辨、恢復漢室江山的「正統」母題。

金庸凸顯了宋元、元明、明清朝代更替之際的華夷之辨與亂世景觀，並以虛構的小說主人公最大限度地逼近、局部修改甚或重寫前朝的歷史。《書劍恩仇錄》中「漢家郎」陳家洛與清高宗乾隆皇帝有神祕血親，幾可挾天子

以令諸侯。《碧血劍》中袁崇煥之子袁承志與崇禎有殺父之仇,他暗助李自成入京稱帝,欲先後行刺皇太極、崇禎皇帝而皆未果。《射雕》、《神雕》中,郭靖襄陽城上一句「俠之大者,為國為民」,使他本人不但具象成為國獻身的典範,而且以小說人物的虛構身分,有力嵌入歷史興衰成敗的一瞬!最令讀者嚮往的一幕是他與「一代天驕」成吉思汗談論「天下誰是英雄」時的大義凜然:一漢一蒙,一英雄一梟雄,一小說虛構形象一真實歷史人物,這一動人的對話場景,正是被強大的想像力修改過的、令人神往慨嘆的「歷史」畫面。之後,《神雕俠侶》中楊過以飛石擊殺蒙古大汗,雖是金庸「為增加小說之興味起見」有意虛構的閒筆,卻是借助武俠小說的敘事行為,最大限度地干涉並改寫「歷史」的關鍵時刻,並在華語語系讀者的記憶清單上留下了雖不真實卻更有「興味」的一幕。《天龍八部》中契丹(漢)人蕭(喬)峰從丐幫幫主到契丹南院大王的身分轉換,他與中原群雄、契丹皇帝的恩恩怨怨,以及憑一己之軀消解宋遼兩國十年戰火的壯舉,無疑更引領讀者想像並把握歷史的脈搏,從武俠小說的紙上世界獲得意味深長的歷史教訓。

金庸小說在中國大陸的地理疆域之外,在當代華語語系的「文字共和國」之內,重新講述華夏歷史、文化、思想的文學衝動,可謂遙深寄託。金庸筆下的武俠行跡,在江南、中原、塞外、帝都之間鋪展游移,凸顯了朝與野、涉政與退隱、向心與離心、順從與背叛、大義與私情、明心見性與聊遣悲懷之間意味深長的平衡,並以迂迴曲折的「後遺民寫作」策略,北望故土,繪製「原鄉」圖譜,顯影政治憂患、文化焦慮,從而曲筆書寫了華語語系文學的空間/地理構築,情感/身分認同,以及歷史/政治意識的嬗變。

宋偉杰

1955年5月
「人民底原始的強力」和「主觀戰鬥精神」

路翎、胡風與文字獄

　　北京中國現代文學館主展廳內，有一幅大型二聯式壁畫，組合呈現了中國現代文學作品中的經典人物形象。右側為「受難者」，如魯迅（1881-1936）小說中被生活擊垮的孔乙己，左側為「反抗者」，如公然反抗社會的「狂人」。於一九八〇年代提議，直至2001年才開放，文學館是後毛澤東（1893-1976）時代自由化的產物，除魯迅外，此處稱頌的許多著名作家，都曾在作為毛澤東時代標誌的政治運動中受過迫害。「反抗者」之一的郭素娥是路翎（1923-1994）小說《飢餓的郭素娥》（1943）中的主人公，路翎正是1955年反胡風運動整肅的目標之一。

　　壁畫中的郭素娥半裸地露出一邊乳房──苦難與性的典型形象。正如路翎在給導師胡風（1902-1985）的信中所寫，郭素娥：

　　不是內在地壓碎在舊社會裡的女人，我企圖「浪漫」地尋求的，是人民底原始的強力，個性的積極解放。我只是竭力擾動，想在作品裡「革」生活底「命」。

　　郭素娥憑藉其原始的生命力和欲望，體現了對激進社會轉型的更大渴望，即胡風所謂的「主觀戰鬥精神」，這是民國時期左翼文學傳統的核心訴求之一。然而，為何郭素娥的創作者及胡風連同諸多同仁，在解放後第六年（1955）就成為共產主義文化大清洗的目標？

路翎和胡風的名字千絲萬縷地交織著，胡風是左翼文學理論家和詩人，路翎則是胡風最著名的文學理論實踐者。一九三〇年代，胡風與左翼作家聯盟領袖魯迅密切來往。1936年魯迅過世，左聯解體，胡風出版獨立文學雜誌《七月》（1937-1941）和《希望》（1945-1946），爾後他主持的文學叢書和出版社也以「七月」和「希望」命名。這些文學事業引起全國各地青年作家和讀者的關注，路翎是作家之一。一九三〇年代末到一九四〇年代，他的小說幾乎全部發表在胡風主編的雜誌和叢書中。

胡風有時被當成是民主異議人士，事實上他深受馬克思主義和蘇聯文學理論影響，並於一九三〇年代留學日本時加入共產黨。他是一個忠於1949年新政權的社會主義者，長詩《時間開始了》表達了他心中的熱忱。他的文學思想被指責為「唯心主義」——比如他認為作家在創作過程應以主體性為中心，同時小說應該描繪「精神奴役的創傷」思想——似乎把作家和小說人物都置於唯物主義的世界之外。雖然胡風和路翎都把主體性與物質的、歷史的力量交織在一起——這是馬克思主義思想的基本準則——但他們都傾向黑暗和令人絕望的心理現實主義小說，這些小說喚起人們注意社會壓迫對個體心靈的影響。胡風的思想不僅在文學創作且在更大的社會轉型方面，挑戰了建國以後黨對政治、意識形態的絕對主導地位。

胡風對文藝現狀公開表達不滿。他大膽無視黨對文學的控制，於1954年向中國共產黨中央委員會提交一份長篇報告——被稱為胡風「三十萬言書」（《關於解放以來的文藝實踐情況的報告》）——在這份報告中，他重複了自己的長期主張，即創作過程中作家主體性的重要以及對教條主義政治意識形態控制文學的厭惡。胡風大膽提出，文藝創作及刊行應該獨立於黨干涉之外。路翎深度參與，協助胡風撰寫這份報告。

這份報告成了壓垮駱駝的最後一根稻草。1955年春，在一場將知識分子納入意識形態管控的更大運動中，共產黨發動了反胡風以及被指為「胡風集團」的八十餘名作家的大規模鬥爭。毛澤東化名在社論上發起攻擊，他寫道：「胡風分子是以偽裝出現的反革命分子」，「應對胡風的資產階級唯心論，反黨反人民的文藝思想，進行徹底的批判，不要讓他逃到『小資產階級觀點』裡躲藏起來。」1955年五、六月間，《人民日報》分批發表了胡風集

團成員的來往信件，向「群眾」展示這些「反革命分子」的「兩面性」。因為這些致命的控訴，胡風和胡風集團「核心成員」遭到逮捕、審問和囚禁。

參與反胡風運動的媒體揭露胡風集團邪惡的宗派行為——例如，反對毛澤東在經典的〈在延安文藝座談會上的講話〉中有關文化的觀點，狼狽為奸、創辦獨立期刊，編織祕密文學網絡，用民族主義的幌子耍花招——在作品中傳達資產階級、個人主義價值觀。1949革命建國初期，總體尚未塵埃落定，這場運動是更大意識形態活動的一部分。當權者力求劃清我們和他們、社會主義者和反革命分子之間鮮明的界限，為社會主義社會新的社會形式設定政治規範。

對胡風攻擊的焦點之一是「主觀戰鬥精神」，這是路翎作品中最有代表性的文學觀念。路翎向來被認為是「胡風的得力幹將之一」。在1955年的反胡風運動中，他民國時代小說的人物被高度道德化批判：「充滿了『原始野性』，充滿了神經質的瘋狂性、痙攣性的怪物」。郭素娥正是典型形象。

觀點因情境而異。一九四〇年代，評論家稱讚《飢餓的郭素娥》大膽描寫底層人物原始的動物性——性和暴力——以及對人性的剖析。這部小說講述名叫郭素娥的貧窮女人的故事，她遭遇不幸，被迫嫁給年紀大她一倍的鴉片鬼。她厭惡他，因而與一名年輕礦工有染。事情暴露後，郭素娥被抓遭受烙鐵折磨，被老菸鬼的狗腿子強姦，「腹部以下淌著膿水」。她被拋棄，孤獨死去，死時飢腸轆轆。郭素娥的情人逃出小鎮，另一個愛慕她的男人為她與地方勢力鬥爭，但終歸徒勞。郭素娥的故事雖然悲慘而絕望，但暗示飽受壓迫的人民在大革命到來前已經蠢蠢欲動。

《飢餓的郭素娥》是一部經典左翼小說，描繪了被壓迫階級走投無路，打倒「封建」社會價值觀的強烈願望。然而，在毛澤東時代的中國，這些願望被認為是狹隘的「自發」，這是一個政治上的流行語，意思是說這些願望不是黨所訓育出來的，也不屬於黨內確定的革命路線。在後革命社會中，這種個人的原始欲力是潛在的威脅，必須被管束。革命以後，一切為了建設社會主義——包括農業合作化和國家工業等建設。黨中央提出社會主義現實主義文學，制定和協調所有文藝工作。人民並不是一口欲望的深井，而是如毛澤東所說的，一張「白紙」，上面「好寫最新最美的文字，好畫最新最美的

畫圖」。「人民底原始的強力」和「主觀戰鬥精神」等概念，似乎把社會改造置於人民手中，而非政黨手中。胡風的主觀主義思想對毛澤東的理論霸權構成了威脅，損害了毛澤東思想的唯我獨尊。

《財主底兒女們》（1944-1946）是路翎另一部與眾不同的名作。一如巴金（1904-2005）的小說《家》，小說聚焦於代表三代知識分子的三兄弟：傳統文人蔣蔚祖、五四啟蒙知識分子蔣少祖、最年少的蔣純祖。這部長篇巨著第二卷以成長小說形式，刻畫蔣純祖心理發展。他擁有尼采式的超人力量，勇敢拒絕外部強加的一切形式的真理。對於一九四〇年代小說讀者而言，蔣純祖的「自我異化的痛苦過程，他對粗俗庸俗的蔑視，他的誠實和頑強的不屈服於邪惡力量」具有啟蒙作用，「使我們敢於尋求新的精神解放」。而另一方面，在1955年如火如荼的政治運動中，蔣純祖卻被認為是「一個極端的個人主義者，狂熱地崇拜自己」。批評家斷言，蔣純祖是「作者心中真正的英雄」。1948年，路翎在出版的小說序言中，形容主人公「悲慘」、「高貴」，因為他不相信教條，蔑視卑鄙的野心。路翎和胡風一樣鄙棄教條主義的意識形態，可以想見的是，在革命後的環境中，這具有如何的政治顛覆性。

共產黨為了控制作家和知識分子，從不吝發起整肅——一九四〇年代中期的延安整風運動就是最明顯的例子。1955年的反胡風運動則是黨史上最大且影響最為負面的運動之一。國家傾所有大眾媒體之力，攻擊路翎和其他胡風「反革命」集團的核心成員。文學評論家、作家、知識分子和漫畫家都自願或被迫採取公開反對胡風的立場。一九四〇年代曾與路翎和胡風關係密切的舒蕪（1922-2009）公開集團成員之間來往的信件（儘管他聲稱無意），被視為胡風集團「反黨、反革命」活動和態度的證據。巴金當時也寫了一篇揭發胡風的文章，他在後毛澤東時代所寫的《隨想錄》中對自己行為表達懺悔。于若望（1918-2001）當時撰寫了一本名為《胡風黑幫的滅亡及其他》的書，後來他自己淪為反右運動的對象，並於一九九〇年代成為流亡的異議人士。詩人臧克家（1905-2004）則試圖以詩作〈仇恨為什麼挺不起身〉煽動讀者對胡風的仇恨，詩中寫道：

胡風把我們恨入骨髓。

你的仇恨卻沒有鋒芒。

胡風對我們的仇恨像烈酒。

你對他的仇恨像葡萄酒漿。

　　作家、知識分子和文化官僚撰寫成百上千篇文章登上國家媒體，譴責胡風及其追隨者。共產黨建立的制度使知識分子相互對立，不願意加入討伐大隊的人將付出代價，上焉者事業受挫，下焉者則是被「秋後算賬」。文學運動是國家迫使作家遵循黨的路線，符合政治和意識形態規範，宣傳黨政策的重要工具。將胡風、路翎作為批評目標，讓他們成為反面典型，使所有其他作家心理內化審查要求，長期警覺如持有異議，後果不堪設想。

　　後毛澤東時代炮製國家神話，將一九五〇年代說成是某種社會主義的黃金時代。反胡風運動否定了這一神話。這場運動的記憶盤桓至今，尤其是胡風同人的後代。胡風的子女致力書寫傳記，並重新發表父親作品，這種紀念形式是孝心的表達，也是一種回應指控的嘗試。上海電影導演彭小蓮（1953-2019）是胡風同人彭柏山（1910-1968）的女兒，她的父親於1968年為紅衛兵毆打致死。她製作了一部感人電影（與魏時煜合作）《紅日風暴》（2007）描寫反胡風運動。正如彭小蓮在電影前言中所說，「胡風集團以他們的生命完成了他們的最後一首詩：簡單、純粹，達到了詩歌的最高境界」。胡風和路翎1955年被捕後，二十年內不時遭到鬥爭和禁閉。他們在監獄中體現出文學作品中的強大主觀戰鬥精神，對抗控訴，否認有罪。直到一九八〇年代他們的名譽才得以恢復，作品得以重新出版。但一切為時已晚：胡風和路翎因多年的監禁身心受創，宛如失去靈魂的空殼。

　　中國現代文學館壁畫上的郭素娥形象，苦難但充滿激情，諷刺地提醒我們注意她的創作者路翎以及其導師胡風痛苦和頑強的反抗。這裡的展覽使用的是一種陳腐的文學敘事——文學人物「受難者」和「反抗者」的區分取決於黑白分明的宏大歷史敘事，找不到像張愛玲（1920-1995）小說中那樣更細緻和複雜的人物角色空間。即便如此，文學館的壁畫仍然縈繞著胡風、路翎等作家的幽靈，他們因描寫人類苦難的文學信念，一生飽受折磨。

參考文獻：

Kirk A. Denton, *The Problematic of Self in Modern Chinese Literature: Hu Feng and Lu Ling* (Stanford, CA, Stanford University Press , 1998).

Peng Xiaolian and Louisa Wei, dirs., *Storm under the Sun* (Blue Queen Cultural Communications, 2007).

Louisa Wei, ed., *Storm under the Sun: Introductions, Script, and Reviews* (Hong Kong, 2009).

Mei Zhi, *F: Hu Feng's Prison Years,* trans., Gregor Benton (London, Verso, 2012).

鄧騰克（Kirk A. Denton）撰，張屏瑾 譯

1955年
《詩朵》創刊

香港現代主義與我

屈原（公元前340–公元前278）在《九章・哀郢》哀嘆：

皇天之不純命兮，何百姓之震愆？
民離散而相失兮，方仲春而東遷。
去故鄉而就遠兮，遵江夏以流亡。
……
心絓結而不解兮，思蹇產而不釋。

這是戰國時期屈原的故事，也是1949年我和同代詩人的故事。1949年，難民從大陸離散至香港、台灣和歐美各地。國共內戰讓眾多家庭一夕間妻離子散，親朋永別。意識形態上的決裂隔絕了大陸與港台之間的聯繫。儘管港台景況相似，兩地的現代詩卻生發出不同的形態。香港詩人在英殖民政權下經歷著極端化的文化認同危機，而台灣詩人則處於國民黨鎮壓的「白色恐怖」下。兩地詩人都在歐美現代主義中找到語言策略，藉以調和中國古典詩和當代詩歌。

1949年的一夜，我被放逐到英國殖民地香港，那裡「白色的中國人」壓迫「黃色的中國人」：

這時我們只好羨慕或徘徊於琴聲迴盪，

「私家重地，閒人免進」、「內有惡犬」的樓房。

香港，這個倫敦、巴黎、紐約、芝加哥的姊妹城市，為我這個十二歲的鄉下小孩，帶來巨大的文化衝擊。社交孤立斷裂，人人冷漠無情，城市罪惡橫行，以及為生存所困的焦慮和躁動，將我逐向為「生存意義」的求索而萌芽為詩人。

機緣巧合下，我在一次《中國學生週報》的聚會中認識了王無邪（1936-）。無邪是帶領我進入「詩樂園」的維吉爾（Virgil），雖然日後他放棄了詩歌創作。當時的我十分青澀，還不能稱為作家，但在他的殷殷鼓勵下，邁出了創作生涯的第一步。當時鼓勵我的還有無邪的好友「學生王子」昆南（1935-），他在《星島日報》發表的《裸靈片段》圈了一眾讀者。我們三人彼時都在雙語中學就讀，台灣詩人瘂弦（1932-）戲稱我們為香港詩壇「三劍客」。1955年，我們創辦了雖然曇花一現，但極為重要的詩刊《詩朵》。

那一年後來，我因升學離開香港，進入台灣大學外文系，並且加入現代詩社「創世紀」，我和同系的《現代文學》同人，渴望能藉此重振正快速消逝的中國詩學傳統。我相信世界不僅應該欣賞中國詩學，更應該看見古典詩歌與詩學成為中國作家對抗政治霸權的力量。

接下來的六年，我往返港台間，協助無邪和昆南創辦香港現代文學美術協會。在協會的支持下，創立《好望角》和《新思潮》兩個文學雜誌。雜誌舉辦了許多國際性的文藝沙龍，向大眾介紹本地藝術家王無邪、呂壽琨（1919-1975）和張義（1936-）以及來自台灣的「五月」和「東方」畫會。值得一提的還有上海一九四〇年代傑出詩人馬朗（1933-）創辦的《文藝新潮》雜誌。我在這些雜誌發表了許多詩作、評論和翻譯文章。同時也在台灣的《文學雜誌》（由我的導師夏濟安〔1916-1965〕主編）、《創世紀》和《現代文學》發表文章。

1949年國共分裂，帶來錯綜複雜的精神震盪，對香港作家衝擊尤烈。在大陸實施鐵幕政策之前，文化身分的認同從來不是一個問題。儘管香港是英國殖民地，與大陸的交流並不受限。國共分裂後，殖民地教育系統採取手段

壓制中國的國族意識，加強對英國文化和經濟上的依賴，同時借助金錢利益的誘惑與撫慰，弱化被殖民者的歷史意識、社群觀念和文化認同。政府試圖通過物化、商品化傳統與新生的文化活動，消滅任何會影響殖民政府的文化殘存物，將嚴肅文學和藝術替換為商品文學、訴諸情色的感官文學、膚淺的抒情主義和一味迎合讀者的小報文學。對此，香港的現代詩人中，以崑南和無邪二人為最有力的批評者。

就是在這樣的文化困境下，香港詩人試圖從波特萊爾（Charles Baudelaire, 1821-1867）以降的現代主義表現手法中攝取精華，同時從中國古典詩歌中獲取養分。他們以這樣的書寫方式來銘刻山河破碎、文化斷裂下詩人的焦慮和頹唐。一九五〇年代中期，《詩朵》同人從數百名外國詩人的作品中挑選傑作翻譯。我們重新發掘了1949年以後被國共兩黨同時邊緣化的三、四〇年代的重要詩人，也積極地參與當代詩壇的討論。我們致力於美學傳統的復興，因為相信中國人的可取之處就是創作好的詩歌。為了創造獨特的現代詩，作為一種對抗性話語，許多西方詩人都成了我們的靈感來源：波特萊爾、馬拉美（Stéphane Mallarmé）、韓波（Arthur Rimbaud）、魏爾倫（Paul Verlaine）、里爾克（Rainer Maria Rilke）、梵樂希（Paul Valéry）、西蒙斯（Arthur Symons）、道森（Ernest Dowson）、早期的葉慈（William Butler Yeats)、艾略特（T. S. Eliot）、奧登（W. H. Auden）、勞倫斯（D. H. Lawrence）、托馬斯（Dylan Thomas）、金斯堡（Allen Ginsberg）、科爾索（Gregory Corso）、羅卡（Federico García Lorca）、阿波利奈爾（Guillaume Apollinaire）、布勒東（André Breton）、艾呂雅（Paul Eluard）、蘇佩維埃爾（Jules Supervielle）、佩斯（Saint-John Perse）、米修（Henri Michaux）、夏爾（René Char）、帕斯（Octavio Paz）、波赫士（Jorge Luis Borges）、紀廉（Jorge Guillén）等等。我通過譯介好友福利（Wallace Fowlie, 1908-1998）的文章將一些超現實主義詩人介紹到台灣。1954至1955年間，我讀到蕭石君的《世紀末英國新文藝運動》一書，這本書重點介紹了西蒙斯（Arthur Symons, 1865-1945），以及和他一起受佩特（Walter Pater, 1839-1894），尤其是《文藝復興》影響的同輩。我特別被他評價雨果（Victor Hugo, 1802-1885）的一句話所打動：「如雨果所說：『我們都被判了死刑，只是還有不知長短

的緩刑期而已。」我們只短暫停留一陣，然後我們的世界就不再知道我們了。」這段話切實表現了我們的困境。佩特認為現代思想所追求的是「相對性」而非古代所肯定的「絕對性」。事物無從得知，我們只能在有限的條件下相對地略知一二，「生命的每一刻都是獨一無二的，偶然的一句話、一瞥、一觸都有不同的變化，經驗給我們的是這些相對的關係，是層層變化的世界，而不是永恆的輪廓（邏各斯或上帝）對事物作一次性解決的真理」。在《文藝復興》的結論中，佩特認為生命的成功是：

> 保持激情的濃度，沉浸在每一個感情豐富的瞬間……
>
> 延長這段時間，盡量在給定的時間能獲得最多的脈搏……
>
> 經驗本身，而非經驗的成果，才是目的所在。縱使生命色彩斑斕，富於戲劇性，我們所獲得的也只是有限的脈動……
>
> 能永遠和這強烈的、寶石一樣的火焰一起燃燒，能保持這種極度的喜悅，是人生的成功。
>
> 我們，理應如此活著。

　　我思考的出發點，是要讓作為詩歌語言的白話更加精煉，更加富有美感，這個白話曾是一九三〇年代和四〇年代的中國詩人的詩歌語言，我們不應回歸文言，而是通過一系列充滿張力的變更修正加以重新利用。我試圖在創作中盡量減少敘述性的語言，以內涵豐富的意象或意象組合為主旋律，奏出一段生存或歷史困境中的脈動與衝動。這一語言觀也反映在我交響樂式的詩篇〈賦格〉（1958-1959）中，融入其基本架構。這首詩使用一種經過改造的白話，帶著獨特的古典光暈。以這種語言風格把握的意象，呈現出片斷式卻極具暗示性的詩歌事件。蒙太奇的意象組合召喚出戰爭帶來的毀滅，這戰爭是遠古的也是現代的，是歷史的也是傳說的，與西方的戰爭書寫構成創造性的張力。全詩如交響樂般共有三個樂章，在未完的求索和永恆的追問中結束。之所以將音樂的表現手法化作詩歌架構，是因為音樂作為一種媒介，不是建立在表意單元上，而是通過音調、音色在時間和空間中的調度，以歷時（旋律）和共時（和弦）的表現模擬情感的形態以達到共鳴。和〈賦格〉

相似，〈愁渡〉以五個時刻或視角，描繪了史詩級的逃亡。每一個抒情篇章聚焦於一個意涵豐富的歷史時刻，又與其他篇章交織在一起，構成了同胞們的流亡命運畫卷。

香港的現代主義詩人所創造的，是持續生長的傳統之內與傳統之間的對話模式，為東西方讀者提供一個見證文明相互滋養的契機，使之能在更宏大的語境中重新思考詩歌藝術，以達到想像視野的動態融合。戰後台灣的現代主義詩人創造了反霸權話語體系以對抗執政黨製造的壓迫性正統，香港詩人則試圖在達到同樣政治效果的同時維持詩歌的美學特質，避免它像過去那樣淪為帶有歷史和意識形態局限性的所謂客觀寫實主義。我們渴望通過一種帶有純粹自我意識的、可以完整承擔起文化傳承使命的詩歌語言，創造出帶有美學客觀性、忠於自我的詩歌。我們的目標使真正新生的現實主義保有活力，那是一種超現實主義，它能精準描摹每個充滿悸動的時刻。

葉維廉 撰，陳抒 譯

1956年

「一生低首紫羅蘭。」

周瘦鵑的羅曼史

1956年，六十一歲的周瘦鵑（1895-1968）寫下〈一生低首紫羅蘭〉一文，描述對初戀情人「紫羅蘭」的無盡思慕：

我之與紫羅蘭，不用諱言，自有一段影事，刻骨傾心，達四十餘年之久，還是忘不了。只為她的西名是紫羅蘭，於是我往年所編的雜誌，就定名為《紫羅蘭》、《紫蘭花片》……我的蘇州園居定名為「紫蘭小築」，我的書室定名為「紫羅蘭庵」……我往年所有的作品中，不論是散文、小說或詩詞，幾乎有一半兒都嵌著紫羅蘭的影子。

一九五〇年代初，中共開始在文學與藝術領域發動一系列反自由主義運動，身為鴛鴦蝴蝶派文學領軍人物的周瘦鵑，不免遭致批判。鴛鴦蝴蝶派小說作為一種流行體裁，多寫多愁善感的愛情故事，以迎合民國時期庶民的品味。即使在這些運動的壓力下，周瘦鵑這篇文章仍然充滿懷舊氛圍，文辭一如既往華麗，看似執著於他近乎天真的熱情，卻也是一種對「守舊」立場的堅持。若由此追溯約一個世紀之前，周瘦鵑文學生涯初期中的紫羅蘭身影，對周氏作品進行知識的考古，追尋王德威稱之為「被壓抑的現代性」的存在，那麼就會發現中國現代文學場域中一個獨特的、謎一般的故事。在未竟的愛情驅使下，周瘦鵑將神祕的情人紫羅蘭形象，交織入虛構和非虛構的敘述中。尤其在整個一九二〇年代，在雜誌《紫蘭花片》和《紫羅蘭》中，周

瘦鵑及其同人、讀者，將他的悲傷羅曼史發展成一種圍繞著花、美、現代中國「新女性」，以及作為文學商品雜誌等概念的流行文類。民國時期，這種文類跨越了私人和公共領域，與傳統及現代性、政治及美學相關聯，同時對市民具有情感教育的作用。

周瘦鵑出生於上海的一個貧窮家庭，祖籍蘇州，略帶點女性氣質的他有幸受到地方傳統文化的薰陶。十七世紀以來的蘇州是文人文化中心，賞花、審美以及園林藝術等優雅品味多見於日常生活。中學時期的周瘦鵑，在一位英國女教師的植物學課堂初識紫羅蘭花。此為紫羅蘭意象出現在最早一篇小說〈落花怨〉（1911）的靈感來源，他定義為美麗的女性以及浪漫的邂逅。

正如周瘦鵑的描述，他愛上了一位英文名為紫羅蘭的女孩。看了一回她在學校的舞台演出後，周瘦鵑像著魔似的，每天早晨等候在她的校門口，只為一瞥芳容。但紫羅蘭並不領情，甚至與女伴調笑稱他為「無眉先生」，因他先前曾得過一種怪病，導致髮眉脫落。經過幾日猶豫，姑娘最終回覆了他的信件，但她的父母反對與門第較低的周瘦鵑來往。不久，紫羅蘭被迫嫁與紗廠小開。

周瘦鵑因而抱憾終生。有關這段無結局的愛情故事，頻頻登上當時暢銷雜誌《禮拜六》，周瘦鵑自此在文壇聲名鵲起。他是個打造自我形象的天才。朋友為他畫了一幅素描：二十歲的他，英姿俊美，一身西服，打著領結，上衣口袋插著一朵鮮花，鼻梁上架著頗為時髦的眼鏡。他成功擄獲眾多女性的崇拜，有些人甚至將他的照片放在貼身錢包裡。

周瘦鵑在許多愛情故事中再現了紫羅蘭的種種，將其與失戀主題、文學典故、古典詩歌，以及借鑑西方文學的新技巧交織在一起。小說〈傷心女孩日記〉（1914）中述及，一個女孩將男友的信件與芬芳的紫羅蘭一起珍藏著。周瘦鵑短篇小說中多愁善感的情節，往往伴隨著反諷、幻想、隱喻或怪誕等不同敘述模式，深刻地表現了日常生活中現代人的心態。小說〈他的情人織就的手套〉（1925）中，描寫一個被十年前失戀記憶所糾葛的男子，他收藏著女孩留給他的唯一物品——手套，對他而言價值非凡，但他卻一次次地將它們忘在某處：化妝品店、書店、黃包車。小說最後，他下了有軌電車，忽然想起遺落的手套，轉身欲取回時，被一輛車撞上，在醫院臨終前仍

然惦記著那副手套。

　　1920年，周瘦鵑擔任上海主流報紙《申報》副刊〈自由譚〉的編輯，更致力於推銷紫羅蘭的形象。他開闢了「紫蘭花片」專欄，為他的祕密情人寫下親暱話語。翌年，周瘦鵑的密友袁寒雲（1889-1931）在《禮拜六》復刊號上發表一篇小說，名為〈紫羅蘭娘日記〉。小說中虛構的紫羅蘭小姐才貌兼具且摩登，喜愛好萊塢電影，拉小提琴，還至上海郊區寫生。她與一位文學天才訂婚，此人正是暗指周瘦鵑。雖然她有著自由的精神，卻又是居家女子典範，想在婚後成為一位賢妻良母。這篇小說不僅闡揚了紫羅蘭的主題，袁寒雲還巧妙地挪用了《禮拜六》上曾發表的一些日記片段，使得這本雜誌大受歡迎。

　　令人驚訝的是，這位虛構的紫羅蘭喚起了大眾的想像，並在周瘦鵑新創辦雜誌《半月》後成為一種文學商品。周瘦鵑的朋友不斷創作關於紫羅蘭的新故事，而他本人則不時收到來自讀者的回饋，他們將紫羅蘭等同於雜誌，甚至是自己的愛人。周瘦鵑小心翼翼地出借紫羅蘭意象給同人們使用，而他們往往在作品中塑造有關他的祕密愛人紫羅蘭似是而非的流言，借此撩撥大眾的想像。如知名史學家鄭逸梅（1895-1992）之妻周壽梅，在一則筆記中提到她曾在某條林蔭道上見過紫羅蘭，非常震驚於她的美麗：「聞近來與小說家周子瘦鵑有密切關係。諸君如好事者，不難探其豔訊於海上也。」不過這則香豔的筆記文末附有周瘦鵑的按語：「此指《半月》第一卷第二十四號封面美人，讀者勿誤會。」這樣的遊戲持續進行，周瘦鵑的未竟之戀，這一悲劇幾乎已面目全非了。

　　周瘦鵑和他的朋友們繼續在1925年發行的流行雜誌《紫羅蘭》打造紫羅蘭傳奇。對他們而言，紫羅蘭是文學和文化的想像，代表美人、鮮花和愛情，它無處不在。在他們虛構的「紫羅蘭世界」裡，紫羅蘭是希臘神話中的愛之女神，也是莎士比亞戲劇中愛情的象徵，還被拿破崙作為百日王朝徽章贈予他的支持者。《紫羅蘭》雜誌傳達了混合「新」與「舊」的文化理念：藉由中國抒情詩傳統表徵現代都市生活。

　　紫羅蘭故事最吸引人之一的是一九二○年代末張春帆（?-1935）在《紫羅蘭》雜誌連載的小說《紫蘭女俠》（1929-1930），小說對民國憲政持自

由主義的立場。背景為晚清時期，描寫一群佩戴著紫羅蘭徽章的女俠（這無疑是來自拿破崙傳奇的影響），響應孫中山（1866-1925）領導的反清革命。但她們不同意孫中山軍事行動的形式，要代之以「非暴力」的革命。她們能飛檐走壁，拯救性命垂危的戰士；雖然握有先進的手槍，但從來不殺人，只射出橡皮子彈。引人注意的是，雖然故事模仿了結合羅曼史與政治的「革命加戀愛」小說，但模式不同於左翼強調的階級鬥爭革命。而且，當國民黨北伐（1926-1928）統一全國，欲加強統治時，小說遠離暴力的政黨政治，維持其批判性。

《紫羅蘭》所代表的花與美與愛的文人傳統，從一九二〇年代晚期開始衰微，不僅僅因為民族危機的加劇，也因為文學趣味轉向先鋒的現代主義和左翼政治。雖然文學中的紫羅蘭羅曼史已趨向衰落，周瘦鵑與紫羅蘭姑娘之間的羅曼史卻未結束。1944年，《愛的供狀》在復刊的《紫羅蘭》雜誌連載，自曝他們長達三十年的激情。這一愛的供狀是中國現代文學中的精品，由100首詞組成，充滿了喜悅與悲哀、希望與悔恨，且一一以白話註釋。周瘦鵑回憶道：

> 那是在我和她都各自有了婚姻的六年之後。我們本來應該埋葬過去，永遠忘記所有的痛苦。但我們的痛苦是如此之深入骨髓。在共同的命運之中，我們只得想法安慰彼此……然而，當我們變得越親密，就越陷入更深的絕望之中，因為我們難以彌補地悔恨。

這段非比尋常的羅曼史，讓我們得以一窺西方的婚姻理念是如何為現代中國所接收。紫羅蘭姑娘婚後第一年仍維持處女之身，對心中的愛人周瘦鵑忠貞不二，直到聽說周結婚的訊息時才絕望。1927年，兩人重逢十年後，紫羅蘭才述說這段試圖維持真情的往事。在一些隱祕關係的情節中，有關他們小心翼翼迴避世人的敘述，最能引起同情。當他們在舞廳、電影院或公園等公開場合見面時，紫羅蘭總是由母親作陪。有一回，她在周瘦鵑的新汽車中還以一方手帕遮臉，避免為熟人瞧見。當他們意識到現狀只能如此時，已婚的紫羅蘭承諾，將永遠作他的「未婚妻」。周瘦鵑將她送的一枚刻著

「love」的金戒指戴在無名指，作為他們「精神婚姻」的信物。但同時卻也對妻子產生了罪惡感，於是寫下了對妻子充滿愧疚的詩：「我的心裡有兩個房間，一個裝著你，一個裝著她。」

當周瘦鵑提出想要發表《愛的供狀》時，朋友們紛紛替他擔心，其時抗日氣氛席捲全國，個人似乎不宜張揚感情與私生活。有人提醒周瘦鵑：「你不怕受到『輿論譴責』麼？」他回答：「我所知道的是愛情是最能超越一切的。我才不怕什麼『輿論譴責』！」儘管《愛的供狀》禮讚愛情，但仍縈繞著一種絕望感，他強烈地盼望她能回歸故里，部分地傳達了人們對迅速停戰的共同願望。

紫羅蘭的真名「周吟萍」，直到1981年才為人所知，她是一個聰慧、矜持且獨立的女性。一九三〇年代中期，南京淪陷，當時已離婚的她前往重慶，在四川銀行供職。1945年，戰爭結束，周吟萍回到上海。一年後，周瘦鵑的妻子過世，這本是一個得以圓愛情之夢的機會，但紫羅蘭以「年華遲暮，不想重墮綺障」拒絕了周瘦鵑的求婚。未久，周有了另一段婚姻。

回到上海的周吟萍在中興輪船公司工作。1949年後，在兒子的勸說下去了北京，與全國人大常委莊希泉（1888–1988）結婚。他們熬過文化大革命，周吟萍享壽八十餘歲。但周瘦鵑沒有如此幸運，儘管他忠於共產黨，但文化大革命期間遭到接連迫害。1968年，投井結束他多情浪漫的一生。

參考文獻：

Chen Jianhua, "Zhou Shoujuan's Love Story and Mandarin Ducks and Butterflies Literature," in *The Columbia Companion to Modern East Asian Literature*, ed., Joshua S. Mostow et al.(New York, Columbia University Press, 2003), pp. 355-363.

Perry E. Link Jr., *Mandarin Ducks and Butterflies: Popular Fiction in Early Twentieth-Century Chinese Cities*（Berkeley, CA, University of California Press , 1981）.

陳建華 撰，張屏瑾 譯

1956年

台灣作家吳濁流《亞細亞的孤兒》中文版出版

1983年9月20日

歌手羅大佑《亞細亞的孤兒》歌曲發行

亞細亞的孤兒

　　1983年9月20日台灣歌手羅大佑（1954-）推出第二張個人專輯《未來的主人翁》。「成長」是貫穿專輯歌曲的主題。其中格外引人注目的是〈亞細亞的孤兒〉，時間即使過了三十年，它依舊是眾多台灣人的最愛：

> 亞細亞的孤兒，在風中哭泣。
> 黃色的臉孔有紅色的汙泥，
> 黑色的眼珠有白色的恐懼。
> 西風在東方唱著悲傷的歌曲。
>
> 亞細亞的孤兒，在風中哭泣。
> 沒有人要和你玩平等的遊戲，
> 每個人都想要你心愛的玩具。
> 親愛的孩子你為何哭泣？
>
> 多少人在追尋那解不開的問題，
> 多少人在深夜裡無奈的嘆息，

多少人的眼淚在無言中抹去。

親愛的母親這是什麼道理？

羅大佑以「孤兒」比喻一九六〇年代後台灣在冷戰世局下愈趨艱難的處境。歷史與政治的風雲詭譎形塑了歌詞的基調。中國、美國、台灣的三角關係貌似風平浪靜，實則暗潮洶湧，1969年尼克森（Richard Nixon, 1913-1994）就任總統後更是危機四伏。尼克森派季辛吉（Henry Kissinger, 1923- ）祕密訪中，推動中美邦交正常化。來自蘇聯持續不斷的威脅讓中美關係快速增溫。

尼克森的新外交政策嚴重打擊了中共宿敵——國民黨主席蔣介石(1887-1975)。蔣自四〇年代以來一直是美國的忠誠盟友。尼克森如此解釋背信的緣由：「對我而言，做出這個使我們的老朋友和忠誠盟友失望的決定實屬不易……在當前局勢下，我認為維護美國的國家安全利益，還需要與中華人民共和國發展外交關係。」最終，國際盟友不再支持台灣在聯合國的中國代表權，蔣介石也斷然退出聯合國。新崛起的中華人民共和國取中華民國而代之。

羅大佑推出歌曲的1983年，台灣尚未解嚴。唱片公司擔心國民黨的審查機制可能會不喜歡「孤兒」，因為易於令人聯想到台灣退出聯合國的窘況。所以決定為〈亞細亞的孤兒〉加上「紅色的夢魘——致中南半島難民」的副標題。這副標題一方面足以聯想赤柬，也就是柬埔寨激進的共產黨人；一方面也巧妙地賦予這首歌博愛色彩，呼應福特（Gerald Ford, 1913-2006）總統在越戰後簽署的《印度支那移民和難民援助法》。無論如何，歌曲成功規避政治審查的同時，也讓聽眾聯想到中南半島政治的盤根錯節，並對這一不穩定的政治局勢有所警覺。

越戰後，中美邦交正常化。《中美建交公報》於1979年1月1日生效，美國承認中華人民共和國是代表中國的唯一合法政府，蔣介石在台政府於是淪為分裂政權。為了緩和台灣的情緒，協議呼應尼克森的措辭，強調「美國人民將同台灣人民保持文化、商業和其他方面的非官方關係」。雖然如此，這一事後的補償措施仍無法有效緩解台灣人民被遺棄之感。直至今日，台灣仍

未返回聯合國。

〈亞細亞的孤兒〉另有其他靈感和原型來源。1949年，蔣介石遷台之時遺忘了西南邊境的一支部隊。這支部隊因前往中南半島執行任務無法即時撤回。他們意外成為「另類移民」，被迫在異鄉落地生根，他們的後代則成為四散在中南半島的難民。台灣作家柏楊（1920-2008）的報告文學《異域》以令人痛心的細節，記錄了這支失落部隊的死而後已、鞠躬盡瘁，揭露了生命的脆弱和戰爭的荒謬。這支孤軍為中國而戰，也為自身而戰，但終究未能一圓重返故土之夢。1990年，導演朱延平（1950-）將小說搬上銀幕，《異域》成為當年台灣最賣座的電影，羅大佑的〈亞細亞的孤兒〉則作為電影主題曲，但這並不是首次的跨媒介挪用，事實上這首歌的標題取自吳濁流（1900-1976）小說《亞細亞的孤兒》。

1943至1945年間，吳濁流於日治台灣創作了這部作品。1946年小說初版時，曾以小說主人公的名字「胡志明」為題。1956年再版時，吳濁流將題目改為《亞細亞的孤兒》，主人公的名字也更改為胡太明。這一名字的改動頗具深意：胡志明與越南共產黨領袖胡志明（1890-1969）同名。由於當時越戰方興未艾，吳濁流改動人物名字以迴避政治的穿鑿附會。羅大佑歌曲的副標題「紅色的夢魘——致中南半島難民」是否從這一歷史插曲獲得靈感，我們不得而知。歷史的後見之明卻能讓我們看清，所謂的國族歷史永遠都是多個國家參與的國際史。

日本自1895年至1945年，整整統治台灣五十年。1895年甲午戰爭失敗，清廷割讓台灣予日本；1945年，日本歸還台灣時，接受者是中華民國。1912年，國民黨推翻清政權建立了亞洲的第一個民主共和國——中華民國，因此成了台灣的新主人。

根據1943年《開羅宣言》和1945年《波茨坦宣言》，國民政府有權繼承清廷所有的政治遺產。國民黨接續清朝行政疆域、依據國際法接收台灣，卻仍然留有爭議，不斷引發關於台灣（事實上，非法理上的）獨立地位的爭論。尼克森以降的美國總統都延續了他的外交政策，與中華人民共和國而不是中華民國建交。1979年《中美建交公報》表明：「美利堅合眾國政府承認中國的立場，即只有一個中國，台灣是中國的一部分。」這麼多年來，有一

件事未曾改變：沒有任何一個政府——無論是滿清、美國、英國、國民黨，甚至是共產黨在會面商討、決定台灣的國際政治地位時，未曾徵詢過台灣人民的意願。事實上，台灣不僅是個孤兒，還經數次領養。

　　孤兒的定義是雙親不在或不明的孩子。嚴格地說，吳濁流筆下的主人公胡太明不是孤兒，因為他並沒有家破人亡。「亞細亞的孤兒」指的是被原鄉和殖民者共同拋棄的人。吳濁流用孤兒比喻了胡太明以及夾在日本殖民主義與中國民族主義間的所有台灣人。胡太明無論到何處，都找不到歸屬感。日治時期的台灣，日本人不當他是日本公民。他的勤奮和善良僅僅為他贏得一定程度的善待。露骨的歧視甚至莫須有的指控讓他不勝其擾。留日期間，他的同班中國同學認定他是奉迎日本人的漢奸。吳濁流曾經在自傳體小說《無花果》中寫道：「正如離開了父母的孤兒思慕並不認識的父母一樣，那父母是怎樣的父母，是不去計較的。只是以懷戀的心情愛慕著，而自以為只要在父母的膝下便能過溫暖的生活。以一種近似本能的感情。」然而，吳濁流也指出，這種源自一種想像鄉愁的本能感情，在他踏上大陸之時已經發生了改變。他筆下的主人公對中國的認同也經歷了相同的變化。他要繼續流浪，尋找家園。

　　出生在日治時期的台灣，胡太明既不夠中國亦不夠日本。這是一個有關「先天條件」（nature）還是「後天培養」（culture）的問題。日本人對台灣人的歧視和偏見基於大陸與台灣之間的親緣關係——他們假定台灣人與中國人之間有一種與生俱來、密不可分的聯繫，而主人公的中國同學則傾向另一種普遍的認知——人應該忠於自己的出生地。雙方都忽視了身分認同中的其他因素，譬如種族、語言、居住地、政治和宗教信仰。身分政治所牽涉的一系列棘手問題帶給主人公疏離感與被遺棄的痛，將他逼至瘋狂邊緣。而這些問題也將持續縈繞在往後幾代台灣人的心頭。

　　如果只將主人公視作受害者，就誤解了吳濁流的本意。胡太明的不幸遭遇成就了他豐富的生命經驗。吳濁流的孤兒不是脆弱之人而是一種情感體悟，一種根植於歷史因素，又因其個人的幾度漂泊而更加複雜的被遺棄之感。他從台灣到日本再到中國大陸的曲折旅程，也印證著台灣（後）殖民身分認同的複雜構成。吳濁流將筆下的孤兒塑造成冒著巨大風險，在艱難的人

生路上執著前行的移民。如果胡太明沒有踏上尋家之旅，就不會產生被排斥、被放逐之感。他的離開，使他更加意識到無處為家的宿命。但如果不離開，就永遠喪失了自我意識覺醒的機會。比起強調「家」的意義流變不居，《亞細亞的孤兒》提供了一個更強有力的論調：家正是藉由這些輾轉行旅獲取其多重意涵。

　　我們可以將胡太明置於世界文學中令人印象深刻的孤兒行列中：《清秀佳人》（*Green Gables*）中的安妮，大衛‧考柏菲（David Copperfield），哈克貝利‧芬恩（Huckleberry Finn），簡‧愛（Jane Eyre），奧利佛‧崔斯特（Oliver Twist）——這些人物在他們的生命經歷中濃縮了不同時空中的絕望和希望。吳濁流的孤兒譬喻與他們相比，又多了一重國族寓言的重量，警示讀者國家（父）對國民（子）的忽視。儘管這個不乏浪漫想像的孤兒形象突出了孩童的脆弱特質，但胡太明最終成為了超越此種受害者身分的先驅。他沒有陷入無止境的自怨自艾中，他加入國民軍，在中國西南和日軍作戰。我們無法確定吳濁流筆下的孤兒是否變成柏楊筆下和朱延平鏡頭中《異域》裡失落部隊的一員。然而孤兒譬喻跨越音樂、歷史、文學、電影和政治的邊界，不難得見。

　　《亞細亞的孤兒》呈現了、也預示了台灣人民在殖民和後殖民時期進退兩難的困境。英法前殖民地的人民，如香港、印度和阿爾及利亞也同樣面對著政治不平等和社會不公。但是台灣與其他歐洲殖民地有著明顯不同。因為，台灣並未以中華民國的名義像阿爾及利亞和印度一般被國際社會承認為一個主權國家。台灣只是美國布局東亞反共聯盟的棋子。隨著冷戰局勢的擴大，美國開始尋求中共的支持，這也預示著台灣邊緣化的開始。直到如今，台灣的國際地位依然曖昧不明。「亞細亞的孤兒」是一個反思台灣種種議題的恰當譬喻。比如，被浪漫化的親緣關係如何構建和反映個人身分和國族認同？既然個體總是誕生在國／家之中，那麼通過文學和電影對孤兒的再現，我們如何反思更廣泛的國際政治局勢？如果台灣是亞細亞的孤兒，那麼誰又是亞細亞乃至整個世界的父母？是什麼賦予其養育台灣的權力、使之得以定義乃至利用台灣的困境？台灣的未來會是如何？

　　相信是一回事，盲從又是另一回事。這些是非常困難但未必是羅大佑所

謂「解不開的問題」。提出問題正是尋找答案的第一步。

參考文獻：

Zhuoliu Wu, *The Fig Tree: Memoirs of a Taiwanese Patriot, 1900-1947* (Dortmund, Germany, 1994).

Zhuoliu Wu, *Orphans of Asia: A Novel* (New York, Columbia University Press, 2008).

Bo Yang, *The Alien Realm* (London, Janus Publishing Co., 1996).

蔡建鑫 撰，陳抒 譯

1957年6月7日
十娃子抵達北京

穆斯林與中國拉丁化新文字

　　1957年，十娃子（Iasyr Shivaza, 1906-1988）在一群由中國共產黨幹部與作家組成的聽眾前朗誦詩歌。[1]這是他第一次訪問中國。「冷戰」期間蘇聯與中華人民共和國的熱絡關係此時達到頂峰，「友好使團」以社會主義的名義互訪，致送經驗，表達團結。這一圈子擴及反抗西方帝國主義的其他發展中國家和地區（Global South）——拉丁美洲、非洲、東南亞與加勒比地區。十娃子，第二代東干族詩人、作家，來自華語語系離散場域中被遺忘角落裡的孤獨聲音，從蘇聯中亞出發遠行。他是十九世紀後期經過一連起義失敗，從中國西北逃亡至俄羅斯帝國的中國穆斯林後裔。對於來自吉爾吉斯的十娃子，部分聽眾並不陌生。

　　此前一年，十娃子參加的吉爾吉斯作家團體接待十六位來自中國的作家代表團，這是吉爾吉斯蘇維埃社會主義共和國的首都伏龍芝（Frunze，現稱比什凱克〔Bishkek〕）接待的第一個中蘇友好代表團。其中只有一位中國作家代表戈寶權（1913-2000）能用俄語交談，他是普希金（Aleksandr Pushkin, 1799-1837）與高爾基（Maksim Gorky, 1868-1936）的翻譯者。然而，如果不借助俄語，他們之間的漢語方言差異幾乎大到無法交流。戈寶權的漢語是中國東部長江三角洲地區的上海方言，而十娃子的東干語則根植於中國西北

1　譯者註：「雅思爾・十娃子」為 Iasyr Shivaza 的中文名。其中，「Shivaza」為「十娃子」的拼音。「娃子」是陝西甘肅一帶對於小孩子的暱稱。

的陝、甘方言。彼時，十娃子熟悉魯迅（1881-1936）、蕭三（1896-1983）、巴金（1904-2005）與趙樹理（1906-1970）的作品，也曾將巴金的短篇小說從俄語翻譯為東干語。他雖然欽佩中國革命作家，但受到吉爾吉斯、哈薩克、烏茲別克與維吾爾作家和詩人的影響更大，因為他們共享一方水土，使用相同的語言。

伏龍芝的盛會促成北京的回請，十娃子應邀參加新疆維吾爾自治區作家協會成立大會，這一歷程象徵了從不同世界的交界處到中國文化中心的行旅。作為吉爾吉斯蘇維埃社會主義共和國的民族詩人，十娃子是七人代表團──包含烏茲別克、哈薩克、土庫曼與塔吉克的代表在內──的一員。在為期十五天的會議期間，十娃子朗誦了〈給屈原詩人〉，獻給這位公元前三世紀以《楚辭》傾述對先王忠誠的詩人與政治流亡者。雖然詩人以東干語朗誦，卻無須翻譯，令中國聽眾驚訝的是，他們能辨識出十娃子言語中的方言變化。北京會議即將結束前，十娃子卻被提醒：「中國人雖然是朋友，但卻是與東干人不一樣的外國人。」這種似曾相識卻又彼此隔閡的感覺，使得一段至今鮮為人知卻錯綜曲折的離散史浮出地表。

陝、甘北方漢語方言為不識字農民的日用語。這些口語傳統從未在中文書寫中得到表現，在現代掃盲運動前，它們隨著穆斯林的遷徙而輾轉流傳。一個半世紀以來，東干語從俄語、波斯語，以及中亞（尤其是今天的哈薩克、吉爾吉斯與烏茲別克）的突厥語系中汲取詞彙。它在列寧（Vladimir Lenin, 1870-1924）與史達林（Joseph Stalin, 1879-1953）時代的蘇聯語言政策下不斷改革，首先作為一種宗教傳授的語言以阿拉伯字母書寫，爾後採用西里爾字母，繼而是拉丁字母，最後再次回到西里爾字母。作為漢藏語系中的小語種，東干語是真正的「雙重少數」，倖存於兩個民族的現代歷史中。

東干語存續之艱難，超過所有我們對邊緣聲音的想像。但是，在中國語言變革最關鍵的時刻，它也無法在現代中國歷史主流裡發揮更為核心的作用。東干語拉丁化前，年輕的十娃子正與塔什干轄鞈學院的同學楊善新（Yu. Yanshansin）與馬凱耶夫（H. Makeev）致力創造第一套東干語字母。雖然這套字母表最初以在穆斯林課堂閱讀《古蘭經》習得的阿拉伯字母為基礎，但1927年最終起草的是拉丁化方案。當蘇聯中亞地區不同的突厥語系族

群開始採用以拉丁字母為基礎的新突厥語字母時，東干人也起而效仿，但很快發現不適合尚保留中國西北方言音調與語法的東干語。1928至1929年間東干人採用拉丁化字母，但於1930年春暫時中止，等待官方進一步的審查。與此同時，莫斯科正興起對中國拉丁化新文字運動的研究，這項大規模計畫旨在制定一種簡單、適合各種方言的拼音文字。

1928年底，中國共產黨的重要人物也是知名作家瞿秋白（1899-1935，俄文名為斯特拉霍夫〔Strakhov〕）與蘇聯專家開始合作攻關具體的拉丁化方案。之前1928年2月，莫斯科的東方勞動者共產主義大學已經開始研究漢語能否被拉丁化。當時試圖幫助海參崴與哈巴羅夫斯克的華工提升漢語識字率的嘗試已經失敗，其中部分原因是蘇維埃政府的操縱使然。在莫斯科共產主義研究院中國科學研究所，瞿秋白與漢學家與語言學家郭質生（V. S. Kolokolov, 1896-1979）、史萍青（A. G. Shprintsin, 1907-1974），吳玉章（俄文名為布列寧〔Burenin〕，1878-1966）、蕭三（俄文名為埃彌蕭〔Emi Siao〕）以及其他中國共產黨員，一起合作。其中郭質生幫助瞿秋白制定了漢語拉丁字母與轉寫系統。1929年初，瞿秋白就漢字拉丁化方案向一小群專家及中國學生做了一次內部報告，以他的俄文名署名發表小冊子《中國拉丁化字母草案》（*A Draft of China's Latin-Style Letters*）。

到該年5月，有關字母提案主要針對數百名在莫斯科的中國學生進行了測試。隨後於5月底進行了一次大規模的會議，廣泛邀請漢學家就提案進行討論。1930年4月項目領導人與蘇聯國家教育委員會、蘇聯中央執行委員會民族院，以及「掃盲」會（Down-with-Illiteracy Society)取得聯絡，並與列寧格勒的蘇聯科學院東方研究所的龍果夫（A. A. Dragunov, 1900-1955）進一步合作。龍果夫也已持續開展關於漢字拉丁化研究，並於1930年5月在莫斯科做了一場報告，聽眾中有許多主張在蘇聯東部採用新突厥語字母的拉丁化運動的倡導者。他們原則上支持瞿秋白與郭質生的方案，並決定瞿秋白、郭質生與龍果夫來共同研究草案初稿的最終版。《中國拉丁化字母》（*China's Latin New Scripts*）於1930年出版，封面標題以拉丁化中文、漢字與俄文三種文字呈現。

相較於蘇聯和中國同事，瞿秋白固然缺乏語言學家的訓練，但他從意識

形態出發，對民族語言有鞭辟入裡的評論，抓住了中國內部論爭的要旨。漢字如何羅馬化並非僅僅關乎便利的問題，而是圍繞著中國走共產主義或國民黨路線的問題，討論者分成了兩派。當國民黨以1934年的「新生活運動」為代表的保守潮流提出恢復使用文言文時，語言政策被推向了文化論戰的前沿。瞿秋白強調語言標準化的爭奪不是中國問題，而是所有民族語言命運的象徵。從民族利益出發，在國內外擴大並鞏固其影響的考量，無可避免主導了這場爭論。

當瞿秋白提出他的方案初稿時，東干語與拉丁化新文字距離就越來越近了。龍果夫與同事瓦西里耶夫（B. A. Vasiliev）為重要的關鍵點，後者在一九三〇年代對東干人及其文學做過著述。龍果夫與瞿秋白並肩工作致力於拉丁化新文字後，開始研究東干人及其語言特點。1952年，他最終成為創制新東干字母專家委員會主席，開展東干語向西里爾字母遲來的過渡。

十娃子持續參與關於東干語的討論，並在委員會中任職。事實上，東干語拉丁化與中國新文字在蘇聯語言運動中不僅同源，東干語拉丁化還為拉丁化新文字提供了重要的先例，直接改變了現代中國語音與文字的命運，但這一合作在中國現代文學史上幾乎被遺忘了。當十娃子抵達北京，被奉為遠來的上賓。但他的中國同仁對十娃子所親歷的中國語言現代化曲折命運，卻無動於衷，儘管十娃子的經歷也正是他們汲汲捍衛地方語言與文學運動的關心所在。

十娃子在北京會見了老舍（1899-1966）、茅盾（1896-1981）、郭沫若（1892-1978）、蕭三、周恩來（1898-1976），以及研究中國穆斯林歷史的先驅學者如白壽彝（1909-2000）與馬堅（1906-1978）。他與老舍等人在前一年的會議已見過面，一張十娃子與老舍、嚴文井（1915-2005）在烏魯木齊的照片，顯示了這位年輕的吉爾吉斯少數民族作家與名家老舍合影時的興奮，雖然老舍並非漢族而是滿族人。當時老舍正深入參與在文學創作中發揚地方文化與語言的實踐，尤其是針對中國少數民族或者「兄弟民族」的文化與語言。他的新疆之旅正是為提升中國與第三世界間的社會主義兄弟情誼的活動之一，活動從早期共產主義時期一直持續到「文化大革命」。但他並未提及十娃子，從他的日記得知這次會見和迎接作家的活動使他筋疲力

竭，幾乎記不得迎接過的作家名字。

　　儘管老舍與十娃子這次的相遇是一場錯過的機緣，但十娃子與瞿秋白拉丁化新文字計畫的密切合作者詩人蕭三，有著令人感動的重逢。十娃子早在二十年前的1938年夏天便見過蕭三，當時他在伏龍芝受到吉爾吉斯作家聯盟的歡迎。蕭三稱讚十娃子是一位偉大的東干語詩人，並在社會主義兄弟情誼的精神下特地為他寫作了一首詩：

> 我和你本來是相識了千年，
> 一塊兒曾唱過同一樣的歌。
> 但是你被迫得離開了故園，
> 你幸福，找到了嶄新的祖國。
> 可是你和我們仍然同唱那首歌。
> 〔……〕
> 我相信，兩大家要聯合成一片，
> 許多家將聯合成一個大的家。
> 或在這，或在那，我你總能見面。
> 我們將圍著一張桌子坐下。
> 然後再一塊兒高唱那首歌！

　　這是針對現代中國文學一次充滿反諷的反思，因為東干人並未被視為對話對象。當中國的左翼作家積極致力於發展大眾文藝與語言時，似乎沒有人意識到東干人應對歷史逆境，對區域與民族語言的非凡保存，這種保存是對歷史命運的一種反抗。東干人對於母語文字的表現力體現了他們所尋求的形式。就各方面而言，老舍都錯過了眼前的絕佳機會，東干語的歷史可能性在漢語語境下是不可思議的。老舍所提倡的方言與地方風格使得標準化的漢語成為刻寫民族身分的參照，各個民族在中國都有其位置，只要他們臣服於其大一統的歷史。然就另一方面而言，東干語是一種格格不入的語言，也是一段格格不入的離散歷史。東干語不僅因其作為一種以不同文字書寫漢語的早期例證而發人深省，也為重新思考現代中國文學書寫的文字基礎提出了根本

性的挑戰。

參考文獻：

John DeFrancis, *In the Footsteps of Genghis Khan* (Honolulu, University of Hawaii Press, 1993).

Svetlana Rimsky-Korsakoff Dyer, *Iasyr Shivaza: The Life and Works of a Soviet Dungan Poet* (Frankfurt am Main, Germany, 1991).

A. G. Shprintsin, "From the History of the New Chinese Alphabet," in *The Countries and Peoples of the East: Selected Articles*, ed., D. A. Olderogge (editor-in-chief), V. Maretin, and B. A. Valskaya; trans. from the Russian by I. A. Gavrilov and P. F. Kostyuk (Moscow, 1974), pp. 329–338.

Jing Tsu, "Romanization without Rome: China's Latin New Script and Soviet Central Asia," in *Asia Inside Out: Connected Places*, ed., Eric Tagliacozzo, Helen F. Siu, and Peter C. Perdue (Cambridge, MA, Harvard University Press , 2015), pp. 321–353.

石靜遠（Jing Tsu）撰，李浴洋 譯

1958年6月20日
世界和平理事會紀念關漢卿

社會主義劇場上的《關漢卿》

　　田漢（1898-1968）話劇《關漢卿》的時間設定在元朝統治之下，時當十三世紀晚期。開場是大都（今北京）城外的一條小街道。在那裡，角色之一關漢卿（基於歷史上的劇作家關漢卿）和當地居民目睹了一個貞潔、孝順的少女小蘭含冤被斬。有感這一冤案，關決定寫一齣戲，譴責政治的腐敗。寫出的正是關漢卿（約1224-約1300）歷史上最著名的作品《竇娥冤》。他把這個想法透露給來往甚密的歌妓朱簾秀，她這樣回應：「你敢寫，我就敢演！」幾乎所有對田漢（1898-1968）此劇的評論都會引用這句話。朱確實演了《竇娥冤》。這齣戲中戲是一招險棋，因為觀戲者不是別人，就是蒙古丞相的母親。儘管丞相之母喜歡這齣戲，副丞相阿合馬卻勃然大怒，因為這齣戲直接冒犯朝廷。他命令關和朱修改劇本，以觀後效；兩人拒絕，阿合馬於是將他們下獄，並挖出朱的徒弟賽簾秀的眼睛。在監獄裡，關和朱許下了對正義和彼此的永恆誓言，兩人幸獲減刑，逃過一死，流放至杭州。

　　《關漢卿》完成於1958年6月，是為了紀念關漢卿七百年誕辰，作者田漢是共和國的主要劇作家。這齣戲標誌著中國戲劇史上的一個關鍵時刻，它重演了劇作家關漢卿反抗當權的故事，觀眾遠屆海外。關漢卿為世界和平理事會（the World Peace Council）定為「世界文化巨人」；這個理事會由社會主義陣營構成，以公開慶祝、演出和出版作品的形式表彰各成員國的歷史人物。比如1958年6月20日在莫斯科的一次公演，成為莫斯科主導的關漢卿紀念活動的首發式，歌舞節目之外，包括關漢卿《竇娥冤》的一幕，表演者是

莫斯科音樂劇院（Moscow Academic Music Theater）的演員斯坦尼斯拉夫斯基（Stanislavski）和涅米羅維奇－丹欽科（Nemirovich-Danchenko）。世界和平理事會對關漢卿的致敬，助長中國對關的興趣：關漢卿七百週年紀念前後出現了大量學術論文，關的詩作、劇作集，以及改編的當代戲曲電影。1958年6月28日，北京人民藝術劇院在首都劇場首演了《關漢卿》，同一天，在紫禁城神武門內，有關這位劇作家的展覽開幕，全國主要城市也舉辦了相關慶祝活動。

　　對中國戲劇界而言，《關漢卿》帶有特殊的重要性。它標誌著田漢停筆十年多後重新執筆寫作話劇。作為中國現代戲劇奠基人之一，田漢在日本接受教育，推動話劇不遺餘力。他在一九二〇年代組織了一個大型戲劇團體南國社，並在一九三〇年代的左翼戲劇中扮演了積極角色，之後他成為中國共產黨文化機關中的重要成員。除參與大量話劇活動外，田漢在一九五〇年代初也是戲曲改革的設計者之一，改編創作京劇如《白蛇傳》、《謝瑤環》等。1957年中國話劇誕生五十週年，他也致力編輯、出版史料。

　　田漢在話劇和傳統戲曲界的成就使他成為紀念關漢卿七百週年活動的理想人選。他所創作的《關漢卿》以話劇新形式處理傳統戲劇人物，並以編制得宜的樂曲使其凝為一體；以此它向人民共和國「傳統」戲曲與「現代」話劇致敬。在此時期，民間地方戲曲仍受工農兵觀眾歡迎，而話劇所展現的（社會主義）現實主義又契合黨對藝術反映工農兵生活和服務政治的要求。政府在大城市建立人民藝術劇院，鼓勵將話劇傳播至工廠和農村，並在北京舉辦新作觀摩大會，積極推動話劇發展。國家的支持基本是成功的，一九五〇年代的大部分經典話劇演出，諸如北京人民藝術劇院演出曹禺（1910-1996）的《雷雨》（1954）和老舍（1899-1966）的《茶館》（1958），都奠定這些作品的現代經典地位。《關漢卿》沒有如此好運──這齣戲在「文化大革命」期間被打為一棵「毒草」，作者田漢也遭到迫害。但首演的成功還是證明田漢兼容古今的努力，曾一度得到熱烈支持，成為話劇和中國戲曲史交相為用的範例。

　　書寫和演繹中國戲曲史以紀念比如關漢卿誕辰七百年這樣的場合，對「開國」未久的政治具有關鍵意義。官方的國家節日，像國慶節和五一節，

都有遊行、大眾表演和公共場合的裝點，尤其是在首都北京。這些慶典活動也許時效有限，卻為更加持久的大型建設所平衡，比如天安門廣場的人民英雄紀念碑（1958）和北京中心的十大建築（1959）的出現。在寫作《關漢卿》時，田漢也許從這種對政治性紀念碑的嚮往中有所借鑒，企圖確立戲劇史上某一特定時刻的永恆性。也就是說，就像一座實體紀念碑一樣，《關漢卿》的出現，「坐實」了一個特定歷史事件——在那一刻，中國戲劇已經成熟——並向戲劇奠基人之一致敬。這一致敬姿態更因世界和平理事會和國營藝術團體如北京人民藝術劇院的參與，而獲得認可。

事實上，關漢卿其人其作的真確性一直眾說紛紜。儘管戲劇史徵引關的作品，他的生平依然是個謎團。而正是具體史料的不足使得田漢有了想像餘裕，將關漢卿改造成一個以戲劇抗暴的先驅。為達到此一目的，田漢模糊了歷史和虛構的界限，以期與一九五〇年代的意識形態一致。尤其《關漢卿》把主要角色塑造成明確的英雄人物，具有意識形態正確性，呼應社會主義現實主義文學與國家宣傳的原則。比如說，《關漢卿》強調人物英雄品格的等級化。關漢卿和朱簾秀是主要主人公，他們勇敢地把藝術用作反抗壓迫和腐敗的武器。關尤其展示了社會主義藝術家、社會模範最重要的特徵：念茲在茲地為人民服務。而這些主要人物身邊圍繞著一群正面的次要人物，他們的齊心協力，是這個關懷民生社會的劇場成功的關鍵。關漢卿是在朱簾秀鼓勵下才寫出《竇娥冤》（第二場），他的戲因為其他演員和樂師的建議而漸趨完美（第五場），而他因為不願向強權妥協，終於遭到牢獄之災（第七場）。關漢卿是這戲裡最突出的人物，但沒有次要人物的幫襯，他斷難完成作品。

為了讓歷史人物「與時俱進」，以適應時下意識形態，田已然模糊了歷史和虛構的界限。他甚至更進一步，模糊了關漢卿的多種角色的分際，包括醫生、劇作者、演員及觀眾。在戲裡，關是個深受尊重的大夫，卻也精於戲曲，甚至偶爾粉墨登場。關在這齣戲的開始時，就是目睹小蘭屈死的觀眾，暗示在這樣的社會裡，人民既是暴政的觀眾，也是任其擺布的道具。

《關漢卿》的上演及更廣泛的紀念活動，讓觀眾對台上台下、戲裡戲外的交融產生共鳴。就在田漢寫作此戲同時，千百萬的工農兵加入工會和農村

的文化團體，發現自己正由觀眾轉變為演員。共產黨對寫作、音樂和戲劇等業餘化、民間化的推動，可追溯到1942年毛澤東（1893-1976）〈在延安文藝座談會上的講話〉之後的文化政策。但在一九五〇年代，業餘戲劇更為滲透到社會每一角落。1958年開始的「大躍進」也是一個特別聚焦於文藝的大眾生產運動，戲劇活躍程度尤其高於其他。甚至田本人也寫了一則宣言，號召戲劇界大躍進，要求大眾參與，演員不分職業與業餘並肩演出。

就這樣，通過把中國戲劇的起源故事搬上舞台，《關漢卿》提供了一段台上台下都有意義的歷史。事實上，在業餘戲劇持續發展、越來越多業餘演員參與戲劇活動、專業演員對業餘演員指導的重要性凸顯的背景下，《關漢卿》也意味著劇團的一個樣板，任何演員，不管職業還是業餘，都能從中學習，得到啟示。關漢卿和他的團隊所體現出的價值，不是獨沽一味的戲劇（theater-specific）價值，而是為社會主義革命的普遍價值再添新磚，這齣戲不僅是對有心的演員—觀眾的指南，也是對社會互動的一般隱喻。就是說，如果任何人都能成為演員，那麼在某種意義上，舞台上的戲也是日常生活中的戲。人人都可以成為英雄，而劇團的相互合作也示範日常生活的彼此互助。

進而言之，它也是內在戲劇性的典範。《關漢卿》講述的是一個劇作者強烈意識到其社會和藝術能動性，它意識到自我的戲劇性和自身的社會角色，並使用了明顯的戲中戲結構。這些使《關漢卿》接近於埃布爾（Lionel Abel）經典的元戲劇（meta-theater）定義：它要求角色意識到自己的戲劇性，反映一個已經戲劇化了的世界。元戲劇性（Meta-theatricality）因此既是描述性的，也是自反性的。《關漢卿》呼應了這一點。如果我們把它讀成一部有教訓意義和「指南」（how-to）功能的戲，它既成為對未來的規畫，也是對過去的評論。它遠非對現有的社會關係的現實主義反映而已，而是塑造——並搶先紀念了——一個未來的完美世界，在這個世界裡，職業者和業餘者，演員和大眾个分彼此，而日常生活就是戲劇。

參考文獻：

Lionel Abel, *Tragedy and Metatheatre* (New York, Holmes & Meier Pub, 2003).

Chang-tai Hung, *Mao's New World: Political Culture in the Early People's Republic* (Ithaca, NY, Cornell University Press , 2011).

Liang Luo, *The Avant-Garde and the Popular in Modern China: Tian Han and the Intersection of Performance and Politics* (Ann Arbor, MI, University of Michigan Press, 2014).

Tian Han, *Guan Hanqing*, trans. Amy Dooling, in *The Columbia Anthology of Modern Chinese Drama*, ed., Xiaomei Chen (New York, Columbia University Press, 2010), pp. 385-460.

Rudolf Wagner, *The Chinese Historical Drama: Four Studies* (Berkeley, CA, University of California Press, 1990).

陳琍敏（Tarryn Li-Min Chun）撰，劉子凌 譯

1958 年

「六億神州盡舜堯。」

新民歌運動

讀6月30日《人民日報》，余江縣消滅了血吸蟲。浮想聯翩，夜不能寐。微風拂煦，旭日臨窗，遙望南天，欣然命筆。

其一
綠水青山枉自多，華佗無奈小蟲何！
千村薜荔人遺矢，萬戶蕭疏鬼唱歌。
坐地日行八萬里，巡天遙看一千河。
牛郎欲問瘟神事，一樣悲歡逐逝波。

其二
春風楊柳萬千條，六億神州盡舜堯。
紅雨隨心翻作浪，青山著意化為橋。
天連五嶺銀鋤落，地動三河鐵臂搖。
借問瘟君欲何往，紙船明燭照天燒。

1958年7月1日毛澤東（1893-1976）得知江西血吸蟲病被消滅後，寫下七言律詩〈送瘟神〉二首，詩前並小序一段。毛澤東不是「詩人」，但寫詩在古典中國是文人日常生活的一部分；在帝國晚期，吟詩賦詞是一種必備的文化資本形式，卻又不似現代社會中可以用來定義一個人。毛澤東是共產主

義革命者，中華人民共和國主席，他偶爾寫詩，但並非現代文學意義中的「詩人」。毛以舊體詩格律寫作的詩歌在中國幾乎無人不知、無人不曉，人人甚至都能背誦幾句他的詩作。問題在於：為何「毛澤東是一位舊體詩人」的事實，對中國現代史以及現代文學而言，顯得如此重要——或的確真那麼重要嗎？

　　儘管此問題難以三言兩語解答，但1958年發生在中國的事件，卻提供了引人入勝的線索。1958年是這樣的一年：真理與欲望似乎不分彼此，妄想與謊言盛行，導致整個國家陷入錯綜複雜的迷惘中。8月25日，《安徽日報》刊登一個年輕女孩坐在麥稈堆上的一幅照片，說明麥稈如此苗壯，足以支撐一個人的重量，這位女孩來自安徽省繁昌縣長江東南岸的一座縣城。 就在兩天前，繁昌縣聲稱一畝地種出了43,074斤的小麥，而此前鼓舞人心的是，湖北省麻城縣宣布，在一畝裡內奇蹟般地種出了36,900斤小麥。受到麻城縣的啟發，即使在天文數字產量充斥於頭條的年代裡，《人民日報》的一則新聞依然引起轟動。人民共和國的文化名人郭沫若深受感召，寫了一首慶祝詩。郭沫若的這首七言絕句，以這樣的句子結束——「繁昌不愧是繁昌，緊緊追趕麻城縣。」詩刊登於1958年9月2日的《人民日報》。猶如被這首詩激勵一般，麻城縣兩天後宣稱的52,000斤畝產量，成為新紀錄。郭沫若為此寫作另外一首詩，在與新作詩歌同時發表的文章裡，郭沫若驚嘆地表示：「我的筆是趕不上生產的速度。」

　　這則故事可作為觀察1958年關鍵事件的一則寓言。這是「大躍進」的一年，由毛澤東領導的中國共產黨，發起了目標在於加速國家工農生產的社會經濟運動。無數生產鋼鐵的小型高爐，遍布在神州大地上。各地區也競相宣布自己擁有最高的小麥平均畝產量。與此同時，還有另一種「大躍進」，以韻文形式出現，即詩歌生產運動——這些詩歌被稱為「民歌」——大量詩歌湧現在全國城市與鄉村。在繁昌縣北不到一百英里的四季鄉小鎮，擁有267個生產隊與267個「詩歌創作單位」。根據報導，1958年夏天，該鎮居民共計創作了二十多萬首詩歌。一個流行的口號，足以總結當時農業與文學的躍進——「生產詩歌雙豐收」。詩歌被寫在招貼畫、黑板、牆壁，與木板或竹板上。從工廠到鄉村，從街道到農田，都能發現它們的身影。它們被印刷在

報紙及雜誌上，或者收入作品集中，也以口頭表演形式出現，或在無數的公共詩歌比賽中即興創作。

如果郭沫若低估了筆的速度，那麼他與另外一位文化名人周揚（1908-1989）蒐集各地採編民歌匯集成的《紅旗歌謠》詩集，則彌補了此一遺憾。這部詩集涵蓋了1958年詩歌運動中的三百首詩歌，全書分為四部分：「黨的頌歌」、「農業大躍進之歌」、「工業大躍進之歌」與「保衛祖國之歌」。這些詩作編選標準為盡可能代表中國各省及各少數民族。每首詩歌的結尾都標註詩歌的來源。典型的1958年詩歌，通常短小且句式等長，押韻是aaba式。主要是七言，以七個音節構句，每個音節一個漢字。這一形式特徵，強烈喚起中國古典詩歌的特質。有趣的是，除了少數例外，只有少數民族詩歌，才是屬於現代白話詩的「自由詩」，表明它們是從非漢語言翻譯的。

這部詩集一方面體現社會主義的現代性——詩中充滿各種新詞與當下的政治口號，比如「人民公社」、「黨的總路線」與「電焊工」等；另一方面，它又奇特地具有古老風格。就各方面而言，它看起來像是成書於公元前十一世紀至七世紀的中國最早詩歌總集《詩經》的社會主義翻版。《詩經》全書分：「風」或稱十五國風（十五個早期周天子封地的民歌）；「雅」（「大雅」及「小雅」）；「頌」（周頌、魯頌、商頌）。《紅旗歌謠》中的詩歌分類與數量與《詩經》類似。《紅旗歌謠》的編者們為了充分表達該書的教化作用，明確指出該書與《詩經》的對應關係。該書序言稱這些詩歌是「社會主義新時代的新國風」，甚至認為相較於這些詩歌「連詩三百篇也要顯得遜色了」——前言明確地將編者提高至孔子的地位。

編者在全篇序言中不斷引用傳統以證明當下較過去具優越性，雖然此種對比只是為彰顯當下與傳統的深層關聯。編者仍然積極引用另一部儒家經典《尚書》中關於詩歌本質的權威闡釋，「詩言志，歌永言」，以此展現《詩經》在古代中國如何為人所理解，這顯然也是解讀《紅旗歌謠》的框架所在。

並非所有中國詩歌都像《詩經》一樣解讀，但《詩經》對於爾後詩歌以及文學的解讀方式，的確具有深遠的影響。詩歌不僅是一門藝術，在儒家的政治理論中，它也占據著核心位置。詩歌被視為特定歷史情境中個體的直接

表達，也是社會與歷史環境的產物。《詩經》中的「風」，是普通百姓傳唱的歌謠。高興時以歌唱表達喜悅；對時代感到憂心時，也以歌謠傳達痛苦的心聲與批判。既然每首流行的歌謠都是某種症候，明智的君王聽聞這些憂心歌曲，自然會改革政治。關於「風」的起源，傳說周天子派遣朝廷官員至各鄉村採集歌謠，以了解人民之所需。1984年，陳凱歌（1952- ）導演的著名電影《黃土地》以一位共產黨軍人在陝北貧瘠的高原行走，並采風──蒐集當地歌謠──開場。陝西以共產主義革命發源地而聞名，同時也是周朝王畿所在。中國觀眾對於共產黨軍人這一看似奇怪的舉動──採集民歌──並未喪失其強大的文化共鳴。

　　「風」的本意是吹拂植物使之彎折的「風」，即「搖曳」的風，也隱喻影響。《詩經》中的詩蘊含道德教化，其傳說中的刪訂者孔子，也在詩集結構中一樣為之。雖然「風」主要反映的社會問題，但人們相信，「國風」乃是亂世中的好人所寫就，閱讀它們，可給予讀者直接的情感管道，以獲取過往的良善本質，並改變及教化讀者。閱讀《詩經》是一項道德教化，可以將人性變得更善良。 從集體的角度看，這一教化亦可改變文化與社會。《詩經》傳統解釋所具有的影響力，在二十世紀依舊可見──在毛澤東發動一場「文化」革命的決定裡；在他對文學藝術的強烈關注中；尤其在他對詩歌的迷戀中。

　　文化大革命（1966-1976）是中國歷史上最具創傷性的事件之一，在《紅旗歌謠》中便已初露端倪。與「風」形成鮮明對比的是，《紅旗歌謠》中所有的詩歌都是歡快的，未曾有任何一個字的不滿。它意在象徵一個偉大的時代，不僅證明創作者的道德完美，也證明時代的完美。當人民如此幸福之時，政府便沒有任何必要去改革自己的執政方式。而且《紅旗歌謠》中隱含的道德教育，指向完全不同的目標。用編者的話來說，《紅旗歌謠》是為了啟發「我們的作者和詩人」的──他們過去被看作士大夫，今天則被視為知識分子，因為「新民歌對新詩的發展會產生愈來愈大的影響」。毛澤東的意圖是實現轉型──將普通民眾轉變為自覺進步的無產階級，將知識分子轉變為勞苦大眾中的謙卑成員。饒富諷刺意味的是，他選擇從「詩教」這一古代儒家推動社會變革的方式入手。

毛澤東自己的詩作，也絕對想成為「風」——一種自上而下，意圖轉變下層的「風」和影響力，就如同〈送瘟神〉小序中的微風與太陽一樣。1958年9月，北京外文出版社出版了《毛主席詩詞十九首》的英譯本。這絕非偶然，數字十九，就像數字三百一樣，都具有特殊涵義。因為《古詩十九首》正是傳統的詩集經典，與《詩經》並肩屹立在中國古典詩歌的源流中。

在《紅旗歌謠》中，來自安徽繁昌縣的一首詩歌，與來自湖北麻城縣的另首詩歌彼此毗鄰排列（在「毛澤東時代」結束以後，它們在1979年的印刷版本中赫然消失不見）。麻城縣的詩歌是關於收穫的，繁昌縣的詩歌則是歌頌耕作，並讚美歌唱的力量。不過，繁昌縣詩歌中的「一聲夯歌起」一句，與耕作的形象並不一致，這揭示所謂的「農民作者」以及編者無知所導致的尷尬。但這是只有知識分子才會在意的事情，他們在浪漫化的「民間」中寄託幼稚而真誠的想像，百姓此刻則正愉快地蒐集麥稈，創造出天文數字的產量。

毛澤東的〈送瘟神〉其二寫道：「六億神州盡舜堯。」堯與舜都是古代傳說中的賢明君主。毛澤東正使用他希望消除的話語實現其消除的目的，對於其中所包含的反諷（與不可能性），毛澤東似乎樂意無視之。換句話說，為了改變過去，他重新製造「過去」。他當然不可能預見資本主義、網際網路與蓬勃發展的社交媒體，最終將改變中國。

參考文獻：

郭沫若、周揚編《紅旗歌謠》（北京，1958年；修訂版，人民文學出版社，1979年）。

《毛主席詩詞十九首》（北京，外文出版社，1958年）。

天鷹《1958年中國民歌運動》（上海，上海文藝出版社，1958年；重印本，1978年）。

Stephen Owen, *Readings in Chinese Literary Thought* (Cambridge, MA, 1992).

田曉菲 撰，李浴洋 譯

1959 年 2 月 28 日
「改，堅決地改！」

《青春之歌》與文學修改

1959年二月末，楊沫（1914-1995）參加北京電影製片廠召開的會議，討論她的小說《青春之歌》（1958）為慶祝中華人民共和國成立十週年，即將改編為電影的問題。會議中她遇到剛在《中國青年》雜誌發表強烈批評她的小說的作者郭開，他是北京電子管廠工人。她從郭開處得知，他再三被要求以工人階級代言人寫下這篇批評文。楊沫覺得郭開說的是實話，但不知下指示者為何人，因此憂慮起來。她在2月28號的日記寫著：「改，堅決地改！」接續的三個月她全用來修改小說，修正郭開所指出的錯誤，包括小資產階級的自我表達，忽略工農描寫，未關注革命知識分子向工農靠攏，也未述及他們的思想改造過程，尤其是女主人公林道靜。

實際上，郭開並不是首先從階級觀點提出《青春之歌》的缺點者。1956年1月，資深文學批評家歐陽凡海（1912-1970），已在中國青年出版社的要求下寫了一篇長文，評論楊沫即將出版的書稿，他詳細地指出小說在分析和批評女主人公的小資產階級心態上的諸多缺陷。由於他的負面評價，書的出版被擱置，一直到「雙百」（百花齊放，百家爭鳴）時期才獲得新契機。

楊沫不得不修訂書稿，揭示了社會主義時期中國作家所面臨的危機。正如林培瑞所指出，1949年中共取得政權後，全國文學活動越發受到政府控制。在黨的總體領導下，加入中國作協成為作家獲取成功的唯一途徑，作協吸納、領導、監控著全國作家。毛澤東（1893-1976）〈在延安文藝座談會上的講話〉（1942）成為作家的神聖綱領，持共產主義思想者嚴格奉行。由

於郭開的批評帶有毛澤東講話精神，因此楊無法置之不理。郭開夾著上級領導的支持，讓楊沫的處境變得更加令人擔憂。文學箝制的標準難以判定，為領袖或明或暗的干預留了餘地。如毛澤東於1955年介入文學場域，他在共產黨黨報《人民日報》匿名發表社論，批判胡風（1902-1985）集團，將其定調為反革命。楊沫面臨著意識形態的壓力和潛在的政治危險，別無選擇，只有屈服。

為了安撫批評者，楊沫在1960年《青春之歌》增訂版刪減了林道靜的多愁善感，同時增加了八章。內容為林道靜的指導者江華指示她參與一群貧農反壓迫與剝削的鬥爭。諷刺的是，與貧農的接觸反而讓林道靜認識自己在政治立場上與他們的不同，她本出生於剝削階級家庭，也處於政治意識上的落後。由於被農民運動領導者拒於門外，她只能在遠處觀察他們，想像農民如何在與地主的鬥爭中獲勝。

楊沫小說兩個版本的差異，顯現黨對知識分子所持的態度，有著不可調和的矛盾。為了在社會主義建設中取得知識分子的合作，黨必須讓知識分子相信他們是可以被改造好的，也可以在新社會建設中充分發揮他們的專長。正如埃迪‧尤（Eddy U）提到的，一九五〇年代早期的思想改造運動，建立在這樣的假設之上，即知識分子，無論過去如何野心勃勃，如何反對革命，都可以通過努力學習和思考改過自新。所以，楊沫重塑筆下的知識分子，加強著墨他們的可改造性，包括1955年4月初版中所描寫的資深教授們。另一方面，由於知識分子紛雜的階級出身，黨仍然對他們保持高度警戒。既然知識分子無法改變他們的階級出身，思想改造就成為薛西弗斯式的不可能完成的任務。正如加寫篇章所示，楊沫強調林道靜無法擺脫的剝削階級身分，無論她如何為革命盡心盡力，卻永遠不可能真正地加入工人階級隊伍。

但是反智主義並未取得完全的勝利。小說第二版中的三位知識分子——盧嘉川、江華和林紅——在林道靜的革命道路上仍然扮演著導師角色，雖然他們並不是工人階級出身。農民儘管具有政治意識和革命潛力，依然需要被喚起、被組織，因此江華領導他們與地主鬥爭。即使是有關1935年12月9日北平一二‧九學生運動的高潮部分，仍然被描寫為由受啟蒙的知識階層所發動的運動，與工人階級的苦難根本無關。

　　楊沫一直相信革命知識分子能扮演啟蒙角色，她之所以如此相信，與其說來自個人勇氣，不如說來自於馬克思主義對知識分子的矛盾態度。馬克思（Karl Marx, 1818-1883）和列寧（Vladimir Lenin, 1870-1924）都承認知識分子的弱點，如個人主義、缺乏「革命堅定性」、不能遵守政治紀律，等等，但他們相信社會主義理論會出現在革命的社會主義知識階層中，他們將會領導工人階級進行社會主義革命。依靠工人階級自己，最多只能發展出一種「工會意識」。而且，馬克思主義兩位創始人的個人經歷，以及大多數中國共產黨領導者包括毛澤東本人的個人經歷，也向楊沫證明了，非無產階級出身不一定就是革命知識分子自我改造過程中一種難以克服的障礙。

　　作為中國社會主義時期紅色經典中唯一一部以知識分子為主角的小說，《青春之歌》顯示出馬克思主義及黨對知識分子立場的曖昧，這既成全又限制了楊沫的寫作。楊沫除了描寫黨對於知識分子的積極觀念，也試圖在小說中保留一點生活經驗以及自我認同，尤其初版採用帶有傳記色彩的成長小說模式，描寫自我努力認識世界以及做出生活的選擇。正如王斑所論證的，林道靜從一名「五四」青年成長為一名共產主義者，小說教科書般描寫了浪漫主義的昇華，同時也保留了未被完全抹除的現實主義要素，包括林道靜的複雜心境。

　　在楊沫僅餘的寫作生涯中，對革命知識分子的信仰始終是她的信條。小說《東方欲曉》（1980），是文化大革命影響下的創作，主人公是一位受過教育的革命戰士，他總是在遇到困難時尋求一位知識分子的幫助。《芳菲之歌》（1986）也複製這一模式，女主人公是一位和林道靜近似的醫生，以醫學技術和政治信念投身革命。這個形象很明顯地反映了改革時期，為追求四個現代化，黨對科學知識的尊重和對知識分子的信任。更有意思的是，在最後一部小說《英華之歌》（1990）中，楊沫用了很多篇幅讚揚盧嘉川和林道靜，因為他們勇於反對一場清洗運動，這場運動是針對被誤當成托派的革命成員。通過讚揚盧林二人思想的獨立性，同時批評江華認為黨絕對正確的盲從，她試圖謹慎地重喚現代知識分子的核心價值，比如個人的自主性以及批判理性的用途。與此同時她還強調林道靜的情感需要，林道靜的丈夫江華忙於黨的工作，不能滿足這一需求。重新納入愛情元素的《英華之歌》與李海

燕所稱的自我意識在現代中國的社會想像中產生了連結，這種想像預示著私有、個人和日常生活領域的興起。豐富的情感一度被視為小資產階級病，現在它恢復了位置，被視為糾正對黨盲目服從的一種手段。

楊沫總是試圖活在黨的庇蔭下，《青春之歌》出版後她成了名作家，得到了社會地位和物質上的回報。然而，她的職業生涯總是充滿變數。她不能脫離馬克思主義。雖然官方意識形態上的模稜兩可，讓她在自我表達上有了轉圜的空間，但她無法避免遭到持有同樣官方意識形態的批評者發起的攻擊。而且，為了要追隨黨的腳步，迫使她為了緊跟不斷改變的官方政策而修改自己的作品。結果，變化成了她的小說的一個重要特徵，從她不斷變換對知識分子的描寫重心，即可見出。更糟糕的是，她戮力緊隨政策，久而久之造成了小說的前後不一致。總之，她必須為總是「服務於當前政治」而付出代價。

參考文獻：

Haiyan Lee, *Revolution of the Heart: A Genealogy of Love in China, 1900-1950* (Stanford, CA, Stanford University Press, 2007).

Perry Link, *The Uses of Literature: Life in the Socialist Chinese Literary System* (Princeton, NJ, Princeton University Press, 2000).

Eddy U, "The Making of Chinese Intellectuals: Representations and Organization in the Thought Reform Campaign," *The China Quarterly* 192 (2007): 971–989.

Ban Wang, "Revolutionary Realism and Revolutionary Romanticism: *The Song of Youth*," in *Columbia Companion to Modern East Asian Literature*, ed., Joshua Mostow (New York, Columbia University Press, 2003), PP. 470-475.

Yang Mo, *The Song of Youth*, trans., Nan Ying (Peking, Foreign Languages Press, 1964).

舒允中 撰，張屏瑾 譯

1960年10月
一部描繪馬來華人的戰爭小說祕密出版

《飢餓》與馬華文學中的左翼敘事

　　1960年，一部小範圍流傳的手抄油印中文小說，在距今馬泰邊境不遠的吉打州檳城祕密出版。2008年，小說作者已逝世二十年，馬來西亞也已獨立五十年，小說在馬來西亞首府吉隆坡正式出版。從十九世紀初至二戰結束，馬來半島和新加坡在不同時間為英國殖民，這一地區被稱為英屬馬來亞。1957年，馬來半島獨立為馬來亞聯邦政府。1963年，新加坡和另外兩州也加入聯邦政府（兩年後新加坡宣告獨立）。小說《飢餓》在馬來西亞重新出版，在華語世界尤其是左翼人士中引起了極大反響。這部小說喚醒馬來西亞華人重新面對那段幾乎被遺忘的苦澀過往。作者是馬來亞共產黨作家金枝芒（本名陳樹英，1912–1988），小說刻畫了二十世紀中葉全球社會主義運動在當地的獨特現實，強調克服極端肉體考驗的精神力量。

　　1937年，為了反抗父母阻撓其婚姻，金枝芒與妻子從上海來到新加坡。金枝芒在上海已是十分活躍的左翼文人，希冀將革命理念散播至海外。父母對婚事的反對更加堅定了他出走的決心。適逢七七事變爆發，國民革命軍和日軍在北京城外盧溝橋展開激戰，金枝芒遂決心積極在馬來華人中宣傳抗日理念。初到馬來亞，他和妻子住在霹靂州的海濱小鎮督亞冷，任教同漢華小。在那裡，馬共劇作家吳天（1912–1989）鼓勵他從事創作，這是他文學生涯的開始。二戰時期，馬來亞落入日本手中。金枝芒加入地下抗日組織，貢獻他的文學才華。

　　金枝芒是二十世紀初至一九六〇年代中葉大批「南來文人」中的一員。

根據郭惠芬的研究，1919至1949年間，超過159名作家旅居或定居東南亞，而這個數字在中共建國後更是大幅增加。在馬來（西）亞，快速增長的華人人口在當地遭遇不友善的文化氛圍和壓迫性的政治政策。這一系列政策首先由英殖民地政府實施，而後馬來亞聯邦政府進一步擴展。這些流亡海外的中國知識分子面對敵意日增的政治環境，依舊在華文教育的推廣和本地印刷業發展中發揮了重要作用。更重要的是，在此過程中，馬華文學應運而生（馬華文學包括1965年從馬來亞聯邦獨立前的新加坡文學）。許多馬華作家，特別是戰前的左翼文人，在中國文學史上留下了不可磨滅的一筆。

作為一名流亡海外的先鋒中國知識分子，金枝芒對馬華文學的獨特貢獻不僅體現了他獻身的左翼價值觀，同時也預示了將要到來的文學論戰。1945年日本投降並撤離馬來亞後，金枝芒放棄小鎮工作前往吉隆坡，擔任抗日軍退伍同志會機關報《戰友報》編輯，後又兼任《民聲報》文學副刊編輯。擔任編輯期間，他與幾位旅居馬來亞的中共文人意識形態相左，分歧主要針對中文書寫的文學是否應該在地化。這場關於「馬華文藝獨特性」的論爭甚至引起了當時遠在香港的郭沫若（1892-1978）和夏衍（1890-1957）的注意——這也證明了世人對這場論爭及其後果的重視。

在這場論爭中，金枝芒認為文學創作應該著重觀察馬來（西）亞此時此地的獨特現實，這一觀點鞏固了他在中國文學史上的地位。他指出，沒有在地關懷的文學不能被稱為「馬華文學」，充其量就是「僑民文學」。這樣的觀點與許多南渡卻依然忠於祖國的文人相左。這也確立了一條區分中共和馬共政治意圖的默認分界線。對中共而言，這場文學論戰背後是國家忠誠度的問題，在金枝芒文學思索的表面下潛伏著背叛。而對於馬共而言，首要任務是英國統治下的解殖問題，而非對祖國的忠誠。金枝芒是一個有國際社會主義理想的共產主義革命家，他對故土以外的關懷並不出人意表。與此同時，中國為實現社會主義理想的道路與金枝芒的國際視野不能兼容。如果將此論戰置於一個更大的歷史政治語境下考察，其實它也是中蘇關係惡化的一個縮影，或者說是附帶現象。

在參與文學論戰的同時，金枝芒也積極參與馬共組織的抗英反殖民運動。運動的目標是驅逐英國人、培養馬來華人的馬來亞國族意識的雙重努

力，終極目標是成立「馬來亞人民民主共和國」。1948年6月20日，馬共開始展開武裝鬥爭後，英殖民政府宣布全馬來亞進入「緊急狀態」，歷時十二年的游擊戰由此拉開序幕。「馬來亞緊急狀態」一詞是馬來亞殖民政府對這一戰爭的稱呼，而馬來亞人民解放軍則稱之為「反英民族解放戰爭」。戰爭伊始，金枝芒立即決定加入馬來亞人民解放軍，深入馬泰邊境彭亨州淡馬魯的叢林戰。直至1961年馬共送其返回中國，他已在叢林度過十三年歲月。

金枝芒的熱帶叢林經驗為他的戰爭小說《飢餓》提供了創作素材。小說情節設於1950年「畢禮斯計畫」（Briggs Plan）之後。這一計畫將大批在馬華人強制遷入「新村」以便監管，同時限制對游擊隊的物資支援。小說根據1952年4月發生的事件改編：英國海軍砍下兩名游擊隊員的頭顱拍照留念。小說講述了十五名游擊隊員的故事，他們當中有男有女還有孩童。他們與主力部隊失去聯繫，也失去供給，倉皇逃入叢林，不難想像他們所面臨的逆境。經過飢餓和馬來叢林艱難環境的考驗，以及同志的背叛與犧牲，最終只有五人倖存。

金枝芒嫻熟地使用簡潔直白的文學風格，使人聯想起早期蘇聯革命文學，如魯迅（1881-1936）推崇並譯介的法捷耶夫（Alexander Alexandrovich Fadeyev, 1901-1956）的小說《毀滅》（The Rout）。《飢餓》以這種風格將兩個貌似毫無關聯的主題——「革命」與「飢餓」聯繫在一起。作家兼文學評論家黃錦樹（1967-）指出，馬來亞森林植被茂密、土地肥沃，《飢餓》所描寫的極端飢荒超出了實際情況，這支游擊隊的生理飢餓也由此獲得了象徵和寓言性的維度。小說對於游擊隊員與流亡、飢餓、死亡搏鬥的真誠刻畫與左翼文學中「高、大、全」的樣板形象格格不入，可是，這些在飢餓中保有信仰的人，仍從左翼理想中汲取精神食糧，這種精神食糧的象徵性力量也反之獲得凸顯。死亡仁慈的降臨確證了游擊隊員狂熱的革命理想，但同時也表達因拋下這個他們曾渴望改變的世界而產生的遺憾與悔恨。《飢餓》對以肉體消亡為代價的精神淨化，持一種愛恨交織的矛盾，如實展現了彼時左翼人士中的時代精神，概括了他們對馬來亞革命熱烈的冀望和不得不面對的革命代價。

金枝芒的《飢餓》不曾考慮的是可能促使馬來亞走向獨立的其他因素。

1955年，馬來亞聯邦政府的首相拉曼（Tunku Abdul Rahman, 1903-1990）為了緩和緊張局勢，發起了「華玲會談」。與會者有英方、馬來亞民選官員和共產黨代表。儘管會談最終失敗，但是拉曼及其支持者冀圖和平的姿態為他們積累了必要的政治資本，從而成功向英方施壓加速獨立進程。兩年後，1957年馬來亞聯邦終於獨立。獨立成功後，共產黨失去了反帝反殖民的籌碼，遂成為新政府的打擊目標。1963年，為了防止共產主義在東南亞擴散，拉曼聯合新加坡、砂拉越、北婆羅洲和馬來亞聯邦，組成了新的馬來西亞聯邦政府。世人普遍相信是英國和美國在背後操縱這一切，共產黨理所當然地拒絕承認新政府，這也是冷戰時期可以預料且不可避免的後果。

此時，馬共中的華人面臨著一個獨一無二的挑戰：作為一個在異國堅定不移倡導國際社會主義的少數族裔，接下來該怎麼辦？他們的目標是否應該是釐清革命立場，為華人在馬來西亞爭取一席之地，甚至是推翻建立不久，以馬來人為主導的政治權威？又或者他們應該和國際無產階級團結為一？對於金枝芒來說，馬共送他回中國的決定，簡化了這場有關未來何去何從的危機。對於其他人而言，僵持不下的局面已超過十年，太過久遠，而馬來西亞旨在控制華裔人口，日益顯露出敵意的國內政策將繼續考驗他們的革命決心。

《飢餓》提供了一種回溯以及重構國際社會主義運動歷史論述的方法，它使一代被遺忘的忠誠的馬來亞馬克思主義革命者，重獲新生。重思這部小說的寓言潛力，它的標題已然代言一切：那是一種無法被滿足的渴望，渴望修正人的存在中根本性的肉體匱乏與心理殘缺。但這也許是金枝芒最大的貢獻，《飢餓》是一個無限的寶藏，它為面臨生存危機的個體提供精神食糧，堅定活著的信仰。如此，金枝芒的戰士才可以將死亡看作永恆的歸鄉之路，同時忍受加諸肉體的種種生存限制。誠然金枝芒的作品堅定不移地為左翼價值觀辯護，王德威卻注意到小說有其超越的一面：「金枝芒讓現實主義的細節說話，但有意無意地，他最寫實部分暴露了戰爭與革命──不分左右──殘暴荒謬的底色。」

1989年，經過數十年的鬥爭，馬來西亞共產黨最終解散。金枝芒未能活著見證馬共的消亡。1961年他被派回中國，直到1988年去世，未曾離開。僅

存的幾名馬共游擊隊戰士永遠離開了叢林，關於這一代馬來（西）亞革命者的記憶也隨之為歷史所遺忘──直到《飢餓》以其精神創痛再次提醒世人，他們所作的正義犧牲。

參考文獻：

莊華興《飢餓的文學史接受：金枝芒與左翼馬華》（香港，2007年）。

金枝芒《飢餓》（吉隆坡，21世紀出版社，2008年）。

黃錦樹〈最後的戰役：論金枝芒的《飢餓》〉，《星洲日報・文藝春秋》（吉隆坡，2010年）。

王德威〈戰爭敘事與敘事戰爭：延安，金門，及其以外〉，《中國現代文學半年刊》第27期（台北，2015年）。

莊華興（Chong Fah Hing）、佘仁強（Kyle Shernuk）撰，陳抒 譯

1962 年 1 月 1 日
「從那個飢餓的第一個早晨開始。」

2017 年
「拼命寫，直到寫出我想寫的一切。」

錢理群的「倖存者言」

在一片寧靜中，剛剛捱過了三年大饑荒的貴州小城安順迎來了1962年的元旦。因為學生們大都已經放假回家，遠離城中心的安順衛生學校的校園裡此時格外冷清。二十三歲的錢理群（1939–）時任這所學校的語文教師。兩年前，從中國人民大學新聞系畢業的他原本計畫報考研究生，但由於父親是1948年赴台的國民政府要員，所以被剝奪了資格。同年，他被從北京分配到安順，開始在這所最基層的學校裡任教，一幹便是十八年。

當時的錢理群是毛澤東（1893–1976）的忠誠信徒，同時也喜愛閱讀魯迅。他把魯迅的名言「永遠進擊」與據傳是青年毛澤東說的「在命運面前，即使碰得頭破血流，也絕不回頭」作為自己的座右銘。在經過了短暫的消沉之後，他很快振作起來，一面全身心地教書育人，甚至與學生「同吃同住同勞動」，一面開始系統地閱讀魯迅與毛澤東的著作。

1962年元旦清晨，天還未亮，隔壁的同事都還在熟睡之際，錢理群便悄悄起身來到了書桌旁。在這間又小又冷的居所內，寫作的衝動突然襲來。他迅速寫下六個大字——「魯迅與毛澤東」。這是他構想的《魯迅研究札記》的第一篇的主題。他一連寫了數日，八萬餘字的文章幾乎一氣呵成。若干年後，錢理群在回首這段經歷時說：「從1962年那個飢餓的第一個早晨開

始」，自己就與魯迅「結緣」了。

在《魯迅與毛澤東》的開篇，錢理群引用了葉劍英（1897-1986）元帥的詩句：「東方風格千秋在，舉世囂囂亦枉然。」這是葉劍英在此前一年年底訪問越南時題贈給越南勞動黨主席胡志明（1890-1969）的七律中的兩句，抒寫了在中蘇交惡的大背景下強烈的民族情緒。而錢理群也是在同樣的時代背景下開始研究魯迅的。多年以後，他追憶道，自己當時認同毛澤東稱讚魯迅的「硬骨頭」精神，但卻未能及時反省「『大躍進』給包括這一代知識分子在內的全民族帶來了巨大的災難」。

魯迅作為「民族英雄」的榜樣作用，以及毛澤東的號召——「自覺地把自己的本職工作與整個國家、民族的振興事業聯繫在一起」，給困境中的錢理群帶來了巨大的精神動力。但後來他卻震驚地發現，就在自詡為進步的事業中，「出現了可怕的歷史倒退」。他認識到「人們開始是出於信任，以後則出於盲目的慣性作用，逐漸接受了這樣的理論與事實：探索中國發展道路這類『大事』是毛澤東這樣的領袖的特權，而我們普通老百姓（包括知識分子）只需要按毛澤東的指示行事，踏踏實實地做好本職工作」。面對「昨日之我」，錢理群慨嘆：「以思考作為本職的知識分子居然停止了思考，甘心做馴服工具，這真是歷史的大倒退、大悲劇，也是歷史的嘲諷。」

這是被錢理群寫進他的第一部個人學術著作——1988年出版的《心靈的探尋》——一書後記中的一段話。《心靈的探尋》與兩年前問世的王富仁（1941-2017）的《中國反封建思想革命的一面鏡子：〈吶喊〉〈徬徨〉綜論》都是一九八〇年代中國大陸思想啟蒙運動中的力作。王富仁提出的「回到魯迅那裡去」的主張，得到了錢理群的呼應。錢理群稱《心靈的探尋》是他「對魯迅的第一次獨立發現」，更重要的是，在重新發現魯迅的過程中他也第一次真正發現了「自己」——「始掙脫外在的束縛，揭開種種偽飾，顯露出（恢復）一個真實的赤裸裸的自我」。

《心靈的探尋》致力揭櫫「『魯迅』（魯迅其人，他的作品）本身即是一個充滿著深刻矛盾的、多層次、多側面的有機體」，「不同時代、不同層次的讀者、研究工作者，都按照各自所處的時代與個人的歷史哲學、思想情感、人生體驗、心理氣質、審美要求，從不同的角度、側面去接近『魯迅』

本體，有著自己的發現、闡釋、發揮、再創造」。全書的核心意涵一是標舉
魯迅精神的矛盾性與多元性，以及由此生成的複雜而豐富的魯迅思想遺產，
二是示範了任何個體／研究者都有權利形成自己的魯迅論述，並且將之作為
魯迅研究的價值所系。顯而易見，《心靈的探尋》旨在突破此前一個歷史時
期定於一尊的毛澤東的魯迅論述。錢理群將自己與王富仁、王得後
（1934-）等在一九八〇年代形成獨立的學術面目的魯迅研究者稱為「生命
學派」，即是因為他們的魯迅研究是一種生命（研究者的主體意識）與生命
（魯迅本體）之間的對話，這種精神與思想連結建立在高度的主體投入的基
礎上，是一個「永遠也沒有終結的運動過程」。

　　1978年，錢理群以第一名的成績在數百位考生中脫穎而出，進入北京大
學跟隨中國現代文學學科的奠基人王瑤（1914-1989）與文學史家嚴家炎
（1933-）攻讀研究生學位，隨後留校任教，從而結束了自己長達十八年的
貴州生涯。在晚年寫作的《我的精神自傳》一書中，錢理群將其貴州經歷稱
為漫長的「學術準備期」。他不僅在安順度過了大饑荒與文化大革命，而且
得以真正成為中國底層社會的一員，與千千萬萬基層百姓一起分享了「非常
年代」的艱辛與苦難。在雲譎波詭的政治形勢下，錢理群的個人命運也幾經
沉浮。現實鬥爭的怪相與底層社會的慘狀使得他對於先前信奉的偶像逐漸產
生了懷疑，但在動盪不安的歲月裡，他始終不變的是對於魯迅的信仰。終
於，在文化大革命後期，他成為了一名「民間思想者」。在魯迅的指示下，
錢理群發現了「兩個中國」的存在：「一個是由統治者所主導的『地上的中
國』，是『狀元宰相的文章』，即官方和主流知識分子宣傳的，因此充滿了
自欺欺人的誆騙的中國；另一個則是『地底下』的中國，那裡有著中國的筋
骨和脊梁」，用魯迅的話說，「他們有確信，不自欺；他們在前赴後繼的戰
鬥，不過一面總在被摧殘，被抹殺，消滅於黑暗中，不能為大家所知道罷
了」。所以當錢理群有機會在1978年考入北大，並且從此站在中國知識界的
顯赫位置上發言時，他並未與自己的底層經驗「告別」；相反，他始終警惕
被學術體制異化，他明確選擇了自己的人生定位——要做一名「腳踏大地」
的「精神界之戰士」。這同樣也是魯迅給予他的啟發。

　　在錢理群看來，他是雙重意義上的「倖存者」。「其一，在我所經歷的

歷次政治運動和歷史事件中，許多遠比我優秀的人都犧牲了，而我還活著」；「其二，在當下的中國，還有許多優秀的人才，他們仍在追求、思考，甚至寫作，但卻沒有話語權」，「而陰差陽錯，我成了學者，多少有了點發出聲音的條件」。錢理群決定一生為「那些被毀滅的生命」與「沉默的大多數」寫作，而寫作的目的不但是為了「拒絕遺忘」，更是希望「將苦難轉為化精神資源」。這是錢理群一個人的戰鬥，也是一代有良知與擔當的中國知識分子的選擇。在一九八〇年代與錢理群一道提出革新文學史觀的「二十世紀中國文學」命題的北大學人黃子平（1949-）與陳平原（1954-），就在《心靈的探尋》問世以後的兩、三年間分別完成了《倖存者的文學》與《千古文人俠客夢》二書。錢理群說，單是看到友人的書名，他便「受到了靈魂的震動」，「堅信自己與對方都會堅守住某一塊精神的聖地」。而「倖存」（「活下來」）正是錢理群和他的朋友們「寫下去」的最大動力。

　　自《心靈的探尋》出版以降的三十年間，錢理群先後出版了九十餘部著作，總寫作量超過兩千萬字，同時他還編纂了五十餘部（套）著作，同樣超過兩千萬字。他高質又高產的寫作幾乎成為了當代中國人文學術的一道奇觀。錢理群以「科學總結二十世紀中國經驗」為自己的寫作命名。而他定義的「二十世紀中國經驗」，「既與二十世紀西方以及其他東方國家的經驗有著密切的聯繫，但又確實是具有自己特色的『另一種』經驗，是中國人民一個世紀『走自己的路』的努力的結果」，同時還「包含了慘重的歷史教訓」。作為「倖存者」，錢理群選擇了以個人的方式將一切「光榮、美好」與「屈辱、痛苦」承擔起來。他期待自己這份注定不無缺憾的努力可以為「創造對當代中國有解釋力和批判力的理論」提供一條趨近的道路。

　　毋需諱言，在錢理群的全部寫作中，無不躍動著魯迅的身影。但錢理群卻並非魯迅的信徒，因為他已將「信徒」的身分永遠地留在了特殊年代。魯迅之於錢理群的意義在於「留下了未被規範、收編的另一種發展可能性」。所以錢理群追求的也正是「另一種歷史書寫」。如果說錢理群在總結「二十世紀中國經驗」的努力中，本身也成為了一種「經驗」的話，那麼這份經驗的核心內容無疑當屬他自覺地「用文學的方法研究、書寫歷史」的嘗試。在他看來，通行的歷史敘述與研究方法具有「四大遮蔽」：「只注意歷史事

件，而忽略了歷史中的人；只注意歷史大人物，而忽略了歷史中的普通人；只注意人的群體的社會運動，而忽略社會群體中的個體的差異性和獨特性；只注意人的行為，而忽略了人的內心」。而「文學所關注的，恰恰是被歷史所忽略了的人，普通的日常生活中的人，個體的人的生命，人的心靈世界」。錢理群因此也將自己的寫作概括為「大時代裡的個體生命史」。

2017年，錢理群的兩部近百萬言的巨著《1949-1976：歲月滄桑》與《爝火不息：文革民間思想研究筆記》問世。他坦言晚年「寫得自由與暢快」，但又「不能掩蓋內心的焦慮與緊張」。他再度提及魯迅，說已屆八十高齡的自己「有了類似魯迅晚年那樣的『要趕緊寫』的心情與感覺」——「因此，還要這樣拼命地寫下去，直到寫出了我還想寫的一切」。錢理群表示，他是在「為自己寫作，為未來寫作」。

參考文獻：

錢理群《心靈的探尋》（上海，上海文藝出版社，1988年）。

錢理群《我的精神自傳》（桂林，廣西師範大學出版社，2007年）。

錢理群《一路走來：錢理群自述》（鄭州，河南文藝出版社，2016年）。

錢理群《魯迅與當代中國》（北京，北京大學出版社，2017年）。

李浴洋

1962年6月

茹志鵑作品〈逝去的夜〉發表於《上海文學》

公共母題中的私人生活

　　母親（茹志鵑，1925-1998）寫作的旺盛期，發生在父親（王嘯平，1919-2003）人生走在下坡路階段，從某種程度上說，是個悖論。時間大約在上世紀五〇年代末與六〇年代初之間，中華人民共和國正處於社會主義建設的高潮。世界冷戰的背景下，中國大陸獨立自主勢在必行，一個嶄新的工農政權要求著符合自身初衷的精神價值，文學作為文化重構的方法和力量，歸併意識形態，共同實現共和國的理想。如我的母親和父親，於流離失所投奔革命，接觸中國式的共產主義理論，因而改變生活走向的寫作者，難免對社會抱著激進的態度，更是自覺承擔起使命，期望將一己之力，納入全體，為他們誓言過的人類目標服務。奇異的是，具有同樣背景與追求的兩個人，卻分別走向命運的兩端。父親其時為軍中戲劇工作者，於反右運動落馬。我至今不能清楚地了解確切原因，似乎和人事有關；又似乎和父親歸僑身分有關，這身分先天就決定了非我族類；也似乎和父親輕率的性格有關。總之，父親被逐出軍隊，從官員到平民，我們家的生活水準便直線下降。

　　多少有著挽救家庭不使付之東流的緣故，因我母親引用過這樣的說法：扛著命運的大閘，看孩子們遊戲，這孩子們指的就是我和姊姊。後來聽母親說，父親降級降薪，當日就把我們領出收費昂貴的幼兒園，可這並不讓我們尤其我沮喪，去幼兒園可說是我初嘗人世之苦楚。這就是母親扛起的大閘之下的孩子。同時，更可能的是，母親要用行動證明自己，也為父親證明，他們的思想和精神真就屬於那個集體共同的價值體系。母親就在這時候加倍積

極地寫作，收穫頗豐。

　　然而文學寫作卻是一項奇特的勞動，非同於物質生產，不僅為共同的需要主宰，還相當程度地依賴於個體的經驗、感情、認識。在我母親，無論身世、遭際、性格、氣質，都決定她是一名小資產階級知識分子，於是，她的寫作幾乎從開始起，就面對著處理一種緊張關係，個體與集體如何兼容並蓄，兩相關照，而這膠著狀態，最後卻也形成唯她獨有的──以「風格」論似有不足，說是「世界觀」又太重大，或者是心境吧！而且我以為，父親的遭際一定間離了母親個體與集體的關係，使她在宏大歷史中偏於一隅，不得不自我面對，因而在史詩性的戰爭題材中，攫取了纖細的人和事，寫成得茅盾先生稱讚，日後幾十年裡收錄為中學生語文教本的短篇小說〈百合花〉。母親的名字「茹志鵑」也被文學愛好者熟知，更重要的是，母親她在受鼓舞之下，開始成形自己的風格。然而，又一個悖論產生了，那就是她安身立命於寫作的卻正是最遭懷疑，甚至生出固定的詞組：「家務事」、「兒女情」。上世紀八〇年代，新時期文學的發軔階段，母親專以這種批評為題目寫作兩篇小說：〈家務事〉和〈兒女情〉，是為自己平反，也是替「家務事，兒女情」正名。但其實，即便在那個嚴格規範私人情感的日子，母親以及她的同輩人依然透露出專屬他們自身擁有的表情，除去字裡行間不經意的滲漏，亦有完整的篇幅，穿越主流落腳邊緣，獨立於時代的忽略之中。

　　至今尚記得那天晚上，母親給我們講故事，關於一個名叫也寶的小女孩，飛越孤兒院。我們追問之後怎樣，母親回答不知道，姊姊哭了。我沒哭，但心裡的難過久久縈繞，這就是母親又一篇小說〈逝去的夜〉。聽故事的時間彷彿在學齡前後，姊姊則在二、三年級之間，因記憶中父親還未來到上海與我們團聚。後來搜索母親留下的記錄，見〈逝去的夜〉發表於《上海文學》1962年6月，比聽故事的印象要晚近一年光景，所以，很可能母親給我們講的是構思中的雛形。受茅盾先生表揚的〈百合花〉發表於1958年3月，自此，母親的寫作進入特別順暢流利的狀態。1960、1961、1962，這三個年頭可說是高峰：〈高高的白楊樹〉、〈靜靜的產院〉、〈三走嚴莊〉、〈阿舒〉──僅在1962上半年，就發表了〈阿舒〉的續篇〈第二步〉、〈給我一支槍〉以及〈逝去的夜〉。對別人可能算不上什麼，可母親是個慢手，

並且六〇年代無論閱稿還是審查都遠比今天嚴格，付梓印刷週期也長得多，文學期刊少而又少，總之，文字的吞吐量極有限，因此，稱得上氣象繁榮。我努力企圖還原那個時間，在那個時間裡，有一個名叫「也寶」的小姑娘浮出水面。之後，過去二十年，也就是我們一代登上文學舞台的八〇年代，在母親的長篇小說《她從那條路上來》中，她將再次登場，這一回，母親坦然亮出自傳體小說的底牌。母親去世以後，我找出《她從那條路上來》第二部的遺稿，整理成三萬字篇幅，這三萬字寫的就是也寶在孤兒院的始末，大大擴容了〈逝去的夜〉，情節細節更多，人物面目更清晰，更重要的是，作為自傳體小說，寫作者的主體身分更為肯定了，而母親的寫作中，這一個體往往是隱蔽的。

　　1962的年景似乎不錯，全國範圍的大饑饉過去，父親王嘯平，應該承認這是一個陌生的名字，但在上世紀三〇年代的馬華文學史上，出現的嘯平、嘯克、楊騷、王歌、蒲克、葉冰，就是他。此時，從南京調入上海人民藝術劇院，回到家庭生活固然很好，尤其難得的是重歸導演老本行，想來之前已摘去右派帽子，但徹底改正還需耐心等到二十年之後，為歷史糾偏的時節。其時，母親寫作中那個緊張關係似乎得到紓解，呈現出緩和。〈逝去的夜〉，固然能以階級觀念解釋為舊制度的不正義，但具體到也寶的處境，卻是宗教的虛無與世俗生活的強烈對恃。貧困是貧困，可熱辣辣的人間無論如何都是令人嚮往的，那一個泥娃娃，人稱「大阿福」，被也寶抱在懷裡逃出英國教會孤兒院的，就是人間的象徵。〈逝去的夜〉的小說名如今看來似乎也含有隱喻，喻意時代燈火的闌珊處，規避了批判和謳歌的集體主題，偷渡出來私人生活。

　　從所存資料看，在相對鬆弛地書寫了個人經驗的〈逝去的夜〉之後不久，母親的寫作又陷入緊張關係。接著，還是1962年，母親發表的是小說〈快三腿宋福裕〉，與其說虛構，毋寧認為是一篇人物特寫，寫的是人民公社的勞動模範。下一年，母親在郊區的鄉村體驗生活，「體驗生活」的說法暗示著一個概念，那就是所謂「生活」是有所界定的，並不是所有的人和事，而只是為政權主體認可的一部分。這一年裡，母親的創造力相當稀薄，只有短篇〈回頭卒〉，描寫一個心懷私欲的農人菁英，向來對母親熱情的批

評界對此抱謹慎的冷淡。自此便是十數年的擱筆，直至1977年寫作並發表短篇小說〈出山〉。文學開始新世紀，公共母題向個體表達開放空間，反過來說，則是個體表達長驅直入公共母題。也就在這時候，「兒女情」、「家務事」的溫情主義母親，卻顯現出鮮見的尖銳，她寫作的〈剪輯錯了的故事〉，以「黑色幽默」諷刺了那段誤會的歷史中的誤會的共和國，成為第三個悖論。

王安憶

1962-1963年
夏志清和普實克在《通報》上就中國現代文學的本質問題展開論戰

普實克與夏志清的學術遺產

　　之所以讓我寫這篇文章，我想大概是因為在現代中國文學的學者裡，只有我一人可以自豪地宣稱：在西方建立這個學科的兩位先行者——雅羅斯拉夫・普實克教授（Jaroslav Průšek, 1906-1980）和夏志清教授（1921-2013）都是我的導師。本文旨在評價他們為現代中國文學領域留下的學術遺產，也是我個人對他們研究成果的致敬。我有幸曾編輯了普實克先生的論文合集，其中也收錄他與夏志清關於研究現代中國文學的「正確方法」的著名論戰。這本論文集最後依普實克先生的意願，以《抒情與史詩》（1980）為題出版。兩篇評論文章，普實克對夏志清《中國現代小說史》（1961）的評論和夏志清的反駁，被認為奠定了該領域方法論的基石。為了梳理這兩位學術巨匠的學術遺產，我們必須首先回到當時的具體語境。

　　首先，我想分享一些個人關於普實克教授的回憶。初次見到他是1967年，他到哈佛擔任訪問教授。那時我是中國現代思想史研究生，但對文學充滿興趣，所以選修了他的兩門課。我仍然記得，第一堂課他就介紹了自己的著作《現代中國文學研究》（1964）。他為這本書寫了極長的序言。這是我第一次接觸他的研究。在這篇序言裡，他就中國「現代民主文學」的革命本質展開宏大論述，討論它與「舊文學」的關係，介紹了新作家以及這一新興文學形式的特色——比如從根本上傾向於現實主義。說句大不敬的話，初時我是頗不以為意的。因為普實克的論述似乎只是追隨當時中國學者所作的標準文學史的意識形態基本輪廓，只有少數幾個觀點頗有新意。比如他高度推崇

魯迅（1891-1936）散文詩集《野草》，認為這是可以與從波特萊爾
（Charles Baudelaire, 1821-1867）到馬拉美（Stéphane Mallarmé, 1842-1898）
的法國現代詩人比肩的藝術「奇蹟」。我在讀了他的其他著作後大為改觀，
開始意識到他的傑出論述如〈中國現代文學中的主觀主義和個人主義〉
（1957）、〈以中國文學革命為背景看傳統東方文學與歐洲現代文學的相
遇〉（1964），以及〈魯迅的《懷舊》——中國現代文學的先聲〉（上述論
文都收入我編輯的《抒情與史詩》論文集），充分討論了新舊文學間的複雜
聯繫，這顯然與他對傳統白話文學的研究是分不開的。

　　需要注意的是，普實克教授的課程唯一關於中國現代文學史的重要英文
著作就是夏志清的《現代中國小說史》。夏先生當時的預設讀者顯然是對中
國文學不熟悉的美國讀者，所以書中有大量重要文本的翻譯。從學術角度來
看，這本書明顯帶有浸淫在英美新批評傳統中的比較文學學者的印記。畢竟
夏先生的母校耶魯是廣為人知的新批評方法論重鎮。所以儘管夏先生採取了
文學史的形式，卻仍然展露出他作為一名文學評論家的訓練。讀者甚至可以
察覺書中的歷史論述與對不同作家的作品分析間存在的某種差異。作者的反
共政治偏見明顯反映在前者中，後者則不明顯。他以批評家的敏銳眼光重新
發現了張愛玲（1920-1995）作品極高的藝術價值，稱她為中國現代文學中
最好的作家。他慧眼所識的還有錢鍾書（1910-1998）、師陀（1910-
1988）、沈從文（1920-1988）等作家。半個世紀以後，張愛玲熱度不減，
已然成為傳奇。夏先生在這一本書中對她的稱頌已經足以確保她在文學史上
的不朽。不管讀者是否同意他的政治立場，書中真正閃耀的卻是作者比較文
學眼光帶來的批評洞見，這甚至彌補了他略顯敷衍的文史背景梳理。而普實
克恰恰認為後者才是理解現代中國文學至關重要的一環。二人的治學方法大
相徑庭，注定要展開一場激烈的學術交鋒。

　　普實克來到哈佛授課時，聲望極高的漢學期刊《通報》（T'oung Pao）
甫於1962年刊出了他的長篇書評〈中國現代文學史的根本問題〉與夏志清
〈中國現代小說史〉。翌年，夏志清在〈論對中國現代文學的「科學」研究
——答普實克教授〉中予以反駁。課堂上，他並未提及與夏先生的論戰，但
學生都私下討論，有些人則勇於選邊站。但我卻發現自己對兩方觀點都有所

認同。我非常榮幸可以同時向普實克和夏志清（通過他的兄長夏濟安）學習（雖然直接師從的是夏濟安先生）。值得一提的是，雙方的學術交鋒固然激烈，但會面之時依然十分友好。

　　二者研究方法的根本性差異顯而易見。普實克在文章中批評夏志清的政治偏見，認為他未能把握「客觀真理」，而這正是每一個「學者」或「科學家」應該通過「科學的努力」追求的。在〈方法的對比〉一節，他通過細緻分析魯迅小說反駁夏志清的觀點，並徵引歐洲，包括俄國學者關於魯迅的研究以支持自己的觀點。文末，他甚至比較了夏濟安、夏志清兄弟的觀點，認為夏濟安對魯迅的評判更為公允：「我覺得（魯迅）早期的短篇小說和雜文最好地道出了中國在那個痛苦的轉折時期的道德良心。」以夏志清敬愛的兄長的觀點來針對他，已是沉重一擊。普實克還進一步引用夏濟安的文章證明自己觀點中的道德真理：

　　嘲笑左翼作家們的天真妄想和對社會現實缺乏觀察的歪曲現在是一件容易的事，但是看多了一成不變的浮誇的作品，我已經心生厭倦了，我有時甚至懷念優秀的左派作品中那種剛硬、粗糲、熱切關注社會正義的感覺。

　　夏濟安所謂「浮誇」的作品是指一九五〇年代台灣政府資助或許可的充滿陳腔濫調的反共文學。它們與一九三〇年代的張天翼（1868-1936）、吳組緗（1908-1994）等左翼作家稜角分明的現實主義作品形成極具諷刺意味的反差。

　　雖然無法考證，後來夏志清創造了一個生動的詞組來描述這種文學傑作——雖然他對它們所傳遞的政治信息是厭惡的——他稱呼它們為「底層死硬派」人文主義（"hardcore, rock-bottom" humanism）（這一說法只出現在談話中，並未見於書面）。事實上，他對這些作品表露出勉為其難的敬意（他後來將蕭紅〔1911-1942〕、端木蕻良〔1912—1996〕加入前述優秀作家之列），正是因為這充斥著痛苦和貧窮的殘酷世界對今時今日城市中產階級讀者的感官體驗是如此陌生，如此隔膜。在著名的〈現代中國文學感時憂國的精神〉一文（平裝本《中國現代小說史》附錄），他發展出更為複雜幽微的

論點：現代中國小說的這一特徵——對本國人民苦難的執著思慮——感時憂國是一把雙刃劍，傾向於切斷與外國文學比較的可能而使其失之偏狹。

夏志清1963〈論對中國現代文學的「科學」研究——答普實克教授〉一文的反駁十分精準，直接瞄準對手的「科學」方法論。對夏志清而言，普實克的研究方法即是新批評學派所批判的「意圖性的謬誤」（intentional fallacy）的典型：這是一種將作者意圖與文本中所展露的傾向混為一談的謬誤。對此他提出：「一位作家的意圖，不管它能否給作品以價值，都不能用作判斷文學藝術成敗的標準。」在夏志清看來，普實克「意圖主義研究」的方法也無可避免有著他個人的偏見，即「文學不過是歷史的婢女」（尤其是中國革命史）。以至於他全然忽視了文學本身的價值和藝術特質。這裡我要再次強調普實克並未全然忽視作品的藝術價值，從他對魯迅《野草》的褒揚便可見一斑。我認為作為一個現代學者，普實克的進退兩難其實源於他對中國優秀傳統文學，無論是高雅的詩詞歌賦或通俗話本小說的高度欣賞。在中國文學現代轉型中，既然「抒情」元素僅可見於菁英文學，那麼就不可避免與同時代歐洲文學中的抒情元素作比較。這個觀點普實克僅在文末提及，並未深入，但是難得地讓讀者一窺他的比較文學理論設想。可惜，他最終還是沒有選擇像夏志清一樣繼續探究這個議題。

比較文學學者或可在普林斯頓大學教授拉爾夫・弗里德曼（Ralph Freedman, 1920-）的著作《抒情小說》（*The Lyrical Novel*）（1963）中找到此觀點的回響。此書出版時間與普、夏辯論時間接近，以三位歐洲現代作家：赫曼・赫塞（Hermann Hesse, 1877-1962），安德烈・紀德（André Gide, 1869-1951），維吉尼亞・吳爾芙（Virginia Woolf, 1882-1941）為例討論類似問題。弗里德曼將抒情小說定義為一種新型的現代文學。它以詩歌技巧介入古舊的現實主義世界，從而以充滿詩意的情緒和意象替換原有的敘事架構。這似乎是對普實克「抒情」與「史詩」二元辯證更為精闢的總結：如果前者著眼於作者主觀感受以及心緒、顏色和意象的藝術化表達，那麼後者就是對人生和社會的客觀全景式描繪。普實克認為郁達夫（1896-1945）和魯迅是這個新抒情傳統的代表人物，而茅盾（1896-1981）的小說則是現代「史詩」的典範。當然普實克也規避文體的形式問題；或者更準確地說，他

規避了最早由盧卡奇（György Lukács, 1885-1971）提出的問題：帶有新興時間概念的十九世紀現實主義小說是否能夠包容史詩形式？

如果說夏志清的學養來自於英美新批評學派，那麼普實克的理論訓練又從何而來？我認為其實就是他的家鄉布拉格。在哈佛講堂，他不只一次提及「布拉格學派」的核心理念：以文學語言打造的小說世界其實存在著結構上的連續性。其實從布拉格學派的語言結構主義（linguistic structuralism）到美國的新批評派不難梳理出一條線索。這個偶然使得普實克與夏志清成為同一理論寢楊上的「同床異夢人」（strange bedfellows）。普實克選擇不直接使用布拉格學派的方法。直到一九七〇年代他的學生米列娜（Milena Doleželová, 1932-2012）將此方法的運用成果數次在北美學術會議上大力推廣。至於他畫下草圖的「史詩」與「抒情」架構，則由夏志清在哥倫比亞大學的繼任人王德威發揚光大，發展為更精緻也更具活力的理論框架：如果史詩更適合革命年代，那麼處在史詩年代、革命漩渦中的抒情意義為何？這也是王德威在演講和著述中一直追問的，他稱其為「有情的歷史」。

半個世紀後重看普實克和夏志清的論辯，我更加同意普實克來自布拉迪斯拉發的學生高利克（Marián Gálik, 1933- ）的觀點。這場論辯沒有勝負，它只是激勵了年輕一代的學者繼續辛勤耕耘，尋找更新更好的研究方法。我們應該感謝這兩位學界泰斗。他們已在學術史上永垂不朽，希望他們的靈魂得以安息。

參考文獻：

Milena Doleželová-Velingerová, ed., *Jaroslav Průšek (1906-2006) Remembered by Friends* (Prague, DharmaGaia, 2006).

C.T.Hsia, *A History of Modern Chinese Fiction* (New Haven, CT, Yale University Press, 1961; 1ST paperback ed.,1971;3rd ed.,with an introduction by David Der-wei Wang, Bloomington, IN, Indiana University Press, 1999).

Jaroslav Průšek, *The Lyrical and the Epic: Studies of Modern Chinese Literature*, ed., Leo Ou-fan Lee (Bloomington, IN, Indiana University Press,1980).

Davied Der-wei Wang, *The Lyrical and Epic Times: Modern Chinese Intellectuals and Artists through the 1949 crisis* (New York, Columbia University Press, 2015).

李歐梵 撰，陳抒 譯

1963年3月17日

傅雷：「理智上我是純粹東方人，感情上及天性方面又是極像西方人。」

傅雷與傅聰：文化世界主義及其代價

　　1966年9月9日晨，傅雷（1908-1966）寫下遺囑後，與妻子朱梅馥（1913-1966）連袂投繯自盡，當時文化大革命開始不久。他用冷靜客觀的筆觸敘述遺產該如何處理，並且非常簡潔地否認了加諸他們身上，對國家和人民的「罪行」。作為當時最著名的翻譯家和文學家，傅雷知道自己的文字份量。

　　在無數死於這場浩劫的知識分子當中，傅雷或多或少是一個特殊的例子。他本來可以生存，卻顯然選擇了放棄。他臨終前的莊嚴姿態表明，他的自殺與其說是被迫，不如說是自由意志的體現。對於難以避免的命運，他懷有一種仁恕的自省，這使他的死帶有蘇格拉底式的殉道色彩：這不僅是一齣個人悲劇，更是二十世紀中國文化和政治激烈衝突的象徵。

　　一如二十世紀前半葉上海諸多世界主義知識分子一樣，傅雷一面浸淫於豐富的歐西美學和道德價值中，一面堅定地立足於中國文化。他的闡釋，給歐洲的文學文本、繪畫和音樂，投了一束中國特色的光彩。他同時豐富了兩種文化的表達，並揭示了它們之間驚人的平行性。如同傅雷的自述「理智上我是純粹東方人，感情上及天性方面又是極像西方人」。受益於他的文化世界主義，他在多種自己所認同的文化而非具體地理空間中，找到了精神家園。當這個「家」被連根拔起時，他付出了生命代價與之拼搏。

　　傅雷1908年出生於上海，自幼敏感孤高。在上海基督教會學校徐匯公學渡過了一段叛逆歲月後，於1928年遠赴巴黎大學，學習藝術理論和法國文

學，但1931年未取得學位即行返國。遊學期間，他與法國漢學家、音樂學者、《中國鏡子》（*Mirror of China*）的作者拉盧瓦（Louis Laloy, 1874-1944）成為好友。這次留學經歷，標誌著傅雷的學歷教育告一段落。

　　直至今日，傅雷最有影響力的作品仍然是羅蘭（Romain Rolland, 1866-1944年）《約翰‧克利斯朵夫》（*Jean-Christophe*）的中譯本，這部作品寫作貝多芬生平故事，在法國本土幾近被遺忘，在中國卻大受歡迎。這是世界文學因為翻譯而失之東隅，收之桑榆的典型例子。但是，出於傅雷一絲不苟的個性，數年後他重譯了整部作品，致力使已十分出色的初版更上層樓。他還翻譯了巴爾扎克（Honoré de Balzac, 1799-1850）的15部小說，以及伏爾泰（Voltaire, 1694-1778）和梅里美（Prosper Mérimée, 1803-1870）的著作。他的翻譯風格兼具學院派的嚴謹和文學家的感性；他借用中國傳統繪畫的隱喻，稱他的哲學是翻譯原作的「神」而非「象」。傅雷和他所譯的作品間，常有一種深刻的個人連結。比如，翻譯羅蘭的《約翰‧克利斯朵夫》和《貝多芬傳》，就是他的青春激情產物；另一方面，在政治動盪威脅中，翻譯丹納（Hippolyte Taine, 1828-1893）的不朽著作《藝術哲學》（*Philosophy of Art*）是對年邁、孤獨的慰藉。傅雷的文字情深意切，解釋了何以眾多讀者能受到其譯作的感染。至今，傅雷仍然作為現代中國最偉大的翻譯家之一，為世人銘記。

　　然而，他的翻譯家聲望遮蓋了傅雷在文學、藝術和音樂批評等諸多領域的才華，以及他曾是一位策展人的身分。傅雷自認是一名「藝術批評家」。的確，對他而言，翻譯文學作品只是他龐大的跨文化交流工程的一小部分而已。只要看看以下他所參與的部分活動，已經足以顯示他的興趣廣泛多樣，也標誌了一種世界性的視野。他致力中西文化對話，同時又對其微妙的不同處保持敏銳的清醒。

　　傅雷的著作廣泛涉及法英作家、文學史，以及文學理論。他譯有羅蘭的《托爾斯泰傳》（*Tolstoy*），並與作者通信。他與法國比較文學學者安田樸（René Étiemble, 1909-2002）交好，後者不但贈送新作予傅雷，且出席其子鋼琴家傅聰（1934-2020）的巴黎演奏會。他也是上海菁英文化圈當中的積極分子，這個群體包括錢鍾書（1910-1998）、楊絳（1911-2016）、柯靈

（1909-2000）和宋琪（1919-1996）。宋是張愛玲（1920-995）的密友，日後則成為其文學遺產的執行代理人。傅雷有一篇針對張愛玲小說的出色評論，這是他文學生涯的一抹亮色：文章是如此富有洞見，致使這位孤傲的小說家不得不發表一篇正式的回應。張愛玲曾再三斟酌傅雷的批評，三十多年後，至少部分地表示了認同。

　　在藝術史領域，傅雷為上海藝術大學的藝術史課程準備了二十場演講，內容涵蓋從文藝復興、巴洛克時代、古典主義和浪漫主義，一路到巴比松畫派（the Barbizon school）的藝術家。令人驚訝的是，儘管鍾情於西方文化，傅雷在此領域最重要的貢獻，卻是他對傾向傳統山水的畫家黃賓虹（1865-1955）的推崇。黃氏七十四歲高齡之際，傅雷為他策畫了第一次個展；黃當時尚不見知於世，後來成為經典畫家。

　　傅雷敏銳的審美在他的樂評中體現得更加鮮明，那種「翻譯」超越了普通外語文本的翻譯。他翻譯了羅蘭的《貝多芬傳》，發表音樂會評論，也寫過貝多芬（Ludwig van Beethoven, 1770-1827）、莫札特（Wolfgang Amadeus Mozart, 1756-1791）、蕭邦（Frédéric Chopin, 1810-1849）和德布西（Claude Debussy, 1862-1918）的傳記與評論。他花了很多心血教導兒子傅聰，使他在1955年蕭邦國際鋼琴比賽上獲得第三名和「瑪祖卡最佳演奏獎」。然而，傅雷在1958年「反右運動」中因為批評政府而受到警告。這個「罪行」同時威脅到父子倆，迫使傅聰永遠離開中國，定居英國。在1980年的一次採訪中，傅聰如此描述他當時的處境：「所有的跡象都表明，我別無選擇，更讓我害怕的是，事情不僅牽涉到我，更牽涉著我的父親。」

　　傅聰在倫敦舉行的首演，深受好評，很快躋身於一流演奏家之列；梅紐因（Yehudi Menuhin, 1916-1999）和赫塞（Hermann Hesse, 1877-1962）都是他的仰慕者。從1954年直到1966年傅雷去世，父親給兒子寫了近兩百封信，內容廣泛，涉及藝術和文學。這些書信不是枯燥的說教，而是在一個充斥著偽善與政治壓迫的時代，一個父親、一個正直誠實的人，唯一能作親密表白的媒介。這對父子是彼此的知音，有著共同珍惜的價值觀。傅雷叮囑兒子，首先也是最重要的，應成為這樣的一個「人」：首先體現「人」這個詞的最美好的意義，其次才是藝術家，第三是音樂家，最後才是鋼琴家。在給小兒

子傅敏(1937-)的一封信中，傅雷引用了傅聰的話，說他的理想人格是成為「又熱烈又恬靜，又深刻又樸素，又溫柔又高傲，又微妙又率直」的人。事實上，這正是傅雷本人最精確的寫照。這些書信在傅雷死後集結為《傅雷家書》出版，對於療癒「文革」所粉碎的價值觀，具有深刻的影響。

　　一個證明父子情誼的動人證據，保留在丹納《藝術哲學》論希臘雕塑那一章節的六萬字手稿中，這一手稿是傅雷以細膩的書法為定居倫敦的傅聰抄寫的。傅聰寫道：「讀了丹納的文章，我更相信過去的看法不錯：韓德爾（Georg Friedrich Händel, 1685-1759）的音樂，尤其神劇，是音樂中最接近希臘精神的東西。他有那種樂天的傾向，豪華的詩意，同時亦極盡樸素，而且從來不流於庸俗。他表現率直、坦白，又高傲又堂皇，差不多在生理上達到一種狂喜與忘我的境界」。傅雷的回覆是：「我早料到你讀了〈希臘的雕塑〉以後的興奮。那樣的時代是一去不復返的了，正如一個人從童年到少年那樣天真可愛的階段一樣。也如同我們的先秦時代（?～公元前221年）、兩晉六朝（公元220-公元589）一樣。」

　　被1958年的「反右運動」深深傷害的傅雷，以其對丹納著作的翻譯作為無聲的抵抗。因為已受到警告，這部花費了他大量精力的作品無法以他的名義發表。傅雷選擇了藏諸名山，而不是以化名發表。

　　在一封寫於1965年的信中，傅雷聲稱：

　　多少年來常對媽媽說：越研究西方文化，越感到中國文化之美，而且更適合我的個性。我最早愛上中國畫，也是在二十一、二歲在巴黎盧佛宮鑽研西洋畫的時候開始的。

　　傅雷最終在黃賓虹那裡找到了他理念的完美模型，也就絲毫不足為奇。對他來說，黃氏的創作呈現了中國繪畫的創造性本質，因為黃氏聲稱繪畫的核心精神存在於運筆與線條的表現力，而非模仿。這促使傅雷將中國藝術與歐洲現代主義運動反模仿、反構形的二維特點，置於一個對話的位置。傅雷對西方藝術的描述是精確和博學的，但是他的判斷，卻是中國的。

　　傅雷也以同樣的態度看待歐洲古典音樂。在一次編纂選集行動中，他以

一種中國式的品味排列他喜愛的西方音樂家：他愛韓德爾甚於巴哈（Johann Sebastian Bach, 1685-1750），愛莫札特甚於貝多芬，視史卡拉第（Domenico Scarlatti, 1685-1757）、舒伯特（Franz Peter Schubert, 1797-1828）、蕭邦和德布西為他的最愛。這些人對於西方聽眾來說，或許並非主流，但如考慮到中國人品味，他的選擇就合理了，那就是強調人性的、微妙的和抒情的感覺，勝於宗教性、抽象性和超越性。即使在貝多芬的全部作品中，他也總是更偏愛其抒情曲目。這些判斷包含著深刻的文化共鳴，更多地來自於他的性情而非所受的教育。在傅雷和傅聰的共同文化視野中，唯一的不同在於父親歷經了轉變，而兒子則出於天性。

父子有著一致的美學原則，這決定了他們對特定藝術作品的偏愛。對傅雷來說，黃賓虹的筆法看上去相當傳統，在抽象表意的層面上，卻要比那些偽現代主義者和半古典、半無產階級調子的當代中國藝術家前衛得多。對傅聰而言，蕭邦有著無可比擬的品味，他的仰慕者拉赫曼尼諾夫（Sergei Rachmaninoff, 1873-1943）只能模仿其皮毛而已。這些判斷的共通之處，在於強調品味的重要性——並不是以康德（Immanuel Kant, 1724-1804）式的品味，而是符合古典中國詩學的價值系統：注重情緒的深刻和正直，以及表達的洗練。有必要補充的是，這一價值系統的判斷不僅針對藝術，也針對人。傅雷父子都喜歡《世說新語》，它記錄了公元五世紀文人和知識分子的奇聞異行。沒有什麼比文化沙文主義與這對父子距離更遠的了。與之相反，他們顯現一種世界主義精神，能夠充分認知並欣賞來自不同傳統的各種價值。他們自身的品味儘管深深地植根於中國文化，卻又大大豐富了對外國文化的表達。

時至今日，傅雷作為翻譯家的聲譽仍然超過了他作為世界主義者的整體廣度。部分原因是他的翻譯影響巨大，遮蔽了其他成就。另一原因是，他的事業不拘一格，顯得碎片化，所呈現出的知識參與模式也難以定義；他與體制保持距離，不願成為任何定型的從業者，卻享有鑒賞家的光環。在他的生命和事業中，他始終是獨樹一格，但影響無所不在。

傅雷的死並不只是與政府相左，也並非偶然和意外。毋寧說，它是一種衝突的結果，而這一結果對他——和他的許多世界主義同儕，如錢鍾書和張

愛玲——帶來難以彌補的傷害。傅雷對自己的價值觀持有一種堅定的信念，但他卻願意為了家國放棄世界主義；另一方面，傅聰則以成為流亡者的代價，堅持了他的世界主義。借用班雅明（Walter Benjamin, 1892–1940）的話來說，在這樣的一個時代，法西斯主義者將政治美學化了，而共產主義者則將藝術政治化了，它們彼此對抗。傅雷無法見容於兩種範式，只有選擇自殺以維護他的真誠。相較於傅雷的選擇，他的同代人歷經動盪，艱難苟活，則似乎是一種犬儒式的妥協了。

參考文獻：

傅雷《傅雷談藝術》（最新增訂本，南京，江蘇文藝出版社，2010年）。

傅雷《傅雷家書》（最新增訂本，南京，江蘇文藝出版社，2010年）。

（澳）羅清奇（Claire Roberts）《有朋自遠方來：傅雷與黃賓虹的藝術情誼》（*Friendship in Art: Fu Lei and Huang Binhong*），陳廣琛譯（香港，中西書局，2010年）。

Chen Guangchen, "Fu Lei and Fou Ts' ong: The Art of Hermeneutics," *Poetry, Calligraphy, Painting* 5 (2011): 45-50.

Lek Hor Tan, "Fou Tsong: Taking Chopin to China," *Index on Censorship* 9, no. 1 (February 1980): 47-48.

陳廣琛 撰，盧冶 譯

1963 年
朱西甯發表〈鐵漿〉

1998 年 3 月 22 日
朱西甯離世

小說的冶金者

　　父親過世（1998年3月22日）的初夏，台灣國家文學館正在籌備，館長向家人邀約，希望能將父親手稿文物捐贈文學館，他說：「華人並不習慣將先人遺物捐出，希望朱先生能起帶頭作用。」家人有默契地當場應允，除了同意遊說理由，亦覺文學館所在地是父親一九四九隨國民黨軍隊來台初抵之地，是父母公證結婚地……，父親的骨灰，一直被我們眷戀不捨置放母親床頭至今，未設任何祭拜形式案頭，有時，貓咪還會睡臥其上呢。

　　所以，手稿文物送與並棲身文學館，是一個理想的紀念形式吧！

　　十六年後，舉辦過無數次作家個人展的文學館，推出了「小說的冶金者──朱西甯捐贈展」。

　　父親一生生活簡樸，文物除了手稿還是手稿，稿紙自印一頁A4的五百字，俾能省紙，筆用坊間的細字原子筆，寫罄就資源回收塑膠類，殊無留存價值──捐贈時，我們其中誰都想捐出自己的萬寶龍筆頂替，想想魯迅紀念館中那令人驚異的講究的文房四寶！

　　特展做得用心到位，是認識這位被台灣有意或無意遺忘忽視的重要作家很宜當的入門。

　　但做女兒的其實不免心虛，因我們覺得那最真實的、最初心、最多線索

的三本「嬰兒日記」被我們短下了。

嬰兒日記是以每隔兩年出生的三個女兒口氣分別記下的，有大人事、家庭事、有試著從嬰兒乾淨的眼光重新看世界、有其實對守口如瓶的嬰兒和盤托出的心底事⋯⋯

第一個孩子朱天文的日記打開，扉頁上貼著一小塊剪報，如下「脫離家庭關係：未滿法定婚姻年齡屢向父母請求婚事終被置之不理現為進行婚姻自由而求終身幸福外出自立自登報之日起不再接受執法干涉劉惠美」。

這是在一九四七年二月發生的二二八事件（統治台灣五十年的日本戰敗撤走後，接手的陌生的國民黨政府和陌生的在地台灣人的衝突鎮壓事件）兩年後，台灣人對大量於一九四九隨戰敗的國民黨遷台的外省人，尤其外省軍人驚懼敵意下，小鎮醫生之女與我父親通信一年、見面四次、決定出奔尋求兩人自由幸福的不得已做法。

父親在日本侵華的二戰中，是輾轉在江蘇安徽間的流亡中學生，心心念念準備考清華大學工科，為能戰後投身那仿效羅斯福新政「田納西水利計畫」的「揚子江水利計畫」，唯戰後國府遷回南京，處處笙歌紙醉金迷，一日所借宿六姊家的新街口興起一棟如同現在豪華商場的巨大建築，行經只覺人變得極其渺小，他遂決心加入一旁孫立人（1900–1990）將軍的號召青年軍啟事，如同同代諸多熱血青年，投筆從戎。

同時期另有本照相簿，首頁以沾水鋼筆沾白顏料，畫了一個十字架、聖誕葉、小果果和小天使，寫道「我們的小阿咕，今天把你奉獻給上帝了，『我兒，上帝必自己預備作燔祭的羊羔！』《創世紀》卅一–30，父親贈於一九五六年聖誕節，並賀你四個月」。

這是父親寫的嗎？我當是《戰爭與和平》裡，皮耶寫給他與娜塔莎的孩子的。

父親的祖父受占領山東的德國人影響為傳道人，母親受洗後成為朱家第三十九個基督徒，由此不難理解父親晚年費時十八年而未竟的《華太平家傳》何以以「庚子教難」始，企能處理百年來基督教中國化／基督教對近現代中國的衝擊影響。

父親最後十年在地方教會講道，與他祖父當年一樣被教會裡的基本教義

信徒投訴驅逐，他祖父由此與妻攜二子離鄉一路至江蘇宿遷，父親則是移到一條街之隔的浸信會信德堂講道至最終。

日記以嬰兒天文的觀點寫著：後來媽媽和大大（父親似乎喜歡我這麼稱呼他，因為他是這樣稱呼他父親的）就商量，本來起的名字是幼甯（男孩）幼浪（女孩），那是根據他們倆的筆名……

所以那時母親筆名喚什麼，長大後我們問父親，父親說叫流浪，那時他們的夢想是有朝一日到大西北草原墾荒去，還與彩華叔叔（段彩華，1933-2015）三人想著有一天能辦一份雜誌就叫《拓荒》吧。

也有一段父親的字跡：傍晚，媽媽抱著我與大大在糖廠小火車站一帶散步，好美的秋天黃昏，可是什麼叫作美呢？鄰家的一個小朋友比我還小，可能還沒滿月，卻綁在他媽媽的背上，他媽媽在割青草，挑那麼沉重的一擔子草，小朋友歪著可憐的小腦袋睡熟在媽媽背上，啊，我是夠幸福了，可是怎樣才能把我的幸福分給這位小朋友呢？

沒錯，父親是典型受五四、三〇年代啟蒙浸潤、沒有左翼之名的人道主義者，他沒像諸多留在中國大陸因此被歸為左翼的作家，原因可能很單純，他大哥、二哥皆死於共產黨，他不信任共產黨所專擅定義描述的左，不然就以他血氣最盛批判最強的「鐵漿時期」為例吧，吊詭的是這批被文學史歸為懷鄉之作的如〈破曉時分〉、〈鎖殼門〉、〈鐵漿〉，我們並沒看到遊子美化故鄉遍地傳奇且人人良善的典型追憶，這幾部小說無一不是令人震懍的悲劇，用深濃墨黑的筆調刻畫不仁的天地和其中的人們，大致已是當時政治力所能容忍限度的強烈概念性批判，而且小說中出現的睿智角色，總是帶著「進步」意識的啟蒙式的人物，即便像〈驟車上〉老舅那樣從生活中打磨出事故和智慧的人，也銳利洞視甚至帶著狡獪，重要的是對錯是非，而不是取之不盡的道德寬容。

父親一輩子傾慕張愛玲（1920-1995），談張愛玲，但同為小說家的劉大任（1939-　）講得對，父親的小說，尤以「鐵漿時期」，卻是魯迅（1881-1936）的。

嬰兒日記且透露了《華太平家傳》最早的胎動，「大大休假，我們父女倆又比賽睡覺了。醒來大大幫我換好了尿布同我談心。大大告訴我，我們朱家的

家事，從高祖父時代的大家庭以及烜赫的家世，而曾祖父時代的家道如何傾覆，而祖父如何赤手空拳重建了那番家業，以及童年時代的家庭，和後來怎樣的毀於日本軍閥的侵略，再毀於共產黨的賣國……真是一個代表近百年來的中國史呢。怨不得大大日日夜夜在苦思深想，如何去寫他的長篇《潮流》」。

《潮流》中途曾經改題為《傾國傾城》，又改為《華太平家史》，一度要開筆，書桌牆上掛的是家史的年表和人物表，喝，比榮寧兩府規模還大哩！張愛玲說：「《鐵漿》這樣富於鄉土氣氛，與大家不大知道的我們的民族性，例如像戰國時代的血性，在我看來是我與多數國人失去的錯過的一切。」

父親那樣強大的文章，而以和平出之。檯燈下案上伏著的一頭白髮，數十年如一日。

父親最後幾年搬到樓下寫稿，起初是為了方便接聽電話、應付掛號郵件或送米的修燈的，並且幫小學生的孫女盟盟錄影平劇、接盟盟放學回來、祖孫倆看戲吃點心。漸漸，客廳的沙發一角成了他們的老窩，父親盤腿窩坐沙發裡寫稿，稿紙夾在壓克力板上就著椅子扶手當書桌來寫。人往人來，貓逐狗奔，皆不妨礙他在那裡安靜寫字。客廳一角的老窩，變成了奧雷里亞諾·邦迪亞上校的銀飾工藝坊。

《華太平家傳》開筆於一九八〇年，十年裡七度易稿，八度啟筆，待突破三十萬字大關時，全遭白蟻食盡。他重起爐灶第九度啟筆，就是國家文學館中陳列的那部手稿了。他像奧雷里亞諾·邦迪亞上校後來不再賣出小金魚，卻仍然每天做兩條，完成二十五條就融掉重做起。

手稿的首章叫〈許願〉，從一個五歲小孩和他的銀鈴風帽寫起，末尾後設地插進一段關於擇九九重陽日第九度啟筆事，「數不過九，於此祝告上蒼，於我通融些個，大限之外，假我十年，此家傳料可底成……」

父親屬丙寅虎，孫女盟盟整整晚公公一甲子，家裡兩只丙寅虎。命理曾有一說，丙寅虎，活不過六十五，但父親那時已七十二。有一天，當賈西亞·馬奎斯熱淚如傾地上樓來，他的太太看見說：「上校死了嗎？」這一天，工藝坊的錫桶裡，共有十七條小金魚。

朱天心

1964年
〈東方紅〉——是它嗎？

「紅色盛會」與中國第一顆原子彈

傳說1943年抗日戰爭期間，陝西省一位農民歌手李有源（1903–1955）將一支粗俗的當地情歌小調改編成今日眾所皆知的〈東方紅〉早期版本，以表達他對毛澤東（1893–1976）領導中國共產黨的感激之情。他的侄子李增正在當地的集會上傳唱了這首歌曲，爾後延安的作曲家和中共領導機構又增加了三段歌詞。歌詞的開始是：

> 東方紅
> 太陽升
> 中國出了個毛澤東
> 他為人民謀幸福
> 呼兒嗨呦
> 他是人民大救星

1944年這首歌曲在延安《解放日報》發表後，在中共控制區廣為流傳。經過音樂家與作曲家的專業打造，以及進一步潤飾後的〈東方紅〉取代了〈國際歌〉，成為中華人民共和國成立以後最受歡迎的合唱曲目之一。例如1949年於北京召開的第一次中華全國文學藝術工作者代表大會開幕式上就合唱這首歌曲。

在言論自由逐漸縮減的此後數年間，〈東方紅〉一直是大型集會與群眾

演出中不變的旋律，至1964年因成為同名革命音樂舞蹈史詩《東方紅》的主題曲而達到高潮。這部史詩的開篇，正是「東方紅」時刻，七十位身著藍色長絲裙的優美舞者，朝著投射到舞台背景的紅太陽揮動著絲製向日葵的恢弘場景。伴隨著優美的舞蹈動作，這些「向日葵」走向海中冉冉升起光芒四射的太陽，象徵了中國共產黨對於人民群眾的領導。歌曲的效果、舞蹈的優美與舞台的盛大都強化了「紅太陽」的寓言，即毛澤東是中國人民不可或缺的領袖。

這部偉大的革命史詩在中華人民共和國成立十五週年之際首演，講述了中國共產黨從1921年成立到1949年在內戰中打敗國民黨的光輝歷史。《東方紅》從中國傳統文化、民間文化、流行文化、左翼文化與社會主義文化中汲取了豐厚的美學遺產，是一部關於黨史的「活的教科書」，日後對當代中國表演文化產生持久的影響。1964年10月10日，周恩來總理（1898－1976）在天安門廣場的人民大會堂接見《東方紅》的演員時，宣布中國第一顆原子彈成功試爆。《東方紅》是由三千位演員在短短三個月內從腳本到首演，所創造出的一場「紅色盛會」。在這一政治化劇院中擴建出來的舞台上，周恩來同時慶祝了中國藝術的偉大成就，與中國躍升為冷戰時期擁有核武的國家。

《東方紅》的首演可以被視為文化大革命的真正起點，因其紅色歌舞在傳播毛主義方面發揮了關鍵作用。由史詩改編的電影在中國偏遠農村地區廣泛放映後，這首歌曲也在毛澤東出現在天安門廣場上時響起。在那裡，他先後八次接見了多達一千一百萬的紅衛兵。這支歌曲成為了政治集會與群眾大型演出的重要核心，它的錄音甚至隨著1970年中國發射的首顆太空衛星播放。當國歌的歌詞作者田漢（1898－1968）在文化大革命期間（1966－1976）被視為「反革命」而受到迫害時，〈東方紅〉已經成為事實上的國歌。

文化大革命結束後，這首歌失寵了，但一九八〇年代後期以降它又重新流行，依舊活躍在紀念建黨、建軍與建國年度音樂會，甚至退休人員和普通民眾的業餘表演中。這首歌喚起了他們對於已經遠去的公平公正與理想主義的毛時代社會的懷舊之情。

然而，對某些人而言，這首歌喚醒了毛時代的過往，同時又表達了其對

後社會主義政權，深陷腐敗以及剝削窮人的不滿；另一方面學者與劇院的藝術家嘗試將這首歌放回鄉土民間文化的本根中。例如，2002年民間歌劇《太陽之歌》探索了民歌〈東方紅〉的原始意涵。歌劇演繹李有源與〈東方紅〉的故事，背景設定在一九三〇年代，正值李有源創作〈東方紅〉講述普通農民的日常生活。數年後，李有源在一場當地春日祭天儀式上解救了一位原本要被獻祭的女孩；他娶了女孩並獲得創作靈感——這是首寫給新娘的情歌。李在1941年譜成了這首歌的第三版，表達他對孕妻的思念，當時他因參與對日作戰而離鄉背井。共產黨的醫生挽救他難產的妻子，同時治好他在戰爭期間的眼傷。當視力恢復後，李有源從旭日東升的景象獲得靈感，於是另一個版本的〈東方紅〉泉湧而出：

> 東方紅
> 太陽升
> 中國出了個毛澤東
> 他為人民謀幸福
> 他是人民大救星

　　《太陽之歌》讚頌了延安1942年的「新生活」，當時革命正在自己的進行曲中大步向前。與此同時，這也挑戰了認為這首歌是中國共產黨宣傳工具的解讀，因為它強調只有真正為群眾福祉服務的中國共產黨才能贏得他們的支持，這是對於其時黨內腐敗的一種間接批評。
　　〈東方紅〉的傳說隨著時間進展，指向多元複義的可能；它反映了共產黨的意識形態變化，也批評黨日後背離了意識形態初衷。這就解釋了為什麼李有源這一角色在後社會主義時期的演出轉折——例如電視連續劇《東方紅1949》（2009）中，他以一個提醒者的形象出現，耳提面命中國共產黨的農村根基，要為老百姓帶來幸福的最初承諾，並尖銳批評了黨內腐敗和特權。故事時間背景是1948年3月23日，當時毛澤東與同志們在內戰中渡過黃河，準備向國民黨發動最後一輪軍事進攻。當他們與陝西農民告別時，一位當地農民正在演唱民歌〈東方紅〉。任弼時（1904-1950）聽了說道：「老百姓

把你當作人民謀生存的大救星。」毛澤東深受感動，回應說，「我們不僅要為人民謀生存，更要為人民謀幸福」，這是提醒他自己以及其他同志，永遠不要忘記人民的支持。作為毛澤東精幹的得力助手，周恩來應和了毛澤東的話：「主席說得對，以後應該把這句歌詞改成『他為人民謀幸福』。」民間歌劇《太陽之歌》重構了這首歌曲的故事，電視劇則強調了「偉大領袖」是如何第一次聽到這首歌曲，進而視其為一種不能背叛人民信任的及時警示。

　　《東方紅1949》強調對中國共產黨失望的批評，與之相隨的，是中國人民的主要敵人蔣介石（1887-1975）反而以和藹、聰穎的形象出現，他被表現得頗具智慧，洞悉共產黨成功的原因。他宣稱：「我們不是被共產黨打敗的，而是被腐敗的國民黨打敗的。」撤退到台灣前夕，蔣介石聽到毛澤東進駐中南海的新聞，他預測毛澤東將會「重蹈我們黨國失敗的覆轍」，並相信不久的將來他將重回大陸。接下來的場景則是毛澤東與他的同志在天安門廣場對著歡呼人群興高采烈地揮手，凸顯了中華人民共和國充滿希望的開端。與此同時，觀眾不免聯想毛澤東也許尚未犯下的錯誤。〈東方紅〉的雄壯旋律逐漸響起，強調毛澤東進駐北京前對於人民許下的誓言，也預示了這首歌曲在文化大革命期間的廣為流行。

　　就像〈東方紅〉這首歌歷經的改造史一樣，同名的革命音樂舞蹈史詩劇也在不同的意識形態下改編為各式作品。1984年首演的《中國革命之歌》（《東方紅》的姊妹篇）儘管有明星陣容，並且得到國家的支持，觀眾反應十分冷淡。那年人民共和國慶祝成立三十五週年，新的「偉大領袖」鄧小平（1904-1997）首次在天安門廣場接見群眾。隨著這場盛典上演的《中國革命之歌》，首次在戲劇與電影中再現了1949年的開國大典。鏡頭中的毛澤東與數位民主黨派領導人——宋慶齡（1893-1981）、李濟深（1885-1959）、張瀾（1872-1955）與沈鈞儒（1875-1963）——一起站上天安門主席台。宋慶齡等人被選為中央人民政府副主席。他們的一道亮相，象徵了通過政治協商建立一個自由民主的新中國承諾，這一夢想在隨後中國共產黨內外政治鬥爭運動中幻滅了。《中國革命之歌》也展示了另一群權力人物的組合：在1945年延安召開的中國共產黨第七次代表大會中，毛澤東、朱德（1886-1976）、劉少奇（1898-1969）、周恩來與任弼時被選為「五大常

委」。儘管這次會議的重要性在於推舉毛澤東為中國共產黨「英明領袖」的決議，但《中國革命之歌》卻選擇歸功中央委員會的集體領導。《中國革命之歌》在為未來歡呼的最後一幕，確認了鄧小平是一位比毛澤東更加偉大的開拓者。「新時期」迎來了經濟改革的初步成功。雖然毛澤東給中國人民帶來「解放」，但帶給他們「幸福」的卻是鄧小平。

　　如果說《東方紅》以貫徹毛澤東思想，防止中國淪為一個「西方資本主義國家」為主題，那麼《中國革命之歌》的意識形態已經另有所本——這是從毛主義的社會主義到鄧主義的資本主義的和平演變。《中國革命之歌》展示了一段從社會主義發展到資本主義貌似連貫的歷史；儘管仍舊聲稱要傳承「紅色經典」的精神，做法卻是並置自相矛盾的敘述，並將之轉化為壯觀的場面以表現「同一個世界」，用以清除政治話語中的矛盾。不像《東方紅》讚頌了毛澤東思想的萬丈光芒，《中國革命之歌》以一幅歡慶鄧小平時代的中國壯麗景象開篇，清晨的太陽照射著大地，生機勃勃。結尾同樣把鄧小平的光輝形象投射到背景上，正對著一輪壯觀的紅日，雖然已經沒有了〈東方紅〉熟悉的旋律，也沒有了紅太陽曾經代表的毛主義意識形態，這一幕卻讓人清晰地回憶起前一部史詩。

　　二十五年後，2009年，一群創作者為慶祝中華人民共和國成立六十週年而構思一部大型音樂史詩劇，他們強調的是改革時代最為令人震撼與豐富多彩的三十年。與此前作品關注中國如何才能趕上世界其他地區不同，音樂史詩劇《復興之路》表現了中國從1840年至2009年的歷史，包括文化大革命、香港回歸、汶川地震、北京奧運等，而以北京奧運展現一個驕傲與繁榮的中國為高潮。儘管創作者們承認《東方紅》是豐碑式的先例，依舊希望創造出一種令年輕世代肅然起敬的史詩類型。這一繼《東方紅》以來第三部史詩巨作又是一場展現豐功偉業的奇觀，慶祝中國從社會主義過渡到社會主義特色的資本主義。取代偉大領袖的傳奇故事，《復興之路》聚焦於人民的力量與他們的自我犧牲精神，「是這些」促成了一種傑出文明的創造。當紅太陽終於出現在壯麗的尾聲合唱時，它所歡慶的是「優秀的中國兒女」「屹立在世界東方」之際，中國「走在嶄新的道路上」，「走向復興」。太陽代表的是希望、幸福、人民的力量與民族自豪感。演出的紅色色調是唯一讓觀眾熟悉

的記憶，遙指社會主義經驗以及其核心價值與實踐。

　　一般人將前兩部史詩劇的成功，歸功於毛澤東的文藝思想。與此不同的是，《復興之路》的批評家則為導演張繼剛（1958-）拍手叫好。他在一個非革命的時代，創造出了最為複雜的革命史詩，同時飽含激情、才華、意志與效率，獲得了令人稱羨的成績。張繼剛來自陝西省的一個小鎮，他在傳統歌曲〈東方紅〉所描述的鄉土民間文化氛圍中成長；張繼剛曾擔任2008年北京奧運會開幕式的聯合執導，完美結合了社會主義遺產與專業技藝，這種製作能力正是全球資本主義藝術市場所需。《復興之路》通過3,200位演員組成的獨特藝術形式，（反諷的）體現了「資本主義的全面復辟」，對張繼剛的讚賞最終取代了對毛澤東的崇拜。

　　就此，我們不禁想起毛澤東當年視中國藝術家與作家為無產階級宿敵的觀點，以及他發動文化大革命清除不健康意識形態傾向的決心。表演藝術的力量與危險，以及它們強化與挑戰現實的潛力（正如2002年的《太陽之歌》與2009年的《復興之路》所見），可以在三部「紅色經典」史詩劇與歌曲〈東方紅〉——靈感都來自這支歌曲——的革命故事中找到最佳例證。這說明在當代中國表演藝術中，對於「中國特色」的宣傳已然借用了民間文化與流行文化、歷史敘述、意識形態導向、以及民族主義情緒，並體現了多重轉變的、複雜的身分認同。

陳小眉 撰，李浴洋 譯

1965年7月14日
林昭給《人民日報》寫血書

紅色牢獄檔案

　　1957年5月，為了響應毛澤東（1893-1976）在百花運動中「大鳴大放」的呼籲，北大學生在學校院牆貼大字報批評黨政，要求校園享有更多民主。當時，有一位新聞系學生林昭（原名彭令昭，1932-1968）如此介紹她的姓名，「『雙木』之『林』、『刀在口上之日』的『昭』」。

　　1968年，在她三十六歲生日前夕，林昭從監獄醫院病床被帶走，並以「反革命」理由處決——這是她追求言論自由的最後一幕。

　　1957年底，林昭與五十萬中國知識分子一道被劃為「右派」，但與絕大多數「右派」不同，她非但拒絕接受「思想改造」，反而繼續以詩歌表達疑義，並在朋友間流傳。當「大躍進」的烏托邦願景導致國家變動，並遙指此後的天災人禍時，林昭加入一個志同道合者的小組，私印地下刊物，揭露農村慘象。不出所料，當局查獲所有刊物，並逮捕參與者。

　　1960至1968年間林昭被囚禁於上海，期間她寫作多卷日記、隨筆、書信與詩歌，記錄獄中生活，並思考共產革命的軌跡。1964年她寫了一首詩〈家祭〉，紀念1927年「白色恐怖」下被國民黨處決的舅舅：

　　四月十二日——沉埋灰塵中的日期，
　　三十七年前的血誰復記憶？
　　死者已矣，後人作家祭，但此一腔血淚。
　　舅舅啊——甥女在紅色的牢獄中哭您！

我知道您——在國際歌的旋律裡，
教我的是媽，而教媽的是您！

假如你知道，你為之犧牲的億萬同胞，
而今都只是不自由的罪人和飢餓的奴隸！

這首詩以血寫成，將個人經歷與國家命運融為一體，述說老一輩革命者
如何為理想獻身。但日後革命卻吞噬了他們的兒女。林昭在舅舅遇難五年後
才出生，成長過程中，她為母親——也是地下黨員——所敘說有關舅舅的傳
奇深深感動。高中時期，她就參與創建了一個進步青年社團，並因言行左傾
被國民黨列入黑名單。一九五〇年代初新中國剛剛建立，林昭信仰共產主義
理想，憧憬一個更好、更平等的社會。她在自己的書信中稱毛澤東為父親，
並與解放前曾為國民黨官員的親生父親劃清界限，拋棄父姓改名「林昭」。
林父1949年後被打成「歷史反革命」。林昭始終沒有與父親和解；她的父親
在女兒被捕不久便自殺了。

1965年7月14日，林昭開始給《人民日報》編輯部寫一封長信：

在這個肇始以來一直以其崇高勇烈的人道激情深深叩動每個愛自由者之
心弦的著名的日子裡，我——奇怪的讀者又開始起稿給你們寫信，假如這久
被折磨的衰弱負病之軀的記憶力還不曾十分喪失了其準確性的話，那末我記
得這是法國大革命首義的日子！……當然，我決不是為了討論歷史才來給先
生們寫信的……我所在之處既非書齋，更何況今日以中國之大不僅早已放不
下一張安靜的書桌，甚至都早已容不得一個正直的書生！……這個奇怪的讀
者……曾兩次給你們寫信：信是以自己的鮮血所寫，因為當時我被非法地剝
奪了紙筆！

通過回顧法國大革命巴士底監獄風暴，這封信一開始就點出林昭書寫時
的特殊時間、地點和她所使用的工具——鮮血。這讓我們注意作者當時的身

體和精神狀況。這不是一般環境下的文學表演。相反的，每一個字都緊緊關聯生理、社會和政治的現實，從這些現實中產生，並在這些現實中傳遞。歸根結柢，這是一封無從寄出的信，它能夠擺脫獨白的困境嗎？林昭篤信魯迅的格言──「墨寫的謊話，絕掩不住血寫的事實」，但她更為犬儒地相信，如果她的血書被視為「罪惡」或者「精神錯亂」的證據，那麼她願見她的血經由「警察國家的動脈」傳輸到政權的「心臟」去。林昭惟恐家人與朋友會銷毀她的手稿以求避禍，急切尋求獄中檔案保存一份副本的可能。因此每一次訊問也是與她的檔案「合謀」的機會，她希望這份交代自己「罪行」的文件能夠留傳下來。

林昭這封信寫了五個多月，長達約十五萬字。她提到原件以血寫成，之後憑記憶以墨水複寫正文部分，用自己的血在全部手稿上簽名「蓋章」，以證明其真實性。諷刺的是，時間久遠，血跡漫漶，反而使墨水筆跡越來越難辨認。這件驚人的書寫糅合了多種文體，它是一封寫給編輯的信、一份抗議書、一篇政治論文、一部傳記、一部日記、一份自白書、一份遺囑與一首詩歌的提綱。她狂熱的風格搖曳而詭異，她的思想時而慷慨激昂，時而幽微閃爍，夾纏其間的是支離破碎的千言萬語。從冷冰冰的精神醫學角度來看，這些都是妄想症或者偏執狂的症狀。林昭要寫給黨報及其讀者、毛澤東與黨的領導人、監獄管理員與法官、家人與朋友、上帝與天堂，還有已經死去與尚未出生的人。

林昭明白，她的血書的悲愴性與真實感，與其說來自其內容，不如說來自其質地：血書是傳統「絕對書寫」的形式，仁人志士的絕命詩或佛教徒的佛經傳鈔都有先例可循。在她最後一次訊問中，林昭在頭上裹了一條用鮮血寫著「冤」字的白色手帕，這是對《竇娥冤》──元代劇作家關漢卿（約1224-約1300）的傑作──場景自覺的引用。竇娥蒙冤被斬首時，她的鮮血飛濺到一條高懸刑場的白綾上。林昭也在書寫中引用了女英雄兼詩人秋瑾（1875-1907），還有其他為革命拋頭顱、灑熱血的先烈事例，慨嘆他們的血都白流了。另一較為隱晦的靈感來自基督教；林昭曾就讀傳教士所辦的中學，並在監獄中皈依了基督教。然而除這些影響之外，林昭的血書表達了她對共產主義革命的獨特回應。彷彿預感未來的讀者或有所質疑。她寫道：

　　怎麼不是血呢？！陰險地利用著我們的天真、幼稚、正直，利用著我們善良單純的心地與熱烈激昂的氣質，予以煽惑，加以驅使。而當我們比較成長了一些開始警覺到現實的荒謬殘酷開始要求著我們應有的民主權利時，就遭到空前未有的慘毒無已的迫害、折磨與鎮壓！怎麼不是血呢？

　　血書是一份訴狀。它不僅是一種文字的流血事件，也是對青年的肉身性和符號性的剝削。眾所周知，毛澤東說過中國人民就像「一張白紙沒有負擔」，在上面「好寫最新最美的文字，好畫最新最美的圖畫」。林昭以血書回應了毛澤東：你用人民的血肉，「書寫」與「繪製」了你的烏托邦願景，把政治審美化了，卻對人民的犧牲無動於衷。在「大飢荒」（1958–1961）時期，林昭用血寫成的詩歌，想像一場由「飢餓的奴隸」發動的起義，但身陷囹圄的她問道：革命是實現自由、平等與人權的最佳途徑嗎？她在1965年的信中寫道：

　　誠然我們不惜犧牲甚至不避流血，可是像這樣一種生活到底能不能以血洗的辦法使它在血泊之中建立起來呢？中國人的血歷來已經不是流得太少而是太多，面臨著二十世紀六十年代的世界風雲局面，即使在中國這麼一片深厚的中世紀遺址之上，政治鬥爭是不是也有可能以較為文明的形式去進行而不必定要訴諸流血呢？

　　監獄檔案吸納了這些文章。1968年4月29日，林昭被處決。兩天後，一名警察上門向她的母親收取槍斃林昭的五分錢子彈費。這一恐怖的事實在1981年《人民日報》譴責「四人幫」的一篇文章中公之於眾，但究竟是誰下令槍斃林昭？恐怕永遠石沉大海。與此同時，許多文化大革命受難者被平反，在他們的協助下，林昭獄中手稿輾轉被有心人交還給林昭的妹妹。在這些手稿中就有寫給《人民日報》的長信。不久後，林昭的妹妹帶著手稿移民美國。

　　二十世紀八、九〇年代，林昭的朋友與家人發表了一系列紀念她的文

章，這些文章隨後編為《林昭，不再被遺忘》一書。林昭的「傳說」與她的部分著作開始為一些大學生與知識分子所知，但我們對林昭的記憶還是得力於2004年一部紀錄片《尋找林昭的靈魂》。影片製作人胡杰（1958-）是新華社的一位攝影師，1999年從一位朋友那裡第一次聽說了林昭。他深入林昭的故事，不惜以工作為代價，追蹤、採訪林昭的朋友與親屬。不少人必須克服對胡的不信任以及對攝影機的恐懼，才能重溫他們所知的林昭，並分享她的照片、文書、物品——如她在監獄中用糖果紙折的一隻小船。胡杰甚至找到她的骨灰盒和一縷裹在文革舊報紙裡的頭髮，以及她最後日子中為她送過飯的獄友。通過種種方式，胡杰抽絲剝繭，完成他對林昭生命的拼圖。

　　但胡杰最希望的還是讓林昭講述自己的故事。他終於找到一份林昭1965年書信的黑白影本，這是她妹妹赴美前留給一位表弟的。紀錄片裡，胡使用數位特效方式，在黃色背景下以紅黑色彩呈現文本，他的旁白引導觀眾破譯手寫字跡。在這一視聽框架內，觀眾可以讀到她的話。胡杰帶著這部電影的粗剪版本訪問許多大學校園，聽取觀眾意見，做出修訂。像傳教士一樣，他發放許多紀錄片光碟，並允許甚至是鼓勵複製與傳播。這部紀錄片在網上傳播更快，大量觀眾上傳與下載，比網警刪除的速度更快。「網民」在成千上萬的部落格上發布關於林昭的文章，並製作了粉絲網站和詩歌、小說與音樂論壇。每年接近她的忌日，都有許多人去蘇州為她掃墓，人數多到周圍老者可以因此販賣鮮花果品為生。有關單位後來裝置監視系統，用以嚇阻訪客弔祭。

　　林昭傳世的獄中書寫支離破碎，但一經新舊媒體傳遞便很快就增強——也同時消解——原作的光環。林昭的妹妹曾多次拒絕胡杰採訪請求，甚至譴責這部影片違法，侵犯她的版權。這一態度令人困惑，很多人將其歸因於她所受創傷之深。2009年，林昭妹妹選擇將自己所藏的林昭手稿原件捐贈給史丹佛大學胡佛圖書館典藏，而非出版。這些手稿現在只能以數位形式看到，手稿的讀者也只能手抄其中片段。這些規定營造了一種神祕光環，也是對毛時代無數檔案的一種隱喻。在那個時代裡，知識分子與普通民眾陷入了對文字前所未見的癲狂或恐懼。無論主動被動，他們寫下了無數自白書與告發信。這樣的「文獻」不能以形式、文類，甚至是文學價值來定義，而應當憑

藉其與國家權力之間艱難的抗衡來評價。這些文獻充滿「反黨」、「反革命」的內容。何其反諷的是，審查人員正是第一讀者，有時也是唯一讀者。毛澤東時代的話語和書寫其實具有無限構陷、審判、生殺大權。這不僅是「刀在口上之日的時代」，也是以筆與劍、血水與墨水不分彼此的時代。對林昭的妹妹而言，也許正是出於對文字書寫的癡迷與恐懼，才會要求後之來者必須以朝聖般的心情，親自瞻仰林昭遺稿。畢竟，以血寫下的文字不僅是符號，更是遺跡。

李潔 撰，李浴洋 譯

1966年10月10日
《文學季刊》在台灣出版

一九六〇年代台灣的現代主義與鄉土主義

　　白先勇（1937-）在小說中寫下：「尹雪豔總也不老。」兩年後黃春明（1935-）則在小說中寫到：「見了白梅的人都深信她以前一定很美。」1965年至1967年，這兩篇短篇小說典範接續發表，彰顯了二十世紀六、七〇年代台灣文學圖景中截然不同的美學風格和文化背景。然而這兩部作品也有不少相似之處，如文本的精密、男作家潛入女性心理所面臨的挑戰、兩性關係的主題、賣淫業和聲色場所的交易，以及中國式宿命觀與父權等特定的文化共鳴。白先勇〈永遠的尹雪豔〉是他聲名斐然的小說集《台北人》的開篇，最初發表於1965年。兩年內，他又陸續創作了同樣收錄在《台北人》的五篇小說。黃春明〈看海的日子〉是他最重要的三篇作品之一，這三篇作品同時於1967年橫空出世。一九六〇年代中期是台灣文學蓬勃發展的高峰，白先勇和黃春明都是其中的佼佼者。兩個故事互成鏡像：白先勇的小說著眼於都市生活與內在世界，執迷於描繪飄零異鄉、努力適應台北生活的外省人；黃春明的小說則扎根於鄉村生活，場景涵蓋海邊和農田，刻畫的是居住在台灣數百年的本省人。白先勇格外關注昔日權貴在時空流轉中所面對的考驗；黃春明則同情底層人民的掙扎。兩位作家皆顯露出對人性的洞見，對筆下人物的深切同情，並由此編織出精采的故事。白先勇小說中，謎一樣的紅顏禍水尹雪豔為《台北人》奠定了基調，這部小說集充滿失根離散、緬懷往昔歲月的孽子孤臣。尹雪豔在富麗堂皇公館內夜夜笙歌，這和她冷豔高深的形象形成鮮明對比。有些讀者批評尹雪豔在情感上不可捉摸，但這樣的安排有著

重要目的。精神世界的空洞是現代主義的主題，重要作家如艾略特（T.S. Eliot, 1888-1965）已經一再書寫。白先勇安排這樣一個謎一樣的主人公，顯然有意凸顯二十世紀中葉中國主體性的缺失。傳統價值死而不僵，新興事物曖昧不明。尹雪豔的神祕氣質誘惑著她的主顧，他們渴望逃離眼下的現實，哪怕只有一時享樂。

「不老」的尹雪豔投射了歷史停格的幻象，她的客人卻皆已日漸衰老，甚或站在死亡邊上。兩相對比，更加凸顯時間無情的流逝。尹雪豔在他們耳邊低語，讓他們能在失敗後重拾信心，向他們保證下一次手氣會更好。白先勇在台北市中心打造了一個紙醉金迷的空間，描繪了衣香鬢影、名流雲集的沙龍，提醒往昔的繁華與特權。他獨特的抒情性再現了國共內戰前上流社會的文化。這群被諷刺地貼上「台北人」標籤的人，屬於現代中國失落的一代，他們是實業家、巨賈、學者；他們的家國之情被抗戰和內戰粉碎殆盡。尹雪豔的公館為他們提供了庇護所，逃避劇變中的現實。台北既是他們避走大陸的恥辱地標，也是往日榮華的遺跡。

在尹雪豔的石榴裙下，一個個男性角色前僕後繼，死而後已。她散布厄運的惡名恰與她不可抗拒的魅力相生相成。她被比作中國民間傳說裡的狐妖，讓一個又一個命運不濟的男人色授魂與，難以自拔。上海投機商王貴生搭上了尹雪豔，後來因操縱貨幣市場而被處決。之後是洪處長，她先與之結婚又在他破產後將他拋棄。在台北，她的新公館為滯台大陸人提供了暫時的慰藉。某夜，一位年長客人吳經理帶著他的外甥徐壯圖來打麻將，為他之後的不幸埋下伏筆。徐壯圖正值盛年，是一個大水泥廠的經理。他向來是個負責的老闆，忠誠的丈夫，慈愛的父親。但在尹雪豔的「盛情款待」下，深陷對她的迷戀。他和妻子爭吵，妻子無助下前往向吳家阿婆求助。吳家阿婆告訴徐壯圖的妻子，尹雪豔是個妖孽，徐先生的悲劇無法避免。但真正使人驚訝的是尹雪豔在徐的葬禮上意外現身。她一身素白打扮前來致意，引起弔客騷動。我們很難說尹雪豔只是枉擔了紅顏禍水的罵名，還是真正邪惡的本身。就在徐先生入土當晚，牌局依舊照開，吳經理史無前例和了大四喜。這篇小說盡情演繹了一代遷台大陸人的悲涼晚景。

　　黃春明〈看海的日子〉無論從小說的人物塑造和背景設定上都與白先勇的小說形成鮮明對比。白先勇以細膩筆觸描繪尹公館的舒適內觀，黃春明則將故事場景幾乎完全設置在台灣鄉村的戶外。〈看海的日子〉故事發生在台灣東北海岸漁港，那裡以漁民為對象的賣淫業興盛了數十年，黃春明字裡行間洋溢著海岸的氣息。小說講述主人公白梅因家貧被賣作養女的悲慘故事。黃春明巧妙運用倒敘，編織了主人公的過去與現在。白梅出生在南台灣山區的貧窮農家，被賣作養女後慘遭虐待，最後又被賣去妓寮。她與同樣流落在此的鶯鶯結為姊妹，鶯鶯因年幼不能當妓女。之後，她在火車巧遇已為人婦、人母的鶯鶯。這場巧遇讓白梅有了成為母親的渴望，她發誓只要遇到適合做她孩子父親的男人就要完成這個心願。

　　黃春明的寫作特色在於對簡單人物，特別是女性動人的個性化描繪。白梅遇到一位不知情的年輕漁夫，覺得他是讓自己受孕的合適人選。接下來的性愛場景溫柔動人，毫無淫猥之感。小說值得玩味之處在於白梅掙脫妓女身分的努力；她試圖通過生育得到救贖。為此，她偷偷存錢，策畫懷孕的機會，她將從妓女成為母親視為重獲自我價值的途徑。她在與年輕漁夫的短暫交集後回到台南老家，得知哥哥身患腿疾，腐爛嚴重，就墊付了截肢手術費。她與母親重歸於好，還讓家鄉豐收卻價格低迷的番薯賣了好價錢。小說以她帶著新生兒回到海邊結束。她對兒子喃喃低語，為他想像一個因捕魚喪身大海的英勇父親形象。

　　黃春明塑造了一個被封建父權社會戕害的女性形象。她尋求解放，卻仍默許傳統的生育邏輯以及重男輕女的思想。小說沒有五四時期意識形態色彩濃重的吶喊，卻同樣飽含對性剝削和父權壓迫的控訴。正是這種無解的曖昧性讓敘事更貼近現實，黃春明以此一鳴驚人，標誌著對二十世紀上半葉更具爭議性的社會寫實主義的發展。

　　兩篇小說同樣刻畫了社會邊緣女性。她們應對邊緣地位的不同態度將她們引向不同的困境，但兩篇小說真正關心的還是各自女主人公脆弱的一面。尹雪豔將注意力轉到客人身上，使人們無從得知她的內心。她被一些人視為蕩婦尤物，又被另一些人視作紅粉知己。而白梅則顯現了從母愛中得到慰藉。前者是一個從上海到台北的城市之花，無法在台灣鄉野存活。後者則是

條件艱苦的台灣東北鄉村的產物，為了營生，輾轉全島，卻無法在城市安家。白先勇短篇小說最為突出的就是栩栩如生的白描，有如一首敘事詩。從室內的裝潢，人物的衣著到飲食都極盡細緻之能事。黃春明的小說則對自然景物的觀察敘述俐落流暢，對情節對話和人物發展也同樣鮮活。他的小說往往包含幾個層次的倒敘。

如果我們將白先勇和黃春明視為截然對立的作家，其實是一種誤解。他們的身世教養的確非常不同，白先勇是國民黨將門之後，大陸出生，輾轉來台。黃春明出身台灣東北小鎮羅東一個窮苦家庭，幼年喪母。作為長子，他擔起了照顧弟妹的責任。他學業成績不好，也無名校學歷。白先勇則就讀台灣第一學府台灣大學，也是那個年代引領文學新方向的一員；這些年輕人追求精煉的文字、巧妙的形式、內斂的語調。在夏濟安教授（1916-1965）的帶領下，白先勇和他的同學創辦了前衛性的《現代文學》雜誌，誓言一洗文壇風氣，鍛鍊文字質量，使之成為文學的最重要標準。

黃春明的文學導師是林海音（1918-2001）。她是一個公共知識分子，同時與政府有不少關聯，她培育了包括黃春明在內的數位台灣作家。在《聯合報》發表數篇小說後，黃春明與陳映真（1937-2016）、王禎和（1940-1990）和尉天驄（1935-2019）結為文學同盟，在《現代文學》創刊幾年後共同創辦了《文學季刊》。這本雜誌力推台灣本土作家，他們對文字的重視也展露無疑。因此儘管日後的鄉土文學論戰往往視本土和現代作家為對立陣營，「鄉土派」作家其實同樣將文學自身放在第一位。他們的作品構思精巧、精練，語言優美，和以白先勇為代表的現代派一樣，他們也經常刻畫社會的邊緣人物。兩者主要區別在於出生背景和生命體驗的不同。黃春明與家人朋友都慣以台語交流，年輕時耳濡目染的都是農民和漁夫生活，快三十歲才到台北。「現代派」作家則更加熟悉大陸遷台的移民社會和都會生活；這些作家在小說中更鮮活地反映了離散意識，作品也大多以城市為背景。在二十世紀六、七〇年代的台灣，無論是「現代派」還是「鄉土派」的代表人物，筆下都揮灑出令人驚豔的篇章。他們的作品不但是時代的結晶，也是這一時期最優秀的文學傑作，為讀者所喜愛。

參考文獻：

白先勇《台北人》（上海，上海文藝出版社，1999年）。

黃春明《看海的日子》（台北，聯合文學出版社，2009年）。

Christopher Lupke, "Huang Chunming," in *Dictionary of Literary Biography: Chinese Fiction Writers, 1950-2000*, ed., Thomas Moran and Ye Xu (Columbia, SC, Gale, 2013), pp. 100-110.

Steven Riep, "Bai Xianyong," in *Dictionary of Literary Biography: Chinese Fiction Writers, 1950-2000*, ed., Thomas Moran and Ye Xu (Columbia, SC, Gale, 2013), pp. 3-17.

陸敬思（Christopher Lupke）撰，陳抒 譯

1967年4月1日

「黨內鬥爭從來沒有這麼不嚴肅過。」

劉少奇的幽靈

　　1980年5月17日，北京人民大會堂舉行了一場遲到了十一年之久的追悼會。超過萬人參與了這一儀式，收看電視現場直播的觀眾達千百萬之多。矗立在主席台上的是前國家主席劉少奇（1898-1969）的一幅巨型黑白肖像。這張祭壇上的照片高約3公尺、寬約2.3公尺，照片中劉少奇頭髮灰白。他在失去一切職務與共產黨員資格，經歷了痛苦折磨與單獨囚禁後，於1969年辭世。如今他面色溫和，探求的目光透過黑白照片平靜地注視著眾人。這樣一張照片已經十三年沒有在公共場合出現過了。

　　懲罰失勢領導人，便是將其排除在媒體之外。自1967年被打倒後，劉少奇的照片便系統地從中國媒體與公共場合消失。他的官方肖像曾與毛澤東（1893-1976）的肖像並列懸掛，失勢後全數取下並遭銷毀。涉及劉少奇正面影像的影片全數回收並禁止播放，至於那些因重要性而無法回收禁映的影片，例如毛澤東接見紅衛兵的新聞片，則經過巨細靡遺地重新剪輯後，完全抹除他的身影。

　　為何一個影像會如此可怕？影像是一種來自過去的遺跡，不僅具有多重意義，也具有轉喻的力量；它可以超越本身，指涉拍照當下的複雜歷史。照片是一個人的姿勢與相貌的印記，它傳達了人格與人性，為影像主體提供一個自我表現的空間。因此清除影像相當於一場暴力行為。它沒收了自我表現的可能性，修改了圖像所佐證的歷史敘述，並泯滅了主體的人性。隨著劉少奇的攝影圖像遭到銷毀，他與妻子王光美（1921-2006）的漫

畫形象卻開始激增。在一個卡夫卡式的變形故事中，劉少奇與王光美一覺醒來發現自己在眾目睽睽之下成了鼻尖背駝的怪物，而這正是「資產階級」的典型形象。他們無法用孱弱的身軀捍衛他們的人格尊嚴。這對夫妻被拖了出去，受到嘲笑與折磨，直到他們的脊背佝僂。他們看上去不像「人」更像「鬼」。

　　然而，並不是所有劉少奇的正面影像都被查封。一個明顯的例外便是1963年拍攝的新聞片《劉少奇主席訪問印度尼西亞》，影片於1967、1968年重新放映時，改名為《叛徒劉少奇訪問印度尼西亞》，並多了攻擊性的旁白。中蘇分裂之後，中國政府通過「夫人外交」的新策略尋求與非共產主義、第三世界國家的政治精英建立關係。《劉少奇主席訪問印度尼西亞》追隨劉少奇與王光美對印尼的國事訪問，拍攝了他們在豪華宮殿及在各地參觀訪問時，來自印尼統治階級的款待。首次放映時，影片裡中華人民共和國前所未見的「第一夫人」王光美的迷人寫照，引發了舉國轟動。她身著旗袍的優雅形象讓她成為當時年輕女性心中極具魅力的新偶像。然而，隨著1965年的印尼政變，以及此後為數可能高達數十萬甚至百萬的印尼華僑與共產黨員遭到屠殺，還有劉少奇在1967年被揭發為黨內「最大的走資派」，劉少奇與王光美同印尼的政治菁英悠閒相處的照片，時過境遷，也成為他們與凶殘資本家進行賣國交易的有力證據。1967年4月10日，在北京清華大學的一場三千人參加的集體批判大會上，王光美被強迫穿戴她在印尼時的旗袍與帽子，同時還被掛上一串模仿她的項鍊的乒乓球。兩名紅衛兵押著她的胳膊，強迫她向台下的觀眾鞠躬。在這一場羞辱的表演中，王光美被再次攝影。與此同時，中央文革小組下令製作大量重新剪輯過的電影拷貝，發放到各地的革命委員會，組織群眾集會觀看影片。

　　清除攝影圖像恰恰證明了影像所擁有的紀念意義與人性力量。重新挪用影像則證明了其可塑性，可以讓群眾由愛轉恨。影片新添加旁白旨在提供一節「觀影中的課程」，指示觀眾注意劉少奇的面部表情與王光美的項鍊，發現隱藏在這些細節中的犯罪意圖與階級背叛。觀眾因此體驗了偵探工作的快感、破壞偶像的愉悅，並莫名地深信他們的陰謀如此機關算盡，又如此注定功虧一簣。對劉少奇及其黨羽的清洗在文化大革命期間規模至大，包含了對

全國成千上萬據稱是劉少奇追隨者的迫害。打倒劉少奇及其黨羽的事情在全國各地層出不窮，已經很難知道在集會上放映這部電影究竟在多大程度上將窺視的快感轉變成施虐的快感。有的時候，電影放映員還得一筆一劃在負片中給劉少奇與王光美的臉上划上X號，以便讓觀眾忽視這對夫妻的人的形象，理所當然視之為鬼。

如果說影像推動了文化大革命的群眾政治，那麼它們在此後還原歷史的努力中也發揮了作用。對劉少奇的平反開始後，劉少奇與王光美的影像便逐漸回到了公眾視野之中。兩部緬懷劉少奇的紀錄片在1980年發行：《劉少奇同志永垂不朽》（40分鐘，1980）記錄了在人民大會堂舉行的劉少奇追悼會；《劉少奇同志，人民懷念你》（80分鐘，1980）則是一部剪輯了劉少奇革命生涯中檔案影像的傳記影片。這兩部紀錄片都在中國廣泛放映，許多觀眾發表文章與詩歌，把劉少奇影像的回歸視為一種「歷史的勝利」。然而，這種回歸卻被小心翼翼地控制著。例如，文化大革命時期劉少奇的影像便被嚴格限制在公眾視線以外。總而言之，平反是一種用來安撫群眾不滿的工具，藉此將有能力的人帶回工作崗位，並重申中國共產黨的合法性。因此，一旦鄧小平所領導的集團願意洗刷劉少奇的汙名，並將他迎回中國共產黨領導人的聖殿時，究竟是什麼導致劉少奇遭到迫害，特別是毛澤東在其間所扮演的角色，便沒有質疑的必要性。

國家希望盡快結束文化大革命的歷史一章，以一場遲來的國葬落實了劉少奇的平反。在前現代與現代中國，葬禮是用來團結哀悼者，並藉由一定的行為準則來規範悲傷。到了1980年，電影中中華人民共和國的國葬高度儀式化，其形式借鑒自蘇聯的做法與中華民國的先例。《劉少奇同志永垂不朽》這部追悼紀錄片基本上便遵循了這些慣例，但也包含了兩個不同於一般的場景，抵制國家當局想盡快完成這樁平反的願望。在一個場景中，攝影機跟隨王光美訪問了開封，這裡是劉少奇去世的地方。當王光美在劉少奇度過最後時光的小房間裡痛哭時，攝影機給了她一個特寫的畫面。在另一個場景中，當悲傷的家人根據劉少奇遺願將骨灰撒入大海時，攝影機大膽地給了骨灰特寫鏡頭。王光美與孩子捧在手中的骨灰隨風吹向大海。此前，葬禮影片中從未公開展示骨灰。周恩來的骨灰也撒了，但葬

禮影片結尾卻是已故總理一組長達十分鐘的連續紀實鏡頭，彷彿他死而復生。然而，在劉少奇的葬禮影片中，他肯定沒有復活。攝影機聚焦在骨灰上，讓觀眾面對劉少奇死亡的不可逆轉與無可理喻。手持攝影機顫抖鏡頭中的痛哭與骨灰，令人感到切身之痛但不矯揉造作，與影片其他構圖穩定的部分以及營造出來的莊嚴權威感，有顯著的不同。在此後的十年間，這兩組鏡頭一再出現，彷彿提醒觀眾重新審視過往。

阿多諾（Theodor Adorno, 1903-1969）注意到，若要真正「從過往中走出」，便必須認真考察那些製造過去的「客觀條件」。克服造成過去的原因，才能真正克服過去，否則過去的魔咒依舊，歷史也會重演。儘管對於國家而言，一九八〇年代前期的平反已結束了文化大革命這一章，但在如何組織政治生活與社會生活方面，並沒帶來根本改變，對於文化大革命緣由也缺乏徹底的歷史反思，這些因素成了人們憂患與焦慮的來源。一九八〇年代中期，作家巴金（1904-2005）警告文化大革命將會再次發生：「有人說：『再發生？不可能吧。』我想問一句：『為什麼不可能？』」正如巴金所言，「要產生第二次『文革』，並不是沒有土壤，沒有氣候，正相反，彷彿一切都已經準備妥善……因為靠『文革』獲利的大有人在」。1988年，距離毛澤東去世以及文化大革命結束的1976年，已過了一個生肖輪迴。作家蘇曉康（1949-）後來回憶那一年即將到來的時候，一股歇斯底里瀰漫社會，人們開始謠傳另一輪災難即將襲擊中國，於是蜂擁搶購鞭炮以嚇阻惡魔。

1988年，劉少奇骨灰的畫面如同來自過去的幽靈，出現在兩部紀錄片中。《好在歷史是人民寫的——劉少奇同志光輝的一生》是劉少奇九十週年誕辰的紀念影片。影片的結尾出現了劉少奇骨灰撒入大海的畫面。當劉少奇的兒子迎著海風捧起骨灰時，一個急促的旁白評論道：「人們將在歷史面前反思，該怎樣制止這樣的悲劇重演。」面對反思歷史的呼籲，這部影片本身以一份劉少奇被鬥爭的大事記影像回應。是一組文化大革命結束後便不再公開的新聞鏡頭：毛澤東接見紅衛兵，群眾批鬥王光美與劉少奇，以及將劉少奇開除黨籍的八屆十二中全會。之前十年間四人幫的審判已凸顯了紀錄片作為證據的價值。檔案管理人員深信影音數據能夠完好保存過去的痕跡，當時

的法庭便裝備了影音播放器材。一系列的紀錄短片證實工人叛亂分子以及四人幫成員王洪文（1935-1992）捲入上海血腥派系鬥爭，而錄音則記錄了文化大革命期間的嚴刑逼供。這部影片十分克制，沒有就前因後果與責任歸屬輕易下結論，但卻證明毛澤東參與了對劉少奇的清算。毛澤東出席中央全會，並主持了開除劉少奇的表決。同時，影片也呼籲更全面地審視理解當時的精英與群眾政治的動態。《河殤》，一部引起全國熱烈討論的六集電視紀錄片，第五集《憂患》再次使用了劉少奇骨灰的畫面。《河殤》將劉少奇的悲劇置於暴力專制一再出現的漫長中國歷史中，呼籲全國人民自我反思，以期了解究竟是什麼機制不斷引起災難擾亂中國社會。

　　1967年4月，戚本禹（1931-2016）以一篇電影評論為幌子，在《人民日報》上惡意批判劉少奇。劉少奇沉重地向家人說道：「黨內鬥爭從來沒有這麼不嚴肅過。」大眾媒介操控的圖像——照片、電影、政治漫畫與大字報——正是產生了這種「不嚴肅」政治的產生機制之一。它用追星和懲兇取代了真正的政治，並將革命轉化成悲劇與鬧劇。若要試著理解那個時期就必須要試著理解其圖像政治，並努力重新掌握那些消失在公眾視野中的圖像。文化大革命的教訓與遺產仍舊在今天的中國引起激烈爭論。劉少奇生而為鬼，死後幽靈不散，逗留於電影影像中，促使我們思考大眾媒介中的圖像與群眾政治之間的深層關係。

參考書目：

巴金〈「文革」博物館〉，《無題集》（《隨想錄》第五卷，北京，人民文學出版社，1986年），頁121-124。

戚本禹〈愛國主義還是賣國主義？——評反動影片《清宮祕史》〉，《人民日報》1967年4月1日第1版。

Theodor W. Adorno, *Can One Live after Auschwitz? A Philosophical Reader*, trans., Rolf Tiedemann (Palo Alto, CA, Stanford University Press , 2003).

Lowell Dittmer, *Liu Shaoqi and the Chinese Cultural Revolution* (New York, Routledge, 1998).

Harold Hinton, ed., *The People's Republic of China, 1949–1979: A Documentary Survey, vol. 3, The Cultural Revolution, Part 1* (Wilmington, DE, 1980).

錢穎 撰，李浴洋 譯

1967 年 5 月 29 日

「前人的事業後人要承當。我這裡，舉紅燈，光芒四放！」

《紅燈記》：樣板戲與英雄革命

前人的事業後人要承當。

我這裡，舉紅燈，光芒四放……

爹！

我爹爹像松柏，意志堅強。

頂天立地是英勇的共產黨，

我跟你前進，決不徬徨。

紅燈高舉閃閃亮，

照我爹爹打豺狼。

祖祖孫孫打下去，

打不盡豺狼決不下戰場！

　　《紅燈記》中的李鐵梅得知家族在抗日戰爭中肩負著共產黨使命後，如此唱道。她立誓忠於共產主義，讓聽眾相信，這一意識形態會順利傳遞至年輕一代，或許最重要的是表明了她的明辨是非。她擁有成為一個真正革命者的必備條件，代表著反抗帝國主義侵略和階級壓迫的中國人民。她是毛澤東思想和行動的典範人物，對同為從事文化大革命事業的人而言，她是樣板；對所有後毛澤東治下，頻頻回首嚮往一個激情與奉獻時代的中國人來說，她是參照。

　　1966 年，《紅燈記》被宣布為「樣板戲」，隸屬八部新的舞台演出典

範，包含五部「現代革命京劇」、兩部芭蕾舞劇和一部交響樂。一九六〇年代初，中國共產黨為每種行為都設立樣板，鼓勵革命的工農兵群眾學習大慶的模範工業、大寨的模範集體農場、模範士兵雷鋒（1940-1962），和模範軍隊好八連。全國各單位都推出工作效率以及意識形態正確的模範工人。同樣的，樣板戲既是為娛樂而打造，也是為了教化觀眾。如同經歷了成長和入黨的李鐵梅，觀眾也學習如何實踐革命任務。

樣板戲設置了一種模仿模式：美於舞台者，亦美於生活。觀眾被要求向戲劇人物學習。舞台所演即是日常。這些戲在每一個工作單位演出。被一次又一次觀看，在朋友間傳唱。這些曲調和戲劇動作已內化到觀眾心裡，在舞台之外重演，想像自己就是英雄人物。

《紅燈記》突出了革命英雄主義。情節聚焦於一個鐵路扳道工李玉和，他是一九三〇年代後期滿洲地下黨成員。李接到一本要轉交給中國游擊隊的密電碼，卻遭遇到地下黨叛徒向日本人告密。李玉和及其母親遭處死，但女兒鐵梅逃走，並加入山中游擊隊，完成轉交密電碼簿任務。李玉和的形象比實際還要高大——電影版精心安排由高大健壯的錢浩梁（1934-）飾演。李的身形高過其他人，唱詞也比其他劇中人都多。在戲的修改過程中，所有對李玉和缺點的暗示也都被抹去——用錢的話說：「讓這個英雄形象更傑出，更理想，更偉岸。」對觀眾和舞台上的角色而言，誰是英雄、誰是小人，誰最英勇，始終清晰如一。

樣板戲的精心製作獲得毛澤東（1893-1976）夫人江青（1914-1991）的支持，她以中國戲曲現代化的保護者自居。1963年江青看了滬劇版《紅燈記》後，立即指示依照她的美學標準和意識形態修改。1964年6月《紅燈記》獲得毛的稱許，一個月後被認定為「革命現代京劇」的四大模範之一。《紅燈記》是第一部被叫做「樣板」的，1965年3月《解放日報》稱其為「革命京劇一個傑出樣板」。《人民日報》則於1966年12月認定八部作品為樣板戲，並宣稱這些是江青的「試驗田」。此後，江青便開始仔細監管這些作品的修改。在一篇題為〈林彪同志委託江青同志召開的部隊文藝工作座談會紀要〉（又稱作〈二月紀要〉）中提到：「經過長時間的反覆實踐，精益求精，力求達到革命的政治內容和盡可能完美的藝術形式的統一。……不這

樣，就不可能搞出好的樣板。」江青不斷修改曲調、服裝、化妝和其他細節，直至《紅燈記》在1972年拍成電影。江青親自督導這齣戲創作過程的每個環節，重塑了中華人民共和國的文化生產過程。

樣板戲崛起的同時，人民共和國的舞台政治也產生劇烈的變化。1966年的文化大革命凸顯對毛澤東的個人崇拜，以及對其政敵的迫害。大街小巷上演新的景觀：「忠字舞」、文化古蹟的公開破壞，血腥的批鬥大會——目標是那些被認定的「反革命分子」。舞台受到嚴格控制。上演西式話劇的劇場——當時在中國大約有九十個——遭到攻擊，因為斯坦尼斯拉夫斯基（Konstantin Stanislavski, 1863–1938）的表演體系，曾是蘇聯社會主義現實主義在劇場演出的基礎，那時被宣布為資本主義。傳統戲曲以帝王將相和才子佳人為特色，缺乏勞動人民的身影，因而被批判為封建殘餘和「毒草」，取而代之的是現代革命京劇。公開播映的電影很少，只有拍成電影的樣板戲例外。

江青現代化中國戲曲，並將其轉變為革命工具的興趣，似乎是真心的，但舞台藝術的改革也給予她自1938年與毛澤東結婚後，首次介入國家事務的機會。透過將樣板戲樹立為文化大革命的旗手，江青利用自己作為舞台藝術保護者的角色，掌握了宣傳組織的控制權。中國共產黨的宣傳機器在文化大革命期間發展得更為強大，而樣板戲通過具體的、制度上的權力，將文學和政治結合。

江青作為政治決策者崛起，或許始於1966年2月2日至20日於上海召開的部隊文藝座談會。經過反覆修改——這可能意味著高層關於文化政策的鬥爭——終於在1967年5月29日《人民日報》發表了這份〈二月紀要〉。〈紀要〉在中國共產黨喉舌《人民日報》的發表，標誌著江青對現代戲曲的立場成為了官方政策。這份文件將樣板戲用作階級鬥爭的工具：

從事京劇革命的文藝工作者……向封建階級、資產階級和現代修正主義文藝展開了英勇頑強的進攻。……革命現代京劇《紅燈記》……是一個創舉。它將會對社會主義文化大革命產生深遠的影響。

　　正如〈二月紀要〉所表達的，樣板戲的意識形態被視為一份許可證，它既可用來鼓舞那些被視為革命者的人，也可以用來迫害任何一個被打為反革命的人：「要……打破少數所謂『文藝批評家』對文藝批評的壟斷……把文藝批評的武器交給廣大工農兵群眾去掌握，使專門批評家和群眾批評家結合起來。」這種對藝術生產和批評的控制被轉化為一種進行制度變革的號召：「重新教育文藝幹部，重新組織文藝隊伍。」至1967年5月〈紀要〉發表時，對「修正主義者」和「反革命分子」發動攻擊的目標雖未明說，但已無庸置疑。1966年座談會後不久，毛利用「文化大革命」清洗中國共產黨黨內劉少奇（1898-1969）領導的務實派系，當年7月劉少奇被廢黜。正是在此潮流下，樣板戲為政治操作提供了一個方便之門。

　　對反革命分子的鬥爭是《紅燈記》情節核心之一。李玉和與鐵梅勇敢地面對日本侵略軍，但同樣重要的是，他們還查出淪為日本奸細的內部叛徒王連舉。1970年的一份解讀，說明了《紅燈記》與黨內衝突的連結：「李玉和……對叛徒王連舉的憤怒聲討，在今天仍然是批判劉少奇修正主義黑貨、批判資產階級意識形態的卓越榜樣。」李鐵梅接替了父親李玉和，並以暗號和手勢——最後高舉極具象徵性的紅燈——區分敵友。在偵查假信號方面，她的天資遠勝無能的日本人及其走狗，突出的例子如李母用了不同的燈，以及鐵梅和鄰居換裝逃跑。

　　劇中鐵梅的任務是安全地轉交一份密電碼簿，此事有其象徵意涵。密電碼本身並非一個有意義的文本，但卻是解讀的工具，革命力量（也只有他們自己）可藉此破譯所有的通訊內容。密電碼的主題回應了毛澤東和江青在掌握意識形態解釋權上的用心，他們把握意識形態的對錯，並取消其他權力中心之合法性。這個情節表明，宣傳機器即便不是最重要的，也不可忽視。

　　這種極權主義的符號學——將所有詮釋權掌控在宣傳領導人手中——在毛時代之後幾乎消失。中國共產黨通過審查制度對舞台藝術保持嚴密的掌控，但是宣傳當局既無法複製對文化生產的壟斷，也不能再現早期控制模式中領袖的感召力。到了二十一世紀，模範單位已成歷史名詞。模範的樣板，士兵雷鋒，在政府再三倡導復甦革命熱情的努力中，居於核心位置，網上的中國共產黨百科全書則陳列著「雷鋒精神永垂不朽」的條目。但當局的努力

很快遇到窘況：雷鋒有一張照片，他站在天安門廣場上，被解讀為與國家心連心，這張照片卻是經過後製的版本，他的手提包被技術性移除。雷拎著手提包是否只是去購物呢？文化大革命的文本和圖像經常為人漠視，甚或受到戲謔。

　　黨的宣傳對過去充滿懷舊感，卻不能再製造出當代英雄。對過往的依賴與〈二月紀要〉形成對比，〈紀要〉明確要求藝術不能僅僅描繪逝去的英雄，強調「其實，活著的英雄要比死去的英雄多得多」。然而，一九九〇年代以來，公眾大都推崇媒體偶像、社會名流和金融大亨。正如文化批評家王曉明（1955-）所說，一九九〇年代以來膜拜和模仿的樣板是「成功人士」，媒體理想化地描繪他們的財富和安逸。在後毛時代，革命熱情已為一種對新自由主義日益增長的信仰和「富起來有光彩」的信念所取代。然而，恰如江青的年代，這些模仿的樣板也必須依靠媒體支撐其形象。

參考文獻：

王曉明《半張臉的神話》（廣東，南方日報出版社，2000年）。

Yomi Braester, "The Purloined Lantern: Maoist Semiotics and Public Discourse in Early PRC Film and Drama," in *Witness against History: Literature, Film and Public Discourse in Twentieth-Century China* (Stanford, CA, Stanford University Press , 2003), pp. 106-127.

Lois Wheeler Snow, *China on Stage: An American Actress in the People's Republic* (New York, Vintage Books, 1972).

柏右銘（Yomi Braester）撰，劉子凌 譯

1967年
金庸的《笑傲江湖》開始在《明報》連載

「有人的地方，就有江湖。」

金庸《笑傲江湖》

　　1967年5月6日，香港街頭爆發了大規模暴亂，引發了一場被稱為「香港無產階級文化大革命」的事件。當時新蒲崗一家人造花工廠發生了一場勞資糾紛，員警與抗議工人間的對峙迅速升級成一場暴力危機。數名工人被捕後，支持共產黨的左翼分子組成「港九各業工人反對港英迫害鬥爭委員會」。抗議者舉著毛澤東（1893-1976）的紅寶書，要求勞工權益、平等待遇、社會公正，以及終結英帝國主義在香港的統治。受到中國大陸文化大革命的影響，大規模示威群眾與英國殖民當局相對抗，遭到政府嚴厲鎮壓。左翼分子轉而採取游擊戰術，在城市各處埋置炸彈。8月24日，激烈批評左翼分子的著名電台主持人林彬（1929-1967）在上班途中被人燒死。左翼分子接著將矛頭轉向了下一個目標，著名的武俠小說家金庸（1924-2018）。一個小說家如何被牽扯進這些暴亂？文化大革命與1967年的香港暴亂如何影響金庸的寫作，進而影響了中國現代文學的面貌？

　　1967年，金庸的第十三部武俠小說《笑傲江湖》開始在《明報》連載。這部小說充滿卓越的想像力，不僅是精采的武俠小說，也可視為對文化大革命的深刻反思。金庸的立場偏左，儘管1967年香港左翼暴亂威脅了他的生命，但他並未因此轉變為堅定的反共作家。相反的，金庸藉由這部小說探索諸如左翼分子、保守主義者、共產主義者和反共分子這類政治標籤，如何將我們的世界分裂成僵化的意識形態信仰和水火不容的立場，導致暴力後果。

　　金庸堪稱是二十世紀下半葉最暢銷的中文作家，除了廣受華語世界讀者大眾歡迎，學界也競相研究，「金庸學」已然崛起。1994年，由北京高校權威學者團隊所編著的中國現代文學史，金庸被列為繼魯迅（1881-1936）、沈從文（1902-1988）、巴金（1904-2005）之後，位居第四的偉大作家。金庸的經典化或評論家所謂的「金庸現象」，標誌著文學批評大環境發生變化。一九九〇年代以前，武俠小說被視為無益世道人心的讀物。事實上，長達數十年，在新中國和戒嚴時期的台灣，武俠小說都被列為禁書。一方面，社會價值觀普遍認為武俠小說和鴛鴦蝴蝶派言情小說等「傳統守舊」的文學作品，是導致中國經濟、軍事和社會落後的因素。

　　1959年金庸創辦了《明報》。他之所以被認為是社會主義的敵人，主要由於《明報》與親共報紙《大公報》間的論戰。1962年，金庸發表了一系列文章，批評中共對逃港難民危機所做的處理反應。在他看來，中共的過激反應暴露了黨內日益嚴苛的教條主義，遠遠脫離現實民生。1964年10月16日，中國成功爆破了第一顆原子彈，當時的外交部長陳毅（1901-1972）宣稱這是第三世界國家在共同反抗蘇美的鬥爭中取得的成就，深以為自豪。幾天後，金庸發表文章譴責中國加入全球軍備競賽。他認為毛澤東選擇「核子」而不是「褲子」，已經將社會主義目標從國民生計轉向好戰的民族主義。《大公報》的回應將金庸和《明報》定位為「反共反華，親英崇美，背叛民族立場」。

　　從1955年到1967年間，金庸創作了十二部武俠小說，包括著名的射雕三部曲《射雕英雄傳》（1957-1959）、《神雕俠侶》(1959-1961)、《倚天屠龍記》(1961)，以及《雪山飛狐》（1959）和《書劍恩仇錄》（1955-1956）。1967年前的作品皆是以特定王朝為背景的虛構小說，展示出百科全書式的文化知識：中國史學、醫學、星相學、數學和植物學等無所不包。小說人物或有史可證，或純屬虛構，對歷史上的重大事件尋因探源，做出另類解讀。與此相反，《笑傲江湖》（1967）則沒有特定的時間背景，因而有了寓言特徵，甚至將讀者的注意力導向小說文本與文化大革命語境間的聯繫。故事講述五大武林名門正派與共同敵人「魔教」日月神教間的恩怨情仇，明爭暗鬥。令狐沖與其他名門正派弟子都被禁止與「魔教」交結。在此「魔

教」儼然對中國共產黨有所影射，日月神教教主東方不敗令人聯想毛澤東。
毛澤東之名即「澤被東方」。東方不敗的行徑與文化大革命的現象如出一
轍。連一個十歲孩子都說道：「文成武德、仁義英明教主寶訓第三條：『對
敵須狠，斬草除根，男女老幼，不留一人』。」甚至說「一天不讀教主寶
訓，就吃不下飯，睡不著覺。讀了教主寶訓，練武有長進，打仗有氣力」。
這樣的口吻有如「紅衛兵」，武林守則就如同毛澤東的紅寶書。

　　然而，《笑傲江湖》並非反共小說。令狐沖愛上「魔教」前教主的女兒
任盈盈，他開始理解即使江湖分門別派，「魔教」巨奸大惡畢竟還是俗骨凡
胎。這對情侶消滅了東方不敗，扶持前教主恢復其地位，不料他又變成另一
個東方不敗。暴力會引發更多暴力，權力會腐蝕一切。爾後，令狐沖被五嶽
劍派盟主左冷禪（這個名字可以解讀為「冷戰中的左派政治哲學」）追殺，
因為令狐沖阻礙他「一統江湖」。令狐沖最終還被撫養他長大的師父岳不群
出賣。於是我們知道江湖正邪難測，「魔教」及其對立者都各自有其黑暗
面。這部小說批判的不是共產主義，也不是美帝主義，而是教條主義：不論
左右，任何政治信仰、意識形態的盲目追求者，都會顯露邪惡的底色。我們
與其視金庸為左翼分子或保守主義者，不如視其為一個人文主義者——世道
杌隉，他卻浸潤於中國文化傳統，並寄予厚望。深陷權力鬥爭和現代化迷
思，文化大革命的支持者及其批判者歪曲、破壞，甚至遺忘了中國文化傳
統。在這個意義上，令狐沖是一位悲劇英雄。他理解了人的價值和行動不能
被簡化為善惡二元對立，但最終他仍然無法超越僵化的意識形態對立。

　　金庸對於絕對善惡的觀點，以及摩尼教、拜火教等基於二元論的宗教極
感興趣，這為他提供了豐富的寫作素材。金庸在《倚天屠龍記》中以「明
教」（即摩尼教）作為一個武林教派。這部小說的時代背景設定在蒙古統治
的元朝末年，小說內容與《笑傲江湖》相似，也是講述武林名門正派與其對
手「明教」兩敗俱傷的鬥爭。「明教」一如「日月神教」被對手視為「魔
教」。然而，「魔教」卻是領導漢人推翻蒙古人統治的英雄。這部小說的架
構顯然受到中國歷史學家吳晗（1909-1969）於一九四〇年代的理論影響。
這一理論主張，反元起義的朱元璋（1328-1398）之所以將新王朝命名為
「明」，就是為了紀念摩尼教徒對他的幫助。金庸在小說中準確地解釋「明

教」就是中國中古時代對摩尼教的稱謂，但小說也混合了對波斯、阿拉伯人、景教、拜火教真偽難辨的的知識，以及其他與中東相關的線索，如視摩尼教徒與拜火教徒皆是火的崇拜者，然而他們崇拜的並不是火，而是作為象徵物的太陽和月亮。小說也寫了摩尼教的乖張之處，如死者裸葬、素食，以及未婚聖女間的教主傳承。小說解釋「摩尼」一詞在唐代變成了漢語中有魔鬼之意、發音相似的「魔」字。金庸亦實亦虛的刻畫給故事平添風味。

　　我們有充分理由認為，《笑傲江湖》中的「日月神教」也是對「明教」的影射，因為「明」正是由「日」、「月」這兩個象形字符組成。對金庸而言，「明」顯然是一個具有豐富情感意蘊的字——他曾解釋將自己創辦的報紙命名為《明報》，是為了凸顯客觀、不偏袒任何黨派的特徵，以及對政治透明度的堅持。但當他將「魔教」或者中國共產黨喻為「明教」和「日月神教」，是否也體現了這樣的價值觀呢？金庸對「魔教」的定位相當曖昧。《倚天屠龍記》中的「魔教」無疑是一場大清洗的受害者，遭到那些自詡為傳統和道德捍衛者的迫害。《笑傲江湖》中的「魔教」本身充滿暴力與壓迫性。金庸思想中的差異從這兩部小說中主人公的塑造上可見端倪。兩位主人公都受邀加入「魔教」，《倚天屠龍記》中的主人公張無忌坦然接受，而《笑傲江湖》中的令狐沖卻拒絕了，反之卻成為全是女性出家人的恆山派掌門，讓他的江湖同道既驚又怒。通過跨越性別界線，令狐沖挑戰了另一種意識形態上的二元劃分。成書較早的《倚天屠龍記》雖然挑戰了社會常規，其敘述策略卻依然是建立在一種二元對立的基礎上。之後的《笑傲江湖》則更加成熟，完全消解此種善惡二元對立模式。

　　儘管《笑傲江湖》在文化大革命和1967年香港暴亂的背景下產生，它本身的內涵仍極為豐富，凸顯了各種跨越二元、消解分界的可能性和必要性。這些分界並非只是政治上的分界。徐克（1950–）將小說改編成電影《笑傲江湖》（1990）、《笑傲江湖II：東方不敗》（1992）以及《東方不敗之風雲再起》（1993），凸顯了小說中性別轉化的元素。小說中的東方不敗為獲得超人力量，依照一本武功祕笈而自宮。《笑傲江湖II：東方不敗》凸顯這一情節，由美麗動人的女星林青霞（1954–）扮演東方不敗。林青霞卓越的演技令這一角色更為人性化。小說中東方不敗的自宮行為，可以解讀為金庸

試圖將他塑造成一個被自身教條主義信仰所毀滅的野心政治家。但徐克電影的改編則指向其他解讀的可能。《笑傲江湖》得到的讀者回饋在在顯示小說的開放性，甚至超出作者原意。在1967年這一歷史時刻的激發下，金庸筆下的社會圖景在很大程度上拓寬了性別差異和文化多元主義等問題。隨著金庸聲譽日隆，在中國外緣地帶的香港所開展的文學實驗，竟意外地引發了一場屬於其自身的文化革命。

參考文獻：

池田大作、金庸《探求一個燦爛的世紀》（台北，遠流出版社，1998年）。

張圭陽《金庸與報業》（香港，明報出版社，2000年）。

Samuel Lieu, "Fact or Fiction: Ming-chiao (Manichaeism) in Jin Yong's *I-t'ien t'u-lung chi*"，《「金庸小說與二十世紀中國文學」國際學術研討會論文集》，林麗君 主編（香港，2000年），頁43-46。

John Christopher Hamm, *Paper Swordsmen: Jin Yong and the Modern Chinese Martial Arts Novel* (Honolulu, University of Hawaii Press, 2005).

Ann Huss and Jianmei Liu, eds., *The Jin Yong Phenomenon: Chinese Martial Arts Fiction and Modern Chinese Literary History* (Amherst, MA, Cambria Press, 2007).

Petrus Liu, *Stateless Subjects: Chinese Martial Arts Literature and Postcolonial History* (Ithaca, NY, Cornell University Press, 2011).

劉奕德（Petrus Liu）撰，金莉 譯

1970年

「自己想來真苦楚：蒼天今日因如何，困我鄙人在木樓？音信無跡實難過。」

天使島詩歌：現代移民社群中的中國詩歌

　　1970年的一天，也許沒人記得準確日期了，加州州立公園的守護員韋斯（Alexander Weiss）在天使島（Angel Island）前移民局拘留所壁上，發現中文字跡。這座島嶼坐落在舊金山灣區中部，與著名的惡魔島（Alcatraz Island）相距不遠。當時拘留所的設施行將拆除，管理員韋斯只是在作例行巡邏，無意間注意到牆壁上滿滿書寫和銘刻的漢字。韋斯聯繫了他的教授，舊金山州立大學的荒木（George Araki）博士，告訴他自己的發現。此舉深具歷史智慧與文化眼光。當時隨著亞裔在灣區的壯大，亞裔間泛族裔的團結號召正方興未艾，荒木也深受鼓舞，與日裔美國同事高橋（Mak Takahashi）一起來到天使島，拍攝了拘留所的牆壁。這些字跡證實是曾被拘留在此處的無名華人所寫下的上百首詩歌。

　　這一發現繼而燃起了當地亞裔美國人群體——特別是華裔——的興趣。他們為保存拘留所做了廣泛努力，包括不同層面的遊說活動，宣傳這一建築對在美國的亞裔，特別是華裔，具有的歷史意義。1976年，加州議會撥款25萬美元用以保護拘留所建築。如今，整個天使島都成為了一處紀念中國移民史的基地。1980年，推動美華文學的先行者麥禮謙（Him Mark Lai, 1925–2009）、林小琴（Genny Lim, 1946–）與楊碧芳（Judy Yung, 1946–）共同編訂、翻譯並出版了一部天使島詩集，收錄了約150首牆壁上的詩歌。

　　以此為基礎，一系列保存與復原詩歌的工作至今仍持續進行。記錄在案的天使島詩歌數量不斷增長。天使島詩歌也由此不斷發展，在二十世紀早期

中國詩歌中占有一席之地。這是其創作者始料未及、也幾乎肯定不需要的：許多被拘留者當時正尋求以「紙生仔」（paper sons）的偽造身分進入美國。並且，正如這些身分不明的詩歌作者一樣，天使島詩歌不僅挑戰了取得認可的官方程序，也同時打破了許多文化習俗，尤其是文學常規。然而正因如此，它們也拓展了我們對文化形態的理解和定義，尤其是被認可的文學史與文學經典。一群主要來自中國嶺南地區、操粵語且大部分未受教育的鄉村移民，以古典詩歌的形式傳達其生命體驗，他們的詩歌為思考在全球現代化的境遇下，「中國文學」轉變的特徵、意義與功能，提供了一個離散的、非菁英的思考範式。具體而言，這批庶民詩歌擴展了「中國現代文學」這一文化與批評範疇在地理、方言與階級層面的疆界。它們也因此成為「海外華文文學」或「華語語系文學」這一新興領域的起點之一。

天使島移民局在鼎盛時期是一個喧鬧卻未必激動人心的地方。從1910年到1940年，將近200萬人曾在此經過羈留、甄別而進入或離開美國。他們來自全球不同種族，不同地方，不同社會階級。在《排華法案》實施期間，曾有近175,000名中國人經過天使島入境。1882年《排華法案》通過，聯邦移民政策隨之開始實施，歷經定期擴充與修改，一直持續到1943年才廢止。直到今天，它都是美國政府基於種族或國家身分排除特定群體的唯一案例。此案的廢止固然基於種族平等與正義的理想，至少在同樣程度上也得利於二戰期間美國對日戰爭策略的影響。這從根本上改變了中國移民在美國的法律與意識形態環境，也使得像天使島移民局這樣的機構逐漸為人所淡忘，因為不再需要拘留來自中國的入境者以確定他們的身分。

天使島詩歌是最早由在美華人創作的文學文化作品之一。在追尋歷史深處有份量的作品、建構亞裔美國文學經典的持續努力中，它被視作一座重要里程碑。然而，在討論這些詩歌時，美國亞裔研究的學者看重的卻主要是它們作為社會學文獻的價值及其中表達的悲涼。學者們忽略的恰恰是這些作品最為鮮明的特徵——它們是用中文寫成的詩行。相對的，由於這些詩歌的作者出身卑微，文字樸拙，研究中國現代文學的學者也多半無暇一顧。它們充其量只能算是勉強遵循了中國古典詩歌格律的作品。拘留者採用了各種經典詩體寫作這些詩歌，包括五言和七言，以及與《詩經》韻律相似的四言體。

　　儘管少數表現出一定的技巧與訓練，絕大多數充滿聲律缺陷。相較同時期如陳獨秀（1879-1942）、徐志摩（1897-1931）、魯迅（1881-1936）、丁玲（1904-1986）與胡適（1891-1962）等公認的中國現代大師，這些詩歌創作者的文化和物質條件截然不同。天使島詩歌彰顯了面對全球現代化的衝擊，做出回應的中國人絕不限於享有階級或教育優勢的社會威權階層。

　　這些遠渡重洋移民美國、在天使島上寫下詩歌的農民，其實與同代中國菁英共同面對全球經濟與社會政治現代性的巨大衝擊，並以他們自己的方式給予回應。他們選擇彼時已被視為多少陳腐的古典詩歌形式創作，部分反映相對較低的教育與文化水準。天使島的詩人似乎不大可能知道北京上海各種運動倡議的諸多文學革新。然而，舊詩體因其過去的地位，基於歷史傳承，聲望仍頗高。天使島詩人們以古典形式寫作也可以理解為一種形式或文體策略，用以讓他們自豪的「中國」文化身分認同，儘管在這個充滿敵意卻在經濟上具吸引力的地方，這種認同是被貶低的。

> 日處埃侖不自由，蕭然身世混監囚。
> 牢騷滿腹憑詩寫，塊壘撐胸借酒浮。

　　在主題上，天使島詩歌表現了移民經歷的方方面面，從海上航行的困厄到情感的崩潰與拘留的屈辱。一名被拘留者如是慨嘆道：

> 理悟盈虛因國弱，道參消長為富求。
> 閒來別有疏狂想，得允西奴登美洲。

　　有些詩作則尖銳控訴了美國移民與外交政策的虛偽與不公：

> 詳恨番奴不奉公，頻施苛例逞英雄。
> 凌虐華僑兼背約，百般專制驗勾蟲。

　　在基調上，這些詩歌表達個人羈留異國的絕望，對家鄉的懷念，或逆來

順受，或對蒙受恥辱而焦慮憤慨。事實上，不少天使島詩歌都散發著強烈勸勉性的語調，因為許多作者都把難友當作傾訴對象。

特勸同胞不可憂，只須記取困木樓。
他日合群興邦後。自將個樣還美洲。

這一社會性意涵反過來揭示了這些詩歌所具有的表演性維度。他們在拘留所牆上的題詩將他們與題壁詩這一文人傳統聯繫在一起；題壁詩早在唐代已是通行的形式。此外，眾多的詩歌中顯露出的民族主義情緒也說明，面對世界政治與經濟的不平等發展，感時憂國成為一種抒發塊壘的策略。

天使島詩歌除了古典詩歌形式的掌握參差不齊，在基本文字運用上也常見力不從心之處。在很多情況下，詩作者以發音相同或相近，但部首不同字表達意思，卻因此導致截然不同的意義。與相對高級的格律錯誤相比，這些用字錯誤反映作者更為基本的局限：他們不能完全掌握中文書寫及其複雜性。除此之外，這些訛誤還暗示了一個以口頭（或者，可能更加準確地說，是聽覺）為主的創作維度。不論如何，這些詩印證了古典格律詩歌作為一種文化與社會實踐的重要性，為沒有受過太多教育的中國移民提供一種「反詩學」（counterpoetics），他們以此維護中國文化的獨特性，抵抗美國種族歧視的種種話語性、官僚性的體制，包括排華機制。

如果中國現代文學以白話為基礎，天使島詩歌體現了一種不同的平民主義。它們也表明我們拓寬中國文學研究範圍的必要。天使島詩歌是在美國國土上、被合法拘留的移民以中文寫成，這些詩歌將繼續占據一個政治與文化的臨界空間。更為重要的是，這個空間既存在於主流單一語言民族認同的邊緣，同時也與其衝突。主流民族主義在追求語言同質化理想時，忽略了語言的多樣性。天使島詩歌既與公認的中國現代文學經典共鳴，也與之存在明顯差異，這說明文學，特別是詩歌，作為一種與全球現代性勢力斡旋的手段，對只能說粵語的新移民和已在美國落地生根的文化菁英來說，具有同樣重要的意義：

從今遠別此樓中，各位鄉君眾歡同。

莫道其間皆西式，設成玉砌變如籠。

參考文獻：

Him Mark Lai, Genny Lim, and Judy Yung, eds., *Island: Poetry and History of Chinese Immigrants on Angel Island, 1910-1940* (Seattle, University of Washington Press, 1991).

Erika Lee, *At America's Gates: Chinese Immigration during the Exclusion Era, 1882–1943* (Chapel Hill, NC, University of North Carolina Press, 2003).

Erika Lee and Judy Yung, *Angel Island: Immigrant Gateway to America* (New York, 2010).

Steven G. Yao, *Foreign Accents: Chinese American Verse from Exclusion to Postethnicity* (New York, Oxford University Press, 2010).

姚錚（Steven Yao）撰，李浴洋 譯

1972 年，1947 年

「這船，倚仗人的機巧，載滿人的擾攘，寄滿人的希望，熱鬧地行著，每分鐘把沾汙了人氣的一小方水面，還給那無情、無盡、無際的大海。」——《圍城》

尋找錢鍾書

1998年錢鍾書（1910-1998）去世時，已是華語世界公認的當世文化巨擘，憑著在歐洲藝文和中國文學傳統上同樣超人的學養，他的成就毋庸置疑。他所經歷的時代，對像他這般背景和學識的人而言，尤為艱困。1949年後，儘管海外有許多條件優渥的工作邀約，他仍然選擇留在中國，即使他清楚知道這個決定會帶來的艱難。他的夫人楊絳（1910-2016），同樣擁有長達六十多年的輝煌成就，她寫作劇本，進行翻譯，還創作了一系列精采的虛構或者自傳作品，包括里程碑式的《洗澡》和《我們仨》。

錢鍾書的父親錢基博（1887-1957）是一位研究中國文學的教授、學者，他自幼耳濡目染，在家中受到良好的中國文學教育，此後1929年進入清華大學學習外國文學。1935年，錢鍾書和楊絳前往牛津留學，於1937年獲得文學學士學位。1938年二人回到中國，此時抗日戰爭已展開一年。1938至1941年間，錢鍾書兩度至中國內地教書，1941年12月因太平洋戰爭爆發而滯留上海。1945年以後，他在上海擔任過不同的教職，1949年返回清華任教外語系。1952年，他成為新成立之中國社會科學院中國文學研究所的創建成員，這也成為他日後終身志業之所。

1972年9月，我剛剛完成碩士學位，在香港訪問，就在那裡，我最初接觸到錢鍾書的小說《圍城》（1947初刊）。某日下午，漫步於灣仔的皇后大

道東，忘了為何在那裡，但清楚記得自己偶然走入一家看起來跟文化毫無關係的書店，竟意外驚喜。我無所期待而閒逛，不過，因為在文化大革命這段沉重的時期裡，香港沒有多少嚴肅書店，有的大多是中國內地大型出版社的分支，如三聯書店、中華書局及商務印書館，除了毛澤東（1893-1976）的著作、浩然（1932-2008）的小說以及魯迅（1881-1936）的作品，沒有太多選擇。然而很快我發現這規模狹小的波文書局（Bowen Book Company）書架上有些有趣的書籍，特別是文學與文學批評論著的重印本。店主黃炳炎在言談中也很快展現出對現代中國文學和文學史的精通。

　　黃先生從書架取下一本書，詢問我是否知道此書，那是錢鍾書的《圍城》，1949年3月上海晨光出版公司第三版。小說寫得尖酸辛辣，敘述對日戰爭初期一名年輕男子在中國內地的旅程，暴露了在彼時中國危機重重背景下都市精英的各種人格瑕疵。此書在1947年初版之後，一如錢鍾書當時以極具個性、不故作謙讓的姿態所言，成了一部「best seller」（暢銷書）。但這本書的第三版是在人民解放軍進駐上海的幾週前所發行。這樣一部聚焦1949年前上海的知識分子和資產階級的著作，驟然置身於一個對立的環境裡，自然是少提為妙（舉例來說，王瑤的《中國新文學史稿》響應新政府的要求，建立合乎其需要的現代文學正典，其中甚至未提及錢的著作）。於是大部分1949年版的《圍城》流入香港，因而有機會遲至一九七○年代在當地書店被發現。然而無論在香港或是其他地方，錢鍾書其人其作在當時已經湮沒無聞。

　　我應黃先生之請而閱讀這部書。讀至第三頁，就已經發現我面對的是完全不同於以往所接觸的文本。錢鍾書對一九三○年代晚期上海布爾喬亞所作的尖刻諷刺，令我樂不可支。但印象特別深刻的是，戰時一般人得過且過，混世度日，與正在席捲一切的歷史風暴形成巨大反差。本文開篇的引文：「這船，倚仗人的機巧，載滿人的擾攘，寄滿人的希望，熱鬧地行著，每分鐘把沾汙了人氣的一小方水面，還給那無情、無盡、無際的大海。」概括整部小說對人間處境的尖刻觀點。作品後半，敘述主人翁方鴻漸至內地三閭大學任教，又去沿海地區與孫柔嘉結婚，回到二十世紀三○年代末已經成為「孤島」的上海，最終在蕭索空寂、寒意瑟瑟的城中迎向婚姻瓦解。至此小

說的力量才全部展開。方鴻漸與孫柔嘉突然爆發爭吵，預示了爾後雙方走上絕裂之路。讀至方鴻漸獨自在上海街道上黯然遊蕩，我所受到的觸動，是過去閱讀中國文學時從未有過的。

小說具有相當鮮明的敘事手法，作者大肆玩弄文字，炫耀博學，這在漢語敘事作品中前所未有——雖然諷刺小說自清代中晚期已經大行其道。書中特色之一是敘事者與主角方鴻漸的聲音頻繁交錯出現，引誘讀者將方鴻漸和敘事者視為一人，甚至想當然耳以為兩者共享一種玩世不恭的聲音。然而，不論是讀者還是方鴻漸，都在小說接近尾聲時才猛然醒悟所要面對的現實，亦即方鴻漸看似充滿偶然的經歷，帶來的卻是一個不幸的結局。讀者和方鴻漸這才驚覺：這一切都是自己思慮不周所釀成的後果。方過去總是輕率面對所有遭遇，也總是要到為時已晚才恍然大悟。換言之，敘事者早已吐露命運的嚴苛，但方鴻漸選擇順其自然，全然無力設想未來將要如何。小說接近無情的結局時，恰如其分地投射了一種可悲的時代烙印。這種為時已晚的後見之明所帶來的反諷，是《圍城》與諸多晚清小說相似之處，也與二十世紀二、三〇年代許多作品類似，如魯迅的《阿Q正傳》以及師陀（1910-1988）的小說。

1974年，我決定要寫一部關於錢鍾書小說的博士論文，但現實的問題隨即來到：我認識的人幾乎沒人聽說過他，有關他的少數論述都是陳舊的、彼此矛盾的，價值令人質疑。知道他的人主要視其為學識淵博者，曾完成文學批評或現代詩學的劃時代著作《談藝錄》。一九七〇年代中期，中國對美國人而言是封閉的，文化活動仍然被嚴格限制。幾乎沒人知道關於錢鍾書的一切，甚至不確定他是否還在世。1976年初夏志清（1921-2013）聽聞錢鍾書逝世的傳言後，還撰寫了一篇長文哀悼，發表於台北《中國時報》。1976到1977年撰寫博士論文期間，我無緣得見所研究的對象，他對我來說像是一個遙遠的歷史人物。1976年9月毛澤東過世後，中國的學術活動逐漸恢復，直至1978年我才得知錢鍾書尚健在人世。

我完成博士論文之後，下一步就面臨將它轉化為專著，但前者幾乎只關注散文和小說創作，而後者必須涉及錢所有的學術成就。此前迴避討論的《談藝錄》因此進入我的研究視野。我過去自認專於現代文學，因而未旁及

錢鍾書的詩學評論；儘管閱讀小說時已領略其淵博的學識，但他學識的全部面向對我來說始終有如一本未曾打開的書，難以窺其堂奧。因此，1978至1979年間我利用教學之餘閱讀這部著作，試圖領會作者如何以典雅的風格，詮釋傳統中國詩歌和詩學。對我而言，這常常是一場痛苦的奮鬥，從一本1948年開明書店版的台灣翻印本開始（版式幾乎沒有標點），我掙扎在錢鍾書淵博的學問以及能蒐集到的所有參考資料中。然而，在奮力中，一個美學的新世界，一種質樸卻回報豐厚的解讀方式，在我面前慢慢展開；錢鍾書在《談藝錄》中對於李賀（790-817）、袁枚（1716-1797）以及韓愈（768-824）的論述尤其讓我認識這三人及他們的重要性，這些在其他書籍中都是不可能獲得的。

終於，1979年春，錢鍾書隨著新成立的中國社會科學院代表團訪問美國，行程中造訪了加州大學柏克萊分校和史丹佛大學。1979年5月，我終於獲得前往帕洛阿托單獨會見錢鍾書一小時的機會。我用了一部分時間釐清部分事實的疑惑之處，一部分和他討論閱讀其著作所萌生的各種觀點，還有一部分時間，我便是在驚訝中領略這個偉大的人其智其識。我開始做研究，全然是學院內的探索，主要依賴文本。能有機緣與作家本人交談，使我的研究有轉變為另一模式的探索。可想而知的，也產生更多亟待解決的問題。

完成錢鍾書研究後才得有機會與作者本人會談，引發了我內心巨大的匱乏感。他的學問和洞見令人驚訝，不免為當初輕易研究其人其書感到自不量力。雖然錢鍾書努力消除我的不安，但每當我針對作品提出推論時，他卻無法認同，因而更加深了我的疑慮。例如，《圍城》和兩次世界大戰之間英國作家沃（Evelyn Waugh, 1903-1966）和赫胥黎（Aldous Huxley, 1894-1963）等人的小說具有類似的語調，我因而推測錢鍾書在牛津求學時曾讀過他們的作品。但他回答未曾讀過這些小說，反而是熟讀了普魯斯特（Marcel Proust, 1871-1922）的作品。當然，普魯斯特的作品在彼時的英國作家中風行一時，《圍城》的語調或許仍然與錢鍾書那時旅居英格蘭有關。但那時我想當然耳認為有直接影響，現在看來這似乎是不可能的。

這次會面後幾年，隨著《欲望莊園》（Brideshead Revisited）改編成電視劇集，沃在美國家喻戶曉，與此同時，《圍城》也有了英譯本。中國，甚至

可以說是現代中國，與西方世界相互理解的分歧，從未如此明顯。《圍城》在我看來，明顯勝過沃、埃米斯（Kingsley Amis, 1922–1995）、赫胥黎這類作家的任何作品。這些西方作家儘管有其機智諧趣，卻常常終於泛濫成災的傷感。然而，錢鍾書小說的英譯本很快就降價求售，即使爾後重印，讀者也不多。有人輕易地將這部小說的乏人問津指向其不可翻譯性，認為作品中精采的文字遊戲幾乎無法以另一種語言表達。我也不得不承認，自己對這部作品的翻譯貢獻不多。但《圍城》譯本乏人問津，至少在某種程度上嘲弄著自命為世界主義者的美國藝文界。

參考文獻：

Edward M. Gunn, *Unwelcome Muse: Chinese Literature in Shanghai and Peking, 1937-1945* (New York, Columbia University Press, 1980).

C. T. Hsia, *A History of Modern Chinese Fiction* (New Haven, CT, Yale University Press, 1971).

Theodore Huters, *Qian Zhongshu* (Boston, Twayne Publishers, 1982).

Qian Zhongshu, *Fortress Besieged*, trans., Jeanne Kelly and Nathan K. Mao (New York, New Directions, 2004).

胡志德（Theodore Huters）撰，張治 譯

1972年11月18日-1973年3月12日
劉以鬯小說《對倒》在《星島晚報》連載

2000年
王家衛電影《花樣年華》首映

一次隱蔽的際會：《對倒》與《花樣年華》

「那些消逝了的歲月，彷彿隔著一塊積著灰塵的玻璃，看得到，抓不著。」

　　一個男人在下午五點左右離開編輯室，上了往中環的巴士。他經常在那裡用晚餐。一個女人在幾條街口以外的巴士站等著。巴士在面前停下來，男人揮手示意。她微笑，上了巴士，走向他。

　　以上不是電影橋段，而是劉以鬯夫婦在一九七〇年代的日常。老夫婦樂於與研究者分享他們的舊日點滴。劉以鬯（1919-2018）被視為二十世紀五、六〇年代香港現代主義文學最重要的貢獻者之一。上述的日常片段——巴士上看似邂逅的男女，呼應了小說《對倒》的開篇。小說1972年到1973年連載，彼時搭乘巴士正是劉以鬯日常生活的一部分。一九七〇年代香港極速城市化激發了劉以鬯的靈感，他想描繪人際交往中一種新的感知方式。1972年8月，首座海底隧道竣工，幾個月後《對倒》出版。人們不再搭乘緩慢但閒適的渡船過海，而是選擇跨海巴士。香港居民的流動性因而大幅增加，人與人的心理距離貌似更加接近，但並不一定會加深彼此間的牽絆。《對倒》可以看作一次城市漫遊，以及主人公間的錯身而過。未料二十八年後，這個

文學實驗種下的種子開出了香港電影最綺麗的花朵。

　　時間來到二十一世紀，屢獲大獎的導演王家衛（1958-）推出新作《花樣年華》(2000)。這部電影被視為香港電影里程碑的傑作，演出男主角周先生的梁朝偉（1962-）獲得坎城影展最佳男演員的殊榮。《花樣年華》香港首映會時，劉以鬯靜靜坐在觀眾席等待電影開場。燈光暗了，影片首先播出《對倒》的一段選文，之後較長的兩段選文則以間幕呈現。電影以小說中充滿詩意的沉思結束：「那些消逝了的歲月，彷彿隔著一塊積著灰塵的玻璃，看得著，抓不著。」劉以鬯的名字出現在片尾，導演以此向他致敬。然而，《花樣年華》並非改編自《對倒》，人物情節，時空背景完全不同。兩者關係，如此曖昧，如此微妙。

　　同年，王家衛出版《〈對倒〉——〈花樣年華〉寫真集》（2000），書中包括《對倒》的英文翻譯以及劉以鬯的訪談。王家衛在序言說明了他的靈感來源。「對倒」（tête-bêche）意指時間的交匯，1972年小說與2000年電影的交匯。更具體而言，同時也指稱一正一倒的雙連郵票，是集郵的術語。1972年，專業集郵的劉以鬯在倫敦拍賣會買到一張對倒的清代郵票。這張珍奇郵票饒有興味，啟發他寫了一部小說，情節環繞著一對不相識男女的隱蔽際會。小說有長、短篇兩個版本，長篇小說於1972年11月18日至1973年3月12日在《星島晚報》連載，1975年作者將十二萬字的長篇改寫為同名短篇小說，發表於文學雜誌《四季》。

　　劉以鬯是現代主義作家，竭力追求形式上的純淨。長篇小說《酒徒》（1963）是戰後華語文學界意識流書寫的傑出代表。《對倒》沒有傳統意義上的情節，形式本身就是文本意義的所在。主角淳于白和亞幸的相遇並未發展出實際關係，小說背景設定於一九七〇年代香港海底隧道剛通車時。男主角淳于白是二十年前因逃避戰火而移居香港的上海人，他沉湎於過去，而忽略了對香港現實的參與。亞幸是土生土長的香港姑娘，總懷著不切實際的夢想。兩人居住同一城市，卻走在平行但時間相反的道路上，一個指向過去，一個指向未來，都不願面對現實。為了表達兩個主人公居於同地但不關聯的命運，小說以雙線交替並行的方式進行——奇數章節寫淳于白，偶數章節寫亞幸——分別講述兩人的故事。他們去同樣的地方，遇見同樣的人，但彼此

的道路從未交叉。他們都是城市裡陌生的漫遊者，不知彼此的存在。正是這種對應結構，將我們引向了源自小說的電影改編《花樣年華》的微妙處。

有論者注意到電影一開始，陳太太和周先生同時找房子的情節呼應了《對倒》的結構。兩人並不認識，但同時尋找房子，且成為鄰居。電影場景的調度也暗暗呼應著小說的雙線交替結構。雲吞麵攤就是很好的例子，鏡頭以慢動作呈現，配以濃墨重彩的色調和渲染情緒的音樂。陳太太和周先生經常在這小攤各自單獨用餐，有時在狹窄的小巷中錯身而過。陳太太往上走，周先生往下走——充滿城市空間裡那些尷尬卻又不失浪漫的親密瞬間，然而都市中的孤獨感卻自始至終貫穿著這一場景。

陳太太和周先生之間的情事，可以看作兩人對各自配偶出軌的一種情感投射，雖然所謂出軌其實只是兩人為角色扮演而臆想。這對情人最終的分手，是因為他們無法忍受對配偶不忠。影片結尾，兩人再次相遇。電影以特殊的剪輯手法表現壓抑情感的兩人。中景鏡頭中，周先生站在舊公寓外走廊望著公寓內的陳太太，他臉上細微的表情說明他是可以看見她的。他走到門口，停下，最終沒有敲她的門。這時鏡頭轉向公寓內的陳太太，她正準備和兒子出門。然後鏡頭再切回外面走廊，周先生已經離去。兩人從未在同一鏡頭中出現，暗示了這種微妙的情境。在王家衛的表達中，這場景並不是凸顯周先生對逝去之愛的懷舊，而是關於愛情持續之道的痛苦和溫柔。

在心理敘事中，可以發現《對倒》和《花樣年華》的另一種微妙關係。《對倒》使用第三人稱敘事，以意識流手法帶出角色內心的疏離感。淳于白和亞幸都是「靜默」的角色，二人的交流不經由對話。《花樣年華》中也有不少沉默。內心獨白是王家衛電影的特色，《阿飛正傳》（1990），《重慶森林》（1994），《東邪西毒》（1994）都具有這樣的特色。令人訝異的是，《花樣年華》卻全然沒有。周先生和陳太太都身處壓抑情感的傳統家庭，表達愛意的時候也帶上假面。電影獨白的缺乏讓人更加體會生活在一九六〇年代香港的主人公內心的壓抑。

《對倒》和《花樣年華》的情感基礎截然不同。《對倒》冷靜節制，《花樣年華》多情而華麗。前者是現代主義小說，後者是商業電影中的藝術片。《花樣年華》被波德維爾（David Bordwell，1947-）稱為「前衛的票房

電影」（avant-pop cinema），為1997回歸後對「六七暴動」前舊香港的重新詮釋。大部分情節發生在政治社會局勢較為穩定的一九六〇年代前半期。有論者批評擔任普通祕書工作的陳太太，衣著未免過於華麗不符現實。這樣的設定完全是從商業電影的票房保證角度出發，可以理解也屬正常。從藝術角度來看，我們不能將《花樣年華》視作是一九六〇年代香港的如實刻畫。樣式繁複的精美旗袍，華麗的內景布置，人物下半身的特寫鏡頭，在在證明導演的主觀視角。

　　劉以鬯創作《對倒》時正逢香港經濟進入迅速成長期。書中角色拒絕「活在當下」的人生觀，讓讀者再次省視那個年代。彷彿說明，只要我們願意，現實是可知可感的。與之相反，《花樣年華》展現的是一幀華麗的蒼涼。論者總是試圖從王家衛的作品尋找可能的隱喻，在這一脈絡下我的解讀是：《花樣年華》是後九七香港面對一個何去何從的未來，對往昔美好的緬懷。諷刺的是，那些消逝的歲月，彷彿隔著一塊積著灰塵的玻璃，看得到，抓不著。

參考文獻：

梁秉鈞、譚國根、黃勁輝、黃淑嫻編《劉以鬯與香港現代主義》（香港，香港大學出版社，2010年）。

梁秉鈞、黃淑嫻、沈海燕、鄭政恆編《香港文學與電影》（香港，香港大學出版社，2012年）。

王家衛《對倒：花樣年華寫真集》（香港，春光映畫，2000年）。

David Bordwell, *Planet Hong Kong: Popular Cinema and the Art of Entertainment* (Cambridge, MA, Harvard University Press, 2000).

黃淑嫻 撰，陳抒 譯

1973年7月20日
李小龍的遺體被發現

李小龍的神祕之死，中國民族主義，以及電影遺產

　　1973年7月20日，李小龍（1940–1973）驟逝於香港情人的臥室——死因神祕費解，甚至蹊蹺可疑。李小龍自1971年起在香港擔任武打明星，他在銀幕上的驚奇、輝煌極為短暫，只活躍兩年，留下四部影片。李小龍的死震驚了數百萬影迷，巧合的是他的驟逝與早於他十八年的狄恩（James Dean, 1931–1955），或晚近的黛安娜王妃（Princess Diana, 1961–1997）非常類似。李小龍逝世至今已四十多年，其影響值得重新評價。他屬於何種文化現象？他僅僅只是一位武術家或是一個仰賴本能從事表演的演員？從電影和文學文化的立場觀看，他為歷史留下些什麼？

　　如同狄恩和黛安娜，李小龍生前受到崇拜，死後聲名不朽。無論中外時常重喚有關他的記憶。電影《唐山大兄》（1971）、《精武門》（1972）、《猛龍過江》（1972）和《龍爭虎鬥》（1973）令他名聞遐邇。他在亞非地區擁有大量影迷，更別提西方。李小龍的魅力是全球性的，他是至今唯一仍受到廣泛推崇的華裔明星，但非洲和亞洲的影迷或許才是奠定李小龍如日中天明星地位的基礎。普拉薩德（Vijay Prashad）在其著作《每個人都是功夫高手》（*Everybody Was Kung Fu Fighting*, 2001）中頌揚李小龍的成就。他分析李小龍的國際魅力，尤其是對第三世界亞、非地區（以及美國的亞裔移民和非洲裔美國人）長期遭受奴隸制、種族主義和帝國主義壓迫的種族群體的魅力。加藤（M.T. Kato, 1961–）的《從功夫到嘻哈》（*From Kung Fu to Hip Hop*，2007）一書給予同樣讚譽，從政治角度討論李小龍及其電影。他將李

小龍置於社會歷史的脈絡，評價其作為一位革命文化偶像的身分地位：李小龍在電影中與日本帝國主義對抗，繼而又對抗新帝國主義。

　　普拉薩德和加藤所著重的是李小龍的政治與革命意義——時至今日，這種意義仍然與我們息息相關。李小龍的革命英雄主義地位超越了一九七〇年代特定的文化時刻。然而，普拉薩德和加藤等學者，或許低估了民族主義潮流的影響，李小龍之所以廣受歡迎，當下的民族主義顯然是作用之一。李小龍在電影中確實順應了民族主義的情感，因此有必要重新評估李電影中的民族主義，並思考他的革命地位是否凌駕民族主義之上。「功夫」一般總是被描述為「中國功夫」；對李小龍而言，功夫乃是中國人個人自尊與自我身分敘述的一部分——也可說是為復興中華民族抗爭的一部分。因此，他強烈意識到自己作為中國人的身分，這在電影中得以印證。他主演的電影中，《精武門》是民族主義最為強烈的一部，涉及中國人在日本人及其他外國人面前所受的屈辱。該片最令人難忘的鏡頭之一是李小龍凌空踢碎了上海一座公園的「狗與華人不得入內」的告示牌。這部電影自始至終充溢著反日情緒，直至今日，因為東海島嶼領土爭端導致中日緊張關係，使該片仍然具有鮮明的意義。如果說李小龍於今仍具政治意義，其影響力或許恰恰在於可以驅動時下中國的民族主義——這無疑是他所留下的遺產之一。李小龍最為國際化的一部影片《龍爭虎鬥》由香港、好萊塢合作出品，然而即使在電影中李小龍同樣有意識地凸顯中國特色：身著絲質中國長袍打鬥，但實質上就是中國功夫版的龐德（James Bond）。正因如此，數百萬中國影迷將李小龍視為中國武術家的典範。

　　李小龍在《龍爭虎鬥》中熱切地向全世界傳播功夫藝術，視其為一種中國藝術（雖然他也使用如雙節棍這類非中國傳統的武器）。他想強調的或許是功夫的全球性、普世性，但他始終被視為是一個獨具特色的中國武術家。相較於電影中的西方人物（如由薩克森〔John Saxon, 1935–〕與凱利〔Jim Kelly, 1946–2013〕所飾演的角色），李小龍飾演的人物在性格上更為堅忍，與西方角色判然有別，對功夫的運用更加不同凡響。《龍爭虎鬥》有一段重要情節，一位少林武僧請弟子（李小龍飾演）解釋功夫之道及習武動機。這一幕及其所蘊含的哲學意蘊稍縱即逝，與片中的激烈打鬥場面幾乎沒有交

集，依照好萊塢合作方的理解，功夫純粹是一種拳打腳踢、熱血洋溢的打鬥畫面，無所謂的哲學意涵。因此，這一幕在電影國際放映中被刪除，爾後DVD和藍光版本才復原此段情節。可惜的是，《龍爭虎鬥》未能真正體現那充滿哲理的寧靜瞬間所蘊含的深刻精義。

儘管電影極受歡迎且影片易於取得，這也是李小龍武功和作為演員聲譽的重要體現，但這些並不足以作為定義其哲理的基礎。加藤以形容詞「動態／動能的」（kinetic）描繪李小龍的電影及其表演，其中也暗示了電影或許太過注重動感，反而影響了質量，甚至被批評為漫畫化或庸俗淺薄。他的電影自然是中國商業電影中典型的類型片，呈現一種善惡二元本質主義式的理解，這一直是功夫電影特點之一。儘管李小龍帶有一種哲學氣質，但影片極少將其塑造為功夫哲學家。因此，視其為一位哲學家或許與將其看作一個民族主義者一樣，都是值得商榷的。

李小龍式的功夫理想體現在汲取「截拳道」和「詠春拳」的方法上——前者是他獨門的功夫套路，後者則是其師葉問（1893-1972）所傳授。在某種意義上，他的身體即為一種功夫套路，而電影藉視聽及令人感同身受的特質，將他的身段動作強化數倍，使之在視聽上具有極強的審美效應。他充滿美學韻味的體術是成龍（1954-）、李連杰（1963-）、甄子丹（1963-）等任何武打明星所無法超越的。李小龍獨具特色的風格和動作，尖利的叫聲與手勢，眾所周知。相對於此，他的功夫哲學卻備受忽略，因此經常遭致誤解，未被充分加以理論化。

李小龍留下的不只是電影。他身後出版的著作有《功夫之道》（1997）和《截拳道之道》（1975）。他在《功夫之道》中將功夫定義為「達成目標之道（the Way to the object）——無論目標是強身，靈修，或自衛」。「功夫」的本意為「訓與律」，因此「功夫」一詞可以應用於任何場合。然而，「功夫」最為人所熟知的還是作為一個武術術語——在武術中，訓練和紀律是如此至關重要。通過高強度的訓練和紀律，功夫能夠指引得「道」之路，但「功夫」常被誤解為只是純粹的技巧。李小龍寫道：「所有技巧萬法歸『一』，而無對立面，永無止歇，永不止歇，所有運動被精簡為其最本質的目的，沒有任何浪費和不必要的動作。」這種「萬法歸一」的轉化是受了道

家、禪宗和《易經》的影響。對李小龍而言，功夫既是一種手段，同時也是一種精神。它能夠充當得「道」的一種手段——「道」是道家的核心概念，亦即李小龍闡釋為「達成目標之道」的「道」。在此，功夫表現為一種載體，身體與「道」能藉此合而為一，達致身體與精神的協調或合為一體。在成立自己的製片公司時，李小龍以「協和」命名，並用「太極」符號為圖徽——在西方普遍被稱為「陰陽」符號，象徵著物質與精神之間極致的協和。

　　如果「道」被理解為成為巨星之「道」，或是達致完美之「道」，即在事業和生命體驗中達到實踐的極致，那麼在其短暫的一生中，李小龍無疑是通過功夫、或者說武術得「道」了。我們永遠無法得知，如果李小龍沒有英年早逝，得以自主拍攝更多功夫片，甚至在好萊塢為大製片廠拍片，那他將會如何發展？或許會在電影中注入更多哲學意蘊，其形象也許會相當不同於普拉薩德和加藤，所描繪的革命形象，那不過基於他在香港的區區幾部電影。如今，李小龍作為一位無比卓越的武術家為後人所銘記。那麼，作為一位武術家，李小龍是否按照其在《功夫之道》所列舉的信條，獲得強身、靈修和自衛之道呢？

　　1973年7月20日那一天或許會告訴我們一些訊息。李小龍的猝死說明了他的武術訓練畢竟有所不足，因為防身之道首在自保。官方報導這是一起意外。李小龍很有可能是因為練武過度，不自覺損害了健康，又或許是一時疏於自律而怠於防範。畢竟他被發現死於一位女演員的閨房，後者遂承認兩人的戀人關係。禁欲是武術訓練的一部分，何況涉足花叢（例如李小龍在《唐山大兄》中飾演的主角被一個曼谷妓女引誘，以致自找麻煩）。至於靈修，李小龍在精神上滿足了嗎？答案永遠無法知道。

　　李小龍之死的情境使他顯得更像一個普通人，也更為脆弱，不太能與常人所視的超級功夫高手聯想。據此，他留給我們的遺產或許是混雜的。他的性格或有尚未暴露的陰暗面。如電影研究者裴開瑞（Chris Berry）指出，李小龍的電影暗示了恐同（homophobia）和仇外心理（xenophobia）——這或許是其性格的一部分，也或許不是。凡此都說明在他無人匹敵的形象下，他身後的意義更為複雜。他的功夫修煉，以及與「萬宗歸一」的中國哲學融合都說明他曾經走在一條哲學的正道上。他使功夫真正全球化。他特立獨行，

不拘一格的武術模糊了如下的事實：「訓」己和自「律」（「功夫」的真正含義）是決定如何達成身心合一的關鍵性因素。李小龍的模仿者不計其數，但真正的李小龍只有一個。

參考文獻：

Chris Berry, "Stellar Transit: Bruce Lee' s Body or Chinese Masculinity in a Transnational Frame," in *Embodied Modernities: Corporeality, Representation, and Chinese Cultures*, ed., Fran Martin and Larissa Heinrich (Honolulu, University of Hawaii Press, 2006), pp. 218–234.

M. T. Kato, *From Kung Fu to Hip Hop: Globalization, Revolution and Popular Culture* (Albany, NY, State University of New York Press, 2007).

Bruce Lee, *The Tao of Gung Fu* (Boston, Tuttle Publishing, 1997).

Vijay Prashad, *Everybody Was Kung Fu Fighting: Afro-Asian Connections and the Myth of Cultural Purity* (Boston, Beacon Press, 2001).

張建德（Stephen Teo）撰，金莉 譯

1974年6月

在華盛頓州羅克波特（Rockport）的一個小漁村，楊牧寫下了詩歌〈瓶中稿〉

楊牧：古典還是現代

　　1974年6月的一天，一個三十出頭的男子漫無目的地在太平洋海岸驅車前行，他決定在華盛頓州羅克波特的一個小漁村停下。在海邊散步後，他坐下看著潮水緩緩漲起，思念起太平洋彼岸的家鄉花蓮，自言自語道：「花蓮有這麼多地震和颱風，但究竟什麼才是海嘯？」他在沙灘上一直待到夜幕低垂，直到大風吹起、寒涼難耐才離開。回到旅店後，他寫下了詩作〈瓶中稿〉。詩歌結尾，詩人幻想著自己走入大海：

> ……當我涉足入海
> 輕微的質量不減，水位漲高
> 彼岸的沙灘當更溼了一截
> 當我繼續前行，甚至淹沒於
> 無人的此岸七尺以西
> 不知道六月的花蓮啊花蓮
> 是否又謠傳海嘯？

　　〈瓶中稿〉不僅是楊牧（1940－2020）詩人生涯的關鍵時刻，也標誌著台灣現代詩史的一次轉折。楊牧，原名王靖獻，畢業於東海大學英文系。服完兵役後，在安格爾（Paul Engle, 1908-1991）的邀請下，於1964年前往美國愛荷華大學參加國際寫作計畫。他在項目結束後留下進修，1966年獲得創

意寫作藝術碩士，之後繼續攻讀加州大學柏克萊分校的比較文學博士。從
1970年開始，楊牧分別在美國、香港和台灣的大學任教。在他的學術成就
外，楊牧更是許多人公認的當今華文世界最優秀的詩人。

　　楊牧從十六歲開始發表詩作，一九五〇、一九六〇年代以筆名「葉珊」
進行創作，是台灣戰後一代最年輕的詩人之一。在荒涼、保守、壓抑的時代
氛圍中，一群年輕詩人在前輩詩人紀弦（1913-2013）和覃子豪（1912-
1963）的指導下，形成親密的詩人社群。他們背離了當時由傳統抒情主義和
反共意識形態占據主流的文學趨勢，而對歐洲、美國的先鋒運動，尤其是超
現實主義和高度現代主義（high modernism）表現出濃厚興趣。另外，他們
也從浪漫主義獲得靈感，學習對象不限於英國浪漫主義者，也從中國最傑出
的浪漫主義者徐志摩（1897-1931）那裡汲取養分。最後，在菁英和民間都
有所自的中國抒情詩傳統，作為一種文化遺產，也有助於他們形塑語言和藝
術感。這三條脈絡匯聚成戰後台灣生機勃勃的現代主義運動，也創造了二十
世紀中國詩歌的黃金時代。葉珊則是這場運動中的佼佼者：內涵豐富的意象
和神祕莫測的數字中所蘊含的超現實主義；與詩人濟慈（John Keats, 1795-
1821）深刻的相似性──對美的敬畏、對時間的思索，以及得益於中國古典
詩歌的精緻措辭，這三者構成了葉珊獨特而有力的詩作。

　　1964年葉珊離開台灣前往美國時，現代主義運動已經開始衰落。一九七
〇年代早期，台灣在國際事務上遭受退出聯合國與美國、日本斷交等一系列
挫敗。不再被視為中國合法代表的台灣，面臨著身分認同的危機。隨著一些
詩人和批評家嚴厲譴責現代詩過於西化、唯我論且漠視本土現實，這一認同
危機也在文學領域浮現。1972年爆發了所謂的「現代詩論戰」，葉珊以其華
美的語言和他所珍視的感受力，成為第一批被攻擊的目標之一。其他被攻擊
的詩人則包括余光中（1928-2017）和周夢蝶（1921-2014）。

　　然而批評者們有意或無意地忽略了一個事實，即從一九六〇年代後期開
始，葉珊就經歷了戲劇性的轉變。在加州大學柏克萊分校就讀期間，他跟隨
陳世驤（1921-1971）研讀中國古典詩歌。一九三〇年代早期，陳世驤在北
京大學本科期間，曾與老師阿克頓（Harold Acton, 1904-1994）合作了第一
本英譯中國現代詩選。師從陳世驤時，葉珊致力於中國詩歌的兩大源泉《詩

經》和《楚辭》研究。與前者有關研究，後來完成The Bell and the Drum——Shih Ching as Formulaic Poetry in an Oral Tradition（〈鐘鼓集——毛詩成語創作考〉）一文，這是第一篇完整研究儒家經典的英文著作。由於主修比較文學之故，他也對古代英語文學、古希臘文學以及德國文學有所涉獵。

正是在這一時期，作為詩人的葉珊順理成章地往新的方向發展。他的作品〈延陵季子掛劍〉（1969）藉由重述春秋時代（公元前770-公元前476）一位歷史人物的故事，哀悼儒家精神的消逝；〈武宿夜組曲〉（1969）則批評了公元前十一世紀周武王的軍事征伐。寫於同年的〈續韓愈七言古詩《山石》〉，呼應了這位唐代詩人對政治的矛盾心理以及藉藝術自我實現的渴望。這些詩歌充滿豐富的歷史和文學典故，但它們並不屬於以詩論史的傳統體裁，而是解構的、反諷的。1972年，葉珊將自己的筆名更改為「楊牧」。

從詩歌史的角度來說，楊牧對中國傳統的化用，為試圖拒絕現代主義、轉向中國文化遺產的台灣詩人們提供了一個新的範例。而且，早在1977年鄉土文化運動前，他就在作品中積極再現台灣鄉土。除了前述論及的〈瓶中稿〉、〈高雄・一九七三〉批評政府的自由貿易區政策——在這些自由貿易區裡，本地婦女為外資工廠提供廉價的勞動力。1975年寫的〈熱蘭遮城〉（今台南安平古堡，熱蘭遮城為荷據時期之名）則涉及殖民統治問題化。通過楊牧的眼睛，我們看到了花蓮的巍峨山脈和太平洋海景，我們沉思這座島嶼的紛繁歷史，我們感同身受於詩人對不公的義憤，並分享那孩童般天然的好奇心帶來的喜悅，我們還看到他將台灣與愛爾蘭相對照——特別是葉慈（William Butler Yeats, 1865-1939）筆下的愛爾蘭。

一九八〇年代，本土意識聲勢壯大，最終在台灣成為主流意識形態。在1984年台灣民主運動高潮時期，楊牧寫下了〈有人問我公理和正義的問題〉，這首詩動人地探討在國民黨的歧視政策下，台灣本省人和國共內戰後自中國大陸遷台的外省人之間存在的歷史張力。然而，楊牧既不是一個現實主義者，也非一個本土主義詩人，並且拒絕認同當時的主流意識形態。他始終堅持做一個抒情詩人，以精雕細琢的語言為媒介，介入現實世界。

少年時期，楊牧就堅定信奉著濟慈的格言——「美即真，真即美」。詩歌藝術是真實與永恆的，值得終身追尋，正如楊牧自己在詩中所寫：

相信詩與視覺藝術的追求和找到

以及音樂，然後將它安置在

特定的宇宙空間，——

自燃並蔓延於永遠的時間。

（〈兔〉，1997）

如同葉慈的〈駛向拜占庭〉，楊牧也敏銳地感受到了一種存在於生理的衰老與精神的超越、存在於人類的速朽與藝術的不朽間的張力。詩人回憶起有一個小女孩曾試圖捕捉一隻蝴蝶夾在書頁，而這首詩看向了未來：

這時我們都是老人了——

失去了乾燥的彩衣，只有甦醒的靈魂

在書頁裡擁抱，緊靠著文字並且

活在我們所追求的同情和智慧裡。

（〈學院之樹〉，1983）

音樂以其有機的結構和內在的抽象而與道德無關的性質，不僅是楊牧作品的主題，更是他詩學中不可或缺的構成部分。在為紀念羅卡（Federico Garcia Lorca, 1898-1936）而創作的組詩〈禁忌的遊戲〉四首（1976）中，詩人通過音樂意象使藝術的永恆不滅與愛情的轉瞬即逝形成對照：

試著來記取

一份偉大的關懷，在格拉拿達

試著記取你們的語言和痛苦

綠色的風和綠色馬，你們的

語言和快樂——你們偶然快樂

或許可以用楊牧在1995年出版的詩集序言中的一段話總結他的詩歌觀，

詩歌是「歷經滄桑，越過昏暗、徬徨、破碎，縫合起那所有轉瞬即逝的隱祕情感，使其得以永存，存於一個永恆更新著的結構之中」。

　　從1960年到2014年，楊牧共出版了15部創作詩集，現輯為四卷本。與世界文學和文化的深度接觸，賦予其作品一種其他中國現代詩人難以比擬的多面性和深刻性。他創造了自己獨一無二的語言，綿密、含蓄、抒情且飽含張力。他的文辭博採白話與文言元素，如其所言，他在努力「喚醒那些已被人遺忘的詞彙」。他的詩歌每一行的句法都靈活多變、出人意料，由此產生的意旨愈加豐富了詩歌的內涵。他的意象精準而獨特，複雜而又引人入勝。他對聲音的運用自然流暢、直達人心，甚至當詞語無法達意時，詩的音樂卻能發揮作用。他的語調所涵蓋的情緒範疇廣泛，從戲謔、熱情到絕望兼而有之：

> 天使，倘若你不能以神聖光榮的心
> 體認這織錦綿密的文字是血、是淚
> 我懇求憐憫
> （〈致天使〉，1993）

　　楊牧對戲劇性獨白的重新創造也同樣重要，一九六〇年代晚期開始這已經成為他詩歌的主要特色。詩人在詩中創造了各式各樣的角色，歷史人物和虛構形象兼而有之。來源更是遍及中外，如維吉爾（Virgil, 公元前70-公元前20）、但丁（Dante Alighieri, 1265-1321）、馬洛（Christopher Marlowe, 1564-1593）、鄭玄（127-200），以及杜甫（712-770）。小說角色如《水滸傳》中的林沖、《紅樓夢》中的妙玉，以及《失落的戒指》（The Lost Ring）中的車臣抵抗組織戰士，在楊牧筆下他們的幻滅覺醒與英雄主義、內心的掙扎與狂喜，都躍然紙上。〈喇嘛轉世〉（1987）是根據「孩子喇嘛」丹增唯瑟仁波切（Tenzin Ösel Rinpoche, 1985-）的生平寫成的詩歌。他是一個出生於西班牙的五歲男孩，被選為上一世喇嘛耶喜（Thubten Yeshe, 1935-1984）的轉世靈童。在詩中，他向在廣大天地中尋找喇嘛轉世的西藏僧侶呼喊：

　　來吧來吧，來到安達路西亞
　　找我找我在遙遠的格拉拿達
　　讓我們讚美無窮的格拉拿達
　　一首新歌唱老了的安達路西亞

　　這首詩通過韻律和反覆，成為迷人的吟詠，召喚著希望與祥和。

　　楊牧的戲劇性獨白應該歸功於英美現代主義者勃朗寧（Robert Browning, 1812-1889）與艾略特（T. S. Eliot, 1888-1965）所啟發的靈感。楊牧是敘事與戲劇形式的大師，卻同時也強調作為所有詩歌基礎的「抒情性」的重要。正如他寫道：「抒情詩是詩的初步，也是詩的極致。」（《文學與理性》）他自己的作品便是最佳的詮釋，且展現了諸多新的可能。

　　半個多世紀以來，楊牧一直是形塑台灣詩歌的重要力量，在整個華語世界也越具影響力。他是許多年輕詩人的導師，更成為幾代人的楷模。他崇尚藝術，強調學貫中西，以是被尊稱為「學院派」詩人的奠基者，而楊牧自己對這個稱呼也欣然接受。顯然，楊牧的詩歌與詩學視野的深度和廣度已經挑戰了任何既有標籤。他不僅是世界級的詩人，也是散文大家以及研究中國古典詩歌和比較文學的學者，他同時是翻譯莎士比亞（William Shakespeare，1564—1616）、葉慈以及其他作家作品的多產翻譯家，還是唐詩和現代中國詩歌與散文獨具慧眼的編選者。如今楊牧已逝，但他所遺留的詩作早已成為自己在〈瓶中稿〉裡所設想的巨大「海嘯」！

參考文獻：

Lisa Lai-Ming Wong, *Rays of the Searching Sun: The Transcultural Poetics of Yang Mu* (Brussels, 2009).

Michelle Yeh and Lawrence R. Smith, trans., *No Trace of the Gardener: Poems of Yang Mu* (New Haven, CT, Yale University Press, 1998).

奚密 撰，張屏瑾 譯

1976年4月4日
「我不相信天是藍的」

地下詩歌

1976年4月4日清明節後，公安清除了天安門廣場上紀念同年1月8日去世的周恩來（1898-1976）總理的花圈、條幅、標語與悼念者。可是，雖然清除了張貼的詩歌，卻未能摘除中國詩歌的新蕾。事實上，這樣的舉動可能還為這些新生詩歌的流行創造了有利條件。

悼念者不滿週日獻給周總理的祭品週一（5日）就被移走。三十年後，詩人北島（1949-）仍記得那日下班後獲知的事態發展：

當天下午，憤怒的人群不僅衝擊人民大會堂，還推翻汽車，火燒廣場工人指揮部小樓。當晚，鎮壓的消息通過各種非官方渠道傳播，據說用棍棒打死無數人，廣場血流成河。

歷史學家史景遷（1936-）提及，根據當時的報導，共有388名被稱為「製造破壞與騷亂的『反革命壞分子』」遭到逮捕，並在北京大學接受「人民審判」或是被送往「勞動改造」。這一事件在歷史上意義重大，因為它是民眾自發的抗議行動，針對的是後來被稱為「四人幫」的政治勢力與文化大革命（1966-1976）的政策，以及當時政治當局試圖將事件責任歸咎於鄧小平（1904-1997）的做法。同時，這一事件在文學史上亦占有一席之地，因為它與當時一位二十多歲的電工所寫的詩有關，日後他以「北島」聞名於世。

　　為了理解1976年「天安門事件」與北島詩作〈回答〉間的關係，首先必須明白，這一事件就含義與來源而言，從發音到微妙的象徵意義——「4」月「4」日與「死，死」的諧音——已經成為一種文學行為。此外，儘管許多紀念周總理的詩歌都利用這次機會批評文化大革命的決策者，但是否有人真正了解周總理的想法或說法？抑或只是把他當成一座反對毛澤東（1893-1976）、江青（1914-1991）及其追隨者的堡壘？正如克勞斯（Richard Curt Kraus，1944-）的探問：「周恩來是否是一位能控制毛澤東革命狂熱的偉大調解人？或者他是一位出色的機會主義者，即毛澤東的奉承者，既保護了一些下屬，但又在對自己有利時犧牲了另一些？」更進一步地說，周恩來是一個脫離了現實的能指，一如文學語言必須脫離其指稱的現實。

　　這並非貶低人們悼念周總理的誠意——當我們為文學中的虛構人物哭泣時，眼淚是如此真實。但人們如何理解周恩來對「文革」領導者的反對，這當中具有某種文學性，其中也涉及1974年的「批林批孔」運動，人們從此被禁止重新思考古代與當下的歷史。例如，在一次中國官方安排的法國激進知識分子訪華團的行程中，巴特（Roland Barthes, 1915-1980）在「批林批孔」的字面（他用錯誤的漢字記下運動名稱）及其語音（他指的是「批林批孔」如鈴聲叮噹般的羅馬拼音「Pi-Lin Pi-Kong」）中發現趣味。不過他沒能理解的是，這一場運動被馬若德（Roderick Macfarquhar, 1930-）與沈邁克（Michael Schoenhals, 1953-）等歷史學家描述為「最終成為用來攻擊周恩來的寓言性工具」。（巴特甚至好奇：「周恩來在這場運動中扮演了什麼角色？」）精明的讀者在看到這場運動的全稱「批判林彪、批判孔子、批判周公」就會明白批判孔子崇拜的「周公」是以其姓氏暗諷一位同樣被某些人視為儒者的當今官員。《詩經》有云：

　　　　既破我斧，又缺我錡。
　　　　周公東徵，四國是遒。
　　　　哀我人斯，亦孔之休。

　　然而，在一九七〇年代初期，上述詩描寫的貴族義務（noblesse oblige）

與文學詮釋的可能性都被削減了。

「它們必須按照字面理解」，巴特將文革口號複製到他的日記中，「它們是無法被解釋的。」儘管目前還不清楚巴特具體指的是哪些海報的哪些標語，但這些判斷卻恰好出現在他用漢字親筆抄錄的「批林批孔」四字之後。然而，若這樣的指點在理解當時的口號與事件時是不可能遵循的，它卻是當時針對語言與文學官方政策的一個絕佳例證。毛澤東所倡導的，不僅是「文藝工作者的思想感情和工農兵大眾的思想感情打成一片」，且這種創作必須生產出清晰直白、盡可能接近字面意義的文學作品。我們可以通過賀敬之（1924-）的寫作考慮這一規定，他是少數能在文化大革命期間發表作品的詩人：

> 我們將打開日記本，
> 把毛澤東思想的真理，
> 大字書寫——
> 寫：天空
> 不會塌陷！
> 寫：地球
> 不會毀滅！

或者是二十世紀更為知名的詩人艾青（1910-1996）在文化大革命結束兩年後的1978年所寫下的詩篇：

> 火是紅的，
> 血是紅的，
> 山丹丹是紅的，
> 初升的太陽是紅的；
> 最美的是
> 在前進中迎風飄揚的紅旗！

而對比北島的〈回答〉：

卑鄙是卑鄙者的通行證，
高尚是高尚者的墓誌銘。
看吧，在那鍍金的天空中，
飄滿了死者彎曲的倒影。

北島的詩歌甚至有別於紀念周總理的詩歌：

總理回眸應笑慰，
斬妖自有後來人。

1976年4月4日，北島身在天安門廣場，但他卻未將〈回答〉貼在革命烈
士紀念碑上緬懷周總理。雖然這首詩的初稿完成於1972年，但1978年公開發
表時寫作日期卻標注為1976年4月。詩中寫道：

我來到這個世界上，
……
為了在審判之前，
宣讀那些被判決的聲音。

上述詩句把本詩的創作時間放置在4月5日的暴力行徑與「人民審判」中
間。更為重要的是，在對預先被判決的聲音的否定中，他定義了一種新的詩
歌：

我不相信天是藍的，
我不相信雷的回聲，
我不相信夢是假的，
我不相信死無報應。

　　這些叛逆宣言大多表明一種人道主義，但在一九七〇年代的中國讀者看來卻具有哲學上的危險性。「我不相信天是藍的」應當如何理解？而今，北京的天空不再是藍的，這就使北島的詩句一如羅卡（Federico Garcia Lorca, 1898-1936）在不經意間預示了：「被天空刺殺」（assassinated by the sky）。在1976年不相信天是藍色的危險性在於它宣揚了一種奇特的文學性，這行詩不能僅從字面上理解——它只是，也總是充滿更多解讀的可能性，亦即如果天不是藍的，那麼太陽可能也就不是紅的了。

　　北島的詩學並非沒有先例。他的詩學反映出與地下詩人的互動。這些地下詩人來自被「下放」到河北省白洋淀向農民學習社會主義的「知識青年」（類似的地下詩歌運動同時還發生於上海附近與貴州的貴陽等地）。這些青年男女寫下抵制文化大革命時期浮誇文風的詩歌，為人們熟悉的圖像開闢了新的闡釋空間。芒克（1950-）於1973年的詩作〈天空〉中寫道：

　　太陽升起來
　　天空血淋淋的
　　猶如一塊盾牌

　　多多（1951-）寫於1973年的詩歌〈夜〉如是開篇：

　　在充滿象徵的夜裡
　　月亮像病人蒼白的臉

　　這類詩歌在一定程度上受到外國文學的影響，或者來自同時代翻譯的西方文學、供黨內幹部「內部傳閱」的「黃皮書」，或者間接地來自成長於三、四〇年代、更具世界主義視野的中國現代詩人的作品，這些詩是他們在五〇年代轉向更為安全的文學翻譯工作之前所創作。多多指出當時國內外詩歌環境的差異：「當我們每天都在唱『毛主席啊紅太陽』時，波特萊爾（Baudelaire, 1821-1867）說：太陽『如同詩人』。」爾後北島也說明，他寫詩時用的是這種經過重塑的、呈現「翻譯體」風格的中文。

北島〈回答〉中的「我──不──相──信」也回應了食指（1948-）
的詩歌〈相信未來〉（1968）。食指當時被下放到山西農村，他是文化大革
命期間第一位以抒情詩表達個人情感的詩人：

當蜘蛛網無情地查封了我的爐台，
當灰爐的余煙嘆息著貧困的悲哀，
我依然固執地鋪平失望的灰爐，
用美麗的雪花寫下：相信未來。

北島〈回答〉的開篇與食指〈命運〉（1967）的開篇相互呼應：

好的聲望是永遠找不開的鈔票
壞的名聲是永遠掙不脫的枷鎖

幾十年後看來，又是在另一種語言讀到，北島與食指詩歌中那些令人失
望的庸常表達，可能會減損其詩歌意象的啟發性與吸引力。然而，當時的中
國讀者卻感到這些詩歌無比新鮮。我們可以歷史化地理解這一點，但對於熟
悉當下詩歌邊緣化狀況的人而言，可能會驚訝於當時詩歌的受眾之廣。1978
至1980年間，北島與芒克創辦中華人民共和國第一份民間詩刊《今天》，他
們騎著遮住車牌的自行車運送雜誌，張貼至暫獲官方容忍的公共異議空間
「民主牆」上，並將成捆的雜誌發放至官方機構與辦公大樓。這份刊物獲得
史無前例的人氣：一年半間出版了九期雙月刊和七部系列出版品（叢書四
部、資料集三部），向北京與全國發行了兩萬冊刊物。他們舉辦了北島稱之
為「北京最大的沙龍」的座談會，以及公開的詩歌朗誦會。第一次詩歌朗誦
會因遇雨「僅五百人」參加，第二次則有上千人參與。他們的詩歌為何如此
受歡迎？

除北島、芒克、多多與食指的作品外，《今天》還發表了福建詩人舒婷
（1952-）描寫社會主義異化現象的詩歌，她是少數的女性之一：

我們從工廠的流水線撤下
又以流水線的隊伍回家來
在我們頭頂
星星的流水線拉過天穹

以及楊煉（1955-）的神話詩，他已開始寫作古典風格的詩句：

讓這片默默無言的石頭
為我的出生作證
讓這支歌
響起
動盪的霧中
尋找我的眼睛

如孩子般的天才顧城（1956-1993），十六歲時的作品〈一代人〉：

黑夜給了我黑色的眼睛
我卻用它尋找光明

由於《今天》以民間形式發表，並被張貼在「民主牆」上，故這些詩歌
經常引發對抗政府的聯想——這種聯想時至今日依然存在（這與傾向於發表
在官方刊物上的文類如小說，形成對比）。可想而知，官方體制貶斥它，稱
之為「朦朧」詩。「朦朧」通常譯為「misty」，但這個英文詞並沒有表達出
多愁善感和模糊的意涵，故譯為「obscure」更適切。由於這些詩歌主要受外
國文學的影響，所以國內外的評論家難免質疑：「這是中國文學嗎？」但經
過文化大革命時期的破「四舊」（「舊的」思想、文化、風俗、習慣）後，
要根據傳統定義「中國」文學恐怕是難事。然而值得注意的是，朦朧詩的流
行卻是與傳統節日——1976年的清明節——的再生有關。
　　更為重要的是，朦朧詩得以普及是因其引起了讀者的共鳴，這些讀者被

訓練得如闡釋文學作品般解讀時事，即使他們仍然渴望從官方管道獲得文學作品。

參考文獻：

Bei Dao and Li Tuo, eds., *The Seventies: Recollecting a Forgotten Time in China*, English edition ed., Theodore Huters (Hong Kong, The Chinese University of Hong Kong Press, 2012).

Richard Curt Kraus, *The Cultural Revolution: A Very Short Introduction* (New York, Oxford University Press, 2011).

Roderick MacFarquhar and Michael Schoenhals, *Mao's Last Revolution* (Cambridge, MA, Harvard University Press, 2006).

Song Yongyi, "A Glance at the Underground Reading Movement during the Cultural Revolution," *Journal of Contemporary China* 16, no. 51 (2007): 325–333.

Jonathan D. Spence, *The Search for Modern China* (New York, W. W. Norton & Company, 1991).

Maghiel van Crevel, *Language Shattered: Contemporary Chinese Poetry and Duoduo* (Leiden, Netherlands, Leiden University Press, 1996).

Eliot Weinberger, "China Is Here," in *Outside Stories* (New York, 1992), 126–132.

柯夏志（Lucas Klein）撰，李浴洋 譯

1976年
「為什麼流浪遠方，為了我夢中的橄欖樹。」

撒哈拉流浪記

　　1976年5月1日，台灣作家陳平（1943-1991）出版了第一本書《撒哈拉的故事》。陳平原名陳懋平，以筆名「三毛」為人所知。這本書收錄了一年來十二篇已在台灣主要報章副刊發表的故事，內容來自她在西撒哈拉沙漠的生活經歷。作為她日後二十多部同類作品的第一部，這本自傳作品在華語文化圈引起轟動，出版六週就重印三次，之後印刷超過三十次。從這本書開始，在往後的寫作生涯中，三毛自比為漫畫家張樂平（1910-1992）於1935年創作的流浪孤兒三毛。張樂平筆下的三毛在上海街頭歷險，鮮明地反映出民國時期的社會苦難，台灣的三毛則參與了台灣繁榮的城市化，記錄了華語文化圈從一九四〇年代到一九九〇年代的迅速全球化，更見證了西撒哈拉的去殖民化過程。

　　1943年，三毛出生於戰時陪都重慶。一家人顛沛流離輾轉了半個中國，最終於1948年定居台北。在中產階級家庭中成長的三毛，很早就展現出特立獨行的一面。她以希臘神話中的人物Echo為英文名，暗示了她性格中自戀的那一面，也預示了她未來痛失丈夫的悲劇。她的律師父親回憶，三毛童年和少女時期都異於常人，包括她在墳地裡玩泥巴，冷靜地看山羊被屠宰，不顧危險警告潛入一個大甕裡，以及為了與年輕炊事兵戀愛而謊報年齡。三毛不適應制式的中學教育，於初二時退學，當時她的數學老師繞著她的眼睛畫了兩個代表零分的圓圈羞辱她，這件事帶給她相當大的陰影，造成成年後的她異常敏感、自卑且極度缺乏安全感，對親密關係不信任。這些情緒在她這一

代成長於台灣戒嚴時期的人身上，也極為常見。

三毛退學後並未虛擲光陰，而是專注於培養繪畫、音樂與文學方面的興趣。她熟讀中國文學經典，十九歲在《現代文學》發表處女作〈惑〉。故事講述一個女孩看了1948年的好萊塢電影《珍妮的畫像》（Portrait of Jennie）後產生的種種幻覺。主人公拒絕認同電影中哀傷的女鬼，但是她唱的歌卻一直縈繞在耳邊：「我來自何方，沒有人知道。我去的地方，人人都要去。風呼呼地吹，海嘩嘩地流，沒有人知道。我去的地方，沒有人知道。」歌詞深刻影響了三毛的人生，冥冥之中她也有著人生何去何從的疑問。最終她以一個在奇異、遙遠之地的異鄉人身分，為中國現代抒情主義在戰後台灣文學圈的蓬勃發展作出了個人獨特的貢獻。

三毛曾於中國文化大學哲學系旁聽，卻因一次失敗的戀愛轉向出國求學，於1967年前往馬德里學習西班牙文。每當人生遭遇挫折和不幸，三毛便選擇出逃，冒險，尋找刺激。她相繼於德國、美國學習和工作，1971年決定返台任教前還遊歷了歐洲。她在海外流浪期間曾有幾段異國情緣，她以栩栩如生的筆觸描述這些文化錯置的經驗：「在西班牙講日文，在德國講英文，在美國講中文，在台灣講德文。」後來，三毛曾與一位德國人訂婚，未婚夫卻在婚禮前夕因心臟病過世。傷心欲絕的她於1972年返回西班牙，並決定嫁給過去曾追求她的荷西・馬里安・葛羅（José María Quero y Ruiz, 1951–1979）。1973年，這對情侶遷往西班牙西撒哈拉殖民地阿尤恩（El Aaiún）居住、結婚，生活依賴荷西當潛水員所得。三毛一開始對充滿異域風情的景觀和薩拉威人的獨特風俗十分好奇，但漸漸對沙漠與世隔絕的主婦生活感到厭倦，於是她提筆從「邊緣觀察者」的視角書寫日常事物。第一個小故事〈沙漠中的飯店〉以幽默的口吻講述一個沙漠中足智多謀的太太，在廚房裡做出一道道中式美味佳餚，撫慰了心思單純的先生及其同事。文章發表在台灣《聯合報》，向華語讀者展現一位自信能幹的中國女性，如何在海外綻放耀眼光芒。她的主婦智慧令人印象深刻，讀者紛紛被這個感情充沛、天真無邪、充滿好奇心和憐憫心的敘事者打動。西班牙殖民政府從西撒哈拉撤出後，三毛隨荷西搬到加那利群島（Canary Islands）。此時這篇作品已收錄於為她帶來文學聲譽的首部散文集《撒哈拉的故事》。在陸續推出的《稻草人

手記》、《哭泣的駱駝》與《溫柔的夜》等文集裡，三毛延續了她對非洲風
土人情的浪漫想像，用自己的流浪生活讓讀者陶醉。

　　這些書的成功有賴於三毛晶瑩剔透的文字，極具感染力的風格，充滿異
域色彩的情節，以及全面囊括一九七〇年代殖民地生活經驗的洞察力。她的
讀者群涵蓋各階層和年齡層，她的作品兼容雅俗，既以多愁善感的小故事帶
給讀者娛樂，同時也帶來外面世界的訊息，不僅豐富了讀者也豐富了她的自
我生命。桂文亞（1949-）對三毛如何從早期蒼白自戀的作品風格過渡到成
熟、豁達、灑脫不羈的《撒哈拉沙漠》，有如下解釋：「只有那些真正理解
事物的真實法則，了解生與死、喜與怒的人才會明白人生。」三毛知道讀者
並不熟悉她筆下的風物，所以將自然環境惡劣的沙漠浪漫化，讓讀者得以將
其想像為遺世獨立的烏托邦和桃花源。由此觀之，她的文字確實有了改變，
視野顯得更加寬廣，不再只是關注自我，但依然有著早期自我戲劇化和抒情
風格的延續和衍用。她的浪漫風格是如此動人，以致讓人忽視了她對殖民主
義危險和隱患的描述。

　　三毛關於非洲的許多旅行故事，都是從中國人視角解讀不同文化間做作
卻無害的小誤解。她對撒哈拉人民，尤其是婦女充滿同情。她一如馬克‧吐
溫（Mark Twain, 1835-1910）般刻畫撒哈拉貧苦大眾的貧困與苦痛，不帶譏
諷之語。與其他華語文學的旅行作家相比，如蔣彝（1903-1977）的《啞行
者》，三毛筆下的敘事者不是冷眼旁觀的局外人而是核心人物。讀者被她設
計精巧、富有魅力的敘事所吸引──她充分利用一個嫁給西班牙男性的東方
女性身分，巧妙游走於殖民者與被殖民者間，記述西班牙當局的作為。此前
留學故事中的三毛是一個敏感脆弱的受害者，一個在發達國家飽受刻板印象
和歧視之苦的東方留學生。如今背後有西班牙殖民霸權的庇護，她在非洲落
後國家面前不由自主流露出身為台灣人的優越感，並不在意她的描繪、再現
可能有誤。朗（Miriam Lang）和安婷娜（Anna-Stiina Antola）注意到：三毛
極度關切台灣在全球殖民話語論述中的複雜位置，以民族優越感順應華人讀
者對反殖民與民族主義的情感期望，而她對殖民地人民苦難的人道主義關
懷，某種程度上消減了這一強烈的政治訴求。

　　三毛夫婦攜手走過戰亂紛爭，未料平靜的日子卻因一次意外終止。如希

臘神話中的回聲女神（Echo）失去所愛納西瑟斯（Narcissus）的悲劇一樣，三毛失去了荷西。1979年9月30日，荷西在一次潛水事故中意外身亡，距中秋節不到一週，傳統上中秋是闔家團圓的日子。一向獨立樂觀的三毛無法走出愛人逝去的傷痛，在《夢裡花落知多少》和《送你一匹馬》中寫下最深沉的哀悼與鬱結。1980年她開始中譯西班牙和英國文學，包括克莉斯蒂（Agatha Christie, 1890-1976）的大部分著作。她在台灣巡迴演講，教授文學與創意寫作，出版短篇小說集的同時也去南美繼續旅行。她還為流行歌曲寫詞，出任大成本製作電影《滾滾紅塵》的編劇。電影以張愛玲（1920-1995）的人生為底本，講述女作家和一名漢奸在日本占領上海期間，一段極具爭議的愛情故事。

　　然而這些分散注意力的活動無法排解三毛心中的憂鬱和傷痛，反而透支了她的精力。最後的遊記《萬水千山走遍》極力描繪南美洲的荒野，先前作品中誇張的、盎然的生機已不復見。再美好的異域風景也已無法打動她，她的情感不再投向非洲大陸的異域風光，而是海外艱難營生的台灣人。此時她回望自己的根，1989年首次返回闊別四十年的中國大陸，終於在上海見到創造「三毛」的漫畫家張樂平，並前往北京探訪《滾滾紅塵》劇組，以及到新疆拜訪了著名的民樂作曲家及民族音樂學家王洛賓（1913-1996）。

　　大陸讀者早在三毛大陸之行前，就對她的波西米亞風格寫作讚賞不已。1983年，《文苑》雜誌刊登了〈西風不識相〉。故事女主角在海外求學期間被外國人欺辱剝削的情節，在大陸充滿意識形態的語境下，隱隱成了政治宣傳品的附庸。文中淋漓盡致刻畫了中國人急切卻謹慎地重返國際舞台，對未知環境將面臨的偏見和不公仔細思量，從焦慮中恢復民族自豪感，挑戰傳統的種族偏見，以及積極防禦「資本主義腐蝕」。後來對她作品的介紹與解讀相對單一，無意間創造了一個神祕、浪漫、個人主義的女作家形象。中國大陸年輕讀者在「文革」十年浩劫後，身處傳統斷層，面臨青黃不接的文化荒原，他們急欲與過去告別，心中湧動著叛逆、出走的願望。三毛特立獨行的浪漫、浪跡天涯的生活方式和她故事中避世烏托邦的景象，深深吸引著這些讀者。她是一代人的文化偶像，她的突然離世讓整個華語世界扼腕嘆息。

　　1991年1月4日早上，三毛在台北榮總病房的洗手間自盡身亡。關於她的

死因眾說紛紜：健康的衰竭，雖然醫生說過她健康狀況良好；安眠藥服用過量；她為《滾滾紅塵》編寫的劇本在金馬獎評選中未能獲獎；為了追尋逝去的丈夫無法自拔；還有傳言說她因對國民黨當局的批評而被謀殺。三毛的逝世讓她的文學生命更添傳奇色彩。有關她自殺之謎的討論，也是華語文化圈複雜政治、文化生態的折射。

　　三毛不是一個政治作家，但她文字中對浪跡天涯的浪漫想像、對廣大讀者情緒的動員，卻充滿了危險的誘惑。她是人才濟濟的中國現代文學中獨一無二的明星，她是《三毛流浪記》裡孤兒的化身，也是1949年後海峽兩岸政治決裂後的一個縮影。她滋養著一代年輕華人的浪漫和善感情懷，身上綜合了各種後殖民、全球化、離散社群中的華人經驗。歌曲〈橄欖樹〉如此唱道：「為什麼流浪遠方，為了我夢中的橄欖樹。」那「遠方」是她文字中可以棲居的原鄉，永遠為企望逃離現代社會種種紛擾的讀者，提供了心靈避難所。

參考文獻：

Anna-Stiina Antola, "Foreign Characters in San Mao' s Short Stories," paper presented at the Nordic Conference on Chinese Studies, Helsinki, June 2005.

Miriam Lang, "San Mao Makes History," *East Asia History* 19 (2000): 145-180.

Miriam Lang, "Taiwanese Romance: San Mao and Qiong Yao," in *The Columbia Companion to Modern East Asian Literature*, ed., Joshua S. Mostow (New York, Columbia University Press, 2003), pp. 515-519.

錢廣昌（Clint Capehart）撰，陳抒 譯

1978年9月18日

「1974年，叛徒江青向我伸出了黑手，又在工作上直接受到『四人幫』的利用。」

浩然的自我批評

　　1978年9月15日至21日，中國文聯在北京工人體育場集會，這個團體在文化大革命初期遭到解散，現在得以重組。這是在共產黨領導人毛澤東（1893-1976）去世，四人幫（包括毛澤東遺孀江青〔1914-1991〕和三個親信）被捕，以及先前被打倒的官員、作家、藝術家和表演工作者得到平反後的新局面。9月18日，小說家梁金廣（1932-2008）應邀發言，他以筆名「浩然」為人所知。文化大革命十年，浩然的文學生涯相當輝煌，然而在那天的機會他成了眾矢之的。其中許多出席者都是作家，在文化大革命或更早遭到毆打、監禁、羞辱、甚或放逐，罪名有的是作品政治思想錯誤，有的就是得罪了江青和四人幫。文化大革命後舉國痛定思痛，回首那段不堪的歲月，情緒的矛頭指向那些罪有應得之輩。當時有一種常見的說法，即在文化大革命期間只有「八個樣板戲和一個作家」，浩然恰恰就是這唯一的「一個作家」，因此理所當然成為人們怨怒的對象。

　　浩然講了一個小時，後來在「口述自傳」中重新整理為一篇自我批評。發言的題目是〈我的教訓〉，內容大多講述他在文化大革命中的行為。由於當時的批評著重於他對江青的支持，因此他也聚焦於這段關係。他自述與江青只見過四次面，每次會面都有七人以上在場。第一次見面時間是1974年，當時共產黨第一代領導人都垂垂老矣，爭奪大位之戰正悄然打響。根據浩然說法，他對江青知之甚少，僅知是毛澤東的妻子，也是中央領導人之一。江

青宣稱欣賞他的作品，在受寵若驚下被說服為她所用，但他確實婉拒了擔任官職，此舉使他在四人幫垮台後得以自保。

　　江青曾交給浩然一個任務，這對於長期記錄華北平原農民生活的浩然而言極不合適：他奉命加入一個代表團前往充滿紛爭的南海西沙群島，並被要求寫一部作品讚美島上保衛領土主權不受他國侵犯的年輕士兵。浩然根據命令快速寫成小說《西沙兒女》並呈給江青的親信，文化部長于會泳（1925-1977）。在于會泳的指示下，他增添了一段情節，把島上一場小規模衝突戰爭的勝利歸功於江青的英明領導而非毛澤東，這處改動後來成為江青又一項「大不敬」的罪狀。

　　浩然最後一部文化大革命小說是《百花川》。小說重返以農村為背景的寫作，但故事情節卻是配合當時江青集團指揮的一場針對「走資派」的鬥爭。小說中一位激進的青年女黨員帶頭反對年長的男領導，這一情節後來被視為江青與審慎的經濟規畫者之爭的寓言。

　　浩然懺悔道，這些寫於1974至1976年間的作品，以及一九七〇年代中期有關自己的寫作和文化界的演講裡，他散播了四人幫毒素，損害了黨的事業。浩然把自己塑造為一個天真而忠誠的黨員，被江青愚弄、走上了歧途（「1974年，叛徒江青向我伸出了黑手，又在工作上直接受到『四人幫』的利用」）他自我陳述，江青的垮台使他免於在意識形態上犯更嚴重的錯誤；他表達了對黨的新領導的感激和忠誠。浩然承認報刊雜誌上對他的批評，回顧農民讀者對他的鼓勵和支持，並向聽眾請求幫助和指導。這次懺悔可能有些閃躲和自我粉飾，但結果是成功的：他後來在國家文化階級中享有高位，且未進一步被官方究責，得以繼續長達二十年的寫作，創下人民共和國作家迄今為止最長的寫作生涯。他最後階段的作品戲劇化地描寫了一個經濟體制改革下，「美麗新世界」裡的鄉村生活改變。

　　浩然共出版了一百多部作品：除了長、短篇小說外，還有報告文學、散文、回憶錄以及兒童故事，幾乎所有作品都與農民生活有關，大部分以他的家鄉河北省為背景。他的寫作始於一九五〇年代中期，當時中國共產黨正希望能扶持一些農民和無產階級出身的年輕作家，以補足當時文學格局的缺憾，因為三、四〇年代以來左翼文學的主力是城市和世界主義作家。如同蘇

聯的官方作家，新一代的寫作者將有責任以他們最熟悉的地方為背景，展現社會主義的成就，從而加強讀者為國家設定的目標努力工作的決心。這些農村題材作品的特殊任務是刻畫因共產黨的勝利，而第一次獲得土地的「新農民」，他們在黨的領導下進行農業生產的互助合作，踏上生存和充裕之路。

浩然作為農民作家的資質無可挑剔，他本人的經歷完美契合一個農民被共產黨從貧困中解救，然後獻身黨事業的典型故事。他是貧農之子，1932年誕生在地主的糞棚裡，只上過三年半的學。1945年，他開始與共產黨軍隊接觸，十六歲時入黨。他在軍隊裡寫過公告和短劇，在共產黨取得勝利並建立中華人民共和國之後，曾在《河北日報》和一家面向蘇聯讀者的期刊當過記者。1956年首次發表短篇小說後，很快接連出版幾部小說集，奠定其作為農村小說領軍作家的地位。他早期的小說動人地表現了社會主義新中國的農村生活：偉大的成就，模範農民形象，其中包括不少年輕女性，以及愛情故事。浩然的小說世界積極樂觀，人們齊心協力，衝突一般存在於保守和進步的思潮之間，經驗教訓則會證明後者的正確從而解決衝突。作品中的農村想像與實際情形存在差距——一九六〇年代早期重創農村的大饑荒，在浩然及其同輩作者的小說裡不見蹤影。然而對一個忠心耿耿的作家來說，只要讀者擁護黨的政策，農村就應該是這樣，也會是這樣的。

浩然後來宣稱，他雖然接受了來自官方的支持和鼓勵，但他在寫作之初並未接受多少政治指導，開始寫作之前也未閱讀過毛澤東討論文藝的文章。不過後來他表現出對政策變化的適應能力，這對於社會主義體系中想要保住官方資助的作家而言，是一項至關重要的素質。1962年，毛澤東剛從一個相對蟄伏的階段回歸，發現自己與他眼中那些自滿的掌權者格格不入。毛澤東的新口號是「千萬不要忘記階級鬥爭」，這一口號迅速影響了整個社會，對藝術家而言，意味著必須描寫兩個階級的衝突：一方面是先進階級（農民和無產者），一方面是在共和國建國初期被剝奪權利的地主和商人中殘留的壞分子。浩然不再繪製社會和諧的景象，為了將這種現實主義的新觀念戲劇化，他寫了三卷本的長篇小說《豔陽天》。在小說裡，合作社的成果受到被社會主義敵人們破壞的威脅。小說的中心人物是一名村黨支部書記，原型是作者的一位朋友，他為了帶領鄰里度過收穫的農忙時節，耽誤了自己和一位

理想的農村姑娘的戀愛（這位男主人公是個鰥夫）。即使在兒子被綁架和殺害之際，他仍然全神貫注於農業生產。小說結尾，階級敵人暴露並被捕，大豐收得到了保證。

　　一九六〇年代中期，領導層內部的無情鬥爭導致了社會動盪和對知名人士的迫害，其中包括許多著名作家和藝術家，也有農村作家或因對政治變革反應遲緩，或因冒犯了文化新貴而受懲。經過五年小說出版的停頓之後，1972年浩然成為全國知名作家中唯一重返文壇者。這一次他推出的史詩性小說，以一九五〇年代早期的農業合作化為背景，並與針對那段歷史的新觀點保持一致。在《金光大道》中，決定性的鬥爭不是發生在階級間，而是發生在對立的發展策略，或是黨內不同的「路線」間。毛澤東的集體化政策就是小說題目中的「金光大道」，浩然對此總是積極正面地描寫。另一方面，小說譴責不顧集體化、致力單幹戶的對立路線，視之為挖社會主義牆角。個體論的擁護者被視為以私害公，沆瀣一氣，其中包括舊地主、富農、商人和反革命分子。作者以其斐然的敘事技巧，為這段被修改的歷史創造了一個強而有力的故事，作為故事背景的農村，不妨就是國家縮影。《金光大道》在當時眾口交讚，後來則成為笑柄——小說中偉岸的主人公名為「高大泉」，諧音「高、大、全」。正如歷史性的「路線鬥爭」主題，在每件藝術作品中表現一個主要的英雄人物是文化大革命的要求，這一原則來自江青對樣板戲的改編。毛時代沒有一個人物像高大泉那樣高、大和全，他是一位偉大的勞動者，充滿自我犧牲精神，也是一位鼓舞人心的領袖。他對於毛澤東的集體化倡議的支持，既是出於本能，也帶有理性。雖然這樣的英雄人物被評論者斥為幻想，作者仍堅持在現實生活中他確實遇過如此能幹的農民領導。集體化政策於一九八〇年代初期被廢除，但許久之後，這本小說及其中心人物仍然是作者的最愛。

　　該如何評價浩然這樣根據國家領導者的政策變化而三易政治傾向（1962、1972和1978年）的御用作家？他是否僅僅是一個黨的御用文人，跟隨政治風向以保證自己的特權地位和相應利益？或者如他自稱，是一位具有創造力的作家，效忠黨、相信黨（儘管效忠對象有誤），應讀者所需，提供寓教於樂的作品？浩然後來自辯道：假如他不在一九七〇年代早期寫作，

不是還有別人來寫？他在1978年9月18日的發言所傳達的深切痛悔之情，想必引起了體育場內諸多聽眾的共鳴。當然，觀眾們的態度比起其中許多人過去參加群眾集會時所表現的要寬宏大量得多。人們沒有喊口號，浩然得以及時離開體育館，去參加長子的婚禮。

參考文獻：

浩然《金光大道》（北京，人民文學出版社，1972年第一卷；1972年第二卷；1994年，四卷本）。

浩然《我的人生：浩然口述自傳》（北京，華藝出版社，2000年）。

浩然《西沙兒女》，第二卷（北京，人民出版社，1974年）。

浩然《豔陽天》（北京，人民文學出版社，1964年第一卷；1966年第二、三卷；1974年再版）。

孫大佑、梁春水編《浩然研究專集》（天津，百花文藝出版社，1999年）。

張德祥〈「神話」與「史詩」：我看《金光大道》〉，《青年文藝家》第二期（1995）：頁10-15、61。

Evgeny Dobrenko, *The Making of the State Writer: Social and Aesthetic Origins of Soviet Literary Culture*, tran., Jesse M.Savage (Stanford, CA, Stanford University Press, 2001).

W. H. F. Jenner, "Class Struggle in the Countryside: A Novelist's View," *Modern Chinese Studies* 1, no. 2 (1967): 191-206.

Richard King, *Milestones on a Golden Road: Writing for Chinese Socialism*, 1945-1980 (Vancouver, BC, University of British Columbia Press, 2013).

王仁強（Richard King）撰，張屏瑾 譯

1978年10月3日

「孩子，此後你要好好記得：首先，你是上帝的孩子；其次，你是中國的孩子；然後，啊，你是我的孩子。」——陳炎興

走進「白色恐怖」

　　1978年10月3日，台灣調查局派出祕密警察逮捕陳映真（1937-2016），指控他參與顛覆政府和親共活動。這並非陳映真第一次被監禁。身為一個出生於基督教家庭的馬克思主義者和存在主義人道主義者，陳映真是台灣最傑出的小說家之一，也是對冷戰時期台灣政治最直言不諱的批判者之一。從1968年至1975年，身為政治犯的他在火燒島（綠島）度過了長達七年的黑暗歲月。陳映真將此事件作為一個攸關信仰與背叛的事件加以書寫，而在他描寫當代台灣知識界的小說中，批判鋒芒貫穿著信仰與背叛的主題。陳映真並未將筆墨集中在自己的創傷經歷和記憶，而是藉由父親的情感反應來折射——看到兒子歸家，這位老人是如何啜泣乃至無法自已。陳映真特別受益於父親陳炎興（?-1996），他談及上帝及父祖之國——如本文卷首語所示——乃是陳映真生命中最為珍視的「三大原則」：孝悌、民族主義和基督教聖靈。

　　這些激切但浪漫的信念在陳映真的「文化中國」信仰中合為一體——這一信仰本身包含幾個層面的反諷。首先，在美國政府的庇護下，陳映真才得以躲過台灣政府對馬克思主義者進一步的政治迫害，而他卻指責美國政府發起全球冷戰。其次，在其時的反共聖地台灣，陳映真一直是位反叛人物，堅持對國民黨政權持批判態度，而對海峽彼岸想像中的故土卻充滿鄉愁。第三，陳映真於2006年移居中國大陸，卻始終保持馬克思主義理想，拒絕與一

個已經與資本主義掛鉤的共產中國──這個中國甚至作起超越美國的中國夢
──達成和解。第四，在2016年11月去世之前，陳映真已多年處於昏迷狀
態，一直在北京接受治療，像極了他筆下的小說人物老趙：老趙在陳的「白
色恐怖」三部曲最後的中篇小說中登場，他們二人畢生都是當代中國事務最
耿直的批判者，但又喪失了行動能力，無法對此有所作為。

　　1959年陳映真在《筆匯》發表短篇小說〈麵攤〉，那是他文學生涯的開
始。此後陸續發表大量的長、短篇小說和評論文章。最早的全集十五卷本，
於1988年出版。美國漢學家金介甫（Jeffrey Kinkley）為陳映真的作品所吸
引，盛讚其為「台灣最偉大的作家」，大陸批評家如錢理群、王墨林等也將
其抗議文學解讀為與魯迅（1881-1936）的批判現實主義一脈相承。這些評
論雖然充滿洞見，卻往往忽視了台灣本土的特殊性及歷史語境，因為陳映真
也汲取了日本社會主義以及現代主義傳統、基督教人道主義和存在主義思
想。這些思想流派的影響在其反映「白色恐怖」的三部曲中表現得最為淋漓
盡致。

　　陳映真出生於日治台灣新竹州竹南郡（今苗栗縣竹南鎮）的一個客家聚
落，後隨父母搬遷至台灣北部另一個客家莊鶯歌鎮。陳映真在回憶錄中論及
他面對台灣現代史複雜而矛盾的心態，其關鍵點之一即為日本殖民政府撤離
台灣，由國民政府接管的時刻。在戒嚴和反共的名義下，國民黨從美國政府
獲得軍事、物資與外交援助。陳映真以「許南村」為筆名寫道：「他從夢想
中的遍地紅旗和現實中的恐懼和絕望間的巨大的矛盾，塑造了一些總是懷抱
著曖昧的理想，卻終至紛紛挫傷自戕而至崩萎的人物，避開了他自己最深的
內在嚴重的絕望和自毀。」陳映真最為人所知的是他的親共（或左翼）立
場，他不吝表述對「大中國」浪漫的、本質主義的信念。

　　與作家陳若曦（1938-）、白先勇（1937-）一樣，陳映真自視為一個
離散的中國知識分子，渴望歸返其「想像的故土」──儘管他出生於台灣本
土。他對島上跨國經濟剝削、社會壓迫和政治收編高度關切。在〈鈴鐺花〉
（1983）、〈山路〉（1983）和〈趙南棟〉（1987）三篇有關五〇年代台灣
白色恐怖的作品中，他對國民黨壓制台灣民主運動的殘酷深惡痛絕，並譴責
美國麥卡錫主義對島上肆行的政治迫害提供支援。

　　陳映真在「白色恐怖」三部曲中講述了三個故事：一個左傾小學教師在反共大清洗時的悲慘遭遇；一位女性對「白色恐怖」不堪回首的追憶；一位政治犯病入膏肓的最後時日。〈鈴鐺花〉藉由兩個鄉村小學生的眼睛，揭示台灣政治與人民之間的對立；兩個單純的小學生無法理解老師為何突然失蹤，以及為何外省官員接管了他們的小鎮。這位教師後來被證實在白色恐怖中罹難。這一暴行凸顯了國民黨霸權甚至對最邊緣的、最無辜的社會成員都造成創傷。

　　與此對照，〈山路〉主人公蔡千惠歷經了「白色恐怖」，見證她愛如兄長的左翼地下領導、朋友及親人的死亡和監禁，以及社會的噤聲失語。蔡千惠的後半生台灣經濟起飛了，與此同時，政治集體記憶卻日益消弭。蔡千惠死後留下遺書，坦陳舒適的中產階級生活讓她已然忘懷當年自己敬愛的同志、至親為理想所作的犧牲：

　　　　……在您不在的三十年中，人們兀自嫁娶、宴樂，把您和其他在荒遠的孤島上煎熬的人們，完全遺忘了。這樣地想著，才忽然發現隨著國木的立業與成家，我們的生活有了巨大的改善……七年前，我們遷到台北。而我，受到國木一家敬謹的孝順，過著舒適、悠閒的生活。

　　在台灣經濟起飛的年月裡，避談政治，壓抑記憶逐漸內化為生活本能，久而久之，所有的理想都被追求經濟繁榮的唯一目標所馴化。

　　三部曲的最後一篇〈趙南棟〉講述一位政治犯的家庭故事。趙南棟生於白色恐怖受難者家庭，卻對父母的遭遇冷漠以對。他自甘墮落、生活頹廢。當老趙躺在醫院、生命垂危之際，只有他的難友還能記起他們曾經遭受的痛苦和折磨。

　　陳映真如此寫道：

　　　　然而，三十多年來，從來沒有因為這些教育考核績優而提早假釋的例子。

　　這說明了什麼呢？這說明了國民黨對於政治犯的「教育」從來沒有誠

意。三十多年來，他們為這項教育花了不少錢，卻從來沒有相信過他們設計的「教育」。

　　國民黨政府的政策是要「懲罰」而非教育或改造那些受刑人。陳映真也譴責美國政府為國民黨幕後撐腰。雖然陳映真自己出獄是得自美國干預，但他小說裡的人物卻一直堅信，美國是白色恐怖的始作俑者，藉以摧毀日本、台灣的社會主義活動分子（常被錯誤歸類為共產分子），以取得冷戰主導地位。〈趙南棟〉中的人物在韓戰（1950-1953）爆發之際展開的辯論同樣暗示：台灣人是太過天真了，才相信美國及其維護全球人權的承諾。老趙始終一廂情願，認為「美國為了安撫台民，為了美國畢竟是一個『崇尚民主的國家』，可能會迫使減少、甚至停止對政治犯的嚴厲處決」。老趙獄友蔡宗義卻更了解時局，不願苟同。有鑒於美國接管日本後，日本左翼知識分子的遭遇，蔡表示：「結果，從去年開始，麥帥總部在日本各部門掀起了措手不及的肅清，日本的工會和社共雙方，都遭到嚴重的打擊。」但老趙拒絕相信這是事實，最終他的希望破滅了。萬念俱灰下，只能在一位作曲家獄友張錫命譜寫的合唱幻想曲中尋求慰藉，最後他心力衰竭，陷入昏迷，沒能見到天亮就去世了。

　　三篇故事彼此交織，最終以這一垂死老人愈趨微弱的心跳聲告終。為何陳映真會以老趙次子的名字——趙南棟——作為三部曲中的最後一篇篇名？這個人物對台灣歷史及人民所受的苦難毫無知覺。藉由小說的命名，陳映真是否暗示：台灣的年輕世代不僅對中國內戰和白色恐怖一無所知，對歷史也漠然以對？

　　陳映真1978年10月被捕並隨之獲釋，的確出於美國政府的干預，他卻始終拒絕相信冷戰期間美國是「真誠地」幫助台灣人民。〈山路〉中的敘述者蔡千惠的遺書也暗示了此點。蔡將台灣經濟騰飛的奇蹟連結至以下兩點，即台灣人民試圖忘記歷史創傷，並力求切割台灣與中國大陸，以利於美國無線電公司（RCA）、國際商業機器公司（IBM）和蘋果公司（Apple）等美國企業的繁榮發展。陳映真小說中象徵父親形象的老趙和象徵母親形象的蔡千惠等人物的控訴是如此震撼人心，強而有力地代表了陳映真的自身立場。他經

歷國民黨的政治迫害，視美國為國民黨專制獨裁的同謀。他支持「文化中國」的理念，1997年甚至衷心祝賀香港回歸中華人民共和國。直至十五年後他才意識到，香港人在特區毫無行政自主權。然而，他的生命最終與筆下老趙最後的命運，何其相似！陳映真回歸祖國後，一病不醒。他被譽為「中國最後的一位馬克思主義者」，這是遲來的讚美，還是反諷？

參考文獻：

陳映真《父親：陳映真散文集》，第一卷（1976-2004）（台北，洪範書店，2004年）。

陳映真《鈴鐺花：陳映真小說集》，第五卷（1983-1994）（台北，洪範書店，2001年）。

Jeffrey C. Kinkley, "From Oppression to Dependency: Two Stages in the Fiction of Chen Yingzhen," *Modern China* 16, no. 3 (1990): 243–268.

廖炳惠 撰，金莉 譯

1978 年 12 月 23 日

中國最早的非官方文學雜誌《今天》創刊

《今天》創刊：朦朧詩的興起及中國當代詩的流變

　　1978年12月23日，在北京東郊三里屯靠近亮馬河的一處農民房小院裡，北島（1949-）、芒克（1950-）等以手刻蠟版的方式，用一台借來的油印機，印出了當代中國最早的非官方文學雜誌《今天》的創刊號。《今天》雜誌的誕生標誌著中國當代詩開創了官方出版物之外的另一條路徑，即獨立出版（俗稱「民間刊物」或「民刊」）或地下文學的另類歷史。自此，中國當代詩與中國當代小說呈現出了十分不同的面貌：最重要的中國當代小說幾乎都依賴於官方出版物，而最重要的中國當代詩大多是從非官方出版的民間刊物（此後也包括境外出版物和網絡）出發的。《今天》雜誌刊印後，還張貼到了「西單民主牆」和北京的一些政府機構、文化出版單位和大學，刷新了文學傳播的途徑。1979年起，《今天》雜誌舉辦了多次盛況空前的文學活動，包括在北京師範大學和紫竹院公園的讀者‧作者‧編者座談會，玉淵潭八一湖畔的詩歌朗誦會等，激勵了一大批當時渴望不同於官方詩歌形態的年輕讀者。直到1980年底，這本北島任主編，芒克任副主編的《今天》，在出版了九期雜誌外加三期《今天文學研究會文學資料》之後，被北京市公安局口頭下令停刊，終止一切活動。

　　1980年8月，中國作家協會主辦的《詩刊》刊登了章明的文章〈令人氣悶的「朦朧」〉，對《詩刊》近期作品的傾向，特別是受到西方現代主義影響而導致所謂「讀不懂」的現象，進行了批評。儘管文章主要的批判對象是九葉派老詩人杜運燮（1918-2002）的〈秋〉，但本文標題中的「朦朧」一

詞在後續的討論中被較多地用在描述1979到1982年間在《詩刊》多次發表的《今天》詩人北島、舒婷（1952-）、顧城（1956-1993）、楊煉（1955-）、江河（1949-）的詩作。這些不少是從《今天》轉載而來的作品被貼上了「朦朧詩」的標籤，但「朦朧」這個本來用以負面批評的詞語日漸褪去了原初的貶義。幾位代表了《今天》作者的詩人——顧城、舒婷、江河——應邀參加1980年《詩刊》社主辦的第一屆「青春詩會」，進一步奠定了「朦朧詩」的歷史地位。甚至參加此次「青春詩會」的另一些詩人，包括王小妮（1955-）、梁小斌（1954-），日後也被歸入了「朦朧詩人」的行列。1980年到1983年間，還出現了三篇被稱為「三個崛起」的文章——謝冕的〈在新的崛起面前〉、孫紹振的〈新的美學原則在崛起〉和徐敬亞的〈崛起的詩群〉，接連為「朦朧詩」的歷史價值作出了肯定性的定位。此外，閻月君編的《朦朧詩選》（1982／1985），北島、舒婷、顧城、江河、楊煉的《五人詩選》（1986）等出版物也對朦朧詩的經典化起了相當重要的作用。

　　現在看來，當年被視為「朦朧詩」的大部分代表作品，包括舒婷的〈致橡樹〉、顧城的〈一代人〉、北島的〈宣告〉、〈回答〉，對現代詩「朦朧」詩意的追求其實是有限的。比如北島的「從星星的彈孔裡／將流出血紅的黎明」（〈宣告〉）或顧城的「黑夜給了我黑色的眼睛／我卻用它尋找光明」（〈一代人〉）都明確地表達了主流辯證歷史的模式——社會或精神歷史指向必然是從傷痛的深淵邁向希望的未來。而《今天》群體裡的另一些詩人如芒克、多多（1951-）、田曉青（1953-）、嚴力（1954-）等人的作品在當時並未獲《詩刊》發表，或許是因為他們更加灰色、晦澀或另類的風格。

　　多多的詩直到一九八〇年代晚期才漸漸獲得關注，以其超越了同世代人的詩性魅力，日漸成為中國當代詩的靈魂人物。早在一九七〇年代初，他和同學芒克、根子（1951-）一起在京郊白洋淀插隊時，就寫下了「歌聲，省略了革命的血腥」（〈當人民從乾酪上站起〉）、「當社會難產的時候／那黑瘦的寡婦，曾把咒符綁到竹竿上／向著月亮升起的方向招搖」（〈祝福〉）這一類振聾發聵的詩句，將象徵主義與社會批判結合在一起。在白洋淀期間，多多和芒克把寫作變成了一場詩歌決鬥，一俟時機成熟就把自己寫

在筆記本上的新作像白手套一樣丟到對方面前，以示挑戰。在日後被稱為「白洋淀詩派」的詩人中，根子在當時北京的地下沙龍中被稱為「詩霸」，是中國當代詩的源頭性人物。他1971年寫作的〈三月與末日〉、〈致生活〉、〈白洋淀〉等長詩可謂中國當代詩歌史上的里程碑，也直接激發了多多的寫作。在對歷史頹敗的洞察上，〈三月與末日〉幾可與艾略特（T. S. Eliot, 1888-1965）的〈荒原〉相媲美。這首詩劈頭就寫道：「三月是末日。」全詩以這一類戲劇化的聲調質疑著春天的宏大象徵：「我曾忠誠／『春天？這蛇毒的蕩婦，她絢爛的裙裾下／哪一次，哪一次沒有掩藏著夏天——／那殘忍的姘夫，那攜帶大火的魔王？』」在那個特殊歷史語境下，根子的詩橫空出世，其濃烈的表現主義式風格彷彿從天而降，對宏大象徵與神聖話語進行了重新書寫，將思辯與批判，荒誕與詼諧，受難與自省熔於一爐，表達出生命絕境中的精神力量。

如果要追溯朦朧詩的起源，白洋淀和《今天》都還不算是對官方文學最早的叛離。早在一九六〇年代初，北京就曾出現過張郎郎（1943-）為核心的「太陽縱隊」和郭世英（1942-1968，郭沫若之子）為核心的「X社」，當然隨即遭到了無情的清洗。其中「X社」中張鶴慈（1943-，哲學家張東蓀之孫）寫於一九六〇年代中期的「頓點的一滴淚、／刪節號的嗚咽⋯⋯／杯裡，四五塊閃閃的月／風讀著，無字的書」（〈生日〉）這一類詩句已從詩學上棄絕了主流模式。在上海，一九六〇年代中後期也出現了朱育琳（1928-1968）為核心的詩歌沙龍，其中陳建華（1947-）深具波特萊爾（Baudelaire, 1821-1867）象徵主義風格的詩（後結集為《紅墳草》）也在占據主導地位的寫做法則之外開闢了新的疆域。另一個重要的詩歌社群是貴州詩人啞默的「野鴨沙龍」，從一九六〇年代末間斷地持續到一九七〇年代末。1978年10月，「野鴨沙龍」的詩人黃翔（1941-）率詩友北上進京，將其創辦的《啟蒙》以張貼的形式公布到了西單民主牆。黃翔的詩作具有強烈的抗議政治色彩，而其鮮明的社會指向也直接影響純文學的《今天》對西單民主牆的參與。

從詩學上說，以《今天》詩人為代表的朦朧詩對於文學史的積極意義到了一九八〇年代顯得更為突出。北島發表於1986年的長詩〈白日夢〉擺脫了

早期英雄主義傾向，更側重對生命經驗的隱喻性表達。「我注定要坐在岸邊／在一張白紙上／期待著老年斑紋似的詞」（〈白日夢〉）。這樣的詩句，顯示出對語言、沉默、時間等問題的冥想。到了一九八○年代中期，與當時的「尋根」文學潮流相呼應，朦朧詩人楊煉和江河開始了「史詩」寫作，把詩歌題材拓展到傳統文明和神話故事這類題材。楊煉在九寨溝受藏傳佛教啟示而作的長詩〈諾日朗〉（1983）和江河重寫中國神話的組詩《太陽和它的反光》（1985）成為他們突破朦朧詩早期模式的代表作。在〈諾日朗〉的「偈子」一節中，楊煉從貌似佛理的邏輯出發，推進了魯迅（1881-1936）式的關於希望與絕望的悖論，也重寫了朦朧詩中主導的辯證史觀，「為期待而絕望／為絕望而期待／絕望是最完美的期待／期待是最漫長的絕望／期待不一定開始／絕望也未必結束」。

1982年10月初的一個夜晚，來自四川幾所大學的胡冬（1962-）、趙野（1960-）、萬夏（1962-）、唐亞平（1962-）等年輕詩人相聚在重慶的嘉陵江邊，圍著篝火，率先提出了「第三代人」的概念。到了1985年萬夏編的《現代詩內部交流資料》，正式開闢了「第三代詩會」的欄目，將朦朧詩之前稱為第一代，朦朧詩列為第二代，而朦朧詩之後則是第三代。一九八○年代中期，全國各地的詩歌流派開始風起雲湧，有與「史詩」潮流相近的文化派「整體主義」（石光華〔1958-〕、宋煒〔1964-〕等），也有激進反文化的「非非」（周倫佑〔1952-〕、楊黎〔1962-〕等），狂歡式的「莽漢」（李亞偉〔1963-〕、萬夏等），不乏反諷的「撒嬌」（京不特〔1965-〕、默默〔1964-〕等），或崇尚日常口語的「他們」（于堅〔1954-〕、韓東〔1961-〕等）等詩群。1986年10月21日和24日，《詩歌報》和《深圳青年報》聯合推出了徐敬亞等發起的「中國詩壇1986現代詩群體大展」，包羅了一百多位詩人所組建的六十四家自立門戶的「詩派」，宛如是對朦朧詩世代的集體告別。

但這也並不意味著朦朧詩的一代已被文學史的洪流吞沒。一九八○年代後期到一九九○年代初，顧城寫出了他風格詭異的晚期傑作《鬼進城》等組

詩，楊煉以《太陽與人》等詩集將對傳統與文化的冥想風格推向高峰，嚴力的短詩發展了他的機智旨趣和全球視野，而王小妮以尖銳直白的詩來書寫個人對生活的奇妙感知，成為當代女性詩人中最突出的代表。1989年六四事件前後，北島、江河、多多、嚴力、楊煉、顧城等一大批朦朧詩人移居海外。1990年8月，在北島等人主持下，《今天》在挪威復刊，以第三代詩人張棗（1962-2010）和宋琳（1959-）擔任詩歌編輯，標誌著對官方文學挑戰姿態的持續傳承。

楊小濱

1979 年 10 月 28 日
賈植芳和任敏裁製冬衣

解凍時節

1979年10月末的上海還是仲秋，賈植芳（1916-2008）和任敏（1918-2002）夫婦卻已經開始作禦寒準備。那天下午他們到四平路裁縫店看看預製的棉大衣是否完成，裁縫答應提前完工。之後再繞道五角場「返店」——他們的住處。夫婦倆半生漂泊，因此上海的家也只視為旅次。

10月28日這一天，賈植芳還忙於其他工作。早上，復旦大學同事送來《陳毅文選》編後記請他修訂。他又閱讀復旦歷史系學者陳守實（1893-1974）夫人所寫的守實先生回憶錄稿件，潤飾部分文字，很為真摯的情節感動。下午從五角場回家，路上他遇到復旦外文系同事黃君，也是五七幹校的難友。對方關心他的近況，寒暄之後，總結一切文革風雨都是「歷史的誤會，誤會的歷史」。

這些細節都來自賈植芳日記。1978年9月賈植芳被摘掉歷史反革命的帽子，遣回原單位復旦大學中文系，在資料室工作。同年12月任敏也獲准回到上海。但直到1980年底二人才分別獲得「無罪」判決，展開另一階段人生。賈植芳和任敏到底犯了什麼罪？

賈植芳是山西襄汾人。1931年15歲以短篇小說〈一個兵的日記〉在文壇嶄露頭角。1935年因為參加「一二‧九」學生運動而被捕入獄，出獄以後赴日本短期留學。1937年他在上海《工作與學習叢刊》叢書第四冊《黎明》發表〈人的悲哀——自一個人的記憶〉，描寫獄中生活，受到刊物編輯之一的注意，自此結下不解之緣；這位編輯就是胡風（1902-1985）。賈植芳抗戰

期間參與軍政及新聞翻譯事務，和胡風互通有無。1938年七月他在胡風主持的《七月》雜誌發表作品，八月擔任《七月社》西北戰地特派員。抗戰結束後他仍然追隨胡風，迎來新中國的建立。

胡風是三、四〇年代最重要的左翼文人和理論家之一，抗戰期間提出「主觀戰鬥精神」，強調革命個體的能動性，以及承受「精神奴役的創傷」的自我辯證、改造過程。也因此，胡風和以毛澤東（1893-1976）〈在延安文藝座談會上的講話〉（1942）為依歸的革命群體論述產生巨大衝突。新中國建立後，胡風的立場屢屢遭受衝擊，終導致1955年的整肅。胡風一案是共和國頭十年間的大事，作為胡的門人，賈植芳不能倖免：「我與胡風是在歷史的風雨中結成友誼的。但想不到的是，我在青年時代由文學結緣與胡風的結識與交遊，等於拿到了1955年長期坐牢和勞改的通行證，我們一塊被投入地獄。」

1955年的賈植芳已是復旦大學中文系教授兼現代文學教研室主任，他被命令交代與胡風的關係，坦陳兩人過從甚密，而且堅不認錯——於是以胡風反革命集團骨幹分子被隔離審查、抄家下獄、勞動改造。1966年春，他被羈押十一年後出獄，旋即以歷史反革命罪名再判刑十二年，發送原單位勞動監督，直到1978年「平反」。與此同時，任敏遭到池魚之殃。1959年她被下放到青海回族自治州半牧區擔任小學教師，之後入獄、下放農場。三年自然災害期間她被遣送回賈植芳老家，在那裡她照顧賈的父母至終老。

賈植芳、任敏兩人的命運見證矢志追隨革命者的艱難考驗，和不屈不撓的意志。兩人1942年於西安初識，自此展開六十年生死與共的關係。賈植芳被打為胡風集團反革命分子時，任敏可以劃清界限自保，但她以最強韌的姿態，堅持作自己心目中「知識分子的老婆」。兩人歷經重重憂患，他們的真情，還有相互寄託的大信與大義，後革命世代哪裡能夠想像？學者李輝（1956-）曾經轉述他們的一次重逢：1966年賈植芳出獄，但仍被列管。任敏在山西等了十五個月，終於湊足了錢，1967年9月搭上開往上海的火車。她沒有通知丈夫，逕自來到他的住所。「時已中午，賈植芳還沒有回來，她靜靜地躲在宿舍大門後面的角落。她害怕碰到認識的人。賈植芳回來了。他剛走進大門，手提包袱的任敏突然在旁邊叫了一聲：『植芳，我來了！』」

　　賈植芳早年有寫日記的習慣；他與任敏即使在最艱難的時日裡仍然試圖通信。這些文字因為種種因素多半蕩然無存。七〇年代末政治氛圍開始鬆動，夫婦倆人撿拾斷簡殘篇以及近思所得，合為一集出版，題名《解凍時節》（2000）。這本作品包含三類材料：賈植芳在獄中和守在山西老家、已轉為農民的任敏的通信；1978年至1980年期間他作為「平反者」的日記；任敏記錄1955年後輾轉上海、青海、山西二十多年的「流放手記」。賈植芳理解這些文字都是魯迅（1881–1936）所謂的「非文學寫作」，但建議不妨視為一個知識分子的「家庭檔案」。的確，歷劫歸來，九死不悔，還有什麼樣的文學比這些書信、日記、手記更真實地記錄這對夫婦的心路──也是身路──歷程？

　　七〇年代末的政治氣候乍暖還寒。這是傷痕文學的時代，作家競相描寫文革的冤屈和苦難，或懺悔或控訴。這也是朦朧詩歌的時代，詩人重新調度文字繁複多義的功能，探尋寫實以外的隱喻向度。但賈植芳的書寫另有特色，看他的書信和日記，我們也許會驚訝內容的樸實平淡。他所記的多為日常瑣事或讀書心得，卻每每若有所指，耐人尋味。經過大風大浪，他已經練就了靜定的風格，將一腔心事盡行化入穿衣吃飯的生活中。他的文字堅礪而有底氣，猶如生長大海礁石間的藤壺，層層積累黏著，輕易拆解不得。

　　回到賈植芳1979年10月28日的日記。任敏前一年十二月返回上海，夫妻離散二十三年，終於重新開始生活。雖然是「解凍時節」，但他們必須添置冬衣，準備禦寒。而這一天賈植芳所見所思又帶來什麼訊息？那天早上他閱讀《陳毅文選》後記和陳守實夫人寫的回憶錄文稿。陳毅（1901–1972）是共和國開國的十大元帥之一，也是詩人，曾任解放後上海第一任市長，國務院副總理兼外交部長。文革期間因為牽涉「二月逆流」案而遭貶黜，1972年去世。陳守實則是復旦大學明清史專家，1974年因為憂憤成疾而逝。

　　這一天的日記是以一則讀書筆記開始。賈植芳以原文記下猶太裔俄籍流亡美國的女學者奧爾格・朗（Olga Lang, 1897–1992）所著《巴金和他的著作：兩個革命中的中國青年》（*Pa Chin and His Writings：Chinese Youth between the Two Revolutions*，1967）中的一則作家簡介：

張谷非（生於1903），以筆名胡風行世。馬克思文學批評家，散文作者，詩人。1930年代左翼作家聯盟成員，但非共產黨成員。1955年胡風因為與主流意見相左，成為全國批判攻擊的目標。

短短的幾行話，顯然觸中賈植芳的心事。1979年胡風剛剛獲釋，尚未平反。因為胡風，賈植芳的大半生有了效法的對象，卻也付出慘重代價。不過二十來年，曾經喧囂一時的事件成為國外學者筆下的寥寥數行簡介。

寫作巴金（1904-2005）評傳的奧爾格‧朗其實並非等閒之輩。她來自信仰共產主義的家庭，曾參與俄國大革命，之後移居柏林，並加入德國共產黨。納粹上台，她與丈夫流亡中國，抗戰爆發，又被迫流亡美國。朗五〇年代歷經麥卡錫主義（McCarthism）反共清算，揭發她的竟是已經離異的前夫。之後她覓得俄文教職，卻從事中國研究。朗的背景賈植芳也許所知不多，但從她的描述得見故人一鱗半爪，必定心有戚戚焉。

10月28日下午賈植芳、任敏回家途中遇見外文系同事黃君。後者也曾背了二十多年右派的包袱，提起往事，不免唏噓。但當黃君將自己獲得「改正」總結為「歷史的誤會，誤會的歷史」時，賈植芳卻別有所見：

> 所謂改正，只能當「誤會」理解，它是一種近乎命運的東西。在封建專制主義統治下，命運觀念在現實生活中還是現實的東西。專制主義和科學民主水火不兼容，因此它又是產生迷信和宿命思想的溫床。

這樣的反思鏗鏘有聲。拒絕以「命運」作為托詞，質疑「誤會」和「改正」的歷史因循機制，賈植芳的「主觀戰鬥精神」依然閃爍字裡行間。

然而10月28日這一天並不就此結束。晚上賈植芳又補記「文藝舊聞二則」的第二則。內容提到，1930年《新文藝雜誌》裡〈蘇聯文壇的風波〉一文報導了皮涅克（Boris Pilnyak, 1894-1938）和薩米爾欽（Yevgeny Zamyatin, 1884-1937）兩位作家的遭遇。

皮涅克和薩米爾欽崛起於俄國大革命後，都以批判精神著稱。二〇年代的皮涅克聲望僅次於高爾基（Maxim Gorky, 1868-1936），但一再捲入文壇

政治。1927年他將被禁的小說《紅木》（*Mahogany*）私自運往柏林出版，引起軒然大波。皮涅克此時饒有國際名聲，很可以尋求海外庇護，但他選擇道歉並留在祖國。高爾基及時相助，總算逃過一劫。然而史達林（Joseph Stalin, 1878–1953）政權豈能輕易放過他？1938年皮涅克以反革命罪名被殺。

薩米爾欽屬於老布爾什維克，但大革命以後逐漸感到幻滅。1921年他在〈我害怕〉（「I Am Afraid」）一文中寫道：「真正的文學只存在於被創作的狀態裡，而創作者不是謹小慎微、唯命是從的官僚，而是狂人、隱士、異端者、夢想者、叛逆者、和懷疑者。」此時他完成《我們》（*We*）——現代西方「惡托邦」小說的起源。這本書1924年、1927年分別在紐約和布拉格出版，引起史達林震怒。1931年，薩米爾欽自請流亡，高爾基再度出馬，說服國家領導人網開一面。1936年薩米爾欽在巴黎貧病交迫而死。

賈植芳在日記中詳細描述了皮涅克和薩米爾欽事件的前因後果，顯然不乏物傷其類的感慨。回望自己所來之路，他欲言又止，卻另有意味深長的按語：高爾基作為當時蘇聯文壇領袖，沒有為王前趨，落井下石，反而保護了許多異議者。高氏既肯定皮涅克這類作家「對蘇聯文壇的貢獻」，也指出他們「世界觀的錯誤」。賈植芳的結論是：「領導當時蘇聯黨和政府的斯大林能允許Gorki（高爾基）說話，並能聽懂和聽進他的話，是更為難能可貴的。」這是話中有話，呼之欲出了。

「文藝舊聞二則」的第一則出現在10月17日的日記。那天賈植芳談到舊俄作家契訶夫（Anton Chekhov, 1860–1904）。契訶夫不屬於任何黨派，但高爾基因為政治原因被沙皇免除科學院成員時，他辭去院士職位表示抗議。賈植芳引用契訶夫的話：「一個人沒有任何需要，他既不希望什麼，也不害怕什麼，這樣的人，是成不了作家的。」的確，作家既創造希望，也投射恐懼；既伸張需要，也抗拒必要。

就這樣，賈植芳結束了1979年10月28日。十月末的上海深夜已有涼意，這一天什麼似乎都沒有發生，但又發生了很多。從巴金到陳毅、胡風，從高爾基到皮涅克、薩米爾欽，從驚天動地到寂天寞地。一位知識分子革命者的內在生活何其曲折豐富。歷史的罡風呼嘯來去，又是歲末年終。長日將盡，

賈植芳和任敏的「店」要關燈打烊了。涼風率已厲，遊子寒無衣，再過幾天就到四平路裁縫處取回訂製的棉大衣。

參考文獻：

賈植芳、任敏《解凍時節》（南京，長江文藝出版社，2000年）。

王德威

1979年11月9日
「挑起某些人的反對。」

劉賓雁：忠誠的代價

對中國大陸作家而言，1979年秋天是一個令人振奮的時節。社會終於逐漸擺脫毛澤東（1893-1976）時代的桎梏，四處洋溢著歡欣鼓舞的氣氛，散發著不同以往的活力。雖然離自由還有一段距離，但視野已然開闊許多。此前一年，新的政治領袖鄧小平（1904-1997）呼籲作家「向前看」、「解放思想」。一場非正式的角力開始了，看誰能勇於跨越紅線。

雖然鄧小平對作家喊話：「現在這個時期更要加強民主。集中那麼多年，現在是民主不夠。現在大家不敢講，心有餘悸。」但過去的陰霾如影隨形，許多作家想起1957年的反右運動仍然膽戰心驚。事件之前毛澤東號召知識分子大鳴大放，事隔數月一切卻變了調。相信大鳴大放者遭到攻擊、孤立或下放農村，有些被迫導至離婚、精神失常，甚至結束自己生命。在那次大清洗中，毛澤東的副手正是鄧小平，因而此時鄧看似溫和提出的「不要『心有餘悸』」，讓理性的作家戒慎恐懼。諷刺的是，1979年10月中旬，電工魏京生因為「充分地」「解放思想」，公開呼籲民主，因而被判入獄十五年。

這件事向作家傳達了一種明確的訊息。必須跟著政治潮流走，符合當局要求的批判（對象是四人幫及其政策），擁護社會主義制度及共產黨。在此情境下，所謂的「自由」不能脫離主流意識；可以情緒化，甚至嚴詞批判——只要是政治風向下的批判。不要越界，尤其不要得罪某些人。

劉賓雁（1925-2005）是一位閱歷豐富的記者，也是1957年反右運動的受害者。1979年擔任《人民日報》特約記者時，他無視「莫得罪人」的暗

示，9月發表有關黑龍江賓縣重大貪腐案的長篇報導文學〈人妖之間〉。五個月前《人民日報》刊登此案相關報導，主要涉案人王守信關押候審，未久被處以死刑，整起案例也被視為肅貪典型。一切似乎在政府掌控之下，但劉賓雁決心追根究柢。他前往賓縣實地採訪，寫了一份詳盡的報導，內容描述的不僅是一個掌權者的腐敗之路，還有整個腐敗體系的共犯結構——其中有些人仍掌權中。他發現所有涉案人員都是共產黨員，於是無畏地探問：「這一頁歷史，應該用哪種色彩來書寫呢？」

劉賓雁以自己的方式分析了腐敗的體系，證明賓縣並非孤例，只是一種廣泛現象的代表。〈人妖之間〉發表後，來自全國各地的讀者紛紛寫信給劉賓雁及編輯，讚揚他如實地指出「近在眼前的問題」。然而，這不並是劉賓雁第一次挺身而出。早在1956年，他尚未經歷二十年流放前，〈在橋梁工地上〉一文以揭露腐敗問題而獲得同樣回響；1957年談論審查制度戕害新聞記者客觀性的〈本報內部消息〉，也獲得熱烈回響。

然而，並非所有〈人妖之間〉的讀者都支持劉賓雁。他收到來自各地憤怒官員的信件，他們威脅警告劉賓雁，認為他不該揭露這種針對個人的無謂指控。令人好奇的是，這些寫信的人並未意識到，他們急於跳出來吶喊「我是無辜的」，恰恰是一種「此地無銀三百兩」的「不打自招」。

1979年11月9日，劉賓雁在中國文學藝術界聯合會的北京會議上發表了重要演講，這是該會自1960年以來的首次會議。今日看來，這場會議極富歷史性意義。其時毛澤東（1893-1976）已去世，與會代表相當期待劉賓雁的發言，他的發言頻頻因熱烈的掌聲而中斷，特別是下述這些話：「我領悟到一個沉重的事實，今日中國，如果一個人不敢說真話不敢批評，那就索性閉嘴。他沒有選擇，唯一的選擇就是躲在角落中沉默。」劉賓雁並非主張「為反對而反對」，而是提出作家應不計影響和後果的言其所見，也不應隨波逐流。重要的是，如果只陳述「某些特定」、「安全的」的真實，你就永遠只是人云亦云的應聲蟲而已。事實上，要成為脫穎而出的作家，就得勇於說真話、不畏得罪某些人。雖千萬人，吾往矣！如此，方能彰顯自身寫作的價值。

1985年，中國政府首次，也是唯一一次允許作家自由選出中國作家協會

（為官方組織）官員。此次選舉作家巴金（1904-2005）高票當選主席，劉賓雁以第二高票當選副主席。此次投票反映了中國作家對「講真話」的高度評價。一九三〇至四〇年代，巴金因其小說而成名。一九八〇年代初，散文集《隨想錄》出版，他在文中多次呼籲「講真話」，召喚「懺悔精神」。其中一篇文章向作家胡風（1902-1985）懺悔自己二十年前於政治運動中批判了胡風。另一篇文章則提倡設立「文革博物館」，時時提醒此後不再重蹈那段恐怖歷史。然而，巴金「懺悔」的時間點與劉賓雁那種時時準備「挑起某些人反對」的精神大相逕庭。巴金是在國家領導人稱文化大革命為「十年浩劫」後，才提出建立博物館，在國家正式為胡風「平反」後才表達懺悔之心。一九八〇年代，在政府授意下對作家的攻擊持續不斷——如1987年展開的反「資產階級自由化」運動，目標之一即是劉賓雁，此舉迫使他走向流亡之路——此時巴金卻保持沉默。

　　如果這就是「講真話」的必然結果，劉賓雁勇於跨越的不僅是中國政府，他也超越了所有人，包括他的崇拜者。1985年，他的報導文學〈第二種忠誠〉，探索從毛澤東監獄存活的兩個人，他們堅持社會主義理想，視毛澤東及其政權為對這一理想的背叛。劉賓雁的「第二種」忠誠的觀點很快招致立場對立雙方的反對意見。一方是主張一黨專政國家只需一種忠誠——忠誠於我們。另外一方自由主義知識分子也反對此說，認為劉賓雁呼籲的忠誠某種意識形態——無論它是不是「第二種」，都曾帶給中國莫大的痛苦。依照劉賓雁的想法，重點不是與任何一方爭論，他始終感興趣的是源自1968年布拉格民眾發起的「給社會主義一張人性面孔」（socialism with a human face）的觀念。之所以激發〈第二種忠誠〉的思考，則是「社會主義人道主義是否可能？」若僅僅只是問題提出即已招致批評，只能再一次證明——問題本身就具有價值。

　　劉賓雁從1988年流亡到2005年去世這段間，幾次到舍下作客，我有了較多了解他的機會。有一回，我一如既往以中國茶招待，他啜飲一口說道：「培瑞，你是一個漢學家。你中文說得好，行為也像中國人，但我怎麼從來沒在你家喝過真正好的中國茶？」這個品評並未「挑起我的反對」，我深知此人並尊重他，因此一點都不訝異他的「實話實說」，這顯現了他的哲學是

如何深入日常生活。

　　有一次他問起我的學術研究，因為他讀了一些學術批評後深感困惑。「我讀了一些有關中國現代文學的文章，卻完全不知道作者想說什麼。甚至連討論我的文章的都無法理解。」我向他解釋一些西方「理論」中的流行術語，說明其如何運用於分析、詮釋文本——包括中國文本。他溫和地問道：「這不是帝國主義嗎？」。當我猶豫片刻試圖回答時，他打破了沉默：「這跟帝國主義者的主要區別是，帝國主義者說的話，你可以不同意，但這些學者寫下的東西，完全不知所云，想表示反對都不可能。他們都清楚，胡說八道跟真理還是有共同之處的——二者你都沒辦法駁倒。」我將這段話寫入文中，是為了讓本書的讀者——包括一些連我也無法反駁的學者，感受他那不假辭色的真誠，正如同他品評我的茶一般。

　　2005年劉賓雁飽受直腸癌之苦，同年12月5日，病逝於紐澤西的一間醫院，他的妻子朱洪（1929-2015）陪伴在側，兒子劉大洪和女兒劉小雁從中國趕來參加他的喪禮和追悼會。本地（在美中國人）及遠道（來自歐洲及澳洲）而來參加追思會者，擠滿了普林斯頓大學的最大演講廳。

　　劉賓雁去世的消息卻遭中國封鎖。自從1987年他被扣上「資產階級自由派」的帽子並被開除黨籍後，官方媒體不准再提起他，教科書也刪除涉及他的部分。這位1985年中國最著名的作家之一，2005年的中國年輕人，卻全然不識他是何人。

　　然而，中國共產黨官員對劉賓雁的忌憚恐怕早已深植入心，連其骨灰可能都具有這樣的力量。劉賓雁去世前曾表明希望骨灰能落葉歸根，他的家人欲遵其遺願，但擔心這位對中國政權激烈批評者的骨灰會被視為「破壞穩定」因子，而在入境時被沒收。劉賓雁家屬極其祕密地將骨灰運送回國，安葬於北京郊區的墓園。他們詢問墓園工作人員可否在墓碑刻上：「長眠於此的這個中國人，曾做了他應該做的事，說了他應該說的話。」

　　這段墓誌銘是劉賓雁自己所選。原先答應的工作人員不數日上門致歉，說明這段話「不被允許」刻在墓碑。除了姓名和生卒年月，其他文字一概不能出現。他們未作任何解釋，但顯然這段真話有可能讓某些人忌憚。幾經商量後家屬決定保持「無字」碑，耐心等待有朝一日碑石得以如實呈現其應有

的面貌。這樣的結果，雖然對劉賓雁是一個不盡完善的紀念，但卻最好回應
了1979年11月9日他的那番真言——「今日中國，如果一個人不敢說真話不
敢批評，那就索性閉嘴。」

參考文獻：

Michael S. Duke, *Blooming and Contending: Chinese Literature in the Post-Mao Era* (Bloomington, IN, Indiana University Press, 1985).

Perry Link, *The Uses of Literature: Life in the Socialist Chinese Literary System* (Princeton, NJ, Princeton University Press, 2000).

Liu Binyan, *A Higher Kind of Loyalty: A Memoir by China's Foremost Journalist* (New York, Methuen Publishing, 1990).

Liu Binyan, *Two Kinds of Truth: Stories and Reportage from China*, ed., Perry Link (Bloomington, IN, Indiana University Press, 2006).

Liu Binyan with Ruan Ming and Xu Gang, *Tell the World: What Happened in China and Why* (New York, Pantheon, 1989).

林培瑞（Perry Link）撰，陳抒 譯

1980年6月7日
西安上空出現了異象

1996年4月，一個日期不明的日子
一個裝扮成日本遊客的神祕台灣女子到達台北

雙城記

1993年2月21日夜半，賈平凹（1952-）完成《廢都》最後一個字，這部小說為後社會主義中國最具里程碑意義的作品之一。故事靈感源自中國經濟改革過程中，驅之不去的歷史幽靈。1997年11月1日，海峽另一端的台北，朱天心（1958-）完成其創作生涯中最優異的作品《古都》。小說敘述全球資本主義衝擊下台灣的民主轉型歷程，以及台灣的殖民的歷史如何如幽靈一般，驅之不去。

兩部著作共同思索著那如影隨形的過往，賈平凹和朱天心因而有了契合──亡者陰魂不散，時間的記憶有如斷瓦殘垣，此起彼落的拆遷工程標誌（也嘲諷）了種種事物今非昔比。兩部小說成就了西安與台北的「雙城記」，給予我們一種新的都市體驗：在這兩座城市裡，即使尋常角落也總上演過去與現在的神祕遇合。那是掏空的記憶，還是超載的記憶？兩者都面臨不斷的拆毀與重建。

這是我們的雙城記。

西安

1980年陰曆6月7日正午，古都西安發生了一種無法解釋的自然現象：天

上出現四個太陽。行人發現自己的身與影分離，慌亂一團。這一異象持續約半小時，然後一切恢復正常。

長久以來中國人就相信，天有異象是種徵兆，預示即將有大事發生：或者是改朝換代，或者是天降救星。借由描述西安頹廢沉淪的日常生活，賈平凹捕捉到後社會主義的時新追求正讓古都豐富的文化迅速解體。

小說主人公莊之蝶是西安頗有文名的作家，因此引來不少女性投懷送抱，他則來者不拒，照單全收。小說充斥大量的性描寫，因而被文學界主流視為晚近最為下流的作品之一，甚至與豔情經典《金瓶梅》相提並論。實則這部小說以當代中國巨變為背景，主人公縱欲宣淫，恰恰成了社會無所節制、精神腐化最重要的隱喻。

反諷的是，莊之蝶不但縱欲，且熱中於哀樂。他在哀樂中放任情感、懷想過往，充滿著恐懼與萬劫不復的傷感。他喜歡徜徉歷史悠久的西安古城牆，求得片刻寧靜。某日，他循例登上城牆，轉角遇見一個男子，貌似志同道合的西安居民。趨前一看，他卻發現此人正旁若無人的手淫。莊之蝶一陣噁心尷尬，有如經歷了一個詭異時刻：他甚至疑惑那男人是否就是自己倒映在蘆葦叢中泥濘水窪的身影。他的白日夢瞬間被一個拾荒老頭沙啞的喊聲打斷：「破爛──！承包破爛──嘍！」

西安作為漢唐首都的輝煌榮光已然在歷史長河中消失，留下的是時間的「破爛」──在每日庸常的生活中，古都當代居民只剩下愚昧、困窘，與想像的鄉愁。誠如標題所示，《廢都》捕捉的正是後社會主義中國所面臨的世紀末時刻。

在中國朝向全球經濟強國轉型過程中，隱藏其下的是道德真空的現象。毛時代所宣導的社會主義─共產主義意識形態已徹底破產；要調和共產主義烏托邦與日常生活中社會主義結構搖搖欲墜的現實，真是舉步維艱。沒有精神皈依的物質主義只會導致頹廢。當1989年「天安門事件」摧毀了所有對政治透明和實現民主的希望後，頹廢迷惘加速瀰漫，整個社會陷入精神危機。《廢都》寫於「天安門事件」餘波蕩漾的日子裡，以明目張膽的情色題材、陰鬱糾結的語言，將九〇年代初中國人的精神危機作了最淋灕盡致的表達。

隨著漢唐盛世的終結，長安（今西安）迅速走向沒落。在中國經濟正在

崛起的背景下，賈平凹描繪一個日趨腐朽、消沉的西安，是否意在敘說一則政治寓言？是否預言了後社會主義中國的前景？《廢都》將政治寓言與預言糅成一道謎題。躁動昂揚的八〇年代以天安門事件嘎然而止，也標誌革命精神以及樂觀的改革主義的終結。在這樣的語境裡，《廢都》是一曲歷史的哀歌，為許多無法兌現的承諾悼亡。

台北

　　1996年4月，天氣涼爽，一架來自東京的班機降落在台灣桃園國際機場。一位不起眼的中年女性走下飛機。在機場，這位無名的台北市民被誤認為日本遊客，竟然將錯就錯，默認了這一誤會，決定以觀光客身分回到她土生土長的城市，由此開始一場嶄新的旅程。她發現一張日治時期台北旅遊地圖，促使她它抱著半個世紀前的想像，重新遊歷這座城市。這張舊地圖呈現殖民地時期（1895-1945）日本人規畫的台北全貌，標記當年街道、公共建築、樓和其他地標的名稱。幾小時前，女主人公才從京都歸來，她懷著日本古都的記憶，靠著一張舊台北地圖，四下漫遊。對她來說，她摯愛的京都是一座永恆的城市，在那裡，地方的歷史從未被打斷，個人的記憶從未終止。台北卻截然不同，在這裡，不論文化古蹟或是歷史建築，任何紀念物隨時面臨被拆除的命運，個人的記憶也可能全然被抹除。

　　漫步在這座忙碌的城市裡，女主人公發現自己與不斷拆遷和重建的街道、建築格格不入——我們可以將她想像成一位世紀末、亞洲版的女性布盧姆（Leopold Bloom，愛爾蘭小說家詹姆斯‧喬伊斯〔James Joyce, 1882–1941〕《尤利西斯》〔*Ulysses*〕中的男主人公）。她曾經熟悉的街景如今已完全消失。依照那張殖民地時期地圖，她在想像中恢復這座古都的舊貌。她幽幽地認識到，比起日本的京都，台北作為殖民地的「古都」，只是京都的摹本，一個鬼魅般的對應地。

　　女主人公一路漫遊，每造訪一個與地圖上的對應地點，便劃去這個地名。這張殖民地時期地圖，為台灣殖民地的過去與不斷蛻變也日益疏離的當代，建立起一種吊詭的、親緣般的聯繫。1903年建造，由野村一郎（1868-1942）設計，具馬薩式（Mansard）風格的台北銀行，在漫遊的女主人公眼

中，彷如一座蒂芙尼（Tiffany）商店。地圖上標記的日治時期紅燈區西門町，如今看來是一個充滿汙穢和絕望的破敗區域。建於1908年由近藤十郎設計的紅樓劇院，則帶有一種超自然的韻味，令人想起中國古典的烏托邦寓言「桃花源」。對女主人公而言，這座迷失的殖民城市，曾經是這樣的樂園。

我們的女主人公，能在此時此刻的台北尋得她的「桃花源」嗎？她的城市漫遊因丟失了地圖而戛然中止。當她來到一個偏僻處時，只見男男女女坐在樹下或破藤椅上無所事事，背景傳來京劇演唱聲。她所追尋的「桃花源」反映在眼前陰鬱的現代城市景觀中：直升機在空中盤旋，或許在搜尋河上浮屍……河對岸隱隱傳來尖銳的哀樂聲……某處蔓草焚燒……快速道路附近是灰色高牆，像監獄那般隔絕裡外，牆面如此乾淨，連一筆塗鴉也尋不著。這裡是哪裡？

在女主人公心裡，京都體現了歷史性的純正地道。日本和台灣的殖民關係為她提供了一種參照，藉此回溯台北老城的殖民風情。台灣歷史的片段只能在殖民者的地圖中尋得。藉此，我們或許可以追溯台灣這座島嶼的片斷歷史，以及駁雜的文化淵源。國民黨政權、本土的政客都假「進步」之名抹煞或扭曲歷史，加速台灣自然環境的破壞。反諷的是，川端康成（1899-1972）名作《古都》所描繪的京都，竟成為朱天心同名作品《古都》鄉愁的源起，同時也成為歷史的象徵符號。

作為台灣外省第二代，朱天心必須重新審視她在台灣民主化進程（文化和社會環境）中所處的位置。她藉由《古都》所確立的，不是台灣個人的文化認同應該如何，而是它無法再回到從前——透過一張殖民地時期地圖和對川端康成小說的戲仿，她點明了台灣歷史以及她的個人記憶根源的消失。朱天心意識到，儘管台灣文化建立在中國文化的基礎上，但它也汲取了大量日本和西方（主要是美國）文化——這是殖民主義和資本主義所導致的結果。但僅僅這樣的認知還不足以確立文化身分認同，因為身分認同必須浸潤在歷史經驗中才得以形成。《古都》因而呈現了歷史與幽暗記憶的輪廓。它表露出作者對當代台北的鄙夷，但這並不妨礙作者在《古都》中喚起一種獨特的、對往昔（更好的）台北的懷念。

　　兩個文本、兩座城市、一個故事。朱天心與賈平凹分別以特異的風格、聲音和視角，講述了我們時代的共同故事。我們可以心無旁騖地直視前方，朝向一種更富有、更精緻的物質生活邁進，但過往的幽靈總是誘惑著我們，將我們拉回，迫使我們將目光轉向身後，哪怕只是一瞥。無論我們是否如曾經的殖民地城市台北般，苦於「沒有足夠的歷史」，抑或如古都西安般被「太多的歷史」壓抑著，朱天心和賈平凹皆以小說創作，提醒我們歷史賦予後人的饋贈。當全球化的力量改變了我們看待自身、關聯彼此的方式，迫使我們注重空間勝於時間，活動勝於靜定時，「雙城記」點明了我們可能對失憶的無所知覺，甚至將歷史化為一種戀物崇拜對象。

參考文獻：

Lingchei Letty Chen, *Writing Chinese: Reshaping Chinese Cultural Identity* (New York, Palgrave Macmillan, 2006).

Yiyan Wang, *Narrating China: Jia Pingwa and His Fictional World* (New York, Routledge, 2006).

陳綾琪 撰，金莉 譯

1981年3月

李澤厚的《美的歷程》出版

1985年冬

《文學評論》刊出劉再復《論文學的主體性》第一部分

樂與罪：李澤厚，劉再復，與文化反思的兩種路徑

　　1981年3月，李澤厚的《美的歷程》行世，隨即在校園和文化界掀起一陣「美學熱」。李著以迷人的筆觸描繪了中華文明起源之初的諸多美學意象：從遠古圖騰的「龍飛鳳舞」，到殷商青銅藝術中的抽象紋飾，再到百家爭鳴時期的理性與抒情，這幅委婉而綿長的歷史畫卷如暖流般撫慰著飽受創傷與離亂之苦的莘莘學子的心靈。五四時期，蔡元培（1868-1940）以「美育代宗教」首倡美學陶冶性靈以代宗教教化之說。李著異彩紛呈的美學意象背後，隱約流動著對美育論的重新闡釋。在李澤厚隨後描繪的「由巫到禮，釋禮歸仁」的儒學情理結構中，先秦儒學以此世之情為本體，孕育了與西方救贖文化截然不同的「樂感文化」。1985年底，《文學評論》刊出劉再復的長篇論文《論文學的主體性》第一部分。劉將李著的審美理念闡釋為一種高揚「文學主體」與「人性」的文藝理論，為重思現代中國文學打開了一個嶄新的視野。然而劉說並非僅局限於直覺式的人道主義，更旨在叩問已發生的歷史浩劫中「我個人的道德責任」。換言之，文化反思並非以高揚個人主義為旨，而必須審判晦暗不明的個體在政治暴力中的共謀。受巴金（1904-2005）《隨想錄》之啟發，劉再復以「懺悔」與「審判」為線索反思中國文學中罪感的缺失。劉著受到西洋啟示宗教的原罪意識啟發，卻並非意在推崇

一種新的信仰體系。他希望另闢蹊徑，思考文學如何對證歷史，悼亡死者，追尋一種詩學的正義。

本文以李澤厚的「樂感文化」和劉再復的「罪感文學」為題，通過重構兩者之間的隱祕對話，以勾勒新時期文化反思的兩種路徑。李澤厚在大力頌揚華夏美學的生存意趣和人間情懷的同時，毫不猶豫地拒斥神的恩寵以及救贖的可能。而劉再復則將現代中國文學對世俗政治的屈從歸咎於宗教性的缺失，對於基督教超驗上帝的文化想像導向了兩種看似截然不同卻隱隱相合的啟蒙路徑：以此岸世界的審美主義來消解共產革命的彼岸神話，或是以超驗世界的本真維度來放逐世俗國家對寫作的控制與奴役。隨之而來的問題是：如何理解李澤厚之「樂」和劉再復之「罪」對革命神聖性的反思和批判？

李澤厚哲學內核雖以改革的馬克思主義和康德人性論為主，他對儒學的闡述卻貫穿於其美學論述之中。《美的歷程》（1981）便以「先秦理性精神」來概括儒道互補的情理結構，《中國古代思想史論》（1986）進一步闡釋了以「仁」與「禮」為要義的儒學倫理，《華夏美學》（1988）則以「禮樂傳統」來概括儒家的基本美學特徵。在李看來：不同於猶太－基督教傳統中的超越性的信仰，儒學傳統對個體的救贖並不關心，而是專注於關注現世的政治與倫理。中國美學因此並不欣賞西方的「罪感文化」，而是推崇以「美」、「情」、「度」為基準的「樂感文化」。李隨即通過闡釋儒學禮樂傳統的起源來論證這種文化差異。李把從殷商祖先崇拜到儒家禮治的衍變敘述為「由巫到禮」的理性化過程。從遠古到殷周，祖先崇拜和上帝崇拜相互糅雜並且緊密相連。卜辭中的神既是上天也是先祖。這種相關性構成了「巫君合一」的文化特質：巫祝既掌握著溝通天人的最高神權，又享有最高政治統治權。巫術禮儀則以一套極其繁瑣的盛典儀式（巫舞、祈雨、祭祀）溝通神明，撫慰祖先，降服氏族。重要的是，敬神與主事的混合使得祭祀充滿了世俗性與實用性，因此對神的「畏、敬、忠」等宗教情感逐漸讓位於以「明吉凶、測未來、判禍福」為目的邏輯認知，占卜儀式中數字演算的精確性和客觀性取代了神祕主義和狂熱的宗教情感。巫術禮儀的「理性化」體現為從對神祕上蒼的恐懼與絕望到對確證個體品德力量的轉化。

從殷周鼎革到百家爭鳴，巫術禮儀進一步分化，德外化為「禮」，內化

為「仁」。禮本源自祭祀中尊神敬人之儀式，周禮囊括了一整套秩序規範，並置人間之禮於敬神的儀式之上，這意味著禮所建立的世俗人倫關係已經代替了鬼神崇拜。禮的神聖性不再依賴於宗教祭祀的虔敬，而將塑造、培育人性本身作為世俗社會的最高價值。在李澤厚看來，儒家對禮的闡發著力點在於將以外在的秩序和規範為基準的周禮內化為一種情感論述。既然禮代表了一整套的秩序規範，「習禮」則包括對「各種動作、行為、表情、言語、服飾、色彩等一系列感性秩序」的訓練。這種美學式的熏陶不以約束和控制個體為手段，而在於陶冶性情，以達成內在之情和外在倫常互為表裡的和諧之道。在塑造情感方面，「樂」與「禮」相生相伴，形成一套獨特的禮樂傳統來通過建立內在人性來維繫倫理關係。「樂」雖是一種情感形式，卻需要由外物疏導而引起，因此聲音、樂曲和詩文則喚起各種情感形式。在「樂從和」的儒學原則中，華夏美學擺脫了巫術儀式中那種「狂熱、激昂、激烈的情感宣洩，」著重塑造「和、平、節、度」等旨在和諧人際關係的溫和情感。樂源於禮，發乎情，與政通，將審美、情感、和政治教化融為一爐，形成了一套瀰散性的理想世俗秩序。

　　李澤厚也指出，禮樂傳統的「內」（自發情感）與「外」（倫理政教）並非始終琴瑟相和。倫常對個體的束縛與限制在美學上呈現為關於文與質、緣情與載道、樂教與詩教等不絕如縷的紛爭。這種衝突反映了周禮本身還未脫離原始宗教的儀式化特徵。「儀」既承自對天意無常和神之法力的恐懼和敬畏，又糅合了以血緣宗族為基礎的道德訓誡，因此具有一定的外在約束性和強制性。在李看來，儒學的突破體現在「釋禮歸仁」的精神旨趣：仁的實質內涵是人的道德自覺和責任意識，它把外在性的禮內化為生活的自覺理念，並把宗教性的情感變為日常人倫之情，從而使社會倫理與人性欲求融為一體。面對禮樂崩壞的時代危機，孔子的解決渠道是以人性內在的倫理「仁」化解外在崇拜和神祕主義，將禮安置於世俗倫理關係中，以仁學思想替代宗教信仰。至此，支撐宗教的「觀念、情感和儀式」被一種現實主義的倫理－心理特質取代，使得中國文化精神和以原罪觀念為特點的西洋宗教分道揚鑣，形成了以積極入世為基本特質的「樂感文化」。

　　在李澤厚構築華夏美學體系的同時，劉再復也開始形成一套以「人」為

思考中心的文學批評理論體系。他的初步論斷是：革命文學的人物塑造囿於「階級性」、「革命鬥爭」和「政治實踐」等機械的馬克思主義理論，將「人」闡釋為被社會政治力量支配的附屬品，消解了人的主體性和能動性。劉之學說內含複雜的脈絡和知識譜系，在馬克思的宏觀圖景裡，唯有將個人消融在社會性的主體之中，人類的自我解放才得以達成。相反，劉以「性格」為切入點重新確證個體尊嚴和人格之複雜性，不僅和當時中國政治問題形成錯綜複雜的交匯，而且在思想史層面上通過反寫馬克思回歸德國古典哲學的人格論，頗具「截斷眾流」的魄力和勇氣。針對毛時代形形色色的壯美革命神話，劉再復極力推崇人格的「內宇宙」一說：人的性格並非僅僅是外在元素的機械反映，而是一個博大精深的動態環境；感性、欲望、潛意識等形形色色的元素相互衝撞，不斷地生成新的人格。文學的任務不是以預設的社會屬性描寫人物性格，而是通過萬花筒式的性格組合將人性的複雜性淋漓盡致地展現出來。

對於人的內在深度之發掘固然打開了新的文學批判空間，可是「內宇宙」將社會性消融於個體之中，極易導致個人主體的無限膨脹。由此形成的二律悖反關係，未必能夠真正賦予人格以深度和尊嚴。性格組合論的核心觀念——理性主體和個人能動性——和馬克思主義終歸是同宗同源，未必不會帶來一種新的宰制關係。受到巴金影響，劉再復在八〇年代後期轉向對懺悔倫理的思考，以反思個體和歷史暴力的共謀關係。在這個意義上，基督原罪說給劉提供了一個嶄新的宗教維度。與儒學成聖論相反，基督神學中的人雖是由上帝所創生，卻是塵世墮落之物，因此注定背負罪與罰。宗教改革繼而將人的內在世界交付上帝，賦予其彼岸命運，將個體的內在自由從世俗統治者手裡解放出來，使得人的內在自由與救贖息息相關，非塵世力量可以左右。相形之下，劉再復的原罪將個體靈魂從外在的社會－國家意志中解放出來，回歸內在性，將靈魂置於良知的法庭上審判，從而反思個體的倫理職責。值得玩味的是，與認信行為不同，劉再復僅僅把原罪當作一種認知假設，對「罪」之確認並非導向宗教情感，而在於迫使個體進行理性自省。道德自省雖以現世職責為導向，卻必須繞開世俗政治，尋找一個具有超越性的原點。劉再復的罪感試圖賦予道德一種內在的、原生的、自發性的存在，罪

與責任因而相形相依，為人之存有特質。早先的主體論述經由罪感文化的「自我坎陷」，獲得了一種新的倫理－政治維度。從這個角度出發，劉再復叩問中國文學傳統中的罪感缺失：文學對惡之控訴往往導向外在的社會與政治議程，而無法激發內在的心靈懺悔。相反，五四文學之伊始便通過自我懺悔來審視傳統與野蠻的糾纏，而魯迅（1881-1936）則無愧於這種罪感意識的激烈表達者。從〈狂人日記〉以吃人為隱喻來審判封建傳統，到自我剖析靈魂裡的「毒氣與鬼氣」，魯迅的懺悔意識將宗教式的「回心」轉化為一種自覺的道德意識。這種自省雖無上帝作為絕對參照物，卻以反芻歷史傳統之罪為其坐標，使文學獲得了一種靈魂的深度。以人本主義的罪感文學為視角八〇年代的文化反思之局限，劉再復的論述無疑超越了之前主體論的局限，展現出新的思想深度。

　　1995年，李澤厚和劉再復合著《告別革命》一書，對八〇年代的啟蒙議程進行歷史性回顧與總結。然而告別革命論的標誌性和格言式論述卻遮蔽了李、劉二人的複雜心路歷程與思想求索。李澤厚的儒學情感論述承自蔡元培「美育代宗教說」，以美感教育為熏陶手段回到此世的禮樂人情，以樂感文化拒斥超凡脫俗的革命烏托邦。劉再復的罪感文學則以宗教性的超越激發人內生的倫理職責，以懺悔罪責，審判歷史，實現文學對國家的「放逐」。在這個意義上，樂感文化和罪感文學最終匯聚於「告別革命」：以人間之樂解構革命的烏托邦神話，以超驗世界的本真維度來驅逐革命政治對文學的主宰。革命旨在超越現世生活的不完美性，以一種超拔的救世理念喚起一種集體的、解放自我的激烈變革。告別革命則是要在人間世情裡、在禮樂熏陶中、在沒有宏大敘事的靈丹妙藥和救贖之確定性的斷裂時空中，以靈魂的本真維度叩問傳統、歷史與神話所遮蔽的墮落、共謀和殘暴，以氤氳之情細緻入微地體驗、捕獲和發掘此世之樂的本然真實。

涂航

1981 年 10 月 13 日
梁實秋發表美食散文〈饞〉

食物、離散與鄉愁

　　1981年10月13日，梁實秋（1903-1987）在台北《聯合報》副刊發表一篇散文〈饞〉。他生於北京，1949年移居台灣。是一位傑出的作家和學者，也是一位口味精緻的美食家。他在文中寫道：「也許我們中國人特別饞一些。」上世紀七、八〇年代，唐魯孫（1908-1985）以業餘作家的身分，在台灣成為一位多產的美食書寫大師，以「饞人」自稱而知名。他是滿族人，清代（1644-1911）八旗貴胄之後，生於北京，1946年後移居台北。梁實秋在〈饞〉中寫道：「人之最饞的時候是在想吃一樣東西而又不可得的那一段期間……人就是這個樣子，對於家鄉風味總是念念不忘。」

　　1949年中共占據中國大陸，國民黨撤退來台，幾百萬人離鄉背井，被迫遷徙。梁實秋和唐魯孫都是這個離散大潮中的一分子。更準確地說，他們同屬於1949年移居到台灣的一個北京本土作家群。他們將令人感傷的美學和政治抱負寄託在對失去家園的懷想中，同一群體還有齊如山（1877-1962）、白鐵錚（1904-1976）、夏元瑜（1909-1995）、丁秉鐩（1916-1980）和郭立誠（1915-1996）等。在上世紀七、八〇年代，他們對故鄉北京衍生的鄉愁尤其濃烈，在身心渴望著家鄉的餚饌下，試圖以美食寫作平復思鄉之情。在梁實秋和唐魯孫的北京美食深情回憶中，食物既是身體的營養來源，是一種生活的藝術，更重要的也是鄉愁的體現。美食書寫鋪就了一條想像中的歸鄉路，通往冷戰意識形態下無法回歸的故土。藉此，梁實秋和唐魯孫得以在文學界和美食圈重現他們失落的地理和精神意義上的家園。

　　一九二〇年代，梁實秋已是著名文學社團「新月社」的代表人物之一
——此社以援用歐洲沙龍文化而著稱，尤其是英國的下午茶聚會，同時也有
意識地與中國文人傳統展開對話。對「新月社」作家而言，品嘗食物、飲用
茶或咖啡的方式不僅代表一種特別的生活方式，而且是一種被廣泛認定的
「抒情哲學」，體現在受過英美教育的作家和學者的作品中——包括徐志摩
（1897-1931）、胡適（1891-1962）、陳西瀅（1896-1970）、林徽因
（1904-1955）、聞一多（1899-1946）和葉公超（1904-1981）等。梁實秋
是其中最多產的作家之一。

　　1940至1949年居於重慶和北京期間，梁實秋尤為活躍，為《星期評論》
和其他報紙寫了三十四篇散文。這些散文結集成首卷《雅舍小品》，在他定
居台灣後出版。往後四十年間，梁實秋陸續寫作散文小品——皆先發表於報
紙和期刊，再同以《雅舍小品》之名結集出版：第二卷共計三十二篇散文
（1973），第三卷三十七篇（1982），第四卷四十篇（1986）。此外，七、
八〇年代間，他撰述大量關於中國飲食文化的散文，結集為《雅舍談吃》，
擁有廣泛的讀者，呈現他對中國飲食美學的人文主義闡釋。梁實秋曾編撰了
一份驚人的清單，歷數許多獨具中國特色的食物種類、小餐館和高級餐廳，
表現出一種「敏銳的幽默感」和一以貫之的懷鄉情緒。在《雅舍談吃》和
《雅舍小品》中，食物支撐著這位離散北京作家的身心。當歸鄉似乎全然無
望時，梁實秋對家鄉無法抑制的思念流露在他恣肆的描寫和語詞中：描述對
象包括新年祭祖的供品、北京當地的祭祖儀式、重要的家庭聚會等。這種思
念也體現於他列舉的美食、美酒以及特殊的飲食方式上。

　　在《雅舍談吃》中，為了慰藉自己的飢腸轆轆以及對過往時代和失落家
園的渴望，梁實秋以幽默而饒富魅力的筆法描寫了五十七種北京日常的菜餚
和飲品。他的選擇非常有趣：北京的酸梅湯是各階層人士的最愛，包括北京
作家老舍（1899-1966）小說《駱駝祥子》中拉人力車的祥子。糖葫蘆則是
由紅山楂果製成，在三〇年代與梁實秋同為「新月社」成員，也是現代中國
最有才華的女作家之一的林徽因，在其詩意想像中這是一種「不畏懼新時代
塵煙」的甜品。各種核桃製成的食品讓梁實秋憶起北京舊居中可愛的核桃
樹。「豆汁兒」由發酵的黃豆製成，是北京人早餐的典型飲品，梁實秋引用

電影導演胡金銓（1932-1997）談及「豆汁兒」時說的一句名言：「不能喝豆汁兒的人算不得是真正的北平人。」他試圖依照中國人的飲食習慣來描寫和定義多樣的地域風格與各種地方認同感。他在台灣所寫的有關北京飲食文化的散文，以一種引人入勝的方式融合了關於食物的知識與文化記憶。

　　值得一提的是，梁實秋所寫的飲食主要是點心零嘴和街頭小吃，大多與日常生活相關、受大眾喜愛的食物。相對地，唐魯孫對北京食物令人垂涎的描述不僅更加關注食物和飲食風俗的淵源來歷，也聚焦於皇家宮廷、名門貴族和高級飯店裡的美食文化。畢竟，唐魯孫作為與皇室有紐帶關係的八旗貴胄子弟，其身世背景極大地影響了他對食物的嗜好，培養了他的口味。

　　唐魯孫對貴族階層飲食習俗的精細描述，主要是離散生活中的聊以自娛，但在七、八〇年代引起海外中文讀者極大的興致。近年，唐魯孫的作品得以在中國大陸出版，從而使中國和全球華人社群的讀者都能欣賞其作。在他講述中國人生活方式的十二卷文集中，百分之七十集中於飲食藝術，其中又以關於北京飲食文化占絕大多數。唐魯孫的散文顯現了無與倫比的淵博知識，傳達出濃厚的鄉愁情懷——這些散文結集為《唐魯孫談吃》、《故園情》、《中國吃》、《中國吃的故事》和《酸甜苦辣鹹》等書。他以一種詳盡而精緻的風格，在百科全書式的散文中回憶故鄉的食物和飲食風俗，比如〈台灣沒見著的北平小吃〉、〈故都的奶品小吃〉，〈吃在北平〉（一、二）、〈北平的獨特食品〉（一、二），〈北平的甜食〉、〈故都的早點〉、〈北平上飯館的訣竅〉等。他最為雅致的散文所涉及的都是皇家宮廷、花園和宮殿裡享用的珍饈美饌，比如〈清宮膳食〉、〈從香港滿漢全席談到清宮膳食〉和〈山珍海味〉等。唐魯孫在這些散文中與讀者分享被謹慎保管的皇家膳食祕笈，當中所提的神祕配料和祕密食譜，激發了讀者的好奇，引發對一個灰飛煙滅的帝國充滿懷舊的嚮往，並在想像中重返古都北京。尤值得一提的是，他對北京方言的運用。唐魯孫從來無意在寫作中去除他的京腔，恰恰相反，其作品中獨具特色的北京方言、腔調、風格、做派和口味，在二十世紀七、八〇年代的華語文學世界中，凸顯其獨特的地位。唐魯孫對地道的北京膳食和飲品的講述與懷想，令人觸手即溫，嘗之味美，飲之甘醇，在舌尖上產生微妙的回味。

　　在現代中國文學中，不少作家都曾寫過對食物的新陳代謝和形而上學的渴望的詩學與政治學。可信手拈來的例證有，魯迅（1881-1936）在現代中國文學肇始之初講述的「吃人」寓言；張愛玲（1920-1995）在長篇小說《秧歌》中所演繹的飢餓美學，她在短篇小說〈色‧戒〉中引用一句英國人解釋男女之別的話──「到男人心裡的路通過胃」。梁實秋和唐魯孫的膳食書寫中，食物不僅是物質存在的一種證據，更是一種文化喻象。兩人始終都保持著對北京地方膳食的強烈渴望，因為地道的北京食品在那時的台北很難嘗到，故這些處於離散狀態的作家，即透過精心描繪食物的滋味和餘味滿足對家鄉的渴望。

　　梁實秋和唐魯孫對中國膳食，尤其是北京食物反覆執著的書寫，揭示了美食與政治之間的深刻關係。他們所懷念不已的不只是過往家鄉的美食風味，更是一種生活和文化模式。隨著國共兩黨對峙的歷史時期終結，也伴隨著中國現代化進程帶來的變化，這種生活和文化模式逐漸消失。七、八〇年代，梁實秋和唐魯孫寫作散文時的台灣，國民黨「光復大陸」的希望變得愈來愈渺茫。隨著台灣鄉土文學的興起，一個新家園的想像開始湧現。對於從大陸來台的移民而言，這座島嶼很可能會變成他們新的鄉土。在此一轉捩點上，身為從大陸來台的移民作家，梁實秋和唐魯孫藉由寫作飲食文化回憶北京生活，所流露的不僅是對故都的鄉愁，也是一種對不斷變化中的中國和中國傳統觀念所懷有的焦慮。當有關中國和中國文化正統的觀念遭受嚴峻挑戰時，還有什麼比在書寫中追憶、傷悼一個失落故土的地道美食與本真文化更苦澀而不合時宜？

　　在這些有關食物和美食風俗的散文集中，讀者可以從任何一篇讀起，書中一以貫之的主題是無盡的中華美食所激起的強烈鄉愁與渴念。透過重複敘說花樣繁多的飲食故事，梁實秋和唐魯孫描寫了離散生活中滿足基本需求與奢侈浪費間的有趣關係：一方面，他們的美食書寫描繪了生動而豐富的中國飲食文化，其中蘊含古老的智慧，以及許多珍藏的食譜；另一方面，這種文字上的奢侈因體現出強烈的失落感而更被強化了。這種失落感不僅源於失去的家園與老北京的風俗趣味，也緣於意識到回歸中國文化的精神家園已經無望。因此，他們對食物書寫得愈多，就愈是渴望品嘗它們；讀者愈是如飢似

渴地閱讀這些文字，對過往時代和消失故土的嚮往也就愈難平復。

　　在情感紐帶和空間重組方面，梁實秋和唐魯孫的美食散文懷想重現了故都北京和中華美食，使那些消失的事物得以重現於饕餮國度與文學界。他們關於食物與食譜、滋味與餘味的散文所蘊含的飲食美學，成為對症下藥的懷鄉病療方，也以一種想像的方式滿足了對家園故土無盡的懷想與思念。

參考文獻：

廖炳惠《吃的後現代》（台北，二魚文化，2004年）。

唐魯孫《唐魯孫談吃》（桂林，廣西師範大學出版社，2007年）。

王德威〈北京夢華錄〉，《如此繁華》（上海，上海書店出版社，2006年），頁41-53。

Liang Shiqiu, *From a Cottager's Sketchbook*, vols. 1 and 2, trans., Ta-tsun Chen (Hong Kong, The Chinese University of Hong Kong Press, 2005, 2006).

Weijie Song, "Emotional Topography, Food Memory, and Bittersweet Aftertaste: Liang Shiqiu and the Lingering Flavor of Home," *Journal of Oriental Studies* 45, nos. 1/2 (December 2012): 89-105.

Sau-ling Cynthia Wong, *Reading Asian American Literature: From Necessity to Extravagance* (Princeton, NJ, Princeton University Press, 1993).

Gang Yue, *The Mouth That Begs: Hunger, Cannibalism, and the Politics of Eating in Modern China* (Durham, NC, Duke University Press Books, 1999).

宋偉杰 撰，金莉 譯

1983年1月17日
「我是人」

話語熱：一九八〇年代中國的人道主義

　　1983年1月17日，頗具影響力的上海《文彙報》刊登了一篇題為〈為人道主義辯護〉的文章。在「改革開放」早期，這篇文章在思想論著的狂熱讀者中引起轟動。此後，它成為那時期少數幾篇經常被引用作為中國批評性思考的代表作之一。作者王若水（1926–2002）時任中共最重要報紙《人民日報》副總編，王若水是一位忠誠的馬克思主義者，在1982年夏完成的〈為人道主義辯護〉一文中，強烈呼籲結束社會主義的異化，並指出了這種異化的三個方面——思想、經濟和政治。他表示人道主義對中國走出「全面專政」至關重要，社會主義必須擺脫毛澤東（1893–1976）時期的「殘酷鬥爭」，成為人道主義的同義詞。

　　對王若水來說，人道主義的含義之一是「互相尊重、互相愛護和互相幫助」。〈為人道主義辯護〉一文開頭將〈共產黨宣言〉中的「一個幽靈，共產主義的幽靈，在歐洲遊蕩」化用為「一個怪影在中國知識界徘徊——人道主義的怪影」，以此作為呼籲政治改革的口號。結尾尤為中國社會評論家頻繁引用：

　　　一個怪影在中國大地徘徊……
　　　「你是誰？」
　　　「我是人。」

　　1983年，王若水並非唯一批評毛澤東及其思想的人。1981年6月，在廣泛的期待中，中共領導層頒布了意味深長的〈關於建國以來中國共產黨的若干歷史問題的決議〉，曾經被神化的毛主席死後回歸凡人。文件宣稱「毛澤東的言行正確『遠遠大於』錯誤」。在國家的批准下，黨內外知識分子擺脫了正統毛澤東思想的束縛，開始思考「應該做什麼」的問題，思想爭鳴之活躍，1949年後未曾有過。曾被毛澤東斥為資產階級自負的人道主義獲得了全新的權威。

　　「人道主義熱」因此成為一九八〇年代眾多特殊「熱」的第一波。八〇年代陸續出現「文化」、「知識」和「思想」等「一般熱」、「異化熱」、「方法熱」和「尋根熱」等「主題熱」，以及《百年孤寂》熱」、「韋伯熱」、「沙特熱」、「尼采熱」和「弗洛伊德熱」等圍繞特定作家作品的「熱」。限於篇幅，本文僅及於一九八〇年代的「人道主義」熱。而「人道主義」恰恰涵蓋了十年間席捲中國思想界的形形色色「熱」。

　　「熱」一詞現指短暫的時尚和風潮，但一九八〇年代初，帶有揮之不去的「熱情」意涵，即一種在中國革命話語中飽受讚譽的情感。毛澤東統治時期，熱情意味著展開階級鬥爭所需的激情。後毛澤東時期第一批人道主義者譴責這種激情引發國家混亂，其實他們反對的並非情感本身，而是它錯為高壓政權服務。他們首先試圖提高對毛澤東時期政策下的社會弊端意識，隨著作品出版數量與日益高漲的需求同步上升，他們對語言生成的改變力量更加樂觀。大部分知識分子認為，喚醒「人道主義幽靈」的想法是可取的。和王若水一樣，他們確信，如果能夠吸引愈多人發出「我是人」的呼聲，專制的統治和教條製造的冷酷無情世界就會崩解。

　　後毛澤東時期，在知識分子為使生機和溫暖回到人民共和國而展開自發和集體的行動中，作家的角色尤為突出。大量現實主義作品探索毛澤東統治下自我、家庭和社會異化的存在危機。戴厚英（1938-1996）出版於一九八〇年的小說《人啊，人！》是早期的代表作，戴在小說後記寫道：「我想在小說中傾吐的，正是我以前要努力克制和改造的『人情味』。」黨內理論家們立即譴責作者和作品歪曲現實，但隨著攻擊加劇，《人啊，人！》不僅在國內聲名大噪，也引起海外關注。它成了關於人道主義廣泛討論的對象，也

是一九八〇年代中國被談論最多的作品之一。

　　人道主義代表了「文革」後知識分子對生活的樂觀態度，它源於1976年9月毛澤東逝世後出現的權力真空。接替毛澤東擔任主席（後之領導人迴避該頭銜）的華國鋒（1921-2008）忌憚毛澤東的遺孀江青（1914-1991）和她的「極左」盟友——四人幫——的壓制，迅速於1976年10月逮捕他們。隨後，華國鋒領導的毛澤東擁護者和鄧小平（1904-1997）全面改革計畫支持者間，展開為期兩年的黨和國家政治控制權的爭奪。雙方都意識到，毛澤東的「不斷革命」對中國經濟和社會造成了巨大破壞，經過三十年的共產黨統治，中國仍然貧窮，政府機構處於混亂中。對立的雙方都認為經濟改革是政府當務之急，但在方法和範圍上意見分歧。1978年鄧小平對華的勝利使得市場機制的引入速度更快，範圍更廣，比競爭對手華營所允許的還要多。以鄧小平為首的新領導層宣示了「新時代」的到來，並引入經過大幅修改的意識形態：一個廣泛而折衷運用毛澤東言論來專注於「現代化」。二十世紀六、七〇年代毛澤東堅持「階級鬥爭」，現在他的繼承者援引他在一九四〇年代所說的「實事求是」，作為面對迅速現代化的中國所必需的態度。

　　「社會主義的異化」和「社會主義的人道主義」是新概念詞彙裡的關鍵詞，誕生於由國家主導，使中國公眾文化遠離毛澤東教條的「思想解放運動」。歷史學家許紀霖（1957-）於2000年形容這是黨的文化經歷了「馬克思主義內部一場路德式的新教革命」。雖是一場修辭的革命，但起始即受到官方審查者的壓制，所有疑慮的事物都遭到打壓。1983年底，儘管身為黨員，並得到著名文化要人周揚（1908-1989）的大力支持，王若水還是成了領導層的祭品。作為「清除精神污染運動」中必須被「清除」的一部分，他被免除《人民日報》的職務。二十世紀四、五〇年代，王若水的庇護者周揚對於毛澤東思想得以確立為國家正統至關重要，但在一九六〇年代末，忠於毛澤東的他還是難逃文化大革命的迫害。因此，周揚在一九八〇年代對人道主義的辯護帶有慘痛的意義：如今他開始反對自己大半生熱情宣揚的教條。

　　一九八〇年代，儘管受到審查和干預，獨立的民間話語卻隨著經濟改革的擴大而活躍起來。首先是私人流傳的地下作品，在進步的黨內高級官員支持下愈來愈多地見諸出版品。「掛靠」是一九八〇年代中國思想生活中的一

項創新：出版業在毛澤東時期完全由國家控制，後毛澤東時期新興的市場經濟則允許在「掛靠」單位的友好國有機構或部門的支持和監督下，進行非官方的出版活動。一九八〇年代中後期，得到「掛靠」推動的思想市場為大量不同觀點提供了舞台。其中三個知識群體——《走向未來》、《文化：中國與世界》和中國文化書院——特別著名，它們的創建者也成為名聞華語世界的公眾人物。

大量文學和學術翻譯作品補充了異化和人道主義專題的探討，它們激發了想像，催生了新小說、實驗詩歌和批判性研究，以及反思生命問題的論文。中國文學對鄉村與城市和日常生活的描寫納入了宏觀世界才有的洞見——生存的恐懼和制度的壓迫。沙特（Jean-Paul Sartre, 1905-1980）、歐威爾（George Orwell, 1903-1950）、昆德拉（Milan Kundera, 1929-）和卡夫卡（Franz Kafka, 1883-1924）在中國特別受青睞。在小說和詩歌中，探索中國古代歷史和宗教文化成為風潮，形成所謂的「尋根」運動。這類作品包括《紅高粱》（莫言，1955-），它提出一整套源自人類不斷試圖掌握和馴服原始自然的生活方式，即便大自然不可避免地迫使人們圍繞著它調整生活。學術領域則出現了大量要求徹底重新反思中國思想傳統的呼聲。當時在北京的哲學家李澤厚（1930-）在著作中推動關於中國文化和經濟停滯的原因和解決辦法的辯論，他提出的「西體中用」（完全顛覆了十九世紀儒家改革者的「中體西用」主張）尤其引發了熱議。

李澤厚表示，作為以西方科技為基礎的普遍發展過程，現代化在中國的成功需要一種特定的存在模式，或者說「主體性」（一九八〇年代的標誌性概念）：馬克思理論和儒家倫理思想在這種主體性中將有效地結合起來。實際上，李澤厚在國家的教條灌輸面前肯定了人的潛力（發展自主和具有中國特色的主體性潛力）。他的思想催生了一大批關於「文化主體性」（意為熟悉和理解存在於中國文化環境中不同力量的正面和負面影響）之重要出版品，學者劉再復（1941-）是發起者和主要闡釋者。李澤厚的思想最初也符合黨的領導層關於一黨統治下的市場改革是「建設有中國特色的社會主義」的表述。1982年9月，當鄧小平第一次使用這種說法時，他描述這過程為「把馬克思主義的普遍真理同我國的具體實際結合起來」，這樣的說法完全

符合李澤厚的「西體中用」。但隨著1989年「六四天安門事件」後國家加強控制，李澤厚的作品因為鼓勵「資產階級自由主義」而被禁。1992年，他離開了中國。

1986年，「文化熱」已經成為對隨中國經濟改革而迅速發展的思想話語和相關文化生產形式（從藝術展到文學、電影、電視，到關注「現代化」的會議，以及關於儒家思想和中國傳統思想的短期課程）的首選表述。學術圈中，「文化熱」被譽為「新啟蒙」運動。學者和研究生共同經歷了重新發現「人」的驚喜，他們很快製造愈來愈多的批評詞彙，這些詞彙來自此前無法接觸的作品，既有西方也有中國，有古代也有當代，並圍繞著人道主義思考如何解決中國問題。特別值得一提的是，將民主視作人的基本需求和權利的思想開始扎根和生長。隨著經濟改革的推進，人們對一黨統治的現狀展開了含蓄但激烈的辯論。有人辯護說，這是一種仁慈的「新威權主義」，宣稱需要強而有力的領導來實現憲政民主和經濟繁榮。也有人支持以「新啟蒙」的名義轉向某種形式的西方式民主。

一九八〇年代末，不同聲音所引發的話語熱和中國知識分子標榜「憂國憂民」的傳統立場，為1989年春夏即將爆發的學生抗議，提供了最初的能量。無論如何，在那十年的最後，「文化熱」的批判口吻已經遠遠超出1983年王若水對人道主義的哀怨辯護。「文化熱」的錯綜複雜及其與1989年天安門民主運動的關係，催生了數以千計的不同語言的文章、書籍、評論和論文，不僅僅因為「文化熱」已經成為近來思想史的一部分，也因為作為引導「文化熱」知識分子激情的願景——人性和自由的社會——仍難以實現。這些激情已然退潮成了對一九八〇年代的懷舊，這是近來中國思想話語的顯著特徵。王若水喚醒的「人道主義的幽靈」依然揮之不去，至少存在於「說人話」這類網路流行語中——從2012年開始，它被廣泛用來指責中國一黨政權的語言是「非人的」。

參考文獻：

Geremie Barmé and John Minford, eds., *Seeds of Fire: Chinese Voices of Conscience*

(Northumberland, UK, Hill & Wang, 1989).

Chen Fong-ching and Jin Guantao, *From Youthful Manuscripts to River Elegy: The Chinese Popular Cultural Movement and Political Transformation 1979-1989* (Hong Kong, The Chinese University of Hong Kong Press, 1997).

Jing Wang, *High Culture Fever: Politics, Aesthetics and Ideology in Deng's China* (Berkeley, CA, University of California Press, 1996).

Xu Jilin, "The Fate of an Enlightenment: Twenty Years in the Chinese Intellectual Sphere (1978-98)," trans., Geremie Barmé and Gloria Davies, in *Chinese Intellectuals between State and Market*, ed. Gu Xin and Merle Goldman (London, Routledge, 2004), pp. 183–203.

黃樂嫣（Gloria Davies）撰，王晨譯

1983年春

端智嘉發表〈青春的瀑布〉

藏語現代自由詩的到來

　　1983年，西寧（青海省省會）的藏語文學雜誌《章恰爾》（意為「雨露」）刊登了一首七頁長詩。每個詩節的梯流式排列——可能受到馬雅可夫斯基（Vladimir Mayakovsky, 1893-1930）的樓梯式技法啟發——與同樣具有隱喻的標題〈青春的瀑布〉（Lang tsho'i rbab chu）密切相關。即使是今日，這首詩的意義及其作者端智嘉（1953-1985）的人生仍在中國藏族文學和知識分子話語中引發回響。作者1985年英年早逝，已然成為偶像——他的面容成為傳統的唐卡式畫像主題，在畫面中被單獨描繪，或者與另一位思想先鋒更敦群培（1903-1951）一起出現。作為中華人民共和國第一首正式發表的藏語自由詩，〈青春的瀑布〉是現代藏語文學的早期分水嶺。

　　藏語作品的白話轉向如此晚近，以至於評論家尚未就討論這場運動的術語達成共識。儘管藏語詩歌（snyan-ngag）已有八個世紀的歷史，但最常用來表示「文學」的藏語單詞rtsom-rig直到一九五〇年代才為譯者所創，用於譯介馬克思（Karl Marx, 1818-1883）、列寧（Vladimir Lenin, 1870-1924）和毛澤東（1893-1976）著作中使用的「文學」。「rtsom-rig」是對漢語「文學」一詞的借譯，後者已經存在了幾千年，在二十世紀初用以指稱一種獨立的學科，代表國族認同的文化與美學。

　　〈青春的瀑布〉具有幾個惠特曼式特點：羅列對象的編目式手法，旨在將讀者引入敘事者身處的當下；強調風景和環境之美；營造咒語般重複的節奏；以及用一串省略號作為詩行的結尾。上述相似點引發了關於這首名作的

靈感來源問題。詩人的同輩認為，詩人的靈感主要受到漢族同行作品的啟發。

〈青春的瀑布〉（1983）的確是端智嘉在北京中央民族學院期間（1979-1984）所創作，當時自由詩已經流行於廣大漢族讀者群。漢族詩人從一九七〇年代末就開始發表被稱為「朦朧詩」的現代自由詩。同時，端智嘉還精通藏語古典詩歌、民間文學，嫻熟五世達賴喇嘛（1617-1682）的生平和作品，甚至敦煌的古藏語抄本，這種教育在他那代的作家並不常見，他也是在文化大革命的動盪歲月中能掌握藏語讀寫能力的少數幸運者之一。1969年，僅中學畢業的他進入青海廣播電台，擔任青海藏語新聞節目翻譯和新聞播音員。1979年，他前往北京中央民族學院，成為藏語文學研究生，師從受人尊敬的學者東嘎·洛桑赤列（Dungkar Lozang Trinlé, 1927-1997）。東嘎對藏語文學的貢獻包括被廣泛使用的有關kāvya的詩歌理論教材，這種源於印度的傳統從十四世紀開始就對大量藏語作品產生影響。1981年獲得碩士學位後，端智嘉留校擔任教師，負責教導一批具備高級藏語水準的優秀學生，並在那時創作了這首開創性的詩歌。〈青春的瀑布〉發表後不久，端智嘉回到青海，開始在共和師範學校任教。兩年後他在家中自殺，這天是1985年11月30日。儘管他留下的遺言呼籲藏族人捍衛自己的文化遺產，但熟悉他處境的學者暗示，是工作及生活上的問題導致他不幸選擇自殺。

在短短的一生中，端智嘉還創作了大約十五個短篇小說，這是早年另一種相對較少人探索的藏語作品體裁，但成為現代藏語文學基石的仍要數他的第一首自由詩〈青春的瀑布〉。端智嘉以筆名「仁卓」（Rang-grol，字面意思是「自我解放的」）寫作，讚美和勉勵了他那代的藏族同胞：

> 聽！
> 那流水的聲音多麼清脆悅耳，
> 青春之歌是神明之歌，
> 悠揚的梵音，
> 妙音天女的歡唱，
> 布穀鳥動聽的鳴叫⋯⋯

啊！──哪裡是平常的天然瀑布，這裡有
　雄武的姿態，
　　無畏的內心，
　　　磅礴的氣勢，
　　　　雄健的身軀，
　　　　　華麗的裝飾，
　　　　　　柔美的音律⋯⋯

這是──
　雪域藏族青年
　青春的瀑布。

這是──
　二十世紀八十年代藏族青年的創新勇氣，
　　戰鬥的豪氣，
　　青春的歌曲。

　　隨著三十多段詩節的展開，它們構成了對復興傳統藏族學術的熱烈呼籲。這一傳統有幾百年的歷史，圍繞「大五明」（工巧明、醫方明、聲明、因明和內明）和「小五明」（曆算學、詩學、聲律學、辭藻學和戲劇學）。

你聽到我了嗎──瀑布？
　聽到雪域藏族青年提的這些問題了嗎？
　詩學的駿馬飢渴了怎麼辦？
　聲律學的大象中暑了怎麼辦？
　辭藻學的獅子傲慢了怎麼辦？
　戲劇學的幼子成了孤兒怎麼辦？
　曆算學的祖業無人繼承怎麼辦？

招科學的青年為婿該怎樣迎親？
娶技術的少女為媳誰來當夫君？

無論如何──瀑布，
　你純潔悅耳的歌喉所作的回答
　──如石刻銘文般記在我們心裡。

是的，
　擁有燦爛豔陽的過去不能代替今日，
　充滿鹽鹼的過去怎能解除今日之渴？
　那難覓的歷史的屍體
　如不及時注入生命，
　發展的脈搏將不會跳動，
　進步的血液將不能循環，
　前進的步伐更是無力邁開。

最後幾行詩最為鏗鏘有力，它們喚起的熱情呼應了鄧小平（1904-
1997）的四個現代化運動，它在此前的幾年間推動了中國的工業、農業、國
防和科技現代化。

看──
　這整齊的隊伍是
　西藏的新生一代。

聽──
　這和諧的歌聲是
　　西藏青年的腳步。
　　光明的大道，
　　歷史的重任，

　　　　幸福的生活，

　　　　戰鬥的歌聲，

　　　　瀑布的青春永不凋謝；

　　　　青春的瀑布因此更不會消逝。

　　這是——

　　　　從藏族青年肺腑發出的

　　　　青春的瀑布。

　　這是——

　　　　從藏族青年內心飛洩的

　　　　青春的瀑布。

　　雖然端智嘉曾被稱為「現代西藏的迪恩（James Dean）」，但他並非反傳統者，而是深深植根於古典藏族學術。在關於「道歌」（mgur）——這種詩歌形式可以上溯至吐蕃時代——的碩士論文中，他把古典藏語版的《羅摩衍那》譯成白話。在〈青春的瀑布〉中，他支持復興傳統，拒絕遵循破「四舊」的「文革」路線。他在「文革」之後發出由衷的呼籲，並提出了「隆冬嚴寒」後的恢復道路。

　　不過，即便在較為寬鬆的一九八〇年代，自由詩寫作也未能立即盛行於藏語作家。自由體詩歌在1986年才開始出現，直到1990年才常見於文學雜誌。最早期的許多實驗直接受到端智嘉那首開拓性作品，而非漢語詩歌的啟發。一些詩作在形式和主題上都如此密切地模仿了端智嘉，以至於按照西方標準可以將它們視作剽竊。

　　今天，藏語文學界已經多樣化。1983年時，只有幾家出版機構可供作家選擇，此後有超過一百家官方和私人的藏語期刊創立。網路和移動設備的使用為文學表達和評論創造了新的機會。從歷史小說、報導文學、魔幻現實主義到當代民間故事，藏語作家如今運用的風格和體裁也豐富得多。一些出色的作家還轉向電影，如在端智嘉發表詩作時只有十多歲的萬瑪才旦（Pema

Tseden, 1969- ）和多吉才郎（Chenaktsang Dorjé Tsering，又名江瀑，1963- ）現在已是國際認可的電影導演。雖然中國出版的藏語小說只有幾十部，但次仁頓珠（Tsering Dondrup, 1961- ）的作品和納倉怒羅（Naktsang Nulo, 1949- ）的自傳作品都值得一提，前者是發表作品最多的小說家，後者則罕見地展現了西藏的遊牧生活和一九五〇年代的政局變化。

　　回到端智嘉的詩，一邊是中國共產黨風格的修辭，一邊是理想主義和民族主義青年的宣示，或可將〈青春的瀑布〉視作二者有些彆扭的組合。這首詩顯示了對過去的曖昧態度，過去既是「燦爛的」，又被貶義地稱為「充滿鹽鹼」。端智嘉用破折號表示強調的做法缺乏一定規則，經常沒有意義，彷彿只是在試用這種技法，但他的詩深深觸動年輕藏族讀者的心弦，使其成為文學英雄。很少有華語作者能在藏族讀者中享受如此地位，伊丹才讓（Yidam Tsering, 1933-2004）是一個例外，他開創的手法被一位西方學者稱為「藏語化」的漢語，想要深入理解其詩歌需要藏文口語流利，且其作品還包含大量西藏歷史和文化典故。扎西達娃（Tashi Dawa, 1959- ）和阿來（1959- ）等其他用漢語寫作的作家蜚聲海內外文壇，但作品卻遭到藏語寫作為主的評論家和作者的批評。

　　對「藏語文學」內容範疇的討論仍在繼續，而其未來則受到讀者群小的制約，因為藏族人口總數只有大約600萬，且是中華人民共和國識字率最低的群體之一。因此，除了學校教材和宗教文本，少有出版藏語材料的經濟動力。各種語言政策和當地政治的起伏讓情況雪上加霜。不過，藏語出版活動仍然相當活躍，這得益於國家資助的大型計畫，越來越多的私人出資，以及成本極低的網路出版和電子平台服務。

　　關於自由詩的辯論在一九九〇年代開始降溫，因為這種形式已經獲得一定地位。相對的，朦朧詩的優點和其他問題則仍存在爭議。其中，自稱「第三代」的作家主張文學形式和內容不應該受到約束，他們是一群三十多歲、在新世紀初嶄露頭角的反傳統詩人、短篇小說家和散文作家，不過在相當程度上仍處於中國現代性和全球文學話語邊緣的藏語文學界，他們的立場並不被接受。藏語作家若是追隨西方的作家、理論家，或是漢族先鋒，有可能會引來同輩文人的批評，因為這些批評者認為藏語文學本身已岌岌可危。例

如，前輩教師對藏語自由詩的傳播感到不安，堅稱遵循古典kāvya詩學傳統更能保持詩歌中「獨特的藏族特色」。另一些藏語文學評論家提倡藉由復興佛教入藏以前的文學取得更佳的「本真性」。第三代作家則提出了更加激進的觀點，他們要求一股腦地拋棄藏語、西方和漢語文學模式。

參考文獻：

Pema Bhum, "The Life of Dhondup Gyal: A Shooting Star That Cleaved the Night Sky and Vanished," *Lungta* 9 (1995): 17–29.

Lauran R. Hartley and Patricia Schia ni-Vedani, eds., *Modern Tibetan Literature and Social Change* (Durham, NC, Duke University Press Books, 2008).

Lama Jabb, *Oral and Literary Continuities in Modern Tibetan Literature: The Inescapable Nation* (Lanham, MD, Lexington Books, 2015).

Jangbu, *The Nine-Eyed Agate: Poems and Stories*, trans. Heather Stoddard (Lanham, MD, Lexington Books, 2010).

Naktsang Nulo, *My Tibetan Childhood: When Ice Shattered Stone* (Durham, NC, Duke University Press Books, 2014).

Rang-grol [Dondrup Gyel], "Lang tsho' i rbab chu," *Sbrang char* 2 (1983): 56–61.

勞倫・哈特利（Lauran R. Hartley）撰，王晨 譯

1984年7月21–30日

《月印》在《中國時報》藝文副刊上連載

創傷與書寫

　　1984年7月21日至7月30日，台灣主流報紙《中國時報》副刊連載中篇小說《月印》。小說以二十世紀中葉台灣的白色恐怖為時代背景，文字典雅、藝術技巧成熟。作者郭松棻（1938–2005）是旅居紐約的台灣作家，自1971年起被國民黨政權列為黑名單。《月印》之所以未引發政治後果，或許是因為台灣即將於三年後解嚴，政治監控已不那麼嚴格。另一種解釋是，相較於日益增長，具分裂傾向的台灣民族主義者，親大陸的左傾知識分子，如郭松棻、陳映真（1937–2016）對當局的威脅稍小。

　　郭松棻以保衛釣魚台運動（1970–1972，簡稱「保釣」）領袖為人所知，那時他還是加州大學柏克萊分校比較文學系的博士生。保釣運動由北美愛國華人留學生發起，他們抗議美國將釣魚台交給日本（日本稱釣魚台為「尖閣諸島」），而國民黨政府的回應卻軟弱無力。郭松棻和參與保釣運動留學生的認同轉向中華人民共和國，正是冷戰時期國民黨當局的對頭。郭的學術生涯因此完全中斷，1972年，他加入中國駐聯合國翻譯團隊。1974年，踏上為期一個月的大陸之行，此行導致他對中國社會主義實驗的懷疑。此後郭松棻耗費十年的時間，潛心研讀西方馬克思主義著作，並撰寫了關於沙特（Jean-Paul Sartre, 1905–1980）和卡繆（Albert Camus, 1913–1960）的長篇評述，這些文章發表於香港左翼雜誌《抖擻》。郭因工作過量而積勞成疾，於一九八〇年代初再次轉換軌道。這一次，他所追求的是卓越的文學事業。直到2005年去世為止，筆耕不輟。儘管作品數量不多，但篇篇都是凝練的佳

作。

　　郭松棻獻身政治十年後回歸文學，不但為他與妻子李渝（1944-2014）帶來莫大影響，也促成台灣當代文學史深遠的改變。李渝是郭松棻的畢生知音，也是一名優秀的作家和藝術史學者，2014年的自殺，應與郭2005年去世後，無法排解抑鬱有關。郭松棻在美學上的追求和戰後台灣文學場域多元位置形成獨特的交織，也對主流文化的歷史脈絡和種種社會政治動能有深刻理解。《月印》無疑是郭松棻的代表作，這篇作品宣告了一位堅定的現代主義者遲來的初登場，並預示台灣文化生產中本土題材的到來。總而言之，郭松棻的作品讓我們必須重新審視那個年代的文學景觀。

　　作為一個現代主義作家，郭松棻的文學素養無可挑剔。早在1961年，就讀台灣大學外文系四年級的他，已在同學白先勇（1937-　）主辦的雜誌《現代文學》撰寫了一篇介紹沙特和存在主義的論文。1966年出國留學前，他在母校台大教授英詩，同時還在現代主義潮流的重要先聲《文星》和《劇場》上發表文章。出國最初幾年，他先是在加州大學聖塔芭芭拉分校就讀，後轉至柏克萊分校，接受了充滿自由主義色彩的人文教育。作為一名小說家，他以量少質精著名，他將所有精力經營獨特的詩性語言，以此展露人性最幽微黑暗的一面。在2004年兩次訪談中，他的談話更加凸顯他與現代主義中堅作家如王文興（1939-　）、李永平（1947-2017）與舞鶴（1951-　）的志同道合。訪談中，郭松棻提及一九八〇年代初重讀法國文學經典《包法利夫人》（*Madame Bovary*）的經歷。少年時期他視這部作品為墮落，不值一顧，日後竟奇蹟般引領他重回文學的志業。福婁拜（Gustave Flaubert, 821-1880）對文字藝術的追求和「最精確的措辭」（les mots justes）的概念，或許也可視為其動生、支持當代台灣的「後期現代主義者」（latter-day modernists）美學追求的最高願景。

　　然而，一九七〇年代郭松棻所走的道路卻與大多數現代主義同輩截然不同。台灣的左傾保釣分子，他們對大陸的民族主義心嚮往之，因此強烈反抗冷戰初期的國民黨官方文化。他們的反國民黨與社會主義傾向其實與台灣的鄉土文學運動有所共鳴。當時鄉土派猛烈抨擊台灣的現代主義文學，認為它們缺乏真實的向度，是自由西方文化帝國主義的表徵。事實上，台灣的鄉土

運動與海外的保釣運動有密切的關聯。唐文標（1936-1985）是一位出生於香港的數學家，1972至1973年在台灣擔任訪問教授，期間他在《中外文學》發表的一系列文章所提出的社會主義理念，吹響了鄉土潮流的號角。他不但是郭松棻的知交，也是他在柏克萊投身保釣運動時的同志。

　　一九七〇、一九八〇年代之交，如浩劫般的文化大革命已為世所知。陳映真和郭松棻對自己的左傾意識形態都經歷了一段自我反省過程，並在各自的力作〈山路〉和《月印》中有所表明。

　　陳映真〈山路〉一開始，主人公蔡千惠沒有任何確診病況卻憊憊離世。作者暗示，她的死因來自深切的悔恨、自責和絕望，以致全然喪失求生意志。三十多年前，為了幫助白色恐怖中犧牲的烈士李國坤，蔡千惠毅然投身於李貧困的礦區家庭，甘願忍受艱辛的生活與勞動。她奉獻所有，撫養國坤的弟弟，卻也在不知不覺間屈服於戒嚴時期主流價值。直到某日蔡的未婚夫從監獄歸來，才使她猛然清醒。此時蔡千惠與國坤的弟弟一家同住，後者在一九八〇年代成為一位成功的會計師。蔡發現自己然被資本主義社會下的物質生活所馴化。一九五〇年代，她曾追隨一群左翼理想主義者廁身革命；但多數同志在青春正盛之時突然消失了。蔡的苟活是否背叛了當年的同伴？更有甚者，報紙中報導中國大陸文革的失敗，更加證實他們曾經想像的「光明的社會主義未來」，終究只是虛妄。

　　〈山路〉發表一年後，郭松棻的《月印》問世。儘管兩篇小說都有理想幻滅的基調，但它們揭示了兩位作者對其信仰危機截然不同的處理方式。千惠的死亡象徵了她自己——很可能以及陳映真——對於左翼理想的背叛，哪怕如何不得已，都是無法原諒的。《月印》也是一個關於背叛的故事，但作者顯然以更曖昧的方式，衡量意識形態效忠與否的意義。一位年輕台灣人的妻子文惠告知當地警察自己的丈夫鐵敏非法藏有禁書，未料卻坐實他地下共產黨員的身分。文惠的動機十分平庸：就在她報警的前一刻，丈夫和一個美麗動人的中國女人楊大姊（也是這群共產黨員的頭目）一起離家，二人還共撐一把油紙傘，桐油味在家中久久不散。文惠下意識的報復行為導致的後果未免過於沉重——鐵敏隔天被逮捕，不久就遭處決。文惠的舉動正是陳映真在〈山路〉所譴責的政治冷感，但她無疑引起讀者深刻的同情。文惠和希臘

悲劇裡的人物一樣，被命運女神無情地戲弄，而她身上悲劇性的缺陷僅是小小的妒忌心。除此，戰後的動盪已在二二八事件時達到高峰，文惠幾乎無法將丈夫從死神手上奪回。鐵敏的肺結核在他們婚後即刻惡化，為他健康著想，兩人維持無性生活。在白色恐怖中失去鐵敏後，文惠注定膝下無子。

如果陳映真對他的左翼信仰依然無怨無悔，那麼郭松棻則顯然陷於兩種「真理建制」（regimes of truth）的衝突：一種訴諸於進步的政治行動，另一種則是漫不經心的男性，特別是女性，對政治漠不關心的平凡生活。左翼文學的元素，諸如階級剝削、苦難大眾，以及光明的社會主義未來等烏托邦夢想，在《月印》中明顯缺席，取而代之的則是政治公共空間——典型的「自由」理想。《月印》所欲傳達的政治訊息，從國家暴力的控訴和公民不服從的倡議，都可回溯到保釣運動。然而與此同時，讀者也勢必感受到一股淡淡的、與郭早期作品〈秋雨〉（1969）遙相呼應的悲觀情緒。在〈秋雨〉中，郭松棻感嘆高壓政權下為自由終歸徒勞的努力，特別是他的精神導師，台灣一九六〇年代著名的異議知識分子殷海光（1919-1969）的失敗。

郭松棻和陳映真的對照也坐實了「文化中國」和「本土台灣」之間的對立，這一對立在一九八〇年代開始愈演愈烈。有別於陳映真對中國民族主義的衷心捍衛，郭松棻更擅長藝術性地重現二十世紀中葉的政治紛亂，並預告了此後處理政治題材的方式。這種再現的手法在侯孝賢（1947-）的電影《悲情城市》中愈趨精湛。郭松棻從兒時所居的老城區大稻埕的記憶，以及他父親——日治時期便已知名的畫家郭雪湖（1908-2012）——那一代的人生命經驗汲取靈感。1982至1987年間，他的作品經常出現遭受威嚇、沉默寡言的父親，以及內心飽受折磨的兒子；父親是心情矛盾複雜的二二八倖存者，兒子則是抑鬱夢想家，從狹小逼仄的台灣背井離鄉到新大陸。

《月印》結尾，作者以精湛的藝術手法處理了台灣二十世紀中葉的歷史裂痕。當文惠還陷在鐵敏被處決的震驚與傷痛時，一位從大陸來台的外省警官登門拜訪，大力讚揚她高尚愛國、大義滅親之舉。不懂中國官話的文惠母親為他奉上熱茶，並禮貌地忽略他不脫靴子就踩上榻榻米的行為。這個場景顯示出一種文化交流中全然的斷裂：外省警官對本省中產階級家庭的禮數毫無所知，而文惠也對新政權的「遊戲規則」不甚了解。二者有著諷刺性的共

鳴，這意味著他們都不過是同一場更大的悲劇中的一部分罷了。

　　郭松棻在1988年至1989年間罹患憂鬱症。一九九〇年代初至中期，他非常著迷於張愛玲（1920-1995）前夫胡蘭成（1906-1981）所著的散文集《今生今世》（1959）。胡蘭成博學而風流，善於自吹自擂。一九七〇年代他短暫停留台灣，期間與幾位嬰兒潮世代作家——特別是朱天文（1956-）與朱天心（1958-）——往返，啟發了她們的文學之路。在他的著作中，胡蘭成對中國山河的浪漫想像以及對「中國女人」的奇詭迷戀，在郭松棻最後的兩篇小說《今夜星光燦爛》（1997）和《落九花》（2005）中都有跡可循。兩個故事皆描繪民國時代的歷史人物，而小說的情節線索頗為費解、破碎。相較於情節，更為突出的是郭松棻熔鑄了古典文學的抒情風格與現代主義的情感張力，形成充滿魅力的語言質地，以及一個穿梭人物心理內外的謎樣敘事者。

　　郭松棻對文化中國事物象徵的迷戀在中篇小說《月印》中已可見端倪。文惠在朋友家參加聚會，發現自己一下子就被一株老梅盆栽所散發的神聖靈韻所吸引，那是來自主人家大陸友人的禮物。而這群友人中的楊大姊，她難以抵抗的魅力也是源自她是「中國性」的化身。然而，郭松棻最後兩篇小說的「中國」意象所召喚出的迷人情調，則進一步脫離所指涉的世界。他的描述充滿詩意和情感，更應該被視為對中文作為一種藝術媒介的精湛探索。這種特殊的美學策略很容易讓人想起李永平的《吉陵春秋》（1986）。郭松棻成長於轉型時代，與台灣文學場域的各種潮流並不同調，卻向我們展示了一流的文學作品，促使我們更深刻、更努力地思索文學譜系的錯綜複雜與微妙連結。

參考文獻：

簡義明〈郭松棻訪談錄〉，收於郭松棻《驚婚》（附錄）（台北，印刻出版社，2012年），頁175-143。

舞鶴訪談、李渝轉寫〈不為誰為何而寫：在紐約訪談郭松棻〉，收於《印刻文學生活誌》（台北，印刻出版社，2005年），頁36-54。

Sung-sheng Yvonne Chang, *Literary Culture in Taiwan: Martial Law to Market Law* (New York, Columbia University Press, 2004).

Sung-sheng Yvonne Chang, *Modernism and the Nativist Resistance: Contemporary Chinese Fiction from Taiwan* (Durham, NC, Duke University Press Books, 1993).

張誦聖 撰，陳抒 譯

1985年4月

「文學有『根』，文學之『根』應深植於民族傳說文化的土壤裡，根不深，則葉難茂。」

——〈文學的「根」〉(韓少功)

在文學和電影中尋根

　　1985年4月，三十二歲的韓少功（1953-）在中國著名的文學雜誌《作家》發表〈文學的「根」〉，呼籲作家們把目光投向「本土文化」，重新擁抱三十年來被政治運動和社會主義意識形態漩渦所淹沒的文化民俗傳統。

　　1984年初，文化批評家和學者李陀（1939-）在〈創作通訊〉一文中率先使用「尋根」一詞，比韓少功的呼籲早了一年餘。無論李陀和韓少功是發起一場運動，還是僅僅表達一種流行的文化時代精神，一旦被理論化和定義後，尋根運動即獲得了新力量，衍伸為一九八○年代中國最具代表性的文化運動之一。雖然許多支持者對此運動詮釋不一，但將尋根作家聯繫起來，是對重新思考中國文化遺產計畫的共同貢獻，當時國家正試圖走出文化大革命的陰影，進入經濟開放和市場改革的新時代。

　　但究竟是什麼讓尋根運動如此深刻呢？雖然表面上尋根作家們提到楚文化——一個催生中國早期哲學思想的歷史時期——並深入審視了中國悠久的文化、倫理、宗教和民俗傳統，但「根」一詞也可以從其他層面上理解。這場運動部分是對文化大革命的回應，更寬泛地說，它回應了中國共產黨遵循毛澤東（1893-1976）〈1942年在延安文藝座談會上的講話〉而採取的文化政策。毛澤東的政策提供了一個旨在服務工農兵的文學和藝術模式，為意識形態「正確」和「不正確」的藝術確立了準繩，並為1949至1978年間主導中華人民共和國文學界的社會主義現實文學搭好了舞台。韓少功的轉向傳統並

非基於膚淺的感傷和懷舊，而是深受西方現代主義和拉美魔幻現實主義的影響，這些風格為一九八〇年代的中國文化界帶來了巨大衝擊。他的文章影響深遠，很快被稱作「尋根文學的宣言」。

尋根運動誕生的作品在內容和形式上都是激進的。因此，這場運動不只是對當代中國文化與歷史關係所做的哲學探究，也是對幾十年來為社會主義現實主義模式主導的文學形式的一場革命。雖然作為尋根運動的先驅，傷痕運動和反思運動同為文化大革命的夢魘所催生，但在形式上，這兩個流派與更加保守的毛澤東時期文學模式的關係要清晰得多。此外，傷痕和反思文學與文化大革命書寫密切相關，而尋根文學則以文化大革命為跳板，探索更加深層的問題，嘗試新的文學形式，在某些例子中使得漢語恢復了活力。

談論「尋根」含義的同時，韓少功等人也因為小說而成了這場運動的代表人物。沿著他的〈歸去來〉和〈藍蓋子〉等短篇小說的軌跡往前，韓少功在宣言之後發表的第一部作品是中篇小說《爸爸爸》，小說中的白痴村民丙崽是雞頭寨集體自殺的唯一倖存者。這個與世隔絕、沉浸在無知和殘暴中的村子，在小說中凸顯了某種奇特的原始主義。雖然《爸爸爸》背景設定為文化大革命，但韓少功試圖弱化歷史背景，強調這個故事可能發生在任何時間和地點，藉此徹底批判中國人的民族性。

此外，阿城（1949-）的《棋王》、《樹王》、《孩子王》三部曲是尋根運動最具影響力的作品之一。小說背景為文化大革命時期的雲南，那是阿城作為下鄉知青曾經度過成長歲月的地方。《棋王》敘述在文化大革命的政治荒誕中，「棋呆子」知青以一敵九，同時與八位棋手和一位象棋大師公開下盲棋，是為故事的最高潮。《樹王》堪稱中國生態小說的早期作品之一，揭示了文化大革命中許多不當政策對環境造成的災難性影響。《孩子王》則敘述了另一位知青，意外被安排至鄉村學校教書。但當他開始對學校孩子的生活有了新認識，並積極改變時，卻突然被調離原職。鄉村教師解職背後隱含著對整個中國社會的廣泛控訴，矛頭對準扼殺創造力和批判思維的荒誕教育體制——這種荒誕程度只有作為其根源的政治體制才能與之相比。

1985年4月12日，就在韓少功發表宣言的同月，陳凱歌（1952-）的處女作《黃土地》在香港國際電影節首映，這是值得銘記的重要文化事件，標誌

著中國電影史的新一頁。與該時期其他電影不同的是，《黃土地》的對話和情節並未依循當時主導中國電影的某些文學和戲劇慣例。相反地，作品以豐富的視覺語言、電影美學和新穎的電影技法為特色。影片突破電影慣用技法，使用異常高和低的地平線、山峰和峽谷的「空鏡頭」，以及源於傳統國畫的美學元素。此類美學創新背後是層次豐富的象徵主義，使得《黃土地》因為拓寬了中國電影的意識形態基礎，而成為一部重要作品。

儘管《黃土地》表面上可能與無數1949年後的官方電影相似（如主人公是個八路軍戰士，故事描述中國共產黨保護傳統民俗文化的行動等），但事實上，作品核心包含了含糊的道德基調和批判精神。誠然，戰士顧青參與了蒐集民間曲調，但文化保護的背後卻是毀滅——顧青蒐集民歌是為了將歌曲轉成中國共產黨宣傳之用。雖然顧青是一個為中國共產黨服務的戰士，但他與過去那些社會主義英雄不同，他的表情看不到英雄的堅定決心和對理想未來的憧憬，反而是一種掩飾內心糾結的痛苦。即使他的確可能有著解放全中國的夢想，但他甚至無能從父母包辦婚制中拯救一個未成年的新娘。這樣的無能為之，無疑削弱了1949年後中國對「軍人英雄」的理想化。在另一層面上，《黃土地》還挑戰了人物非黑即白的單調刻畫，那是受到1942年毛澤東在延安文藝座談會上講話的影響，並支配了先前的文學和電影作品。反之，陳凱歌的人物刻畫充滿了豐富的人文主義，更加接近現實主義道德基調。

《黃土地》之後陳凱歌繼續通過《孩子王》（1987）等作品展開他的電影探索。《孩子王》根據阿城小說改編，同時高度依賴電影語言和豐富的象徵主義，進一步拓展了《黃土地》的先鋒基調。陳凱歌運用原著如希臘悲劇般展開的故事，通過非戲劇化的表演和真實布景賦予現實主義基調，同時在影片中插入荒涼風景、光禿禿的樹木和舞動的剪影等有力而近乎抽象的圖像。該片雖然讓許多觀眾費解，但卻證明了陳凱歌在導演生涯中的探索性和毫不妥協的實驗立場。幾年後，《邊走邊唱》（1991）——一部晦澀具有哲學意味的影片，描繪盲人音樂家和他的年輕弟子穿越夢境般的世界——使得陳凱歌在中國文化之根的探索層面走得更深更遠。

八〇年代北京電影學院畢業的導演，傳統上被稱為第五代導演。這是一群具有創造性的導演，在探尋和叛逆精神的推動下採用創新的電影技法，並

以此反思中國歷史和文化。在意識形態和藝術方面，催生該群體早期作品的想像，正與文學尋根運動背後的想像相同。一九八〇年代初到一九九〇年代初，尋根運動和第五代導演幾乎同時開始發展，許多電影代表作也改編自尋根文學，另則對中國文化傳統表達了類似的擔憂和批判。兩場運動的核心人物彼此密切互動，如阿城曾為幾部第五代導演的電影撰寫劇本，陳凱歌自傳出版則可視作尋根運動的一部分。此外，二者對文學和電影形式的嘗試，都挑戰了此前關於何為意識形態和美學的正確看法。兩大陣營的重要人物年齡相仿，大部分是文革時期的知青，這種經歷直接影響了重要作品的出現。最後，受到新引進的西方文學和電影理論與作品深刻影響的同時，關於傳統中國文化的重新思考，對二者也都產生了關鍵性的影響。

雖然1985年4月播下的電影和文化種子，進入一九九〇年代後繼續萌發著新生命，但時至今日情況已大為不同。莫言（1955- ）和韓少功等重要的尋根作家仍持續寫作，甚至名列官方認可的作家行列，但阿城等人幾乎已經退出文壇。許多第五代導演的領軍人物，早已拋棄了年輕時的實驗電影（如《黃土地》和《孩子王》），轉向商業產品。然而，最大的改變似乎來自整個社會：當中國社會持續專注於金錢和物質消費，反思、批判和質問民族的文化和歷史之根的行為似乎已經過時，甚至變得危險。一九八〇年代中國各大學校園熱烈討論《孩子王》和《黃土地》的理想主義青年，如今已經被學習經濟學和托福考試的務實青年所取代。但我們記得，在中國，曾經有一群藝術家勇於打破藝術成規，尋找他們的歷史之根，挑戰想像的極限。

參考文獻：

Ah Cheng, *The King of Trees: Three Novellas*, trans. Bonnie S. McDou-gall (New York, New Directions, 2010).

Chen Kaige and Tony Rayns, *King of the Children and the New Chinese Cinema* (London, Faber & Faber, 1989).

Han Shaogong, *Homecoming? And Other Stories*, trans., Martha Cheung (New York, 1995).

Bonnie S. McDougall, *The Yellow Earth: A Film by Chen Kaige* (Hong Kong: The Chinese University of Hong Kong Press, 1992).

白睿文（Michael Berry）撰，王晨 譯

1986年

「日期是癲狂的：它永遠非它所是的，非它所說的是，總比它所是的多些或少些什麼。它所是的是它所是的，或者它所不是的。」

——德希達（Jacques Derrida），〈舊信念〉（Shibboleth）

新時期的瘋女人

如何為癲狂確定日期？如何迎見癲狂，同時又替它定一個日期？精神失常是否有起點或終點？如何在觀念和時間的概念上界定某種依定義而言超出「正常」尺度和範式之物？文化大革命後出現的新一波寫作，特別是1989年前那短短十年間的實驗性寫作，作家最愛挑戰的恰恰是正常這一概念本身，而最愛戲謔和破壞的也正是理智的觀念。十年間，癲狂的群氓與個體顛覆文明的邊界，此後文學開始反撲。作家借鑒西方文學模式和大師，從現代主義到後現代主義，從卡夫卡（Franz Kafka, 1883-1924）到貝克特（Samuel Beckett, 1906-1989）和波赫士（Jorge Luis Borges, 1899-1986），無不引起追隨。新時期短短十年裡，文學銘刻傷痕，反思肉身，癲狂男女在中文書寫中如瘟疫般輪番登場：既有徐曉鶴（1956-）的短篇〈院長和他的瘋子們〉（1986）那樣的嬉笑怒罵，又有蘇童（1963-）的中篇《妻妾成群》（1989）描寫一夫多妻下的恐怖場景。

不過，這些對歷史如何讓一代中國人如此癲狂的掌握，都不如余華（1960-）的短篇〈一九八六年〉那麼深刻。這篇小說的發表和故事背景的設定都是1986年，講述的是一個瘋子在旁觀者的恐懼目光下，對自己身體施加炮烙、閹割和剝皮等古老酷刑。主人公因為文化大革命中的迫害而精神失常，將昔日研究的主題——死刑技術的歷史——應用到自己身上。一般人急

於將文化大革命那段暴虐歷史置諸腦後，瘋子的出現卻打擾了他們的「正常」生活。小說標題將故事的日期定在文化大革命結束十年後，用心不問可知。儘管十年過去了，此前的傷痛仍無法揮之即去。瘋子再現了昔日的殘暴，迫使過去的創傷在當下爆發，並通過古代肉刑的奇觀，演示任何看來進步的歷史都是一種對過去的掩飾。事實上，過往的殘暴——不論發生在古代或最近——都不可能銷聲匿跡，而一再盤桓在當下，並繼續在未來投下陰影。

一九八〇年代作家超越現實主義的寫作嘗試並非沒有先例。許多作品甚至在題材和風格上彷如過往文學的魂兮歸來。一九八〇年代的「瘋狂」文學具有一種雙重性，讓我們想起五四所流行的「瘋狂」文學。例如魯迅（1881-1936）在〈狂人日記〉裡，利用白話與文言兩種文體的對立，突破了舊有的文學表達模式。故事開始於一小段文言文，其餘內文則為一個瘋子以白話文隨性寫下的日記，這是表徵書面漢語現代性的先例。魯迅為狂人的言行下了診斷——「迫害狂」，而狂人的日記就是病徵的顯示。魯迅稱筆下的瘋子為「狂人」，不但呼應中國古典狂士的傳統，也暗指其受到啟示和預言的能量。狂人對「吃人」的社會和文化發出絕望的抗議。狂人將身邊所有人都視為吃人者，顯然是瘋狂的表徵，但何嘗不是個恐怖的寓言。主人公的讖語——中國是一個吃人的社會——正直指傳統自噬其身的輪迴。這讓我們再思考小說開端的文言文部分；我們必須否定敘事者煞有介事的精神醫學定義，轉而對何謂瘋狂另行解讀。魯迅其實呼應了尼采（Friedrich Wilhelm Nietzsche, 1844-1900）對傳統價值激烈的重新洗牌，拒絕對禮教和理性的信任，遊走在法理、知識、診療所測定的尺度邊緣。他對何謂瘋狂的叩問，正如傅柯（Michel Foucault, 1926-1984）在《瘋狂史》（*History of Madness*）所為。

五四另一有關瘋狂的短篇小說〈瘋人筆記〉（1922），則出自女作家冰心（1900-1999）之手，與魯迅的短篇小說形成奇特的對照。如同魯迅的狂人，冰心故事中的「瘋」未必真如世俗定義，而是一種創作靈感的顯現。冰心的想法來自印度神話還有歐亞超驗知識的影響。但冰心的瘋（女）人擺盪在男性（寫作）和女性（織鞋）創作活動之間；她編織著故事，將現實千絲

萬縷結成複雜網絡。與魯迅的雙重文本不同，冰心的第一人稱敘事者承認自己寫作是為了治療瘋病——否則「恐怕你要成為一個……」。透過編織「瘋狂」，小說充滿了奇特的變形，幻想的二元形象，以及時序的錯亂。

　　五四時期和一九八〇年代，中國文學對癲狂的描寫需要寓言式解讀。瘋男和瘋女的怪異形象成為註解歷史的符碼，儘管無足輕重，卻象徵時代的惶惑、恐怖、不安。不過，這兩個時代文學中的瘋子並不局限於寓言解讀；他（她）們更向社會常態和文學慣例發起挑戰。這些瘋人自由地在他們的文本世界中遊蕩，將「正常」文學文本推到理智的邊緣。他們不再受到文本常態的約束，也不再是相對正常、有條理且清楚明瞭的文本宇宙中的瘋狂特例。他們的看法也豐富了讀者對文本與世界的感知——甚至讓文本自身陷入瘋狂。小說所製造的虛構世界無法給出合乎邏輯的解讀，又不能指涉可辨識的現實或秩序。這些作品不僅描寫瘋子，本身已成為癲狂的癥候。

　　將瘋狂與文學風格相互交織的寫作方式不僅令冰心的迷茫、焦慮小說獨樹一幟，類似做法也體現在一九五三年代殘雪（1953-）的作品中。殘雪構建的文本世界拒絕任何邏輯性解讀，她的主人公——一如魯迅的狂人——經常有偏執狂或強迫症的傾向。例如讓殘雪一鳴驚人的〈山上的小屋〉（1985）中，女主人公無法認出鏡中的自己。她把自己的壓抑外化為一山上禁錮的小屋——但直到小說最後，我們才發現這間小屋其實子虛烏有。就像殘雪1986年的短篇小說〈我在那個世界裡的事情〉所展示的，她的故事中沒有「正常」的文本空間可供讀者衡量、界定，從而控制癲狂。文本搖擺於兩極之間：一邊是第一人稱女性敘事者所面對充滿敵意、荒謬的世界，一邊是漂浮著冰山，擁有崇高和陰暗之美的想像空間。殘雪設下的文本牢籠，讓讀者在兩個同等異樣的世界間來回穿梭，越是小心翼翼越難以脫身。甚至故事中描繪的兩個令人不安的空間——可解讀成主人公搖擺其中的偏執和妄想——也開始失去輪廓。指示代詞「這」和「那」不斷變化所指物件，而不是將「這個世界」固定為迫害層層的淵藪，將「那個世界」固定為可以托庇的奇幻冰雪之鄉。通過敘事者迷茫的內心世界的透視，現實與想像，經驗與假想世界，創造和決心的範疇開始模糊。如果「現實」與虛構世界，創造與創造物，表演與複製間的壁壘無法繼續保持，那麼這也意味著必須重新評估

外部與內部，現實與主體的內部性，以及感知、內部性與虛構之間的區別。即便語言的指涉功能只是透視般的幻覺，文學還是擺脫了自身傳統的規則、預期和用途。

這還意味著雖然文學中的瘋狂需要寓言式解讀，但寓言式解讀也馴化了文本不羈的瘋狂潛力。文學瘋狂並不限於特定的時間或目的，而是顛覆了時間和語境、內在和外在經驗、文學和「再現」表徵的清晰界限。它經常表現為主題和風格上的回歸，歷史創傷和美學危機的結合。作為爭論、斷裂和創新的載體，對（真實和文學）常態的邊界和定義提供激進的重新定義。事實上，瘋狂除了在一九八〇年代和五四一代的作家間產生共鳴外，也在其他華語文學語境中扮演重要角色，從白先勇（1937-）〈芝加哥之死〉（1964）中焦慮的主人公，到李昂（1952-）《殺夫》（1983）中狂亂弒夫的女主人公，再到聶華苓（1925-）《桑青與桃紅》（1976）中精神分裂的女主角，都是例證。如瘋狂讓我們質疑現實的根本原則，就像費爾曼（Shoshana Felman）在《寫作與瘋狂》（*Writing and Madness*）中所提出的，「知道」意味著什麼或者說有意義（而不是胡言亂語）意味著什麼，那麼文學和瘋狂就擁有類似的本質。換言之，文學不僅是描繪瘋狂的載體，也成為瘋狂的媒介。同理，文學內容的瘋狂召喚出，並且也質疑文學作為載體的力量。在五四和一九八〇年代、中國和其他華語社群語境、意義和荒謬、現實和文學、男性和女性之間——在不同的文本中，作家遊戲著（成為）瘋（女）人，正如文學相約瘋狂，瘋狂解放文學。

參考文獻：

殘雪《從未描述過的夢境》（北京，作家出版社，2004年）。

魯迅〈狂人日記〉，收錄於《魯迅小說全集》（台北，小倉出版社，2011年），頁15-23。

余華〈一九八六年〉，收錄於《現實一種》（上海，上海文藝出版社，2004年），頁118-167。

Can Xue, "Hut on the Mountain" and "The Things That Happened to Me in That

World," in *Dialogues in Paradise,* trans., Ronald R. Janssen and Jian Zhang (Evanston, IL, Northwestern University Press, 1989), pp. 46-53, 86-93.

Jacques Derrida, "Shibboleth: For Paul Celan," in *Sovereignties in Question: The Poetics of Paul Celan*, ed., Thomas Dutoit and Outi Pasanen (New York, Fordham University Press, 2005), pp. 1-64.

Ban Wang, *The Sublime Figure of History: Aesthetics and Politics in Twentieth-Century China* (Stanford, CA, Stanford University Press, 1997).

Yang Xiaobin, *The Chinese Postmodern: Trauma and Irony in Chinese Avant-Garde Fiction* (Ann Arbor, MI, University of Michigan Press, 2002).

Yu Hua, "1986," in *The Past and the Punishments: Eight Stories,* trans., Andrew F. Jones (Honolulu, University of Hawaii Press, 1996), pp. 132-180.

白安卓（Andrea Bachner）撰，王晨 譯

1987年9月

《收穫》第五期出版

製造先鋒

　　1987年秋天我收到第五期的《收穫》，打開後看見自己的名字，還看見一些不熟悉的名字。《收穫》每期都是名家聚集，這一期突然向讀者展示一夥陌生的作者，他們作品的敘述風格也讓讀者感到陌生。

　　這個時節是文學雜誌徵訂下一年度發行量的關鍵時刻，其他雜誌都是推出名家新作來招攬發行量，《收穫》卻在這個節骨眼，集中一夥來歷不明的名字。

　　這一期的《收穫》後來被稱為先鋒文學專號。其他文學雜誌的編輯私底下說《收穫》是在胡鬧，這個胡鬧的意思既指敘述形式也指政治風險。《收穫》繼續胡鬧，1987年的第六期再次推出先鋒文學專號，1988年的第五期和第六期還是先鋒文學專號。馬原（1953–）、蘇童（1963–）、格非（1964–）、葉兆言（1957–）、孫甘露（1959–）、洪峰（1959–）等人的作品占據了先鋒文學專號的版面，我也在其中。

　　當時格非在華東師範大學任教，我們這些人帶著手稿來到上海時，《收穫》就將我們安排在華東師範大學的招待所裡，我和蘇童可能是在那裡住過次數最多的兩個。

　　白天的時候，我們坐公交車去《收穫》編輯部。李小林（1945–）和肖元敏（1954–）是女士，而且上有老下有小，她們不方便和我們混在一起，程永新（1958–）還是單身漢，他帶著我們吃遍《收穫》編輯部附近所有的小餐館。當時王曉明（1955–）有事來《收穫》，幾次碰巧遇上格非、蘇童

和我坐在那裡高談闊論，他對別人說：這三個人整天在《收穫》，好像《收穫》是他們的家。

晚上的時候，程永新和我們一起返回華東師範大學的招待所，在我們的房間裡徹夜長談。深夜飢餓來襲，我們起身出去找吃的。當時華東師範大學晚上十一點就大門緊鎖，我們爬上搖晃的鐵柵欄門翻越出去，吃飽後再翻越回來。剛開始翻越的動作很笨拙，後來越來越輕盈。

由於《收穫》在中國文學界舉足輕重，只要在《收穫》發表小說，就會引起廣泛關注，有點像美國的作者在《紐約客》（The New Yorker）發表小說那樣，不同的是《紐約客》的小說作者都是文學的寵兒，《收穫》的先鋒文學作者是當時文學的棄兒。多年以後有人問我，為什麼你超過四分之三的小說發表在《收穫》上？我說這是因為其他文學雜誌拒我於門外，《收穫》收留了我。

其他文學雜誌拒絕我的理由是我寫下的不是小說，當然蘇童和格非他們寫下的也不是小說。

當時中國大陸的文學從文革的陰影裡走出來不久，作家們的勇敢主要是在題材上表現出來，很少在敘述形式上表現出來。我們這些《收穫》作者不滿當時小說敘述形式的單一，開始追求敘述的多元，我們在寫作的時候努力尋找敘述前進時應該出現的多種可能性。結果當時很多文學雜誌首先認為我們沒有聽黨的話，政治不正確，其次認為我們不是在寫小說，是在玩弄文學。

《收穫》也沒聽黨的話，而且認為我們是在寫小說。當時《收穫》感到敘述變化的時代已經來臨，於是大張旗鼓推出四期先鋒文學專號。《鍾山》、《花城》和《北京文學》等少數文學雜誌也感受到了這個變化，可是他們沒有像《收穫》那樣大張旗鼓，只是隔三差五發表一些先鋒小說。什麼原因？很簡單，他們沒有巴金（1904-2005）。

1980年代的中國文學可以說是命運多舛，清除精神污染和反對資產階級自由化的政治運動，讓剛剛寬鬆起來的文學環境三度進入戒嚴似的緊張狀態。先鋒小說屬於資產階級自由化的產物，有些文學雜誌因為發表先鋒小說受到來自上面的嚴厲批評，他們委屈地說，為什麼《收穫》可以發表這樣的

小說，我們卻不可以？他們得到的是一個滑稽的回答：《收穫》是統戰對象。

巴金德高望重，管理意識形態方面的官員們誰也不願意去和巴金公開對抗，巴金擔任《收穫》主編，官方對《收穫》的審查也就睜一眼閉一眼，《收穫》就是這樣成為了統戰對象。巴金的長壽，可以讓《收穫》長期以來獨樹一幟，可以讓我們這些《收穫》作者擁有足夠的時間自由成長。

然而即使有巴金在前面頂著，《收穫》前行的路上仍然荊棘叢生。《收穫》1987年推出的兩期先鋒文學專號讓官方很惱火，1988年再次推出兩期先鋒文學專號後，官方忍無可忍，決定改組《收穫》編輯部。李小林當時雖是副主編，卻是《收穫》實際負責人，官方的改組不是免去李小林的副主編，而是要剝奪她對《收穫》的控制權，派一個他們信任的人來控制《收穫》。官方的理由是李小林不是共產黨員，當時中國文學雜誌的負責人都是共產黨員，李小林可能是唯一的例外，用這個理由剝奪李小林審稿和發稿的權力在當時很正常。官方改組《收穫》編輯部的行動從1988年底折騰到1989年3月，最終不了了之，李小林繼續控制《收穫》。後來我問李小林這是什麼原因，她說一方面是官方顧忌她父親（巴金）的反應，另一方面是《收穫》得到茹志娟（1925-1998）、王西彥（1914-1999）、柯靈（1909-2000）等很多老一代知名作家的支持。

李小林轉危為安，《收穫》和先鋒文學也轉危為安。先鋒文學轉危為安還有另外的因素，當時文學界盛行這樣一個觀念：先鋒小說不是小說，是一小撮人在玩文學，這一小撮人只是曇花一現。這個觀念多多少少誤導了官方，官方對待先鋒文學的態度從打壓逐漸變成了讓這些作家自生自滅。

這個盛行一時的「不是小說」的觀念讓我們當時覺得很可笑，什麼是小說？我們認為小說的敘述形式不應該是固定的，應該是開放的，是未完成的，是永遠有待於完成的。

我們對於什麼是小說的認識應該感謝我們的閱讀。在經歷了沒有書籍的文革時代後，我們突然面對蜂擁而來的文學作品，中國的古典小說和現代小說、西方十九世紀小說和二十世紀小說同時來到，我們在眼花繚亂裡開始自己的閱讀經歷。我們這些先鋒小說作者身處各地，此前並不相識，卻是不約

而同選擇了閱讀西方小說，這是因為比起中國古典和現代小說來，西方小說數量上更多，敘述形式上更加豐富多彩。

我們同時閱讀托爾斯泰（Lev Tolstoy, 1828-1910）和卡夫卡（Franz Kafka, 1883-1924），也就同時在閱讀形形色色的小說了。我們的閱讀裡沒有文學史，我們沒有興趣去了解那些作家的年齡和寫作背景，我們只是閱讀作品，什麼敘述形式的作品都讀。當我們寫作的時候，也就知道什麼敘述形式的小說都可以去寫。

當時主流的文學觀念很難接受我們小說中明顯的現代主義傾向，持有這樣觀念的作家和批評家認為托爾斯泰和巴爾扎克（Honoré de Balzac, 1799-1850）這些十九世紀作家的批判現實主義才是我們的文學傳統。卡夫卡、普魯斯特（Marcel Proust, 1871-1922）、喬伊斯（James Joyce, 1882-1941）、福克納（William Faulkner, 1897-1962）、馬奎斯（Gabriel García Márquez, 1927-2014），還有象徵主義、表現主義和荒誕派等都是外國的。我們感到奇怪，難道托爾斯泰和巴爾扎克不是外國的？

當時的文學觀念很像華東師範大學深夜緊鎖的鐵柵欄門，我們這些《收穫》作者飢腸轆轆的時候，不會因為鐵柵欄門關閉而放棄出去尋找食物，翻越鐵柵欄門是不講規矩的行為，就像我們的寫作不講當時的文學規矩一樣。二十多年後的現在，華東師範大學不會在夜深時緊鎖大門，可以二十四小時進出。卡夫卡、普魯斯特、喬伊斯、福克納、馬奎斯他們與托爾斯泰、巴爾扎克他們一樣，現在也成為了我們的文學傳統。

余華

1987年12月24日
「人一旦脫離所謂祖國，有種距離，寫起來倒更為冷靜。」

高行健：莊子的現代命運

　　高行健（1940-）一生都在奔波。1983年，他的戲劇《車站》被禁演，同時被診斷出罹患肺癌。他當下決定逃離北京這個政治中心，前往四川偏遠的林區。在四川停留一段時間後，他沿著長江漫遊，這也是他的著名小說《靈山》（1990）的靈感之旅。1987年，他以訪問藝術家身分前往德國，最終未返國，定居於巴黎，爾後以此地為家。由於他的出逃，2000年他獲得諾貝爾文學獎的消息在中國大陸引起爭議，目前大部分作品在中國仍被禁止出版。

　　作為中國第一位諾貝爾文學獎得主，高行健在中國現代主義戲劇史上占有獨特地位。一九八〇年代，當大多數中國人還不知西方荒誕派戲劇為何物時，他就已經出版了《現代小說技巧初探》（1981）。這本開創性的理論著作將西方現代主義引介至中國，有助於中國作家超越當時的主流現實主義小說模式。這一時期，中國先鋒派戲劇在高行健的推動下誕生。作為一名劇作家，他開創了一批實驗劇著作，如《絕對信號》（1982）、《車站》（1983）、《野人》（1985）和《彼岸》（1986）。他本可以留在中國，過著享有聲望的菁英生活，卻選擇自我放逐巴黎，這可被視為一種自我救贖的形式。他寫於自我流放期間的作品超越了民族國家的地緣政治邊界。高行健以其獨特的表達離散方式，與政治中心保持距離，尋找內在空間和自由，為人類宣揚一套普世價值觀。

　　高行健獲得諾貝爾文學獎，在中國引發了一場關於諾貝爾獎政治性以及

高行健離散寫作曠日持久的爭論。那些詆毀高行健作品的人，控訴將諾貝爾獎授予他是出於反共的政治動機，並批評他的背離祖國。他的法國國籍使中國政府否認他是第一位獲得諾貝爾獎的中國作家。然而，不論他的公民身分，高行健的確以中文寫作贏得諾貝爾獎，其作品完美地結合西方現代主義敘事學和中國傳統哲學。高行健將寫作界定為一種逃離、一種對當下統治意識形態的範式，以及對作家身處環境中物質條件的挑戰，他宣稱只有通過逃離，才能找到真正的自我、找到文學的真正意義。逃離和自我放逐，既是政治抗議，又是美學冒險，因而成為高行健創作的中心主題之一。

　　他把自己的作品定義為「冷的文學」，是「一種逃亡而求其生存的文學，是一種不讓社會扼殺而求得精神上自救的文學，一個民族倘竟容不下這樣一種非功利的文學，不僅是作家的不幸，也該是這個民族的悲哀」。小說《靈山》的主人公從政治中心逃到邊緣文化和原始森林中。戲劇《逃亡》（1990）裡的中年主人公想要從革命中逃脫，就如同從自我的地獄中逃離，這在他心中留下一道陰影：

　　　人生總也在逃亡，不逃避政治壓迫，便逃避他人，又還得逃避自我，這
　　自我一旦覺醒了的話，而最終也逃脫不了的恰恰是這自我，這便是現代人的
　　悲劇。

　　在他的著名戲劇《八月雪》（1997）中，佛教禪宗六祖慧能遠離各種權威，拒絕成為世界的救世主或他人的偶像，主張「自我救贖」，追求來自內心的「完全自由」。

　　小說《靈山》於1982年在中國動筆，1989年完稿於巴黎。這部著名小說可以視為一份逃亡的記錄，也是一個尋找生命意義的故事。換言之，逃亡本身就是為了精神的追求。小說創造性地重演敘述者的經驗世界，作者以人稱代詞代替人物，只用人稱代詞表示誰在說話；我們所掌握的是主人公的心理節奏，而非外部驅動的故事情節。儘管高行健以汲取西方現代主義寫作技法而著稱，但在這部小說中，他深入研究被主流儒家文化邊緣化的非主流中國文化的起源，如中國知識分子的隱逸文化、道教自然文化、禪宗感悟文化以

及失落的民間文化。這四種文化之間的相似之處在於非正統、反對暴政、宣揚個體自由、強調個人生活，以及反對主流文化的一些觀念。總之，這四種亞文化的核心是莊子（約公元前369–公元前286）所提倡的個人精神解放，其智慧保存於《莊子》。作為中國早期思想最具影響力的作品之一，《莊子》體現了古代道家的智慧，對包括高行健在內，風格各異的中國當代作家產生了巨大影響。

如同一九八〇年代出現的「尋根文學」作家，高行健《靈山》的核心關注點是自然：不僅是山川、河流和樹木的外在，更是人類心靈的內在宇宙。早在一九八〇年代，他的戲劇《野人》就已探討的生態主題一直延續至《靈山》。高行健利用主人公在原始森林中的旅程，強烈地批評現代人對自然的掠奪。面對深受人類戕害的森林，主人公感到憤怒，卻無法阻止當代中國的「發展」趨勢或改變人類的貪婪本性。他從而意識到世界無法拯救。

《靈山》共八十一章，類似明代長篇小說《西遊記》中的八十一難。《西遊記》也可視為一次內心對話之旅，朝聖者們尋找的恰恰是一座「靈山」：印度聖地靈鷲山。「靈山」的意義何在？主人公最終是否會尋得它？這是高行健小說的重要主題：「靈山」可以被理解為一座佛山，或一座自由之山，它是無拘無束的。小說的結尾，一隻青蛙一眨一眨的眼睛，這是一個沒有任何答案的結局，作者希望由讀者自己回答。

高行健對自由的解讀源自對莊子、禪宗的理解和體認。兩者都認為，只有通過回歸原有的人性，擺脫外部世界的羈絆，才能重新獲得廣闊的自由和舒適。這一觀念也影響高行健複雜交織的文學觀。正如他所言：「寫作的自由既不是上帝恩賜的，也買不來，而首先來自作家自己內心的需要。……說佛在你心中，不如說自由在心中，就看你用不用。」《靈山》的真理即打開心靈的大門，把「佛」請出來，把自由請出來。《靈山》本著莊子的精神，呼喚一種覺醒，以超越所有世俗價值體系所造成的罣礙。

高行健認同莊子絕對精神自由的哲學，與魯迅（1881–1936）和其他中國主流作家所確立的入世和救國的主題大相逕庭。二十世紀的中國作家經常被要求扮演國家拯救者的角色，或承擔起重大的歷史或政治責任。然而，高行健卻質疑文學救國的觀念。在《八月雪》中，高行健講述了禪宗六祖慧能

的故事，他將自己徹底從名聲、權力和日常問題中解放，因此獲得廣闊的自由。這部戲劇與莊子《逍遙遊》一章中所呈現的精神相符，但卻是植根於「平常心」的意義上。同樣的，高行健接受慧能的「平常心」概念，不再關心履行任何社會責任，或成為理想中的人，而是尋求通往永恆自由的精神之路。因此，他對於「『作為一個作家』所意味的是什麼」的理解，與魯迅鼓勵中國作家投身國家事務的觀點截然不同。對高行健而言，只有放棄改變或拯救世界的烏托邦觀念，作家才能重新發現真正的自由。

　　儘管高行健主要以他作為中國第一位創作荒誕派戲劇和研究現代主義的作家身分而聞名，但他已經向世人證明，他是一個多面的作家和藝術家：他不僅是一個成功的小說家，也是成功的劇作家、戲劇導演、電影導演、畫家、評論家和詩人。儘管他堅持寫作的本質是審美的追求，但其作品仍然無法在中國大陸公開發表，這並不意外。高行健與其他人的真正區別在於他對逃亡的某種政治的和審美的理解，由此他完全獲得了寫作、創新和創作的自由。正如他所說：「就文學創作而言，即使言及政治與社會，我以為與其說是『干預』不如說是『逃亡』更為恰當，以此來抵制社會對自身的壓迫和作為精神上的某種排遣。」莫言（1955-）等其他中國作家，以地方文化和本土精神為本，相較之下，高行健代表了西方存在主義、莊子哲學和禪宗思想影響下的高級知識分子，其典型的內在反思和內心探索的潮流。他的逃亡、自我流放和旅行的姿態，都是離散寫作的一部分，使其得以擁抱人類的普世價值。

　　自由也許是理解高行健和他全部作品最重要的關鍵詞，他的故事促使我們思考自由與文學的關係。何謂自由？又如何獲取自由？二十世紀的現代中國知識分子很難理解並接受莊子的個人自由精神，對他的不同態度反映出他們曲折的精神歷程。「五四」時期，魯迅反對莊子，認為救國比個人的自由更重要、更迫切。郭沫若（1892-1978）在早期的文學生涯中以最浪漫熱情的方式頌揚並擁抱莊子的哲學，但在接受馬克思主義之後，他的態度產生反轉，開始對莊子進行激烈的批判和詆毀。他對莊子的態度轉變，很好地詮釋了現代中國內在空間的自由，如何遭外部的政治力量逐漸侵犯和吞噬。周作人（1885-1967）、林語堂（1895-1976）和廢名（1901-1967）等其他知識

分子都喜好「莊周之夢」，但這樣的夢在國難面前幾乎無法生存。一九六〇年代文革時期，莊子被送上「政治法庭」。他的思想成為激進的左派分子大規模鬥爭的目標，他們試圖將之描繪成馬克思主義主流意識形態不可調和的階級敵人。唯有到一九八〇年代以後，我們才在汪曾祺（1920-1997）、韓少功（1953-）、阿城（1949-）和閻連科（1958-）的小說中看到莊子歸來。然而，正是高行健的《靈山》將莊子絕對解放和自由的精神帶往最高境界。

　　中國現代作家或讚美、或諷刺、或批評、或詆毀莊子，只有高行健明確地肯定莊子的個人自由和解放精神。高行健以此暗示「靈山」不是外在的，而是內在的，唯有通過內心覺醒才能尋得靈山。亦即，自由不是別人給予的，是得自於自我。自由藏在每個人心裡，只有依靠自己才能尋獲自由。高行健的勝利是二十世紀末文學與自由相互作用中最引人注目的例子。這是一位現代莊子的勝利。

參考文獻：

高行健《沒有主義》（台北，聯經出版社，2001年）。

Gao Xingjian, *Cold Literature: Selected Works by Gao Xingjian*, trans., Gilbert C. F. Fong and Mabel Lee (Hong Kong, The Chinese University of Hong Kong Press, 2005).

Gao Xingjian, *Soul Mountain*, trans., Mabel Lee (Sydney, HarperCollins, 2000).

劉劍梅 撰，張屏瑾 譯

1988 年 7 月 1 日
兩位青年學者在《上海文論》開設新欄目

重寫文學史

　　1988年7月，上海理論刊物《上海文論》第四期刊出了一個新的欄目，名稱為「重寫文學史」，欄目的主持人為上海兩位青年學者：復旦大學的陳思和（1954-）與華東師範大學的王曉明（1955-），當時他們都是講師。專欄的宗旨，是希望通過學理批評來表達對以往文學史著作中的黨派偏見的不滿，他們認為：文學史應該更加客觀、更加豐富和更加公正。「重寫文學史」欄目第一期發表了兩篇批評著名作家趙樹理（1906-1970）和柳青（1916-1978）的論文，以後又陸續發表了批評性解讀丁玲（1904-1986）、郭小川（1919-1976）、何其芳（1912-1977）以及《子夜》、《青春之歌》等作品的論文。這些論文寫得並不很尖銳，但因為集中在一個欄目裡、尤其是在「重寫文學史」的名義下發表，引起了社會輿論的強烈回響。「文學史」在當時的中國被認為是國家意識形態的體現，一旦出現了那麼多否定性意見，學術界反彈是必然的。王瑤（1914-1989）、賈植芳（1915-2008）、錢谷融（1919-2017）等老輩學者及時支持了這個欄目，不僅如此，「重寫」的話語迅速蔓延，在古代文學史甚至其他相關的藝術史領域，也有人提出「重寫」的訴求。「重寫文學史」欄目開設了一年半，《上海文論》從1988年第四期開始，到1989年第六期結束，在當時，成為一個引人注目的學術界「事件」。

　　在中國，從二十世紀初出現的兩本文學史著作——林傳甲（1877-1922）的《中國文學史》（1904）和黃人（1866-1913）的《中國文學史》

（1905）──開始，文學史寫作就與中國作為一個現代民族國家的意識聯繫在一起。1949年以後，新建立的共產黨政權更加強化了對文學史編寫的控制，尤其是現代文學史的編寫。國家意識形態部門一方面高度重視現代文學史，把它與古代文學、文藝學等並立為教育部規定的二級學科，配備大量的教學研究人員；另一方面又嚴格控制文學史的書寫原則，使之成為敘述「新民主主義」革命史的一個組成部分。因此，在1949至1980年的官方編修的現代文學史著作裡，幾乎沒有沈從文（1902-1988）、張愛玲（1920-1995）、周作人（1885-1967）、林語堂（1895-1976）等一大批優秀作家的地位，同時，對1942年毛澤東（1893-1976）發表〈在延安文藝座談會上的講話〉以後的解放區文藝創作給以過高的評價。這種黨派偏見縱容下的文學史著作的內容和觀點極不穩定，由於1949年以後中共發動多次政治運動，整肅了大批包括左翼作家在內的知識分子，所以，現代文學史著作需要不斷修改，原先擁有崇高地位的作家一旦被整肅，立刻在文學史上消失或者被否定性批判。其中包括著名的左翼作家胡風（1902-1985）、丁玲（1904-1986）、馮雪峰（1903-1976）、艾青（1910-1996）等。這樣一種由官方統一標準的黨派文學史，在經過一九八〇年代思想解放運動以後，顯然已經難以被人接受了。

　　文革中，幾乎所有的作家、藝術家都被整肅、批鬥甚至迫害致死，幾乎所有的文藝作品都被否定、批判，因此，現代文學學科成為學術廢墟。文革後的現代文學學科重建工作依靠了一批高齡的學者：北京大學的王瑤教授（1949年以後第一部新文學史的作者）、中國社會科學院文學所的唐弢先生（1913-1992，資深的魯迅〔1881-1936〕研究專家）、北京師範大學的李何林教授（1904-1988，首任魯迅博物館館長）；在上海，復旦大學的賈植芳教授（七月派作家）、華東師範大學的錢谷融教授（文藝理論家），等等。這批老學者在文革或者文革前的政治運動中都受過各種迫害，現在恢復了教授的身分，他們自覺地承擔起中興現代文學學科、傳承「五四」新文學傳統（尤其是魯迅的戰鬥傳統）的工作，他們的主要工作，是在高校和研究機構裡培養了一批學生。八〇年代在現代文學領域湧現出一批活躍的青年學者，幾乎都出於這批老學者的門下，他們薪盡火傳，企圖在這個領域裡擺脫

官方意識形態以及政治體制對現代文學學科的干預。

　　1985年5月，中國現代文學學會在北京現代文學館（萬壽寺）舉行的青年學者創新座談會上，北京大學的錢理群（1939–）、陳平原（1954–）、黃子平（1949–）聯袂提出了「二十世紀中國文學」的概念，復旦大學陳思和提出了「中國新文學整體觀」的概念，都是旨在打破近代文學、現代文學和當代文學之間繁瑣的學科界限，淡化現代文學（1919–1949）、當代文學（1949年以後）的內涵的政治意識形態，希望把中國現代文學拉回到正常的、學術的、科學的學科範疇上來。在此期間，青年學者已經展開了對個別作家的個案研究，如對沈從文、周作人、老舍（1899–1966）、巴金（1904–2005）、郁達夫（1896–1945）等等，都有比較深入的研究，在魯迅研究領域更是湧現了一批思想敏銳、理論創新的研究成果，同時，由社科院文學所牽頭，調動全國高校教師的力量編撰的兩套大型資料集：《中國現代文學資料匯編》和《中國當代文學研究資料》相繼出版，每套都有幾十種，分門別類地出版了近百位作家的生平小傳、著書目錄、相關評論等文獻資料。到了1988年，現代文學研究領域發展勢頭良好，從資料積累、意識創新、研究隊伍更新等幾方面看，「重寫文學史」是學科發展的必然要求。其關鍵是要在研究中進一步解放思想、強調學術的科學性、反對政治體制對現代文學研究的干擾和控制。順便提一下，在海外出版的夏志清（1921–2013）的《中國現代小說史》、李歐梵（1942–）的《中國作家的浪漫一代》、耿德華（Edward Gunn, 1946–）的《不受歡迎的繆斯》等著作，已經開始對中國青年學者的研究產生了影響。

　　但是，1989年「六四」事件發生後，「重寫文學史」受到極左派文人的攻擊，企圖把它列為當時整肅的「資產階級自由化」的範疇，但是官方始終沒有為這個事件表態，《上海文論》雜誌也沒有受到直接的干涉。兩位主持人在《上海文論》1989年第六期以整本刊物的篇幅推出「重寫文學史」特輯，並發言長篇對話回擊了當時的攻擊。一九九〇年代以後，以前的黨派偏見的文學史教材基本失去了市場，一批嚴肅的研究者依然在學術領域裡從事文學史研究。差不多十年以後，有一批新見解的文學史陸續出版，應該被視為「重寫文學史」的間接的成果。

參考文獻：

《上海文論》，雙月刊，1988年第4期到1989年第6期。

戴燕《文學史的權力》（北京，北京大學出版社，2002年）。

楊慶祥《重寫的限度——重寫文學史的想像和實踐》（北京，北京大學出版
　　社，2011年）。

陳思和

1989 年 3 月 26 日
我們熱愛自殺的詩人

面朝大海，春暖花開

　　一輛貨運火車在山海關附近緩慢前行。海子（1964-1989）從火車的一側將自己擲入輪下。他的頭部和心臟保持完好，但腰部被軋成兩截。他戴著的眼鏡連一道劃痕都沒有。車組人員並未意識到發生何事。

　　據他的詩人同行和遺稿整理者駱一禾（1961-1989）之言，年僅二十五歲的海子就是這樣在1989年3月去世的。海子的自殺將使他成為一個神祇般的人物。不到兩個月後，天安門廣場上的抗議活動正如火如荼，駱一禾在廣場上病倒後去世——那是6月4日坦克開進廣場的幾週前。他並非死於自殺，但是在流行的想像和學術研究領域中，他的死被渲染得有如自殺——是忠於海子的一種表現。這也被視為那個殘酷年份裡又一個可怕的時刻。詩歌的殉道者成了預示民族和文化悲劇的一個徵兆。

　　隨後，詩歌界發生了一系列較少為人知的自殺事件。其中一個是方向（1962-1990），他於1990年服毒自殺。據說在自殺前，他曾前往海子的故鄉安徽祭奠他。第二例引人矚目的詩人自殺事件發生在1991年——戈麥（1976-1991）在北京大學附近的一條汙水溝裡自溺身亡。另一例則發生在1993年——顧城（1956-1993）在紐西蘭激流島自家附近殺害妻子謝燁（1958-1993）後自縊身亡。

　　幾年內，一家主要的出版社就先後出版了顧城、海子、駱一禾和戈麥的詩歌全集，共四大卷，封面為黑色。尤其就後三位生前發表作品不多的詩人而言，這些詩卷有如現代的「『墳』典」般為我們捧讀，體現了我們對自殺

作為一種事件的難以釋懷。如果自殺者是一位藝術家，在年輕時就以暴力方式了斷自己的生命時，就更是如此。

回溯中國漫長的二十世紀，我們看到聞捷（1923-1971）1971年以煤氣自殺，楊華（1906-1936）1936年自縊身亡，朱湘（1904-1933）1933年於長江跳船自溺身亡，以及王國維（1877-1927）1927年在北京頤和園投湖自盡。再往更早追溯——若非在神話中，就是在傳說裡——我們看到唐代的偉大詩人李白（701-762）。李白的「狂狷之氣」所散發的魅力，直逼現代詩人自殺式衝動。但相形之下，他於762年溺水而亡是酒醉後的意外。我們也看到屈原（公元前340-公元前278）早在兩千多年前自沉汨羅江——他是中國歷代悲劇性死亡詩人的傳奇先祖。

自殺

自殺現象一直以來都存在，不單發生在詩人身上。從涂爾幹（Émile Durkheim, 1858-1917）開始，自殺就一直是各學科關注的課題，關涉到社會學、人類學、心理學、哲學、醫學、法學、宗教研究、歷史，以及對文學和藝術的研究。自殺同時也是大眾媒體中廣受青睞的話題。這不難解釋——自殺以最極致的方式體現了存在主義的問題。結束一個人的生命，在生理和社會意義上棄絕事物的存在秩序，是一種如此根本性的越界行為，無法被人忽視。吊詭的是，自殺即使不代表「拒絕」的終極姿態，也代表一種「背棄」的姿態，卻又迫使那些活著的人作出回應：向永遠沉默無聲的人提問，向撒手塵寰的人伸手。生者的反應幾乎一成不變地包括：「為什麼？」提問者可以是心理醫生或樂評家，或是作為一種個人絕望的表達，或是出於專業上的反思。就算這問題沒有被直接提及，通常也都會如斯響應——無論我們是否知道自己在談論的是什麼。

我們總是設法對自殺現象予以分類，一如面對其他超出理解範圍的問題。從社會學的角度，涂爾幹談及利己型、利他型和脫序型自殺。導致自殺的原因包括不能見容於社會，過分投身於某一群體或職志，以及個人社會位置歷經巨變後的難以為繼。若將這些分類放在今日語境中加以考量，它們依然有其意義。臨床心理學家喬伊納（Thomas Joiner）將自殺危險區定義為一

種無能為力、成為他人負擔的感覺、一種孤立無援的感受，以及一種後天習得的、傷害自身和忍受疼痛的能力。說到疼痛，我們會想到妓女、士兵和運動員。但或許也該想到詩人——就他們極端的、時而瘋狂的藝術創作行為而言合該如此。

一個人在自殺前的身心狀態是無法用語言表達的。正因如此，對自殺實例的討論——總是他人自殺的實例——即使千言萬語也難以還原真相，更不乏對逝者的褻瀆性。但我們總是在談論它們——或是對心愛之人的自絕作動情的敘述，或是對陌生人在異國政治壓迫的自裁作籠統的揣測。

詩人

我們知道詩人——還有畫家和搖滾明星——尤其有走上自我了斷的傾向，而我們對此著迷不已。他們的自殺既眩人耳目，又富於悲劇暗示。事實上，我們熱愛自殺的詩人。我們強調其自殺行為所體現的能量，而不是無助。正如自殺的意向就像一首終極「詩歌」，如此迷人，如此令人疑惑。

我們對自殺詩人的熱愛，無關乎我們對其詩歌有多少程度的理解（在學術圈外，「作者之死」其實是被忽略的）。我們著迷詩人的自殺，因為詩人天賦異秉，行為異於常人，他們為庸庸大眾開啟了令人著迷的「他者」之域。一如所有藝術，這一過程調動並消解了公共領域與私人領域之間的界限，由此，我們每一個人都能以私人的方式擁有一位原屬於公眾的詩人。詩人的自殺行為斷絕與現世相連的回歸之路，從而再次確證了詩人不世出的天才。因此讀者在詩人死後回看其詩歌所得的後見之明，成為彼此交流的「通路」還是「短路」狀態的極端例證，而這正是許多現代詩歌的核心所在。

荷蘭詩人梅特斯（Jeroen Mettes, 1978-2006）對荷蘭詩歌界的批判一向徹底而無情。他在2006年9月21日自殺，他所發表的〈N30+〉更是一部令人震撼之作。他在沉入永遠寂靜無聲的世界之前上傳了最後一篇文字，它的內容是——一片空白。

中國

除了以中文寫作這一點之外，中國現代詩人的自殺現象是否獨具中國特

色？也許中國詩人特別傾向於為自我而獻身（利己型），或是為一種志業而獻身（利他型）？是否自殺的詩人在中國比在其他地方享有更高的尊榮？還是正好相反？現代中國充滿暴力和動盪的狀況也許會促使我們擴展脫序型自殺的範圍，使其能夠涵蓋因社會和認知結構的廣泛解體而導致的死亡，例如王朝更迭，或是整個社會陷入集體瘋狂的狀況？

因為浪漫主義的影響，現代詩人每每自居曠世奇才或悲劇英雄，同時也體現種種拒斥世俗、孤立隔絕的流放狀態，當然包括自殺。清末民初，浪漫主義在中國找到豐沃的土壤，影響了二十世紀及其後現代詩人身分的重新定義。這種現象的背景是，詩人在傳統中國享有崇高地位——儘管詩人未必代表一種職業或社會分類。事實上，「詩」是伴隨著文人士大夫的身分而生，而詩人的天職是治國平天下的終極關懷。封建體制崩塌之後，中國詩人遭遇身分認同的危機，但現代的生存狀態卻並不妨礙詩人言志抒情的初衷。

在二十世紀早期的新文化運動期間，改革者往往是受到西學洗禮的知識分子，他們攻擊中國文化傳統，包括古典詩歌。同時，他們又對傳統念念不忘。正因為如此，中國的現代詩人立志從根本重新考量中國詩歌，使其「現代化」，同時必須面對詩人已經喪失傳統崇高地位這一現實，並且接納外國影響，應對一種複雜而又充滿焦慮的關係。在不同的歷史背景下，這種努力一直持續至今日。從一九二〇年代中期開始，因政治衝突和戰亂之故，中國文學界徹底遭到政治化。二十世紀中葉，這一現象由於毛時代令人窒息的審查制度和文藝方針而達到極致，文學和藝術進一步縮限為服務於政治的工具。最初，個別詩人依然能擁有極高的聲譽——只要其詩學能符合主流意識形態的要求。但文化大革命剝奪了所有詩人的個人地位——唯有毛澤東（1893-1976）除外。

地下詩人是新一代的詩人，他們拋棄了毛時代的美學，在私下流傳的翻譯文學作品中尋求靈感。從一九八〇年代開始，他們的「先鋒派」詩歌就蓬勃發展，使得「正統的」、為政府所認可的現代詩歌黯然失色——這種評價當然來自中國境外。與此同時，它不斷遭到政治打壓，如今又因商品化和通俗文化的影響而被邊緣化。先鋒派詩歌見證了對詩歌和詩人狂熱崇拜現象的興起。它的宗教色彩、對浮誇效果的偏好，還有成員間的內訌都暗示了與毛

時代美學的一種微妙聯繫，以及與世紀初新文化運動的親緣關係。這種崇拜助長了對詩人自殺的正面評價。朱湘因而被描繪成是「為詩歌而死」——儘管所有證據都不支持這一說法。它增強了有關詩人方向在自殺前祭奠海子這一說法的可信程度，彷彿為詩歌獻身是件不證自明之事。其實在此之外，有許多其他因素導致詩人之死。

可以肯定的是，這種狂熱崇拜並非沒有受到挑戰，對此提出最嚴厲批判的是詩人自身——他們嘲弄詩人自殺的現象。正如這種現象的支持者是男性，其反對者也幾乎全是男性。中國大陸現代詩歌界最激進、最活躍者幾乎都是男性。迄今為止，幾乎所有著名的自殺詩人也都是男性。

是也不是

凡此種種是否有助於我們思考現代中國詩人自殺現象所具有的中國特色？

是的，如果我們耽溺於思考這一無從言說的現象，並且接受詩人自殺的真相永遠無法大白的觀點，那麼以上所述對我們會有所助益。且看以上提及之詩人中的四位，其自殺動機分明截然不同。

1927年。對王國維而言，當心目中的中國似乎已四分五裂，他所經歷的意義危機的廣度和深度已沒有轉圜餘地。這為其自沉提供了一種可信的解釋。且讓我們把這一例自殺稱之為脫序型自殺，將其歸因於社會動盪。但是，自溺身亡的王國維到底是身為「詩」人的王國維，還是一個深陷於文化衝突中的知識分子，抑或是一個清王朝的遺民？

1971年。政治壓迫和個人主觀抉擇這兩項因素有助於歸類自殺的動機，我們需要從這兩方面反思聞捷的痛苦。倘若聞捷未在文革巔峰時期遭到殘酷迫害，他還會自殺嗎？因此，這是另一例由於社會動盪而導致的自殺。但如同上例，這位以煤氣自殺的人是身為「詩人」的聞捷，抑或是一個無法承受過度折磨的普通人？

1989年。海子的生與死及其死後被神化的現象皆植根於人們對詩歌的狂熱崇拜。因此，這一起現代中國的自殺案例既是利己型，又是利他型的，與自我和（詩歌！）事業相互交織，難分難解。儘管在死前幾個月，海子的確

為病痛折磨所苦，但那個將自己投擲到貨運火車輪下的是身為「詩人」的海子。

　　1993年顧城著名的（或者說聲名狼藉的）詩歌〈滴的里滴〉，是一首不可解的詩，很典型地代表他晚期藝術風格分裂解體的傾向。此處討論的四例自殺中，顧城的自殺最明顯與語言的崩解有所關聯。現代詩歌所渴望誘發的正是這種崩解，而它又尚未完全越界，進入到不可解、隨意和瘋狂的界域。因此，這一起利己型的自殺並未體現任何中國特色。如果我們說，是的，那個自縊身亡者是身為「詩人」的顧城，但這並不能使我們無視他情緒上的錯亂症狀，或無視他謀殺了一個自己所離不開的人——他的妻子謝燁——及其所產生的駭然後果。

　　不，對於詩人究竟為何自殺的大哉問，上述種種解釋當然於事無補。

參考文獻：

Alfred Alvarez, *The Savage God: A Study of Suicide* (London, Bloomsbury, 1971).

Maghiel van Crevel, *Chinese Poetry in Times of Mind, Mayhem and Money* (Leiden, Netherlands, brill, 2008).

David Der-wei Wang, *The Monster That Is History: History, Violence, and Fictional Writing in Twentieth-Century China* (Berkeley, CA, University of California Press, 2004).

Michelle Yeh, "The 'Cult of Poetry' in Contemporary China," *Journal of Asian Studies* 55, no. 1 (1996): 51-80.

柯雷（Maghiel van Crevel）撰，金莉 譯

1989年5月19日
〈一無所有〉

搖滾天安門

　　1986年5月9日，一場慶祝國際和平年的演唱會在北京工人體育場舉辦，崔健（1961–）為這次演出創作了〈一無所有〉。一百多位中國年輕歌手受邀演唱這場活動主題曲〈讓世界充滿愛〉，其中一些歌手也演唱自己的歌。那時崔健二十五歲，知名度不如某些同時代歌手。他無法預料聽眾對這首新歌會有何反應——這是一首反覆幾個和弦的簡單歌曲。

　　回顧過去，對當時的聽眾而言，〈讓世界充滿愛〉所表達的良善樂觀主義從來都不具備充分的說服力——雖然首唱之後，這首歌歷經無數次的演唱。相對地，〈一無所有〉卻成為中國最有影響力的歌曲之一，搖滾歌手和卡拉OK演唱者無不熱愛這首歌。儘管搖滾樂在中國曾被質疑，甚且遭官方打壓，但〈一無所有〉在中國卻不曾被禁，甚至連《人民日報》都肯定它是一時代最偉大的歌曲之一。自首唱以來，這首歌被賦予的涵義日益豐富，從崔健原先創作的愛情歌曲，轉變為後毛澤東（1893–1976）時代張揚個人自由、反抗當局權威的一首頌歌。崔健已然確立其作為中國搖滾樂先河與教父的地位，儘管他的音樂和藝術生涯經歷了好幾個階段的發展演變，〈一無所有〉始終勝過他的其他作品。

　　在〈一無所有〉創造歷史以前，中國一般公眾幾乎沒有聽過搖滾樂，也從未感受過搖滾樂的力量。在長達數十年的時間，革命歌曲和樣板戲戲劇化的姿態和充滿政治意味的英雄主義，構成了一種無處不在且令人窒息的聲景（soundscape）。除了幾首受到民間音樂影響的俄國歌曲，如〈莫斯科郊外

的晚上〉和〈卡秋莎〉，人們極少能聽見任何表達個人情感和個人價值的音樂。1980年代初，深受西方和日本流行樂影響的港台流行音樂開始在中國大陸出現，為廣播聽眾和令人羨慕的音響設備擁有者，提供了政府認可的音樂之外的另類選擇。這些歌曲的典型特徵是琅琅上口的旋律、甜得發膩的歌詞，以及簡單悅耳的曲調。在那種音樂環境中〈一無所有〉所宣洩的強烈的、爆發性的能量令人耳目一新。它表達的震驚感受、痛苦的自我懷疑以及一種失落感——是許多中國人在文化大革命結束後所同情共感者。

「我曾經問個不休，你何時跟我走？」聽到這首歌的開頭兩句，北京工人體育場的聽眾高呼起來，掌聲雷動。接著，崔健唱出著名的兩句：「可是你總是笑我，一無所有。」這首歌埋怨一個不具名的情人，她對這位發聲者的貧困鄙夷不屑——他既無財富，亦無政治資源。聽眾們可輕易理解其中採自〈國際歌〉（The Internationale）的典故：〈國際歌〉中第一節結尾處的「Nous ne sommes rien」，標準翻譯就是「一無所有」。

這首歌的其他部分表達了這位發聲者的決心，他要拉起這位不情願的愛人顫抖的手，這樣他們或許就能一起離開。但我們不清楚這位愛人是否同意了他的請求，以及他們將往何處去。這個開放式結尾，讓聽眾琢磨這首歌對自己的意義。他們或許會自問，一個社會主義社會的普通民眾，是否不應該擁有任何屬於自己的東西，應該無私地貢獻於未來的共產主義烏托邦——屆時，這個烏托邦將使全人類受益。這個宏偉但又空洞的承諾被崔健的歌聲粉碎了——他反覆唱到「一無所有」，歌聲極具震撼力。

在社會和情感層面上，〈一無所有〉在不同年齡和背景的中國聽眾中都喚起了共鳴——從理想幻滅的前「紅衛兵」到年輕的大學生，從已屆中年的工廠工人到返城開始新生活的「知青」。1986年，當崔健在作家阿城（1949-）家中演唱這首歌時，這位著名的「知青」作家及其朋友大為震撼，要求崔健反覆唱了數遍。正如阿城所言，崔健的歌「類似唐詩的有元氣、樸素、易於上口」。〈一無所有〉很快也成為吉他手們的標準曲目——雖然它並不一定被視為搖滾樂。在當時，這首歌經常被稱作是「西北風」的傑作——「西北風」是結合充滿力量的歌聲與中國西北民歌的一種風格。

一九八〇年代末，台灣音樂製作人張培仁（1962-）睿智地建議崔健別

再使用「搖滾」描述他的音樂，應該採用更加生動的「刀子歌」一詞——靈感來自崔健的歌〈像一把刀子〉，張培仁認為這樣更能凸顯崔健音樂冷峻、尖銳和精準的重要特色。最後，崔健並未採納他的建議。他的音樂無疑屬於搖滾樂，但崔健和中國其他搖滾歌手花了數年時間才在音樂批評家和日益增長的粉絲群的眼中將搖滾樂確定為一種音樂體裁。但「刀子」依然是一個有效的隱喻——既可用以形容崔健的態度，也能形容他的歌聲。正如2006年他在一場音樂會上自豪地宣告：「二十年前我們曾經說過，西方的搖滾樂像是洪水，中國的搖滾樂當時是像一把刀子。但是面對一種更堅硬的土壤的時候，我們身上的權利就像是一把刀子，牢牢地插在這塊土地。」

　　儘管今日大多數的文化評論家、音樂批評家以及業內行家都同意崔健是中國的首位搖滾明星，但搖滾樂開始悄然輸入「紅色中國」的時間實際上更早，而且影響了崔健之前的好幾代人。搖滾樂與現代主義文學一同被共產黨的宣傳體制公開譴責為頹廢、有毒、腐朽到內核——是垂死的西方資本主義文化的典型代表。早在一九五〇年代末，中國的報刊雜誌上就出現了對貓王艾維斯・普里斯萊（Elvis Presley, 1935-1977）的批判。他的音樂被形容成「庸俗不堪，荒唐無恥」，然而音樂本身並未遭禁。在那些年，搖滾樂一步步地越過「鐵幕」的阻隔。二十世紀六、七〇年代，搖滾樂象徵著富於危險魅力，屬於青春的反叛潛流，然而，只有那些菁英人士和處於文化前沿的人才有管道接觸這樣的音樂。

　　搖滾樂刺耳的聲音和強烈擊打的節奏形成一種磁性，首先引起那些靠近權力中心者的好奇。林立果（1945-1971）是一個例子，他是中國共產黨的部隊首腦和副主席林彪（1901-1971）之子，一個野心勃勃的人。他畢業於北京大學，後來成為中國空軍高層官員。他同時是西方搖滾樂團，包括披頭四（Beatles）在內的狂熱粉絲。林立果短暫的一生大多籠罩在神祕面紗之下，引起人們諸多揣測，因為他父親在1971年發動了一場企圖推翻毛澤東的政變，導致林立果及全家人死於非命。然而，在一九七〇年代北京菁英子弟圈中，林立果對搖滾樂的熱愛和吉他演奏的技藝，依然被視為一個傳奇。

　　通過短波電台，一些具前瞻性的「知青」——他們是文化大革命期間被下放至農村的城市青年，也能接觸到搖滾樂和其他西方流行音樂類型。阿城

即曾回憶，一九七〇年代他和朋友們都著迷於「敵台廣播」。阿城尤其喜歡收聽英國廣播公司（BBC）的節目——不是因為想學英語，而是因為電台會轉播現場演唱會。當他第一次聽到台灣流行歌手鄧麗君（1953-1995）的歌曲時，便迫不及待地想聽到更多她演唱的歌曲。1976年得知毛澤東去世、「四人幫」倒台的消息後，他和朋友們在野外脫光衣服游泳，與女孩子們一起聚會慶祝。在他對文化大革命最後階段的記憶中，吉他演奏的歌曲是不可磨滅的。毛時代結束以後，搖滾樂進入中國更廣大的聽眾是遲早的事。

　　崔健出生於音樂世家，父親是中國空軍樂團的職業小號手，母親則是舞蹈演員，兩人都是朝鮮族。崔健十四歲開始學習小號，1981年成為北京交響樂團的職業樂手——一個「文化工作者」，社會主義文化產業中的一個小小螺絲釘。一九八〇年代初，外國遊客和國際留學生將西方的音樂新潮流介紹給中國的年輕音樂人。崔健很快就開始鑽研各式各樣的搖滾樂、通俗音樂和鄉村音樂，萌生了拿起吉他、自己寫歌的強烈欲望。1984年，他發行了《浪子歸》流行歌曲專輯，儘管所收錄歌曲都在當時一般流行歌曲水準之上，但這張專輯卻未對當時的音樂界產生太大影響，甚至連歌迷也大多不記得這張專輯。作為一個音樂人，崔健有著不同凡響的長處：他能完美地融合西方音樂的影響與中國民歌的風格和樂器。例如，他最早創作的搖滾歌曲之一〈不是我不明白〉就結合了雷鬼（reggae）音樂和一種既類似於西方饒舌（rap）、又有如「快板」這類中國傳統的、有節奏的說書形式的唱腔。

　　然而，崔健的歌曲如此吸引中國年輕聽眾的原因，仍在於他才華橫溢的歌詞寫作。他的歌詞拋開由來已久的陳詞濫調和自欺欺人的多愁善感，流淌著活力與獨創性。1996年，北京大學出版的文集《百年中國文學經典》收錄了他的〈一無所有〉和〈這兒的空間〉兩首歌詞。文集編者謝冕（1932-）是一位傑出的詩歌批評家，也是北京大學中國文學教授。崔健的歌詞被視為文學經典收入這個文集，以此，他作為一位詩人和重要的文化人在悠久的中國詩歌傳統中得到確立。小說家王朔（1958-）則再次確認了崔健作品的經典性：他形容崔健是「中國最偉大的行吟詩人」。

　　崔健的歌曲〈超越那一天〉足以彰顯他的詩人力量——他對中國的現實是如此敏感，以至於作品有時猶如預言。這首創作於1997年的歌曲，是為了

紀念英國將香港主權移交給中國而寫。歌詞以一種戲劇化的手法，將這位歌手與香港的關係演繹成一個哥哥與失散多年、素未謀面的妹妹。哥哥感到困惑的是，母親（比喻中國政府）從未對他說起這個妹妹，現在卻突然宣布她要回家。他連珠炮似地對母親發問：「她會真的尊重你嗎？她會真的看得起我嗎？如果你真的生起了氣，她會真的像我一樣害怕你嗎？頭幾年親熱勁兒過了後產生了矛盾，我們還會真的互相愛嗎？如果有一天你們倆想要分開，你讓我到底跟誰走呢？」這些疑問的修辭很簡單，卻深刻地反映出一位中國藝術家的恐懼和不安感，以及這些情感是如何與這個國家政治化的歷史和無法預測的未來緊密相連。

　　崔健依然是當前中國最活躍的音樂家之一。身為一個中國和國際偶像，他以特別嘉賓的身分，在滾石樂隊2006年上海舉辦的演唱會上與傑格（Mick Jagger, 1943- ）合唱〈野馬〉。他獲得許多獎項，包括一些國際大獎。2013年他獲頒義大利坦科音樂獎（the Italian Tenco Prize）——過去獲獎者包括卡斯提洛（Elvis Costello, 1954- ）、佩蒂‧史密斯（Patti Smith, 1946- ）和瓊妮‧蜜雪兒（Joni Mitchell, 1943- ）等明星人物。

　　除了1986年在主流樂壇初試啼聲外，崔健最令人難忘的時刻也許應該是1989年5月19日，他在天安門廣場上的免費現場演出。當天近百萬人聚集於廣場，通過示威活動表達他們對民主、社會正義和自由的訴求。示威活動持續一個多月，公眾的情緒變得越來越激烈。然而，廣場上幾乎沒人能預料到，這場示威活動最終會導致6月4日一場由政府下令的血腥軍事鎮壓行動。這一事件標誌了二十世紀，中國歷史上最後一場帶有革命激情的群眾運動，但在中國境內卻始終是個禁忌話題。由此，1989年5月19日就成為一個有所期待的懷舊之日。當崔健唱起了〈一無所有〉，以示他對這場運動的支持時，成千上萬個聲音一起加入，猶如一陣對更好未來懷有希望的洶湧狂潮。如今，崔健依然繼續他的音樂探索——儘管那樣一個未來還未到來。

參考文獻：

阿城〈聽敵台〉，北島、李陀編《七十年代》（北京，生活‧讀書‧新知三

聯書店,2009年)。

阿城《威尼斯日記》(北京,中華書局,1997年)。

Jonathan Campbell, *Red Rock: The Long, Strange March of Chinese Rock and Roll* (Hong Kong, 2011).

Sheng Zhimin, dir*., Night of an Era* [documentary] (2009).

王敖 撰,金莉 譯

1989年9月8日

第四十六屆威尼斯電影節，《悲情城市》贏得金獅獎和競賽單元最佳影片

創傷和電影的抒情風格

　　《悲情城市》（1989）為侯孝賢（1947–）台灣三部曲的第一部（另兩部為《戲夢人生》〔1993〕、《好男好女》〔1995〕），為首部贏得重要國際電影獎項的華語電影。這部影片呈現了1947年台灣二二八事件，政府對公民的粗暴攻擊和對左派異議分子的殘暴打壓。此為二戰結束日本歸還台灣以來，台灣人民和國民黨政府關係持續惡化的沸點。

　　侯孝賢的成就是台灣電影的里程碑，因為歐洲尖端電影機構肯定的不僅是他的作品之重要性，也是台灣新電影與文學的創作能量。《悲情城市》融合了台灣作家朱天文（1956–）的劇本和藍博洲（1960–）的報導文學，演繹台灣受創的過去。以「里程碑」形容《悲情城市》並非過譽，因為它是首部獲威尼斯金獅獎的華語電影，也是一個導演與其文學繆思的精采合作。幸虧有朱天文和藍博洲，侯孝賢的影片在重構台灣那段惡名昭彰的創傷歷史時，才得以彰顯出一個文學的面向。藍博洲的《幌馬車之歌》給了電影一個史詩的結構，而朱天文的劇本則為敘事貢獻了抒情筆觸。三人的合作也是電影、小說和報導文學一次完美的結合。《悲情城市》扣人心弦的歷史和記憶描繪，有賴傳記與小說間的間距（interstices）以及聲音和影像間的互動。侯孝賢、朱天文和藍博洲齊心營造的抒情風格，讓電影得以在二十世紀後期的台灣呈現並再造一段失落的「歷史」。

　　《悲情城市》圍繞著台灣九份林家展開。與島上大部分人一樣，林家預期戰後能迎來較好的時光。林家四兄弟各自以其方式應對戰後情勢。影片聚

焦在小兒子林文清身上。他是一位聾啞人士，靠經營相館為生。文清和同好深信社會主義能為台灣後殖民困境提供解答。文清在二二八事件被捕然後很快獲釋。他的摯友吳寬榮加入了左翼游擊隊，決心繼續與國民黨鬥爭。文清與妻子寬美也就是寬榮的妹妹，在幕後支持他的理想。寬美在日記中記錄了二二八事件以及恐怖如何瀰漫全島。後來國民黨軍隊襲擊寬榮的游擊隊，文清再次被捕，他的獄友被槍殺了。片尾倖存的林家藉著努力維持日常俗世生活療癒深刻的創傷。

　　《悲情城市》拍攝時，政治敏感話題在台灣依舊不能暢所欲言，當局仍然嚴格查禁二二八事件相關描繪與報導。因此民眾爭先恐後搶看這部號稱要打破本土歷史禁忌的電影。電影上映前，沒有太多二二八資料可供感興趣者選擇。葛超智（George H. Kerr, 1911-1992）的《被出賣的台灣》（*Formosa Betrayed*，1956），是一部遭禁的目擊者敘事，是少數參考書目之一。另一資料途徑雖沒那麼正式，但卻極具說服力，那就是諮詢當時在場的見證人。比如我的母親——1947年2月那場暴動的旁觀者——駁斥了高中歷史課文的記載內容。課本將事件描述成大陸士兵和台灣本地人之間微不足道的糾紛。母親讓我看了左小腿上流彈所留下的疤痕，也敘述親眼目睹在火車站草率執行的處決。當她得知《悲情城市》這部電影時，非常興奮終於有一部以此主題為素材的影片即將上映，人們或許得以藉此擺脫歷史幽靈的糾纏。

　　許多面對過去傷痕的觀眾也有類似期待。他們預期影片就算不是真實回憶，也是那個世代集體創傷的某種歷史再現。然而包括影評人和知識分子在內的大部分觀眾都對《悲情城市》不滿，相繼抨擊導演與影片沒有借用被壓抑的歷史，明確地控訴國民黨暴行。批評家吹毛求疵的認為侯孝賢選擇將不幸的過往拍成一部哀歌（「悲情城市」），而不是頌讚為台灣民主未來而犧牲的烈士和受難者。

　　為何這部帶領台灣登上世界舞台的電影反倒引起台灣觀眾如此不快？《悲情城市》是一部歷史電影嗎？從時代設定和主題來看，毋庸質疑。它是一篇史詩嗎？這點不太確定，影片並未聚焦於改變歷史之人的生命史詩敘事。侯孝賢不以本土英雄犧牲奉獻的宏大敘事為焦點，而選擇使用女性的聲音和文學與攝影的素材呈現二二八歷史。在此過程中，他從藍博洲的報導紀

實中汲取史實，提供電影可視化的基礎。換句話說，這部影片至少提供了兩種文本的歷史記述：一則宏觀敘述台灣及中國的集體歷史記憶；一則微觀記述個人的過去和現在事物。兩者並非涇渭分明，更互以為用，相得益彰。宏觀記述勾勒了故事的輪廓，個人記述則將主觀的自傳基調帶入過往，使之起死回生。正是在這一集體與個人的交錯上，我們發現了《悲情城市》另一層紀念碑性，這或許是影片最引人入勝的部分。

朱天文在《悲情城市》的劇本出版序言〈《悲情城市》十三問〉中解釋了該片的抒情敘事，以及這點如何可能造成公眾對這部電影的不信任。她認為，相較於西方文學常見的史詩敘事風格，中國文學的核心存在於詩歌及其抒情模式。抒情和史詩主要的區別包括：首先，中國文學中的抒情並不特別尊崇衝突，也因此缺乏史詩想要解決衝突的驅力；其次，中國詩歌中自然被視為不具人格的超越性存在，故而無從咎責。在《悲情城市》的歷史敘事中，反思多過戲劇化，原諒多過對立，這些選擇所體現、著重的正是抒情。這部電影的許多關鍵時刻——二二八事件的爆發，文清朋友遭到處決，寬榮入獄以及文清最終被逮捕——幾乎看不到高潮迭起。侯孝賢更寧願運用寬美的日記、書信和文清的照片去連結那起摧毀了許多台灣家庭的事件，以及隨後政府當局對左派人士的鎮壓。通過抒情敘事，《悲情城市》超越了歷史電影的界限，成為具有堅強文學基礎的多重形式文本。

侯孝賢的抒情敘事模式受到朱天文的啟發。朱天文是侯孝賢長期合作的編劇，在許多層面上朱天文對侯孝賢作品的貢獻不僅僅在於編寫劇本。從一九八〇年代起，他們已共同製作十五部電影。毫不誇張地說，作為導演的侯孝賢不得不感謝他的繆思朱天文。朱天文是得到台灣大獎肯定的小說家，膾炙人口的作品（包括《世紀末的華麗》〔1990〕和《荒人手記》〔1995〕）呈現了歷史、天道和心理狀態在時空中的互動與依存。侯孝賢製作第一部自傳影片《風櫃來的人》（1983）時曾遇創作困境。當時朱天文提議他閱讀沈從文（1902-1988）自傳。透過沈從文對湘西童年生活的描繪，侯孝賢找到了表達記憶和歷史的新路徑。他審慎評估了沈從文的抒情聲音——這是一種經由同情與包容的宇宙觀來過濾記憶的聲音——為台灣歷史量身訂做了獨一無二的抒情風格。

在搬演過去的緬懷與記憶時，藉由中國抒情風格仔細過濾過剩的情緒這一方面，朱天文一直啟發著侯孝賢。藉由擁抱抒情風格，侯孝賢將創傷轉化為對於殘暴的曖昧糾結，或甚至聽天由命。在《風櫃來的人》和另一部傳記片《童年往事》（1985）中，侯孝賢開始探索各種類型的電影抒情風格，而朱天文則提供相關訊息。侯孝賢以廣角構圖聚焦呈現出時間的綿延感，極度壓縮了戲劇性的動作，促使觀眾思索存在於鏡頭和銀幕之外的事件。抒情風格的實驗在《悲情城市》中達到頂峰。文清拍的照片、文清和其同志之間的通信、寬美朗讀的日記都是一種抒情手段，旨在喚起同情與寬容的宇宙觀。侯孝賢以主觀的詩學技術發揮這些元素，讓人物的內在精神狀態、情緒和外在的電影攝製藝術融為一體。

除了電影的抒情風格外，侯孝賢也參照歷史傳記，持續介入抒情傳統，藉此支撐他對台灣過去的描繪。此部分他仰賴報導文學作家藍博洲的作品，藍長期關注台灣黑暗的過往，其《幌馬車之歌》集採訪、檔案資料與回憶整理於一身，描述鍾浩東與蔣碧玉夫婦，以及他們終其一生抗拒殖民和威權主義的鬥爭。鍾浩東與蔣碧玉成長於日治台灣，帶著強烈的反殖民見解前往華南加入對日抗戰。戰爭結束後，鍾浩東宣誓效忠社會主義，希望將台灣從另一個威權政府解放出來。他因為拒絕背棄社會主義，而遭逮捕監禁，最終於1950年被處決。蔣碧玉也遭逮捕，但因沒有直接參加顛覆政府行動而獲釋。

〈幌馬車之歌〉原是一首流行於一九三〇年代的日本情歌，深為鍾浩東與蔣碧玉喜愛。歌曲傳達一段難忍的別離，在噠噠的馬蹄聲中，幌馬車載著摯愛的人永遠離開。藍博洲的作品與歌曲同名，以紀念這對革命夫婦不同凡響的犧牲奉獻，書稿1988年完成，1991年出版。在為《悲情城市》的劇本做準備時，侯孝賢和朱天文改編了藍博洲的敘事，替主要人物和他們的悲慘遭遇搭設舞台。電影將〈幌馬車之歌〉作為獄歌，直接提示了藍博洲的同名作品。當獄中的運動人士向面臨處決的同志道別時，唱的就是這首歌。此外，鍾浩東的犧牲也支撐了侯孝賢對二二八事件的刻畫。侯孝賢從相關記錄中得到啟發，包括對國民黨的游擊戰以及後來的獄中場景，而蔣碧玉即是寬美的原型。蔣嫁給鍾浩東並隨他前往中國前是位護士，她欽佩鍾浩東的勇氣和解放台灣的赤誠。侯孝賢因此將嫁給文清前的寬美也設定為護士。與獻身丈夫和革命事業的蔣碧玉一

樣，寬美支持地下社會主義運動，反抗國民黨。在鍾浩東被處決後，蔣碧玉獨自養家。這個史實也同樣反映在文清被捕後的寬美生活中。電影最後一幕，寬美寫信給一個家族成員，娓娓道出她的丈夫遭關押和兒子長了第一顆牙。在這裡，侯孝賢和朱天文在音軌中插入了寬美平靜的聲音，藉此將蔣碧玉的情感創痛轉化為對死亡和分離的靜默，猶彿已經克服悲傷，作好面對最壞結果的準備。於是，我們看到了抒情風格如何可以對抗歷史的怪獸。

　　侯、朱這對拍檔體現了台灣電影中文學與影片強而有力的連結。抒情和文學的印記讓《悲情城市》從二十世紀台灣文化遺產中脫穎而出。侯孝賢在《悲情城市》中打造的電影抒情風格，在後續作品中更臻成熟，進而確立他在世界影壇中的聲望與成就。《悲情城市》續集《好男好女》（1995），延續了鍾浩東與蔣碧玉二人的故事，也是侯孝賢「台灣三部曲」的壓軸之作。

　　《悲情城市》紀念了台灣人民的犧牲，以及他們在面對威權統治強加的恐怖時所展現的勇氣，本片的光輝所在恰恰在於此，而非來自歐洲影展評審團的認可。它賦予了一個幾十年來，對整整一代人而言，不可見亦不可說的事件一個形式。這個見證是通過記憶、報告文學和抒情的移形變位，所呈現出來的視野。

參考文獻：

藍博洲《幌馬車之歌》（增訂本）（台北，時報文化，2004年）。

吳念真、朱天文〈悲情城市‧序〉，《悲情城市》（台北，遠流出版社，1989年），頁1-31。

Markus Abe-Nornes and Emilie Yueh-yu Yeh, *Staging Memories: Hou Hsiao-hsien's "A City of Sadness"* (Ann Arbor, MI, Michigan Publishing Services, 2015).

Emilie Yueh-yu Yeh and Darrell William Davis, "Trisecting Taiwan Cinema with Hou Hsiao-hsien," in *A Treasure Island: Taiwan Film Directors* (New York, Columbia University Press, 2005), pp. 133-176.

葉月瑜 撰，王晨 譯

1990 年
平路發表〈台灣奇蹟〉；朱天文發表〈世紀末的華麗〉

1991 年
李昂發表《迷園》

台灣，女作家，邊緣詩學

　　台灣當代女作家的實力有目共睹。二十世紀末，三位作家的小說：朱天文的〈世紀末的華麗〉（1990）；平路的〈台灣奇蹟〉（1990）和李昂的《迷園》（1991）──不約而同，涉及台灣在性別、文化或政治上的邊緣性問題，她們同時用不同方式將世紀末意象注入其中，從而形成了一種極富對話性的敘事方式。而「世紀末」一詞本身也正是出於對歷史及時間邊緣的想像。

　　平路台大畢業後留美，按部就班的成為海外學人。她對台灣的關懷無時或已，也曾寫過如〈玉米田之死〉（1984）等的思鄉故事。但這些作品只是以往海外文學的延續。之後平路開始來往台灣美國，見證了那幾年台灣的巨大改變。在〈台灣奇蹟〉裡，她的溫情已經變成諷刺。然而明白了「奇蹟」的問題所在，平路反而願意拉近距離，返台定居。台灣畢竟還有她在海外感受不到的吸引力。

　　平路解析台灣奇蹟，看出台灣人阿Q式的「精神勝利法」：自以為是頭號無賴而自豪，也自以為是國際孤兒而自憐。當羞辱與勝利，自貶與自大混為一體時，所謂台灣的主體性成為無以復加的矛盾。平路對台灣所投射的欲

望對象——美國——也有尖銳反省。面對美國強大的資本主義政經體制，台灣有樣學樣，卻適得其反。台灣奇蹟的災難性後果未必不是全球美國化的後遺症之一。

平路的世紀末台灣已經走出現代中國的陰影，不但傾倒大陸，征服美國，更占據世界舞台的中心。台灣經驗是如此不同凡響，以致各國群起效尤。參眾兩院天天打架，全民瘋迷股票彩券，怪力亂神四下蔓延。要不了多久，「台灣奇蹟」變本加厲，成為一種變態民主，一種機會主義，一種貪婪欲望，一種身體病毒，一種全球生態災難。

按照平路的說法，「台灣化」將是世界通用的現象，意味著（1）由不斷盲目膨脹而失去界限的一個國家、一個社會、或一種語言；（2）任何導致模糊曖昧及自相矛盾的感情與事務；（3）世界的未來。平路的故事以幻想曲方式寫出，令人匪夷所思。但更令人匪夷所思的，是她的幻想有部分竟然已經成真。

朱天文觀察則是後現代式的台灣奇蹟。朱天文的創作始於七〇年代。由於家學，張愛玲是她啟蒙作者之一。但影響她最大的是張的前夫胡蘭成（1905-1981）。在胡的點撥下，七〇年代末她參與成立「三三集刊」，吟哦詩禮中國，想像日月江山。這大概是二十世紀台灣少年最後一次理直氣壯的呼喚中國。曾幾何時，「蘭師」不在，花事荼蘼，當年的青青子衿也有了年紀，有了去聖已遠，寶變為石的感傷。於此朱天文反而越發向張愛玲的末世美學靠攏了。

〈世紀末的華麗〉裡，八〇年代末的台北市這樣的光怪陸離，卻又這樣的飄忽懨懶。那個反共抗俄、莊敬自強的時代，可真漸行漸遠了。新台北人一方面精刮犬儒的玲瓏剔透，一方面「如此無知覺簡直天真無牙近乎恥」。在後現代的聲光色影裡，感官與幻想的經驗合而為一，又不斷分裂為似真似夢的影像碎片。

〈世紀末的華麗〉講年華已逝（二十五歲！）的模特兒米亞的情愛生涯，不事情節，專寫衣裳。朱天文對她意欲諷刺的世界的貪戀，在此和盤托出。她對服飾品牌質料驚人的知識，重三疊四，成就如符籙偈語般的文字，

逕自透露密教的玄祕与狎邪。米亞是個金光璀璨、千變萬化而又空無一物的衣架子。而朱的小說本身，未嘗不可作如是觀。米亞（或朱天文）對服裝和文字形式的極致講究，掏空了所謂的內容，而沒有內容的空虛，正是〈世紀末的華麗〉最終要敷衍的內容。

〈更衣記〉的張愛玲有言，「時裝的日新月異並不一定表現活潑的精神……恰巧相反……由於其他活動範圍內的失敗，所有的創造力都流入衣服的區域裡去。」朱天文避談政治，卻在綾羅綢緞間，編織了一則頹廢的政治寓言。當她寫著MTV裡，一群台灣瑪丹娜「跟街上吳淑珍代夫出征競選立法委員的宣傳車」交相爭豔，或米亞帶著情人的蘇聯紅星表，乘著霓虹廣告車，「火樹銀花馳過……東門府前大道中正紀念堂」時，台灣那久經歷抑的政治與性的潛意識爆發出來。但這是反叛，還是墮落？是昇華，還是浮華？

李昂是過去二十年來台灣最受爭議的作家之一。幾乎她所有作品都觸及在男性中心世界裡，女性社會及性意識的幽黯面。李昂1984年發表的《殺夫》標誌著她寫作生涯中的重大突破。這部小說借一樁謀殺親夫的血案，大膽暴露了中國傳統婚姻制度的殘酷及性與暴力的兇險。《迷園》是李昂野心更大的一本小說。除了女性主義以外，這部小說還包括了從保護歷史文物到台灣獨立運動等一系列主題。李昂顯然不僅僅以處理婦女問題為滿足；她力圖從女性主義的立場重新思考台灣的歷史及政治動盪。

《迷園》的情節集中在一個女人和一個花園間複雜的感情聯繫。女主角朱影紅生於台灣古城鹿港最後一家地主紳士的末代女繼承人。朱影紅幼時住在菡園（「菡」與「漢」同音），台灣最精緻的中式庭園之一。這個花園現已完全破落。朱影紅向來希望修葺花園以紀念父祖之輩，但這一願望一直沒有實現可能，直到她遇見並愛上林西庚──一個兩次離婚、無所不為的土地開發商。

朱影紅尋找自我及女性性意識的痛苦過程構成了小說的中心，但這一女性尋求自我的心路歷程只有在朱完成了台灣文化啟蒙後，方能克竟全功。朱的地位很可以視為中心與邊緣對立、男性與女性角逐的象徵。作為台灣反對黨運動的同情者，李昂竭力描繪了台灣在現代中國歷史中所代表的「女性」

喻意。

　　但這部小說如果具有可讀性，並非出於李昂肯定了朱影紅的女性自覺與自決，而是出於她借小說說明這一自決過程中，所表現的迂迴躊躇的姿態。小說企圖套用女性主義的論式表達一系列被邊緣化的社會政治主張（如台獨、古蹟維護、反土地壟斷），但結果卻暗示女性主義——至少李昂所理解的女性主義——並不能涵攝這些社會政治主張。女性主義與這些主張也許有戰略上的共同之處，但這並不能保證它們能結合成一種邊緣者的「統一戰線」，也不能說明它們的鬥爭對象有「相同的」中心。

　　李昂努力地——或許過分努力地——使菡園成為各種問題的象徵焦點。它提醒我們當年台灣地主階級的財富和權勢，大陸精緻文化對台灣的影響，被日本占領的辛酸，以及一個神祕毒咒。菡園也是朱家蒙受屈辱及家道中落的見證。朱影紅必須不斷回到菡園尋根；只有如此她和林西庚的感情關係才達到新高潮。

　　李昂當然可以從女性主義角度來縱覽這些歷史政治問題，她的女性主義立場的確給我們新的啟示。令人不安的是，李昂有意無意地試圖借象徵符號的替換，為台灣的問題鋪陳出一條簡單的敘述。我們可以用女性主義的觀點設想台灣被邊緣化（女性化）的歷史及政治地位，但我們不能不承認，台灣「不是」女人；將台灣所有問題「命名」為男人和女人之間的鬥爭並不能解決所有問題。

　　《迷園》借情境、人物的塑造提出了一連串互相關聯的問題，表明李昂是有心作家，也有能力擴展其女性主義視野。然而這並不是說她的問題都能在小說中得到解決。也許《迷園》的魅力恰在於既放縱又警醒、既清明又盲目的吊詭。小說中謎樣循環邏輯讓我們難以決定究竟這部小說是世紀末台灣的頹廢見證，還是近代台灣史破繭而出的象徵。

　　本文討論了三位台灣女作家如何用世紀末想像，突出被邊緣化的台灣女性意識及政治地位。朱天文側重於女性在愛情及職業方面的空虛。對她而言，世紀末大大地躍事蹭華了女性的邊緣地位，反而滋生了一種前所未見的力量。平路關心的是台灣在國際上陰陽不調的政治經濟地位。她的世紀末想

像引發出一種怪誕的謔仿，一個黑白顛倒的嘉年華會幻影。李昂是三人中野心最大的作家，她的女性主義搖擺於純情的政治和頹廢的美學之間，卻造成邏輯上男與女、中心與邊緣的互相循環，結果是一種無償的虛耗。任何誇張邊緣、將邊緣「中心化」的企圖，都面臨滑入全面否定邊緣的危險。所謂的邊緣（現象及地位）既非絕對也非唯一。在凸顯一種邊緣、使其中心化而犧牲其他的做法中，隱藏著自我矛盾。史庇華克（Gayatri Spivak）的論點：

我要打消目下當紅的邊緣概念，這一概念其實暗中肯定了中心論。就批評家而言，邊緣立場基本上應是一種自我反思批判的立場……我寧願將其簡單命名為危機性立場，而不願稱其為邊緣立場……我心目中思考邊緣的方式是，不視邊緣為中心的簡單對立，而是視邊緣為中心的影子幫手。

王德威

1990 年
《渴望》在中華人民共和國首映

1991 年
《黃金時代》獲得台灣《聯合報》文學獎

從邊緣到主流：王小波與王朔

　　一九九〇年代，作家王朔（1958-）與王小波（1952-1997）分別代表了中華人民共和國當代文化對立的兩極。1990年11月，電視連續劇《渴望》的首映，讓王朔相當自豪。該劇講述文革時期起伏跌宕的苦難故事。這部電視劇風行全國，將王朔與他的作品推向了中國流行文化的核心。次年，王小波的《黃金時代》獲得第十三屆台灣《聯合報》文學獎中篇小說獎，他成為中國大陸首位獲此殊榮的作家，小說直到1994年才在中國大陸出版。《黃金時代》在台灣出版，字面與隱喻雙重層面反映了王小波在中國的邊緣位置。王小波與王朔的職業生涯，代表從「毛時代」由國家控制的文化產業中走出來的兩條截然不同路線：當王小波在體制外堅守他的獨立位置時，王朔卻助長革新了主流。

　　如同這一代的許多人，文革（1966-1976）的經歷深刻影響著王小波與王朔。1968年，十六歲的王小波作為北京知青的一員去了雲南農村。「文革」高峰期，由於青年派系間的激烈暴力衝突日益癱瘓中國社會，毛澤東（1893-1976）與共產黨其他領導人決定將約一千六百萬城市青少年送到偏遠的農村參加勞動。對某些人而言，去農村是自願選擇，代表了對毛派世界秩序的最高承諾與忠誠信仰。但對絕大多數所謂的「下放青年」而言，這是

一場夢魘般的流放，生活的艱苦自不待言，甚至有知青被心懷不滿的農民毆打、虐待的例子。而這些農民被視為社會主義應該仿效的榜樣。有人只在農村待了幾個月，但更有人超過十年未能回家。

王小波在雲南的經歷徹底動搖了他對中國社會的信仰。在他最受推崇的散文之一〈沉默的大多數〉中，王小波回憶他是如何將自己與當地人的互動視為一種表演：「除了穿著比較乾淨、皮膚比較白晰之外，當地人怎麼看待我們，是個很費猜的問題。我覺得，他們以為我們都是檯面上的人，必須用檯面上的語言和我們交談──最起碼在我們剛去時，他們是這樣想的。」下放青年的經歷讓他「無法再相信任何一個屬於社會話語圈的人」，所以他選擇保持近二十年的「沉默」，拒絕參加政治辯論或者出版散文與小說。

當王小波被下放到西南時，他的北京同鄉王朔，因為年紀小而不用下鄉。文革讓王朔有了放肆的機會，打倒身邊偽善的權威人物，特別是他的父親。他的父親在解放前，曾經是國民黨政府的警察。王朔與他的哥兒們混跡北京街頭，十八歲之前曾被逮捕過兩次。

文革結束後，王朔無法無天的同伴成了流氓，像是一群遊蕩在一九八〇年代中國社會中的幽靈。流氓一詞涵蓋了廣泛的社會不法行為：用學者閔福德（John Minford）的話說，它包括「強姦犯、妓女、黑市商人、失業青年、游離的知識分子，以及落魄的藝術家或者詩人」。王朔從事過許多職業，從不雅的到違法的都有：醫藥公司的推銷員、流動商販以及走私犯。一九七〇年代後期當王朔開始創作時，他將之視為另外一次玩票行當。1984年火爆的《空中小姐》，題材就是來自市場考慮：「寫女孩子的東西是很討巧的。」這位才華洋溢的作家因為講述流氓──還有稍微無害一些的「兄弟」、「痞子」、「阿飛」或者「龐克」──的故事而聲名鵲起。他用他們自己的語言講述了諸如《輪迴》、《頑主》與《玩的就是心跳》等故事。通過被批評者妖魔化的「痞子文學」，王朔成了社會主義脫序的人物──比流氓，個體戶，無業遊民更具有威脅性。

當王朔的書從書店的書架上紛紛「飛入尋常百姓家」時，王小波還深受文革經歷的困擾，保持緘默。王小波於1973年返回北京，成了一名工廠工人。後來他通過文革後的第一場高考進入中國人民大學，並於1982年成為該

校會計系的教師。1984年王小波隨同妻子，知名的性學家李銀河（1952- ）
赴美留學，在美居住四年。期間他持續書寫各色人生經歷，儘管不與公眾分
享。

　　王小波的父親是訓練有素的邏輯學家，因為深知學術背後的政治風險，
因此禁止子女從事人文研究。父親去世後，王小波不再壓抑自己的天賦，最
終決定打破沉默。1991年代表作《黃金時代》出版，敘述文革期間雲南一位
下放青年經驗，風格充滿性與狂歡，可信與不可信，懺悔與耽溺。小說主人
公王二的回憶始於一九九〇年代初，講述了他與來自上海的離婚女醫生陳清
揚發展的肉體關係。「革命群眾」對兩人始於懷疑，繼而發展無比好奇與憤
怒——或是興趣，公審兩人，強迫他們承認並坦白「罪行」。在眾人的壓迫
下，他們「將錯就錯」，墜入愛河。

　　陳清揚與王二起初其實沒有任何肉體關係，但還是被定調為性墮落的資
產階級現行犯。他們決定，與其承擔莫須有的罪名，不如乾脆身體力行，實
踐被指控的淫行；他們甚至學會自甘墮落，陶醉於扮演反動角色時被虐的快
感。事實證明，正是社會主義主體的嚴厲自清，反而使得違法者得以置身法
外；他們被隔離在外，竟然享受到意外的自由。陳王兩人於是在「眾望所
歸」下，胡天胡地，晝夜宣淫。《黃金時代》對社會主義價值觀與意識形態
教條如此嘲弄，因此最初只能在境外發表，後來憑藉出版社的關係才得解
禁。儘管出版過程曲折不斷，《黃金時代》為王小波贏得眾多海內外支持
者。他的作品關注個人主義與個體欲望，成為一九九〇年代人民共和國文化
辯論的一種主導聲音。

　　《黃金時代》走紅華語世界的前一年，王朔創作了一個有關文革的電視
劇《渴望》，呈現對社會和個人絕然不同的反思。王朔最初視電視劇編劇為
傳媒快捷方式，並為他的小說免費宣傳。在北京電視藝術中心作家團隊配合
下，王朔憑藉其典型犬儒的痞子風格，運用一系列簡單有效的灑狗血方法
（「奇緣巧合，懲惡揚善」，「卑賤者最聰明，高貴者最愚蠢」等）創造了
徹底迎合市場口味的作品。這部肥皂劇聚焦工人階級劉慧芬與知識分子王滬
生的關係。兩人在文革期間遭受挫折，並在改革初期經歷了文化衝擊，以及
之後的悲歡離合。六四事件之後，王朔的簡單道德故事滿足了一個飽經滄

桑，在政治上已經筋疲力竭的國家需要。這個國家當時所希望的，不過就如電視劇主題曲所許下的甜蜜承諾，「好人一生平安」。《渴望》1990年上映，是一部如此巨大的（而且意識形態正確的）成功作品，以至於為一位原本創作流氓故事的作家贏得了政治局委員李瑞環（1934-）的公開表揚。

當然，《渴望》獲得主流認同，王朔進而得以（有限的）顛覆中華人民共和國的出版文宣體制。在毛時代，作家低得可憐的稿費迫使他們在文化機構擔任閒職以維持收支平衡。王朔討厭這套沉悶的官僚體制與酬傭方式，決心要粉碎它。1992年，他出版文集時，在內地史無前例的聘了一位職業的文學經紀人，並簽訂版稅合約。

對王朔而言，經濟獨立也意味著創作獨立。正如他接受《上海文學》採訪時所說：「我過去寫小說是為生活所迫，現在可以說真正是一種情人關係，寫小說是為自個寫。」確實，即使他獲得了主流大眾認可，他也繼續創作文學價值較高的作品，比如1991年的中篇小說《動物凶猛》。這是一部半自傳體小說，講述文革後期的某一個夏天，一個少年與一幫哥兒們逃離學校，在半是荒蕪的北京城遊蕩。這部小說結合了感傷的抒情與令人不安的暴力，還有青春期的叛逆衝動以及對於隨之而來的力量濫用。小說以一個對文革歷史記載饒富意味的評價作結。作為成年人的敘事者，方言開始懷疑自己回憶的可靠性，他青春期的行為，在反省中變得不可饒恕，必須有所譴責。

當王朔成為家喻戶曉的名字時，王小波還繼續在境外建立他的聲響。經妻子多次勸說，他才同意將小說〈似水柔情〉改編為日後國際電影節的轟動之作《東宮西宮》。這篇虛構的小說取材於他與妻子的一系列社會學調查。這項調查後來以《他們的世界——中國男同性戀群落透視》為題出版，是中國大陸發表的第一個同性戀研究。故事發生在一座以同志聚集而聞名的北京公園，講述一位同性戀者被警方逮捕的經歷以及隨之而來的訊問。一開始，警察試圖糾正「社會異常成員」，但與此同時警察卻也顯露出不能自己的悖德欲望。當他明白跪在面前的「女人」生理上其實是男人後，警察任由後者在國家機構的警察局裡為他口交。變態與愉悅之間的關係如果不是互為表裡，甚至彼此拉抬，至少是曖昧模糊的。這部影片入選1997年坎城影展「一種注目」單元，王小波與電影導演張元（1963-）因此在藝術電影界聲響鵲

起。

　　縱觀一九九〇年代，王小波從「沉默的大多數」的一員變成一個公開發言的公共知識分子。王小波以作家的身分，擔負起對抗中國共產黨專制主義的個人使命，在中國社會呼籲追求個體欲望的自由。然而，1997年11月4日王小波因心臟病猝死，這一使命遺憾地終止了。李銀河在紀念文中將王小波喻為「浪漫騎士」，在一個不承認他的價值的社會裡，這位可敬的人物堅決捍衛人的正義與平等權力。王小波的這些特質雖然得不到當權者的認同，卻在「被損害與被侮辱的」階層裡引發偶像式崇拜。對於處在文化邊緣的人而言，王小波是中國邊緣文化的翹楚，也是無聲者的代言人，過去如此，將來亦然。

　　另一方面，王朔繼續為自己的成功奮鬥。1992年以後，深陷無窮盡的媒體陣仗無法脫身，王朔很少再發表作品。1996年，國家終於受夠了王朔反社會的大不敬，暫時查禁他的作品。1999年王朔復出，成了一位受挫的文化批評家。王朔在2000年的文集《無知者無畏》中抨擊了大眾文化景觀，因為「大眾文化中大眾是至高無上的，他們的喜好就是衡量一部作品成敗的唯一尺度」。然而，頗具諷刺意味的是，沒有人比王朔更應對這局面負責，他和門徒馮小剛（1958-）目前已然是大眾娛樂市場的代名詞。王小波的悲劇以及早逝——生命消逝於才華的最高點上——讓他在體制可能威脅他妥協之前，成為一位令人尊敬的文化偶像。而人生繼續前進的王朔，眼睜睜看著自己變成了長久以來自己所厭惡的：主流成功人士。

參考文獻：

魯曉威、趙寶剛導演《渴望》，1990-1991年。

Geremie R. Barmé, *In the Red: On Contemporary Chinese Culture* (New York, Columbia University Press, 1999).

Michael Berry, "Wang Xiaobo's Golden Age of the Cultural Revolution," in *A History of Pain: Trauma in Modern Chinese Literature and Film* (New York, Columbia University Press, 2008), pp. 261–267.

John Minford, "Picking up the Pieces," *Far Eastern Economic Review*, August 8, 1985, 30. Wang Xiaobo, *Wang in Love and Bondage: Three Novellas*, trans., Hongling Zhang and Jason Sommer (Albany, NY, SUNY press, 2007).

佘仁強（Kyle Shernuk）、蘇和（Dylan Suher）撰，李浴洋 譯

1994年7月30日
寢室裡的朋友們玩起了達達主義的文字遊戲

孟京輝與中國先鋒戲劇

　　1994年7月30日，仲夏酷熱，甫從中央戲劇學院導演專業碩士畢業的孟京輝（1964-）與校友王小力、詞曲作家黃金罡（1970-）和學院圖書館教師史航（1971-）同往史航較為涼爽的教工宿舍。四人躺在上下鋪床，一邊嗑瓜子一邊討論新劇想法。孟京輝的創意緣於試圖打動學生宿舍裡一位迷人的女學生，他假設：如果一部劇的每行都以「我愛⋯⋯」起頭會如何？如果沒有情節、人物或故事呢？這種「反戲劇」會對觀眾產生何種效果？這個核心想法促使四個哥兒們玩起了達達主義的文字遊戲，由此誕生了1994年（也可以說是一九九〇年代）中國最具開拓性的戲劇作品《我愛XXX》。

　　丹尼爾斯（Clifton Daniels, 1912-2000）《二十世紀大博覽》（*Chronicle of the 20th Century*, 1987）一書，為孟京輝、王小力、黃金罡和史航充實了這個點子。這本圖書館借來附插圖的全景歷史年鑑，並未以他們習慣的典型社會主義框架呈現歷史，而是以編年形式記錄了重要的政治事件，同時並列個人生活中值得一提的日常事件，一如1900年第一天到1986年最後一天的《紐約時報》（*The New York Times*）大字標題所示。四人輪流把二十世紀初逝去的重要人物填入「我愛⋯⋯」，由史航記錄：

　　我愛1900年這個美麗新世紀的開始這個美麗新世紀的開始
　　我愛1900年這個美麗新世紀開始時那些大師們死了那些大師們都死了那些大師們全都死了

我愛德國哲學家弗里德里希‧尼采死了

我愛法國作家愛彌爾‧左拉死了

我愛俄國劇作家安東‧契訶夫死了

我愛捷克作曲家安東‧德弗札克死了

我愛美國作家馬克‧吐溫，歐‧亨利和傑克‧倫敦死了

我愛俄國大文豪列夫‧托爾斯泰死了

我愛俄國社會主義理論家弗拉基米爾‧普列漢諾夫死了

我愛法國大畫家保羅‧高更死了

我愛挪威作曲家愛德華‧葛利格死了

我愛挪威劇作家亨利‧易卜生死了

我愛法國雕塑家奧古斯都‧羅丹死了

我愛德國細菌學家羅伯特‧科赫死了

我愛法國科幻小說家儒勒‧凡爾納死了

我愛那些大師們死了那些大師們都死了那些大師們全都死了而那些明星們出生了那些明星們全出生了那些明星們全都出生了

我愛這是一個大師們死去明星們出生的時代

然後，四人羅列了全球各地的重要歷史事件，對它們既有肯定的也有否定。這種反歷史姿態呼應了反戲劇本身的顛覆性質，及其對回憶和重新想像現代歷史的呼籲：

我愛這一切都發生過

我愛這一切從來都沒有發生

我愛那些荒唐的現實沒有發生

我愛一次大戰沒有發生

我愛二次大戰沒有發生

我愛三次大戰沒有發生

我愛十次大戰沒有發生

我愛刺殺大公沒有發生

我愛虐待戰俘沒有發生

我愛哈雷慧星照耀地球沒有發生

我愛1000萬人死於戰爭2000萬人死於流行性感冒沒有發生

……

我愛淫穢的搖擺歌星普雷斯利成為美軍第53310761號士兵沒有發生

我愛著名愛情詩人徐志摩回京途中飛機失事火車失事手術失事再別康橋
沒有發生

　　除了徐志摩的作品，《我愛XXX》還在連串台詞中融入了許多傳統、現
代和當代中國作家、詩人與藝術家的生平和作品，以及華語和國際文學作
品、文化主題。將中國文學作品和國內政治文化置放於大雜燴式的泛中國和
全球背景中，古代詩歌和當代英語學習的狂熱一並被提及，北京歷史地標之
名緊隨著二十世紀七、八〇年代的著名流行音樂：

我愛唐詩三百首

我愛宋詞四百首

我愛元曲五百首

我愛一千零一夜

我愛八千里路雲和月

我愛十萬個為什麼

我愛許國璋英語第一冊

我愛德智體

我愛數理化

我愛男同學女同學

我愛代課老師和班幹部……

我愛早鍛鍊

我愛早戀

我愛大鬢角

我愛喇叭褲

我愛三洋牌手提錄音機

我愛鄧麗君牌美酒加咖啡何日君再來

我愛期中考試期終考試考初中考高中考大學

我愛報名表成績單家長簽字

我愛北京長安街

我愛北京天安門

　　劇中使用六百多句「我愛」，「我愛北京天安門」是其中最有力的，儘管在書面台詞中僅出現一次，但在1994年12月和1995年5月的舞台上，它重複了二十多次。這一宣言融合了愛國懷舊和顛覆紀念，既讓人想起每個中國公民熟知的革命歌曲，也令人憶起五年前發生的爭議性悲劇事件：1989年6月4日，廣闊的公共廣場上爆發了支持民主運動，為暴力所鎮壓。

　　如果政治內容尚在容忍尺度內，那麼台詞中對身體部位帶有情色意味的列舉——呼應了惠特曼（Walter Whitman, 1819-1892）的〈我歌唱那帶電的身體〉（I Sing the Body Electric）一詩——則挑戰了社會風俗，該劇最終因審查未能獲得演出許可而中止。三個月後，孟京輝則因未獲任職單位中央實驗話劇院允許，就將作品帶入東京小愛麗絲戲劇節（Tiny Alice Festival）而遭到申誡。孟京輝的魅力和吸引力部分源自於他能夠將自己作品和立場中的美學和政治風險化為玩笑式的「搗亂」。六四期間，他正在中央戲劇學院撰寫關於梅耶荷德（Vsevolod Meyerhold, 1874-1940）的碩士論文，並開始改編品特（Harold Pinter, 1930-2008）的《啞侍》（The Dumb Waiter）和貝克特（Samuel Beckett, 1906-1989）的《等待果陀》（Waiting for Godot）等經典西方實驗劇作。畢業兩年後，他分配到中央實驗話劇院導演了惹內（Jean Genet, 1910-1986）的《陽台》（The Balcony）。孟京輝自認他主要受到達達主義的影響，此外，全球先鋒戲劇導演和理論家諸如梅耶荷德、格洛托夫斯基（Jerzy Grotowski, 1933-1999）、貝托爾特‧布萊希特（Bertolt Brecht, 1898-1956）和福爾曼（Richard Foreman, 1937-）等對他也影響巨大。他在中國戲劇界獲得了經典地位，其獨特的美學（包括其他導演的模仿之作）被

稱為「孟式」戲劇。他強調玩笑氣氛和集體即興技巧的排演手法，與《我愛XXX》中突出的集體化主題非常相似。這一舞台「宣言」由孟京輝及其他三名編劇、演員創作，它遵循與劇本素材同樣的精神，挖掘文革期間個人的兒時記憶。該劇成為戲劇化的歷史檔案，體現出對青春的情感懷舊和社會主義教育的同志情誼，劇中語法混亂，充滿雙重涵義和諷刺，其特有的曖昧刻畫了這代人與其所經歷的歷史關係。

過去二十五年間，孟京輝是中國最主要的先鋒戲劇導演，但其作品應置於二十世紀中國和全球華語藝術家的語境下觀看。他的靈感不僅來自外國繆思，也來自二十世紀初的中國先鋒戲劇先驅。他的前輩包括北京人民藝術劇院——中國首屈一指的戲劇團體，以土生土長的「京味」劇聞名——的編劇高行健（1940-）和導演林兆華（1936-），他們是文革後一九八〇年代中繁榮實驗戲劇的一部分。雖然孟京輝經常貶斥北京人藝上演的劇目，但卻讚美和尊敬林兆華的作品，如錦雲（1938-）《狗兒爺涅盤》這類家庭劇，以及對莎士比亞（William Shakespeare, 1564-1616）《哈姆雷特》（*Hamlet*）和《理查三世》（*Richard III*）、歌德（Johann Wolfgang von Goethe, 1749-1832）《浮士德》（*Faust*）的改編，還有1988年拼合契訶夫（Anton Chekhov, 1860-1904）和貝克特的劇作《三姐妹等待果陀》（*Three Sisters Waiting for Godot*）。

孟京輝對賴聲川（1954-）等台灣戲劇工作者並不陌生，賴是表演工作坊的創始人。賴聲川導演一如孟京輝，也在創作過程中運用演員的即興演出，代表作《暗戀桃花源》（1986）哺育了現代戲劇的新觀眾，至今仍不斷重演和翻新（包括中英文），最近一次演出是2015年俄勒岡莎士比亞戲劇節。賴聲川曾居住於台灣、美國和中國，因此他的二十多部戲劇帶有鮮明的跨文化元素。

榮念曾（1943-）創立於1982年的香港進念二十面體（Zuni Icosahedron）同樣影響了中國先鋒戲劇的發展。1996到2000年間，孟京輝三次與榮念曾合作，他對文學經典《百年孤獨》（*One Hundred Years of Solitude*）《西遊記》和《李爾王》（*King Lear*）的實驗性改編都帶有進步的標誌：諸如多媒體的使用、傳統的重新詮釋和社會觀照。北京王翀

（1982-）等新一代導演追隨了孟京輝的腳步，王翀擅長國際籌資，善於在海外展現自己的作品。他解構東西方經典（《群鬼2.0》和《茶館2.0》改造了易卜生和老舍），導演了恩斯勒（Eve Ensler, 1953-）的《陰道獨白》（*Vagina Monologues*）這部極具挑戰性的作品。

　　孟京輝和圍繞著他與其他先鋒新浪潮成員的評論話語反映了中國的後社會主義狀況，藝術家和評論家試圖調和政治、進步和流行元素。孟京輝憑藉《戀愛的犀牛》（1999年由他的妻子廖一梅〔1971-〕執筆）和《兩只狗的生活意見》（2007年與演員陳明昊、劉曉曄共同創作），點燃了關於中國戲劇的商業主流和先鋒邊緣的熱烈辯論，而兩部劇仍繼續上演中，各自演出一千五百多場，觀眾超過一百萬人。他的「流行先鋒」（費拉里〔Rossella Ferrari〕語）品牌成了二十世紀末和二十一世紀初中國戲劇盛行的藝術潮流和觀眾的最愛。首演將近二十年後，作為對早期更具社會意識探索美學的回歸，2013年孟京輝重新將《我愛XXX》搬上舞台。新一代的年輕演員雖然沒有親身經歷該劇的社會主義集體現實，但承繼其遺產。對於孟京輝所代表的那代人而言，文革和六四是重要的轉折點，而他的戲劇卻讓沒有親身經歷事件者、對其知之甚少的下一代人能產生強烈共鳴。集體性的理想（和困境）迴盪在孟京輝作品的形式和內容中。《我愛XXX》這類作品營造了懷舊、批評和欲望，反映了二十一世紀那代藝術家和觀眾試圖重溫毛澤東（1893-1976）的革命理想，並且朝向資本主義和後社會主義的未來。

參考文獻：

Claire Conceison, "China's Experimental Mainstream: The Badass Theatre of Meng Jinghui," *TDR / The Drama Review* 58, no. 1 (Spring 2014): 64–88.

He Donghui, "Cultural Critique and Avant-Garde Theatre in Post-Socialist China: Meng Jinghui's 'I Love Therefore I Am'," *China Information* 29, no.1 (2015):60–88.

Rossella Ferrari, *Pop Goes the Avant-Garde: Experimental Theatre in Contemporary China* (London, Seagull Books , 2012).

Meng Jinghui, Huang Jingang, Wang Xiaoli, and Shi Hang, "I Love XXX," trans., Claire Conceison, in Meng Jinghui, *I Love XXX and Other Plays,* ed., Claire Conceison (London, Seagull Books, 2016) [includes video DVD with excerpts from the 2013 production].

康開麗（Claire Conceison）撰，王晨譯

1995 年 5 月 8 日
「月亮代表我的心」

何日「君」再來

　　《甜蜜蜜》是1996年陳可辛（1962-）導演的電影，劇情接近尾聲時，兩名昔日戀人各自徘徊紐約街頭，他們都孤身一人，忽聞流行歌手鄧麗君（1953-1995）驟世消息，黯然神傷。李翹（張曼玉〔1964-〕飾演）駐足在一家電子商店櫥窗前，悲傷地看著鄧麗君逝世的新聞報導。這時，她在香港的昔日戀人與創業夥伴黎小軍（黎明〔1966-〕飾演）也剛好加入觀看。經歷數年的分離、心碎與失落後，因為鄧麗君突如其來驟逝的新聞，兩人竟在異地重逢。當鄧麗君知名歌曲之一的〈甜蜜蜜〉（也是這部電影的片名）旋律響起時，李翹轉身恰與黎小軍碰個正著，她露出難以置信的表情，彷彿黎小軍是鄧麗君歌聲所召喚的記憶。他們凝視著彼此，逐漸確認對方在現實中的存在。電影結尾，他們無言的微笑，顯示了一種只可能存在於電影與流行歌曲中的命定結局。

　　這部電影幾乎橫掃1997年香港電影金像獎。鄧麗君的設定不只是一個便利的情節橋段，或是一段纏綿的音樂背景而已。鄧麗君以旋律的方式出現在電影中，更加表明流行音樂與大眾媒體（mass-mediated）的明星風采，在生活、感性的歷史經驗中所彰顯的深刻影響。有二十多年的時間，鄧嬌嫩柔美的嗓音在全球華語社群無處不在，然而她吟唱的不是民族不幸、感時憂國這類統領二十世紀中國文藝創作的主流話語。相反地，她所唱的幾乎僅止於內心的情愫：愛與失去，浪漫和渴望。然而，就在這種哀婉動人的情境中，鄧麗君超越海峽兩岸的意識形態藩籬，進而打造了某種感性的統一體

（sentimental unity）：如同當時流傳的話，「有中國人的地方，就有鄧麗君的歌曲」。

在歷史敘事中，流行音樂占據著一個模糊卻緣起紛呈的位置。阿多諾（Theodor Adorno, 1903–1969）曾提出一個著名的論點，他認為大眾對流行音樂如醉如癡，無異「飲鴆止渴」。此說奠定了數十年來，視流行音樂為膚淺、浮誇、「禁不起時代的考驗」等嘲諷論調。晚近以來，已有學術研究發現流行音樂的社會學價值，甚至於政治價值，但仍較少專注流行音樂的本身，而多著眼於它和更廣泛的社會運動的交錯。然而鄧麗君的早逝讓流行音樂在作為文化工業的意識形態機制還是歷史和社會變化的另一種示例這類兩極辯證上，有了另外的可能。作為一個明星，鄧麗君反映了一九七〇至一九八〇年代間，對於理解作為「『中國人』意味著什麼」的變化。而作為一種「聲音」，她也表述、建構與形塑作為中國人的經驗。鄧麗君作為（跨）文化偶像的歷史意義，長久以來已獲得認可，然而她歌曲所導出的情緒何去何從，卻還有待研究——儘管她為整整一個世代的亞洲聽眾唱出了他們的「情感結構」（structure of feeling），來自全球無數歌迷的感性見證絡繹不絕。她的事例提醒我們如何在思考現代中國的方法中，解釋「抒情」的可能性？如何從宏大歷史敘事轉向個人的經驗與感性的共鳴？

鄧麗君最膾炙人口的歌曲〈月亮代表我的心〉也是卡拉OK的熱門點唱曲目。如同許多受歡迎的流行歌曲一樣，這首歌的歌詞多愁善感，饒富魅力：

你問我愛你有多深？
我愛你有幾分？
我的情也真
我的愛也真
月亮代表我的心

鄧麗君的演唱以其天真的魅力擄獲人心：她的聲音純粹而甜美，聲量稍高於呢喃細語，卻又不淪於甜膩的矯情或濫情。這首歌是一九七〇、一九八

〇年代鄧麗君家喻戶曉的歌曲之一，尤其引起中國大陸聽眾的共鳴。鄧麗君是中國大陸聽眾最早接觸到的港台唱片歌手之一，這很大程度上得益於鄧小平（1904-1997）經濟開放政策下，電子產品的日益通行。半導體收音機和大型手提式收音機讓大陸聽眾能夠收聽來自港台的廣播，或者在自家播放流行音樂的盜版磁帶，為個人娛樂開闢了新場域。這帶來新鮮的個人感性和私有空間，與革命時期國家宣傳媒體散播的集體聲音大相逕庭。數十年來，在中國人民集體歡唱毛澤東（1893-1976）是紅太陽的頌歌之後，突然出現了鄧麗君以如此柔美的歌聲，向「你」歌唱「我」的愛情。即使「表徵」的直白宣言剝除了政治意涵，卻因抒情之意備受鼓舞。這股感性力量的衝擊是如此徹底，以至於很快人們傳說著：白天聽「老鄧」，晚上聽「小鄧」。

鄧麗君出生於台灣，雙親因國共鬥爭，1949年來到台灣。一九六〇年代中期，少女時期的鄧麗君因擅唱民謠小調，尤其是「黃梅調」一鳴驚人。黃梅調融合地方戲曲旋律和浪漫情愫，當時在港台老一輩聽眾間大受歡迎。與此同時，在新興、大眾媒體的年輕人市場，鄧是開路先鋒。一九六〇年代後期她發行了第一批唱片（她在十四歲到十八歲之間為台灣宇宙唱片錄製了二十張專輯），她在薩克斯風、吉他和古典絲竹之間轉換自如。來往不同風格間，她的聲音依然保持穩定與統一，令人驚豔。她的流行歌曲融入了亞洲風格，而柔化的傳統歌曲加入西方和聲之感。少女時期的鄧麗君帶著些許超齡感，她以圓潤飽滿的嗓音，傳統表演的曉暢練達，又不失青春大眾形象，風靡一時。對一代淪落在歷史洪流之外的聽眾，她的歌聲撫慰人心，同時也引發某種對於當下的期待。這與1949之後台灣的感覺結構聲氣相通。

二十世紀七、八〇年代鄧麗君紅遍東亞、東南亞，她的歌聲也被認為是「靡靡之音」，有如三、四〇年代上海周璇（1920-1957）、白光（1921－1999）等所唱的「黃色歌曲」。這種歌曲曾經召喚出上海的殖民風情，也被附會在鄧麗君跨國的文化感性上。然而，她歌聲中所洋溢的柔情是無法輕易歸類的。除了前述的風格，她或許也受到現代日本演歌的影響。演歌在東亞和東南亞的日本前殖民地，包括台灣，深受歡迎，其唱法通常也融入當地的音樂。如果鄧麗君的歌聲有著上海時代「黃色歌曲」的殖民底蘊，她對「演歌」技巧的汲取，也未嘗不可視為她個人浸潤在台灣文化的印記。這些文化

資源的複雜性使我們很難將鄧歸類於單一族群、文化或政治框架。

　　鄧麗君的歌聲是真正意義上的簡單：聽起來愉悅，不具侵入性也不艱澀。她最受歡迎的曲目都是軟性商業歌曲典型：旋律優美浪漫，哀而不怨，若有似無的顫音帶出一絲憂鬱。她咬字清晰，字正腔圓（此外，粵語、日語、閩南話或英語無不拿手）。她所投射的形象是涉世未深的鄰家女孩，典雅親切。

　　鄧麗君的風格和形象使她不僅能突破台灣和中國大陸政治限制，更在東亞和東南亞無往不利。她以廣大的市場行銷（1973年她加盟亞洲最大的日本Polydor唱片公司），精心打造的公眾形象，打開了全球知名度，並為後之來者——如王菲（1969-）、周杰倫（1979-）等跨國藝人——樹立榜樣。然而，儘管她刻意避免政治表態與個人新聞，她仍不可避免地受到盛名之累。1979年她因持偽造的印尼護照前往日本而被拘留，受到台灣媒體大肆批評，有如背叛國家。事件緣於1972年日本與台灣斷交後，中華民國公民赴日旅行變得極為不易，鄧使用偽造印尼護照入境日本間接反映台灣外交處境。

　　次年，鄧麗君出現在台灣電視在金門錄製的節目《君在前哨》。金門與大陸只有一水之隔，是冷戰對峙下的戰略要地。鄧前往金門勞軍表演，顯然意在挽回她在家鄉的聲響。但不久後，她的歌曲又被海峽彼岸的北京政府公開斥責為「靡靡之音」與「精神污染」。儘管情況錯綜複雜，鄧麗君的歌聲只聚焦愛情和感性，使她得以超脫政治，逢凶化吉。

　　鄧麗君的名氣如日中天的那些年，歷史和政治的力量正積極地左右著中國人的認同。這些力量調動文化符號，用以促成一般人的向心力。鄧麗君無法自外於這些力量。不過，她的聲音憑藉感性而非教條來面對民族大義的問題，徹底改變了以往海峽兩岸劍拔弩張的文宣攻勢。歸根究柢，流行音樂以其淺白流俗，比其他任何形式的文化更能打動人心。鄧麗君所留給我們的，不是她對「中國」或「中國文化」有何建樹，而是她對「你」和「我」的召喚——她彷彿與我們每一個人都心心相印。

　　1995年，鄧麗君與男友在泰國北部清邁度假時，因嚴重哮喘病發作猝死。與巔峰時期相比，她受歡迎的程度雖然不如以往，但她的驟逝仍使我們經歷了一次集體的失落感。各種公眾和傳媒致敬互動紛至沓來，她的喪禮直

追國家元首級，甚至她的死因也引起陰謀論的揣測。不過這一集體失落感最深的印記留在歌迷個人情感與記憶上。鄧麗君的離開，不僅召喚出猶如失戀的苦澀與甜蜜，更創造了某種詭異的期待：她一定會回來與歌迷重逢。因為有了期待，時間的斷裂變得不那麼痛苦。

　　拜多元媒體與科技之賜，鄧麗君去世二十年後，她甜美的音容笑貌依然縈繞歌迷心中。最令人驚奇的是，鄧麗君在2013年9月一場演唱會上復活，並與超級巨星周杰倫合唱。當晚周杰倫唱完鄧麗君經典歌曲〈你怎麼說〉的第一段副歌後，舞台兩側螢幕出現這段話——「我曾經幻想，如果我能穿越時空，回到三十年前，跟她合唱一首歌，那是多麼榮幸的一件事情」——之後，鄧麗君身著一襲紅花白底旗袍，以3D立體投影的影像亮麗登場，接唱出下一段歌詞。現場觀眾驚喜之餘，無不倒抽一口氣。鄧麗君的形象與聲音如此順利地與新媒體接軌，預示著此後她將再次被召喚；她的聲音與影像將世世代代的流傳下去。電子版鄧麗君在與周杰倫合唱了兩首周的新單曲後，消失於舞台的光暈中。不論她香消玉殞或是她（虛擬的）魂兮歸來，鄧麗君同樣是歌迷心頭永遠的迷戀和創痛。我們對她甜蜜的記憶，以及與她重逢的渴望，只會隨時間流逝，愈加強烈。

參考文獻：

平路《何日君再來——大明星之死？》（香港，天地圖書出版社，2009年）。
師永剛、昭君《鄧麗君全傳》（香港，明報出版社，2005年）。
Rey Chow, "By Way of Mass Commodities: Love in Comrades, Almost a Love Story," in *Sentimental Fabulations, Contemporary Chinese Films: Attachment in the Age of Global Visibility* (New York, 2007), pp. 105–120.

若岸舟（Andy Rodekohr）撰，李浴洋 譯

1995年6月25日
二十六歲的女作家邱妙津在她巴黎的公寓用尖刀刺進心臟

《蒙馬特遺書》

【致讀者：請按照個人想要的順序閱讀以下自成段落的文字片段。本文受邱妙津（1969-1995）《蒙馬特遺書》的精神——書中的章節可以依任何次序閱讀——所啟發，所有段落排序完全隨機。這是我將每一個段落打印於卡片上再進行洗牌的結果。】

《蒙馬特遺書》雖以平淡無奇開頭，卻結束於波濤洶湧的漩渦。一開始就勢頭強勁，各種主題母體與文學指涉緊密交纏。閱讀過程宛如一路跟隨作者——敘事者直入她如兔子洞（rabbit hole）般的奇妙深邃世界。

這是一本如同個人回憶錄般的小說，由一系列鬆散的「書信」章節構成，這些「書信」本質上是作者的長篇自殺筆記。小說氛圍嚴肅，分外沉鬱，文字時而晦澀時而通俗，既是私人回憶錄也是公開的宣言。小說糾結於兩位女性間已然消逝的情感，敘事者在結尾許下了結束生命的承諾，而作者邱妙津最終以生命兌現這一諾言：1995年夏末，年僅二十六歲的作家在她的巴黎公寓以尖刀刺向心臟，留下遺稿並囑咐將之付梓。

邱妙津是台灣（所眷顧的）本土之子。她的作品展現了一九九〇年代性別認同在公共和私人表述間令人不安的緊張，體現了台灣文化認同中拒絕被「清潔化」的一面——這是一個行為不端且對更大規模的、具理想主義色彩的台灣民主或西方自由主義敘事的一種反駁。正如學者劉人鵬和丁乃非所言：

眼前台灣的同志，可能並不會因為對同志未曾施與公開明顯的暴力而更少壓迫。在此，恐同的力道可能並不表現於對著你的臉吐口水，而是，努力保護其他人的臉，以保存一個完整美好的形式整體。

《蒙馬特遺書》中的一段題詞鼓勵讀者以隨機順序閱讀小說：「若此書有機會出版，」「讀到此書的人可由任何一書讀起，它們之間沒有必然的連貫性，除了書寫時間的連貫之外。」台灣小說家駱以軍（1967-）稱此書是過去二十年的「一部女同志的聖經」。由於小說獨特的非線性敘事結構，以及提示讀者可打開任意一頁開始閱讀，私以為它更像一部女同志的《易經》（一部關於陰陽之道的深奧中國經典）。

即便是背景截然不同的讀者，都可以從這個成長小說中找到共鳴。作者以第一人稱敘事，處理性意識的覺醒、疏離、失落以及愛等議題。

邱妙津毫不留情的打破了形式上的整體性，小說承繼了此前的《鱷魚手記》中的幾個主題且趨於完整與成熟。尤其值得關注的是，她混合了文學藝術創作中一種極致的愛欲與書寫糾葛的表現。這一互文且跨世代的書寫，衍伸了許多不同的文化、作家、語言、性別間的對話。在此意義上，《蒙馬特遺書》可說是邱妙津對全球現代主義文學對話最成熟的貢獻。

隨著小說的行進，可借以類推的語言密度逐漸加強，各「書信」或「章節」也依時序相互銜接。雖然作者指明無需依前後順序閱讀，但讀者依然可以感受到各章節中獨立的「微敘事」其實是建立在彼此相互衍生而來的。

2003年，學者桑梓蘭指出：「邱妙津的稟賦異於常人。她的文風是自信的、知性的、聰慧的、抒情的和親暱的。儘管逝去多年，她的作品在台灣依然有為數眾多的追隨者。」十年後，香港、新加坡、馬來西亞乃至世界各地的華語讀者無不知曉她的作品，2012年，她的小說在中國大陸首次出版。若說當代華語文學大多以地區、方言、國家和傳統來區分，那麼邱妙津的作品在某種意義上早已超越這些區隔，成為世界華語文學中的新生經典。

如果邱妙津還在世，她的年紀和我相仿。閱讀她的文字時想到了這一點，故不免比較我們的生命時間軸上一些結構和觀念的疊合。我們追隨彼此

的腳步漫遊世界：一九九〇年代初，我們肯定去過同一間台北的女同志俱樂部。我們的好友圈有許多交集（彼此雖不認識，但她是我朋友的朋友的朋友）。我們都曾學習法語，同一時期在巴黎居住。我常常想，我們是否都在奧德翁（Odéon）劇院欣賞過安哲羅普洛斯（Theo Angelopoulos, 1935–2012）的作品演出，是否參加過同一場在巴黎聖母院的「Act Up」集會，是否都在巴黎的女同志夜店Privilège中，感到格格不入而興致缺缺？

　　中國天安門事件中著名的異議人士，也是哈佛大學博士的王丹（1969–）如此評論《蒙馬特遺書》：

　　邱妙津的文字打動人，就在於那麼真切地呈現自己的內心，而這，本來就是文字的魅力所在。我們有太多的作家，在書寫的時候心裡是清醒而縝密的，他們編織情節，組織詞句，他們引導讀者的興趣，創造虛擬的愛情，當作一種書寫的快樂和勞動的收穫。我們可以在他們的作品中得到很多閱讀的快樂，但是，是否會感動呢？內心是否會受到打動呢？……人生有很多困難，其中一種就是：當你脆弱，悲傷，幾乎崩潰的時候，你不想有別人看到這種絕境，但同時又想有人可以分享。這種時刻，往往只有文字，不是面對面，而是通過文字與心的交流才可以解決這種困境。這就是邱妙津的書打動我的原因。從一開始，我就感到了這種親近。

　　邱妙津是同志次文化的標誌性人物。她的第一本小說《鱷魚手記》為一個世代的台灣女同性戀族群創造了「拉子」這一詞彙，她也是一個受主流文壇重視的現代主義作家和形式的創新者，曾獲得頗具威望的國家級文學獎項。

　　絮，我是個藝術家，我所要做的，就是去體驗生命的深度，去了解人及生活，並且在我的學習與創作裡，表達出這些。我一生中所完成的其他成就，都不重要，如果我有一件創作品，達到那個目標，我才是真正的不虛此生。

　　1993至1995年間，邱妙津於法國巴黎第八大學攻讀臨床心理學與女性主義。她在巴黎結束自己的生命，留下了一部極具試驗性的書信體小說，也是她最複雜的一部作品：《蒙馬特遺書》。

　　邱妙津是台灣最知名的女同性戀作家。文化研究與台灣文學專家馬嘉蘭（Fran Martin, 1971–）如此評價她的作品：「她的文風如此獨特，雜糅了理智與實驗性的語言、心理寫實主義、假托寓言的尖銳社會批評，以及非同尋常的亮眼譬喻所製造的超現實效果，深受歐洲、日本兩地的電影與文學中的現代主義所影響。」在風格上，她對心理分析抒情主義（psychoanalytic lyricism）的運用，以及謹慎地與許多現代和後現代大師如紀德（Andre Gide, 1869–1951）、尚・惹內（Jean Genet, 1910–1986）、安部公房（1924–1993）、三島由紀夫（1925–1970）、村上春樹（1949–）、安德烈・塔可夫斯基（Andrei Tarkovsky, 1932–1986）、賈曼（Derek Jarman, 1942–1994）等人作品的互涉連結，使其作品超越了台灣與華語語系文學的邊界而進入一個更加全球性的對話。

　　我（包括許多讀者）在閱讀她最後一部作品時，很難不對二十多歲的邱妙津那份青春的真摯感同身受：不僅僅是一九九〇年代中期，我們成長過程中共同經歷的酷兒文學的自我剖白風潮（也是網路時代徹底地埋葬這一傳統前，某種鄉愁敘事的最後喘息？），更是她羈旅海外的生活，她對藝術造詣和愛情理想的虔誠追求，以及她可以在橫跨不同平台、文化與語言等等的性別、身分光譜中棲居的能力。

　　昏暗間我看見Laurence在塞納河裡撩撥她的頭髮，就像她平常說話說到激動處，就會用雙手將垂在額前的髮撥到兩邊；在水中和在陸地上都一樣，她都在為自己加上中止符……她的皮膚是晒得均勻的淺咖啡色，比頭髮的棕色更淺更柔滑，在這春天油綠滿樹、綠葉闊綽妖舞的塞納河兩岸，在這巴黎人文化巔峰的燈光藝術裡，Laurence猶如一尾在千萬片顫動的黃金葉間翩翩跳躍，逆尋光之流域的魚……俯游時露出她臀部無懈可擊的弧線，河水從她的背脊滑開又滑開……想用雙手觸摸那弧線，想用脣吸吮那弧線，想用灼熱的陰部去貼住她背脊的弧線，無論她是誰……仰泳時，乳房的形狀默默地劃

開水流，我想她是興奮的吧，乳尖翼翼地燃點著，腰部肌肉隨著空氣的吸吐而收縮凹陷，風旋彷彿魚梭織響，彷彿Laurence姣美的線條在紡織著水流……

《蒙馬特遺書》講述的是一段情感消逝的故事，也是敘事者的自我剖白。她的聲音時而自憐時而自大，時而強迫性的重複時而宏大性的反思，時而緘默時而脆弱。這是她自盡前的遺言，她偉大的傑作，也是她對愛付出所得的結晶。小說由住在巴黎的敘事者與她在台北的愛人、在台灣和東京的親友之間一系列魚雁往返的書信，以類似章節的形式構成，內容始自心愛的寵物「兔兔」之死，敘事者終於決意尋死的讖語。文中我們跟隨邱妙津的敘事者穿過蒙馬特的大街小巷；目睹男男女女、台灣人與法國人間的風流韻事；聆聽她對經典電影的奇思異想；以及一窺她苦苦思索但以澄澈的目光面對夾處於兩種文化，在某種程度上也是兩種性別，甚至於跨性別間存在意義的概括。相較於《寂寞之井》（*The Well of Loneliness*），小說反而更貼近《假面的告白》和《人間失格》，它讓邱妙津成為我們這一代，無論任何語言中都是最優秀的形式實驗者和現代主義作家。

我蹦蹦跳跳地跳回家，鑽出這站四號線地鐵站Simplon，走在rue Joseph Dijon上，黃昏七點或八點，蒙馬特區Mairie前的Jules Joffrin教堂鐘聲響起，浸透我的身心……我抓出背包裡老師的小說，看清楚她簽了什麼，才明白自己已鬼使神差地將中文的（我愛你）當成她所等待於我的message（訊息）envoyer（寄傳）給她……「message」是她在課堂上常講到的一個關鍵詞，也是文學裡關鍵的「métaphore」（隱喻）啊！而這個小小的 transport（傳送）又在對我的生命隱喻著什麼訊息呢？

邱妙津的作品是一個樞紐，麇集了她與眾多生者或亡者無止盡的對話：太宰治（1909-1948）、三島由紀夫、尚‧惹內，台灣作家駱以軍和賴香吟（1969-），以及對她或愛或恨，在網路上談論其作品或與之對話的世界各地華語讀者。她的書寫，拒絕開始、沒有中間轉承、更無結尾，因之在社交

媒體上延續著生命。

　　作者雖然已去世將近二十年，關於小說的熱切討論卻仍無止盡——《蒙馬特遺書》究竟該如何被記憶？一個圓滿的浪漫宣言？一次為藝術的獻身？還是沉重至令人不忍卒讀。

參考文獻：

邱妙津《蒙馬特遺書》（台北，印刻出版社，2006年）。

劉人鵬、丁乃非〈罔兩問景：含蓄美學與酷兒攻略〉，《性／別研究》（中壢，中央大學性／別研究室，1998年），頁109-155。

王丹〈生命與愛情的極致：再讀《蒙馬特遺書》〉，《印刻文學生活誌》2005年第22期。

Larissa Heinrich, "Begin Anywhere: Transgender and Transgenre Desire in Qiu Miaojin's Testament from Montmartre," in *Transgender China: Histories and Cultures*, ed., Howard Chiang (New York, Palgrave Macmillan, 2012), pp. 161-181.

Liu Jen-peg and Ding Naifei, "Reticent Poetics, Queer Politics," *Inter-Asia Cultural Studies* 6, no.1 (2005):30-55.

Fran Martin, *Situating Sexualities: Queer Representation in Taiwanese Fiction, Film and Public Culture* (Hong Kong, Hong Kong University Press, 2003).

Fran Martin and Larissa Heinrich, eds., *Embodied Modernities: Corporeality, Representation, and Chinese Cultures* (Honolulu, University of Hawaii Press, 2006).

Tze-lan Deborah Sang, *The Emerging Lesbian: Female Same-Sex Desire in Modern China* (Chicago, University of Chicago Press, 2003).

韓瑞（Ari Larissa Heinrich）撰，陳抒 譯

1997年5月1日
「世界地圖是什麼意思，一個島接著一個島在大洋洲。」

冷海情深

　　夏曼・藍波安（1957-）1997年5月出版的散文集《冷海情深》為當代華語語系文學（Sinophone Literature）引進了一個新視角：島嶼化（islanding）以及列島式（archipelagic）思維。藍波安為蘭嶼達悟族，蘭嶼（達悟語為Pongso no Tau，意思是「真人之島」）為位於台灣東南二十五英里處的小島。他高中來到台灣求學，一九八〇年代回歸蘭嶼。他曾參與原住民抗爭運動，反對政府將核廢料送往故鄉。回歸蘭嶼的他捨棄漢名施努來，依照達悟族傳統命名夏曼・藍波安，意為「藍波安之父」，藍波安是他的長子。1997年起，他發表系列自己與島民的航海經驗作品《黑色的翅膀》（1999），《海浪的記憶》（2002），《航海家的臉》（2007），《老海人》（2009），《天空的眼睛》（2012），《大海浮夢》（2014）和《安洛米恩之死》（2015）。藉由這些敘事藍波安落實「海洋」認同的島民身分，而且隨著作品被譯為英、法、日、西和德語版本，他因之成為挑戰大陸式（continental）理解世界者。

　　要理解藍波安的作品，則不能忽略中國和台灣的連結與分隔。1949年，蔣介石（1887-1975）國共戰爭敗北，帶著一百五十萬左右的追隨者渡過台灣海峽，撤守台灣。此後，島上瀰漫著對大陸的文化鄉愁。台北和其他城市街道，以洛陽、長安和開封等大陸城市重新命名，島上地景轉化成一部華人離散史。國共分裂的創傷讓原鄉遠去，而島上的暫居也總是惶惶不定。余光中（1928-2017）常被引用的一首詩作，即帶有典型離鄉背井的痛楚：

而現在，

鄉愁是一灣淺淺的海峽，

我在這頭，

大陸在那頭。

失去大陸的百感交集，經年累月難以排解。

但到1997年，一種新論述浮現，衝撞了大陸的以及國民黨的失落感和離散遺緒，並建構了一種以海洋和島嶼為中心的獨特台灣認同。1949年前已從大陸移居台灣的漢人是此類論述的擁護者。有些移民甚至早在一六六〇年代已來到此地，當時明遺民國姓爺鄭成功（1624-1662）將荷蘭人從島上驅逐。作為已經在台灣生活了將近四百年的族群，1949年前來台的漢人在面對中國大陸霸權時，尤其渴望切斷與中國的臍帶聯繫。台灣漢族作家廖鴻基（1957-）和東年（1950-）致力海洋論述，但在定義與示範台灣獨特之文化典型時，藍波安的作品是不可或缺的。他的達悟族身分，毋庸置疑的獨立自外於亞洲大陸，作品因此強化了台灣本土主義。已故的台灣評論家葉石濤（1925-2008）曾說：「台灣文學的未來將由原住民作家肩負。」處於台灣邊緣位置的原住民，搖身成了建立民族文學以及本土台灣人認同敘事的主力。

然而，藍波安向來不支持此種論述，他的作品超越民族界線，向海洋歸屬的廣闊世界開放。他恢復了島嶼部落傳統，這個重新創造發明的傳統既是原住民的自我命名，同時在殖民征服與原住民歷史之間調停中介。他的作品深具啟發性，通過獨特的島嶼視角將現代中國的國族分裂重新脈絡化，凸顯了被大陸式論述遮蔽的海洋世界。他呼籲航海人之間應該跨國（transnational）而且跨原住民（transindigenous）的團結合一。巧合的是，他的家鄉蘭嶼在歷史上一直扮演著聯繫者的重要角色。比如，1936年，英國動物學家和航海民族志學家霍內爾（James Hornell, 1865-1949）在《人類學月刊》（*Monthly Record of Anthropological Science*）上的一篇文章指出，達悟人和北歐民族在船隻建造和設計上有著趨於一致的發展過程。

藍波安以豐富的海洋文化取代殖民與國家的劃分系統。達悟族人以飛魚

為食，他們的儀式和曆法圍繞著飛魚群的活動。在《黑色的翅膀》中，藍波安透過由飛魚般的移動和逃脫戰線，質疑現代民族國家的領土主權：

　　世界地圖是什麼意思，一個島接著一個島在大洋洲，他們皆有共同的理想，便是漂泊在海上，在自己島的海面，在其他小島的海面，去追逐內心裡難以言表的對於海的情感。也許是祖先傳下來的話。飛魚一群一群的，密密麻麻地把廣闊的海面染成烏黑的一片又一片。每群的數量大約三四百條不等，魚群隊相距五六十公尺，綿延一海里左右，看來煞是軍律嚴謹出征的千軍萬馬，順著黑潮古老的航道逐漸逼近菲律賓巴坦群島北側的海域。

　　藍波安對於中國性與台灣性的二分法無動於衷，他期待連起的是一個彼此交織的「島嶼之海」，而蘭嶼成了大洋洲的列島連結之一。達悟族生活在黑潮流向區域，由太平洋豐饒的生態系統滋養。達悟人善用傳統的生態知識，長年累月過著富足的日子。然而當1949年國民黨政府遷來台灣，並於一九五〇年代在蘭嶼建立四座勞動訓導營、十座安置老兵的農場以及一個駐軍司令部後，達悟人原有的生活方式便受到干擾。然而，達悟人在歌謠、神話和故事中保存的傳統知識，仍然維繫著這個充滿活力的海洋文化。達悟人的資源利用和環境平等系統，為生態永續（ecological sustainability）提供了出色的範本。族人季節性的在各處捕撈洄游魚類與在當地珊瑚礁區打漁間交替，以保護海洋和維持周邊水域的生物多樣性。他們在具有灌溉系統的水田中種植芋頭，搭配輪作的旱芋、番薯和小米。達悟人植樹造林（mimowamowa），把已開墾的土地作為無價遺產留給後代子孫。他們上山選伐林木，建造拼板舟和傳統房屋。他們分別樹木等第，然後以熟練的造船術（mi tatala）製造雕刻（mivatek）的船隻和未經雕刻的白船。這些打造成流線型的船舟具有傳統的美，設計反映出關於海浪的全方位知識，也呈現了一套象徵秩序。藉由這套秩序，達悟人一方面將個體的人（Tau的本意）和他們的氏族聯繫在一起，另一方面則創造了達悟、魚群和海洋之間的紐帶。達悟人以海洋生物的神話為基礎，維持著一套典禮、儀式和祝禱。他們採用一種獨特的計時方式，根基於月亮和潮汐的節律。達悟人日常生活所奉行的傳

統規範，提供了與來自大陸漢人極為不同的生態保護模式。

藍波安在作品中展現了對星辰、海洋和許多太平洋物種的廣博知識，以及有關捕魚、駕駛獨木舟、造船和天文航海的體能技術。在《冷海情深》中，他創造了一種對於地方和空間的太平洋感知，這一感知不僅由人對海洋的浮想聯翩而顯示，也透過追問祖先的訊息而呈現。這一信息像是血液裡的記憶，以身體密碼的方式流傳後世。藍波安運用的豐富詞彙帶有一種星球意識（planetary consciousness），藉此開啟了「星球作為海洋」或「海洋星球」的廣大眼界。他如此描述造船的各類木材：

孩子的父親，這棵樹是Apnorwa，那棵是Isis，那棵是Pangohen……這些都是造船的材料。這棵Apnorwa已經等你十多年了，是拼在船身兩邊中間的上等材質，這種材是最慢腐爛的。這棵是Cyayi，就是今天我們要砍的船骨。

他的原住民化華語語系寫作，為不受「中國性」制約的部落發聲帶來各種可能性，筆下原住民與主流族群間高度混雜的對話也極具顛覆性。他身處兩個世界之間，跨越了文化以及華文寫作的邊界。他藉由增添廣泛的原住民語彙、部落式表達和多重聲音，有意無意地顛覆並重塑了語言、文化與歷史。需要留意的是，達悟語中表示「胎盤」和「子宮」的詞語也同時表示「陸地」和「海洋」。藍波安本人即代表著陸地和海洋的連結交界。他將自己的原住民身體和海洋或者島嶼身體混合起來，以達悟語說：「Nu yabu o pongso yam，ala abu ku u（如果沒有這個島嶼，我是不存在的）。」

太平洋的島民用他們的航海術和獨木舟為世界做出貢獻。他們的獨木舟已經在這個海域縱橫了八千年，遠遠早於西方人來到太平洋的時間。對獨木舟的稱呼形形色色：毛利語的waka moana；斐濟語的camakau；馬紹爾群島稱waan aelon kein或walap；東加則是tongiaki或kalia；在薩摩亞是taumalua或alia；庫克群島是vaka taurua；吉里巴斯是baurua；在蘭嶼則是mi tatala。因為這些製作精良的船隻以及熟練的航海技術，大約三分之二的南半球洋面上都有太平洋島民定居。這些原住民以行動詮釋並將大洋洲重建為

一個跨越國境的原住民連結。雖然藍波安在成長過程中長期接受漢族教育，但他最終回歸到跨國島嶼共同體的海洋意識。作家的另類視域（countervision）和另類記憶（countermemory）將海洋重新世界化（re-worlded）。行駛在一條未被殖民主義和現代民族國家的軌跡多重決定的（overdetermined）航道上，藍波安把「橫渡」（cross）（余光中所謂的「淺淺的海峽」）轉變為跨太平洋移動和相互連結的「縱橫穿越」（crisscross）。原住民和移民的互惠提供了處理空間、地方和時間的另類／本土（alter/native）模式，從島嶼的視角重新展望了「現代中國」。這個既不受限制也不與世隔離的島嶼，召喚了一個鏗鏘有力的星球意識。

參考文獻：

陳芳明編《台灣原住民族文學選集》（台北，行政院原住民族委員會，2015年）。

巴蘇亞・博伊哲奴（浦忠成）《台灣原住民族文學史綱》（台北，里仁書局，2009年）。

John Balcom and Yingtish Balcom, eds., *Indigenous Writers of Taiwan* (New York, Columbia University Press, 2005).

Hsinya Huang, "Sinophone Indigenous Literature of Taiwan: History and Tradition," in *Sinophone Studies: A Critical Reader*, ed., Shu-mei Shih, Chien-hsin Tsai, and Brian Bernards (New York, Columbia University Press, 2013), pp. 242–254.

黃心雅 撰，王晨 譯

1997 年 5 月 3 日
白先勇出席《孽子》英文舞台劇在哈佛大學最後一晚的演出

第一部現代亞洲男同志小說

　　白先勇（1937-）《孽子》的英譯本封面引人注目。一個赤裸上身的亞洲青年像是望著讀者，他皮膚黝黑，牛仔褲扣子稍稍鬆開。紫色的書名 *Crystal Boys* 隱約浮現封面上方。這不是中文書名的直譯，而是譯者葛浩文（Howard Goldblatt, 1939-）所選擇的更加引人入勝的題目。封面左下角寫著「第一部現代亞洲男同志小說」（The First Modern Asian Gay Novel）的字樣，是出版商 Gay Sunshine Press 添加的副標題。行銷說詞雖並非完全是虛假廣告——小說的確敘述了一群台灣年輕男同志的故事——但卻將白先勇這部細緻入微的小說扁平簡化。內容涉及同性戀人物的小說不一定就是「男同志小說」。白先勇是一位往返中國大陸、台灣與美國的作家，他把這部小說具體背景設定在台灣，「Asian」作為修飾詞最終指涉的是亞洲某地而非美國亞裔。同時，作為邊緣島嶼的台灣之於亞洲大陸，正如社會地位次要的同志群體之於主流。

　　我對《孽子》的解讀一直隨著時間和經歷而改變。從1992年最初的私人閱讀，到1997年擔任哈佛大學公開演出的導演；從1993年第一次在美國見到白先勇，到2003年受他邀請在台灣談《孽子》。我也參與了不同階段圍繞著這部小說所展開的國際學術交流。我曾將《孽子》視為「男同志」小說，現在則視其為一部獨特的「台灣」小說。

　　這並不是意味著一定要了解台灣才能欣賞《孽子》。我就是一個例子，相信許多看過哈佛演出的觀眾也和我一樣，一對美國男同志開了一百五十多

英里的車來觀看演出，由此可見小說的同性戀內容並非無足輕重。具備強力社會行動力的酷兒文學（queer literature）在台灣登場之前，《孽子》即已揭示了以台北新公園蓮花池周圍為中心的祕密男同志文化。白先勇筆下的第一人稱敘事主角，是一個來到公園時間相對不算長的新人：和氣友善的阿青是個高三學生，因為被抓到與一名實驗室管理員有「淫猥行為」而被學校和家庭雙雙驅逐。阿青成了讀者的導遊，帶領他們來到新公園這他剛發現的「王國」：「在我們的王國裡，只有黑夜，沒有白天。天一亮，我們的王國便隱形起來了，因為這是一個極不合法的國度：我們沒有政府，沒有憲法，不被承認，不受尊重，我們有的只是一群烏合之眾的國民。」雖然這段有關王國的介紹有些不詳，但其中的國民卻溫暖而討人喜歡。對渴望與同類人建立聯繫的同性戀讀者（無論出櫃與否）來說，《孽子》可能極受歡迎。萊蘭（Winston Leyland，1940-）成立的同志陽光出版社（Gay Sunshine Press），以所有文化中都存在著同性戀為核心理念，出版來自世界各地的同性戀主題作品，《孽子》吸引了一些對中國文學不感興趣，但呼應這個理念的讀者。

在對中國文學感興趣的人眼裡，確立白先勇聲望的作品是1971年出版的短篇小說集《台北人》。書名「台北人」，關注的卻是台北的「外省人」，亦即1949年國共戰爭中因蔣介石（1887-1975）敗北而流亡到台灣的那群人。白先勇筆下的外省人來自社會不同階層：高級將領和夫人、卑微的士兵和僕人、上海的交際花和舞女以及自白先勇家鄉桂林的米粉店老闆，甚至還有一個人老珠黃的過氣同性戀默片明星，此人的故事成了《孽子》的前身。英文版《台北人》由白先勇和葉佩霞（Patia Yasin）合譯，以收入其中的短篇〈遊園驚夢〉命名為「*Wandering in the Garden, Waking from a Dream*」。〈遊園驚夢〉是倒敘穿插的故事，背景為一場流亡高階人士的晚宴，參與的來賓口頭上掛著反攻大陸，但實際上他們卻執著於以鄉愁懷舊排解現實生活中的失意。事實上，這些台北人對映了白先勇生命的一個面向。作為名將白崇禧（1893-1966）之子，白先勇於1937年出生在桂林，1948年隨家人撤往香港，再於1952年來到台灣。我們可以想像，〈遊園驚夢〉中那些在宴會上抒悲遣懷、百無聊賴的國民黨夫人，曾是白家經常的訪客。

但現實是否如此？白先勇的作品很容易引起自傳式的誤讀，《孽子》就

是一例。1977年連載中的《孽子》曾被視為作者的「出櫃」，在當時台灣社會的保守氛圍中是不小的醜聞。然而白先勇並非阿青，也非筆下任何一個特定的人物。我和他第一次見面時，他就明確地指出這一點，我是相信的。《孽子》的關懷其實更為整體，許多到台灣定居的各個族群都能在新公園的避世世界中找到對應者。阿青是隨國民黨來台的外省軍眷，「龍子」王夔龍是國民黨高官之子，屬社會地位較高的外省人。他的傳奇情人「野鳳凰」阿鳳是「原住民」，為大約公元前八千年就來到台灣的南島民族子孫。阿青的室友小玉是土生土長（native）的台灣人。這裡native的意義與美國人所認知的有差異，指的是十七世紀以降來自大陸閩南一帶定居者的後裔。《孽子》與台灣華人世界的獨特性緊密相連。老攝影師郭老將新公園年輕的新面孔放進題為《青春鳥集》的相簿，讓他們的名聲流傳不朽。他將阿青與台灣等同起來，並將初來乍到的阿青送進男同志的世界：「去吧，阿青，你也要開始飛了。這是你們血裡頭帶來的，你們這群在這個島上生長的野娃娃，你們的血裡頭就帶著這股野勁兒，就好像這個島上的颱風地震一般。」來自大陸的流亡者致力證明自己是中華文化真正傳人。作為他們後代的白先勇卻大膽地提出，所有生長在台灣島上的孩子都帶有特屬於台灣的質地。〈遊園驚夢〉的角色耽溺回憶而無視台灣現實，但《孽子》裡的人物凸顯了與台灣緊密的聯繫。

當台灣性和同性戀彼此隱喻時，我們得以一探《孽子》的本質。首先，書名《孽子》同時指涉了同性戀與丟失大陸的恥辱。也許是為了在台灣重新創造大陸，國民黨當局以大陸地名命名台灣城市街道，並且在超過四十年的時間裡一直延用大陸各省「選出」的國大代表來維持政府，但最終台灣仍無法反攻大陸。就像有些家庭逼同志兒子娶妻生子，過一個依循儒家倫常的人生，但同志兒子到頭來還是不會改變性向。每晚在新公園蓮花池畔遊蕩的男同志賣春者，就像國民黨的將領和士兵一樣茫然無措。隨著承認台灣主權的國家只剩下幾個加勒比海島國與非洲小國，阿青口中的「我們不被承認，不受尊重」不僅適用於他和其他遊蕩的賣春者，也適用於台灣的領導人。小說接近尾聲時，這兩個群體面對的儒家式困境，得到了某種緩解。阿青成了傅崇山老爺子短暫的臨終看護，以及剛來到新公園的年輕人羅平的人生導師。

儘管這些場景非常動人，也散發出短暫的希望微光，但最終只是更強化了《孽子》對於現況的體認，注定讓父親和祖國都失望。

《孽子》的非凡之處在於小說中的隱喻如何承受時間的考驗。《孽子》發表二十年後，台灣人對自己、對同性戀的態度都有了改變，小說中的隱喻也因此有了修正。儘管如此其互喻的雙重性依舊成立。1997年，我在哈佛大學將小說搬上舞台後，第一次飛往台灣。當時「同志驕傲」（gay pride）與台灣人對自身獨特文化的自豪齊頭並進。那年最後的幾個月，修改後的隱喻對雙方面而言都是個分水嶺。11月29日，當時在野的民進黨於選戰中第一次大敗執政的國民黨，民進黨在23個縣市長的選舉中贏得了12席，而國民黨僅僅保住8席。兩天後，12月1日，世界愛滋日在台灣第一次得到正式關注，當晚活動在風雨中於和平路上的一個公園舉行。一位「馬教授」發表了演說，台灣朋友告知此人正是馬英九（1950-），我相信真有其事，因為當支持同性戀尚非政治正確時，馬英九便以支持同性戀權利而為人所知。當時沒有人料到，有朝一日他將當選市長、總統。一個像王夔龍那樣的階層，有著政治抱負的國民黨政治家能夠站出來支持該活動，在在證明了馬英九的現代觀念以及台灣變動中的倫理價值（ethos）。當年的文化變遷還有許多其他例證：第一場愛滋病遊行、男同女同雜誌以質量良好的紙張首次發行、以及最早的每週變裝秀。台語在學校裡更加盛行，高舉獨一無二的台灣文化也變得更加普遍。時至2019年，台灣率亞洲之先通過同婚法，同志不再羞於自己的同性戀身分，台灣人也不再恥於做一個台灣人。

我的台灣經歷將與《孽子》永遠不可分割地聯繫在一起。第一次在台灣生活時，我被錦州街上一間地址異常眼熟的公寓所吸引。那條街上少有外國人落腳，經過一段時間，我意識到這正是阿青、小玉和小玉表姊麗月生活的那條街。2003年，台灣國家圖書館舉辦一場慶祝《孽子》公視影集改編的會議，白先勇親自邀請我在一個專家組上發言。同場者還有兩位小說改編者：電影導演虞戡平（1950-）和電視連續劇共同創作人之一的曹瑞原（1961-）。我在發言中提到，台北許多街道都讓我似曾相識，因為它們曾在《孽子》中出現過。對我而言，南京東路總是與王夔龍衰老的宅邸連結在一起，龍江街永遠是阿青童年的居所。然而《孽子》中最重要的一個地名，已經消

失在當代地圖上。我來到台灣之前，新公園已經重新被命名為二二八和平紀念公園。二二八事件時國民黨軍隊殺害了許多台灣人，對二二八受難者遲來的紀念，卻也同時抹去了一群男同志聚集的新公園歷史。二二八受難者和男同志，同樣追求與他人和平共處。無論是新公園的歷史，還是台灣人民的過往，白先勇的《孽子》將永遠成為台灣島內外男同志「青春鳥」最完整可靠的民族志。

參考文獻：

"Election Aftermath," *Free China Review* 48, no. 1 (1998): 1. Fran Martin, trans., *Angelwings: Contemporary Queer Fiction from Taiwan* (Honolulu, University of Hawaii Press, 2003).

Pai Hsieng-yung [Bai Xianyong], *Crystal Boys*, trans., Howard Goldblatt (San Francisco, Gay Sunshine Press, 1995).

Pai Hsieng-yung [Bai Xianyong], *Wandering in the Garden, Waking from a Dream: Tales of Taipei Characters*, trans., Pai Hsien-yung and Patia Yasin, ed., George Kao (Bloomington, IN, Indiana University Press, 1982).

吳文思（John B. Weinstein）撰，王晨 譯

1997年7月1日

日不落國走了

一座「城」的故事

　　1997年7月1日香港主權移交成為中華人民共和國香港特別行政區。回歸前香港人民的躁慮徬徨不安，隨著歷史舞台更迭的無可轉圜事實，也暫時由喧囂歸於平靜。

　　香港最重要的意義在於它是座絕無僅有的城市——一座不斷重新琢磨其功能及國族屬性的都會。歷經一百五十多年變遷，香港從無到有，成為一個獨特的空間。殖民到冷戰的年代裡，政治與商業、殖民勢力與國族主義、現代性與傳統性等力量交相衝擊其中。作為殖民地，香港與母國牽連未曾間斷，島上異國政經文化的影響隨處可見，華族傳統色彩卻依然不絕如縷。香港在借來的時間與地方兀自璀璨。香港能屹立不變，正在於其多變。

　　香港的空間布置、消費模式、媒體脈絡以及都會視野，都指陳它與其他內地城市的社會存在風格、效率及認知時差。當上海在八〇年代復甦，香港反成為效法的對象。在鄉土／國族的「大敘述」之外，香港營造了極有特色的城市文學。從金庸（1924-2018）到李碧華（1959-）、從西西（1938-）到也斯（1949-2013），雅與俗、傳統與現代，各種文化象徵資本在這座城市快速流通。香港在文學與歷史上的定位，終將與其千變萬化的城市形象連結。

　　香港就是「傳奇」。當我們談香港文學，是回歸到國族主義的懷抱，現實／寫實的擬真窠臼，革命歷史的時間表？還是回歸到城／邦（urbis/orbis）、鄉／國交接的界線？小說家以想像城市香港為出發點，提供藉虛構建構香港的不同策略。

　　1942年，二十二歲的張愛玲（1920-1995）從淪陷後的香港返回上海。回顧滿目瘡痍的香港，她卻寫下了愛情小說《傾城之戀》（1943）以及充滿嘲諷意味的戰爭告白《燼餘錄》（1944）。張愛玲必得回到上海才能書寫香港，且以「傾城」與「燼餘」回顧香港的人事風華，仍然耐人尋味。張愛玲將創作事業中最絢爛也最荒涼的愛情故事留給了香港，她在香港的數月烽火經驗，必曾讓她對城市文明與人情的瞬息劫毀，有了刻骨銘心的領悟。從瓦礫堆裡回顧剎那喧鬧，從「蒼涼」裡見證「華麗」，張的香港去來竟提前為她日後的上海寫作，立下基調。

　　香港「傾城」不過數年，黃谷柳（1908-1977）《蝦球傳》（1948）出版。與張愛玲視角相反，黃谷柳的香港並不消失，而早早指向「前程遠大」的回歸之路。五〇年代以來，香港為敏感之地，南來文人攘來熙往，造就出另一番城市景觀。侶倫（1911-1988）的《窮巷》（1952）、趙滋蕃（1924-1986）《半下流社會》（1953）、曹聚仁（1900-1972）《酒店》（1954）或寫難民或寫紙醉金迷的華人生活，文學中的香港既是反共鬥爭前哨，又是資本主義的罪惡深淵。

　　然而，不同的香港情懷醞釀於另一批作者，至此香港文學的城市意識已然形成。昆南（1935-）《地的門》1961年問世，寫出在都市叢林中討生活卻難有出路的青年。疏離的生命，流蕩的身分，現代主義幽靈已悄然光臨香港文學。劉以鬯（1918-2018）的《酒徒》（1963）卻更上層樓，將城市欲望的流淌化為酒徒醉後的囈語狂喧。

　　不是上海人的張愛玲自居為上海人。生於上海，早年到香港的西西，執筆寫作最愛的卻是香港，被稱為香港經驗三十年來最重要的記錄人之一，「城市」是她最鍾愛的母題。《東城故事》（1966）已可見出她對電影技巧的挪用及西方城市文學的諧仿；1975年西西的《我城》開始在《快報》連載，這是一部重要的城市文學實驗，小說拋開任何「有意義的歷史時空座標，回歸童話般零度經驗」，以求由平淡中見出「我城」的性情。

　　〈浮城誌異〉（1986）寫香港前途寓言，文字依然充滿童趣，卻終難掩歷史蒼茫的皺摺。「浮城」卻可能是世界上任何一座城市。藉著虛構，西西說著說也說不清的城市故事。以虛擊實，以小說的浮游衍異挪揄所謂的「大

說」，她為香港的想像，開創了一個新空間。西西的「城市故事」從城市主體的追尋建立到城市主體「不可承受之輕」的變形漂浮，很可以看作是西西與香港現代與後現代意識的一次對話。

上個世紀末，施叔青（1945-）、董啟章（1967-）及也斯三位不同背景及輩分的作家，以不同方式襯托她（他）們的香港情懷。施叔青七〇年代末移居香港，定居香港十六年，她趕上了九七前波濤洶湧的香江歲月，立志要為香港百年蒼桑造像，為這繁華璀璨的港都打造身世。八〇年代以來，她一系列的香港故事描摹著女性人物的香港際遇，十足的末世風采。九〇年代她寫了香港三部曲《她名叫蝴蝶》、《遍山洋紫荊》、《寂寞雲園》（1993-1997），加上中篇《維多利亞俱樂部》（1993），她穿梭今昔，塑造了一個華麗羅曼史，以一個妓女的發達史參看香港命運。她將妓女的身不由己、墜入煙花與香港殖民處境等量齊觀，政治寓意自不在話下。

董啟章為香港小說界的後起之秀，他的「V城系列」是以香港為書寫對象的城市筆記小說。V城系列之一的《地圖集》（1997）於九七回歸前出版，這本類似史料或教材的小說全書分成地圖篇、城市篇、街道篇、符號篇。他為香港「小」地方創造了「大」學問，「錯置地」（misplace）、「非地方」（nonplace）、「多元地」（multitopia）等專有名詞的解析，坐實了他的「想像的城市考古學」。私淑大師傅柯（Michel Foucault, 1926-1984）的董啟章，顯然有意把香港歷史空間化，從不同斷層間穿刺這座城市的過去和現在。董啟章發明或發現的各種香港地之圖形，從「對應地」到「共同地」，從「錯置地」到「取替地」，尤其點出傅柯「異質拓撲學」（heterotopology）的要旨。

施叔青從香港歷史看到頹廢的末世傳奇，董啟章則考察香港地理後推出系列（偽）知識論。也斯則反其道而行，他從普通人物上，看他們「在傾倒的時代自己探索標準，在混亂裡凝聚某些特質」。1993年《記憶的城市‧虛構的城市》可視為也斯多年後從事香港研究及創作的總回顧。旅行——不論是地方、時間，還是文字記憶——是此書的重點。故事中的旅人行行復行行，路上客中、異鄉邊境、人事倥傯，總是驛動不已。然而這是一本其實看來大部分與香港無關的書，也斯顯然要以「不在場」的文字敘述反襯城市本

身的無從敘述性。書名「記憶」的城市，「虛構」的城市，才是他的鄉愁起點。也斯的城市文字一如巴特（Roland Barthes, 1915-1980）的《戀人絮語》（*Lover's Discourse*），有娓娓敘來的熱情，也有欲言又止的猶疑；且記且論，婉轉多姿。也斯以無限愛戀的心情書寫香港，道是無情卻有情。

　　香港故事也包括心猿（也斯的筆名）的《狂城亂馬》（1996）及黃碧雲（1961-）《其後》（1992）、《溫柔與爆烈》（1994）、《七宗罪》（1997）。「狂城」是繼「我城」、「浮城」、「影城」、「虛構的城」後，又一作家為香港命名的努力，而效果何其不同。《狂城亂馬》為也斯的匿名之作，小說以嘻笑怒罵的方式，速寫九七前香江的狂亂現象。這是一部後現代的總匯作品，作家搞笑瞎掰偵探、豔情、槍戰、政治懷舊，通俗與嚴肅風格難分難解。回顧香港文學俗與雅從來不夠分明，大眾文化與前衛風格往往相互滲透。

　　《狂城亂馬》的出現不只是反映時尚所趨，也帶有向一段城市文化史致敬的意義。小說的觸角伸向各種可見的媒體文化管道，吳宇森（1946-）的英雄片集錦、葉玉卿（1967-）的千嬌百媚、大佛開光、中英鬥法、阿莫多瓦（Pedro Almodóvar, 1949-）、日本動畫、男扮女裝、性別越界等，走馬燈般來到眼前。笑謔嬲戲迎接九七，真是狂城亂馬！然而其中所蘊積的暴力傾向在香港另一作者黃碧雲筆下才突然宣洩出來，一發不可收拾。

　　黃碧雲作品風格強烈，從《其後》、《溫柔與爆烈》等選集不難窺知。相對於狂城的鬼馬氣息，黃的〈失城〉（1993）宛如香港政治意識的一種寓言，渲染魑魅煞氣，歡樂與死亡竟成為一體兩面。她以冷筆寫出充滿恐怖暴力的小說，血腥之餘竟然微透著幾分詼諧。〈失城〉中移民海外的香港白領階級家庭，一家在離港／返港的糾結中異常詭異。他們離家，因為家園即將失去，卻又因思鄉而歸返，但發現家園今非昔比。地理空間的似是而非逐漸變成心理空間的似是而非。他們「回來」了，卻又一點一點失去他們心心念念的「地方」。小說結尾脫胎於魯迅的〈故鄉〉，「希望原來無所謂有，無所謂無的」。故鄉／失城，有就是沒有，失去就是復歸，徒勞的循環。

　　時間來到二十一世紀，2005年香港藝術中心的「i－城志」活動，潘國靈（1969-）、韓麗珠（1978-）經典重寫《我城》為「我城05」版，與其他漫

畫家和劇場創作者的作品集為《i－城志》（2005）。《我城》一時成為香港的文化資源，藉此一方面指向七〇年代香港本土文學的經典重構，一方面以此思考香港的「城市」複雜性。韓麗珠、謝曉虹（1977-）的《雙城辭典》（2012）一書兩冊，以「辭典」命名，兩位作家雙聲合唱以對寫方式重新解讀香港城市的錯綜複雜符號。「雙書雙城」筆下，一個香港，各自表述。小說以辭典形式書寫一則又一則的詞彙故事。如陳志華序言所說：「以辭典之名，暗中顛覆某些不可動搖的權威批註，在精確的定義裡混入流動的意思。」顛覆、流動像是香港與生俱來的命運，「是最好也是最壞的時代」香港的好壞無從批註，《雙城》筆下千差萬別的城市正是香港之所以為香港。

　　從「我城」到「雙城」或延伸不斷的「城志」，作家筆下的香港故事與時俱變。頹廢或抒情，狂亂或純真，無不引人入勝。出入這些故事間，我們明白賦予這些故事生命的城市，是如何多采多姿。故事以虛紀實，如真如幻。而當代思潮不也提醒我們，生活實踐本不離意義播散的故事／虛構。但換個角度，故事何嘗不是凝聚社會想像，演義文明活力的重要依據？

　　為香港說各式各樣的故事，是「說出」香港存在、延續意義的重要手段。不同的故事、不同的版本、不同的可能，歷史的宿命未嘗不可因故事的又一「說法」而改換。

參考文獻：

王德威〈香港：一座城市的故事〉，《如何現代，怎樣文學？》（台北，麥田出版，1998年），頁279-305。

鄭樹森〈談四十年來香港文學的生存狀態：殖民主義、冷戰年代、與邊緣空間〉，《四十年來中國文學》（台北，聯合文學出版社，1995年），頁50-59。

羅貫祥〈幾篇香港小說中表現的大眾文化觀念〉，收於陳炳良編《香港文學探賞》（香港，三聯書店，1991年）。

陳智德《解體我城》（九龍，花千樹出版社，2009年）。

劉秀美

1997 年

「當初還很光亮，酒店開張的時候。」——黃碧雲《末日酒店》

香港的奇幻回歸

　　香港上個世紀末最重要的事件莫過於1997年7月回歸中國。這起俗稱為「移交」的事件在三部小說中有所描寫：李碧華（1959–）《胭脂扣》（1984）出版那年，英國同意放棄香港的控制權，回歸成為注定的事；董啟章（1967–）的《地圖集》在回歸當年出版，他憂心忡忡地預想了回歸後的香港；至於黃碧雲（1961–）在回歸十四年後出版的《末日酒店》，則追溯回歸之前的歲月，並與回歸形成錯置。這些小說沒有一部明確提及回歸，但都皆可視為對香港的認同與存續所發的怔忡之音。就語言（夾雜粵語的普通話）與敘事風格而言，這三部作品橫跨傳統與實驗，共同關切的主題是香港複雜的過去與未來。

　　三部作品中最知名的是《胭脂扣》，或許是因為根據此書改編的同名電影於1988年發行。在李碧華眼裡，香港人都是中國人，他們活著只為眼前，未來令人恐懼，過去則糾纏不已。無論今昔，英國殖民的上層結構都不見蹤影，外籍群體亦未曾闖入。作者創造了三個想像的香港，分別呈現不同時空情境：無視殖民統治的過去，由城市內部強烈欲望所發明的當下（一九八〇年代初期），以及一個尚未受到中國影響力的未來。

　　《胭脂扣》主要的敘事有兩個層次：一層設置在由報社、選美比賽與電信傳呼密碼組成的日常城市肌理中。故事核心的一對戀人對彼此和生活都感到厭倦。當一個來自五十年前的女鬼進入他們的生活，以其欲仙欲死，殉情背叛的一段淒豔故事，才喚醒了兩人剪不斷、理還亂的感情。《胭脂扣》處

理的鬼魅故事，則發生在香港老舊妓院、煙館賭窟、粵曲繞梁不散的奇詭世界中。

在寫作《胭脂扣》時，李碧華已是一位經驗老道的暢銷作家。一如她的其他小說，李碧華在《胭脂扣》中也以對話風格建構她的故事、人物和描繪，這與小說鬼魅豔異的基調形成鮮明對比。這一對比因為故事以幻魅為能事，隔絕外在政治與經濟的惘惘威脅，才更加顯得問題重重。

曾有識者認為，《胭脂扣》是香港第一部從自身晚近歷史中尋找靈感與風情的小說。小說對於控制香港的殖民統治、金融生態甚少著墨，甚至地方豪門、外資企業同樣杳無蹤影。也因此，在重建一九三〇年代與一九八〇年代的香港時，小說不僅擱置宰制香港的殖民主義與經濟帝國主義兩大元素——儘管這兩者的影響每下愈況——它同時也有意無意掠過那個新近崛起的中國大陸。

一般人總是將香港的歷史從屬於殖民或國族敘事。無論它是作為殖民地還是特區，過去與現在，香港自然也就無法用它自己的話語來講述自己的故事。相對於此，在李碧華的《胭脂扣》中，惟見一個自足完整、不假外求的社會情境裡，上演著一九三〇年代魅麗的羅曼史。李碧華是否有意識地在小說中造出一個欲言又止的「反敘事空間」並不重要；重要的是當時與現在的讀者都能從她的重層敘事中體會她的嘲諷，從而對故事的喻意心領神會。

董啟章的《地圖集：一個想像的城市考古學》，顧名思義，對一九九〇年代的香港作出奇幻描寫。小說中一位來自未來的考古學家在地圖、藍圖、政策報告之間尋索，以求勾勒一座已經消失的城市——香港——的一鱗半爪。然而這些資料卻相當有限，需要從地方掌故、早期殖民故事中採擷。雖然這些資料中包含一九九〇年代的遺跡，但一九五〇年代以後殖民地行政官員（除了一個例外）、商人，或其他外國勢力的紀錄卻付諸闕如。在敘述中，一個北方來的無名勢力偶然以「他者」形式出現，卻足以讓人不安。

李碧華縱情香港的鄉愁，並否認香港存續的現在與未來。董啟章則保持最大程度的抽離與理性，以此姿態面對香港的消失。他生長於斯的「我城」，如今即將永遠失去，不過他的失落感在抒情段落中點到為止。董啟章在序言中提到《地圖集》寫作並出版於1997年，亦即香港回歸同一年。小說

的視角來自一個未知的未來時間，從那裡回溯當下，因此有了「未來的考古」指向。從未來完成式的時間點，董探究這座城市的前世今生。香港已然消失不見，只能透過最近出土的地圖與檔案從事想像的閱讀，重建這一城市的歷史。香港既然由過往雲煙重建而成，因此不免令人懷疑是否曾經真的存在過，但同時也在創造香港歷史的過程裡，為虛構開拓空間。

香港曾久為外來者統治，自身的歷史無從談起。這是一座曾被入侵者征服的城市，甚至一度淪為一座大集中營；這是一座難民麇集的城市，而迫使難民逃往的那個勢力如今要收回香港；這是一座富人與窮人，左派與右派，殖民文化與地方風土並存的城市。

董啟章為《地圖集》發明了一套獨有的風格，雜糅歷史與虛構、哲學反思與官樣計畫、地圖與詩歌，以及不僅是製圖策略又是社會神話的諸般傳奇，形成難以分割的混合體。李碧華的主要關懷在於其小說人物的命運，但與李相反，董啟章的小說沒有敘事主線，只有一些閃現著浪漫與激情的章節。但除了來自未來的無名敘事者外，各章節間的人物沒有連貫性。

三部小說中最晚出者是黃碧雲的《末日酒店》。小說回溯一段殖民往事，但卻不是香港的過去。小說的背景設置在澳門，或許能給香港讀者另一種看待殖民主義的視角，畢竟香港也是「過來人」了。然而黃筆下衰落的澳門散發著不祥氣息，難免要讓香港讀者有物傷其類的聯想。

《末日酒店》的寫作與出版時間恰為香港回歸十五週年，與第三次香港特別行政長官選舉（非全民直選，而是有限制的選舉）的前夕。小說怪異的風格與殖民地異乎尋常的情境可以有所對照。表面的主題是澳門一間知名酒店，峰景酒店（the Bela Vista），零散的傳奇軼事。這間酒店幾代以來深受各方遊客鍾愛。借用法國記者龐斯（Philippe Pons）之語：

> 峰景酒店不僅是一座酒店，它似乎超然時間之外，成為「浪漫」的化身之一。……在1992年以前，它是一座迷人的古色古香的老建築，是澳門精神的化身，也是這座城市的一種隱喻。它以帶有的強烈殖民地風格，兩層樓的建築，寬敞的陽台，是澳門南灣（Praia Grande）最顯著的地標。……戰爭爆發以前，澳門有一段波西米亞式的短暫時光。……酒店的侍者年邁一如這座

建築，他們閒適自在猶如浴室水龍頭滴滴答答。……酒店擁有飽經世事的老婦人身上那種擁抱歲月、繁華落盡的幽靜之美。……老峰景酒店滿身塵埃，窗簾在偌大的房間中隨微風飄揚，裝配不良的窗戶一到了颱風天既擋不住風，也擋不住雨。儘管如此，它卻依舊讓那些曾經入住的旅客魂牽夢縈。峰景酒店就是澳門。隨著酒店確定要關閉的事實，這座城市歷史中的一頁也被撕去。

在黃碧雲的小說中，末日酒店是殖民地社會的縮影。其中葡萄牙裔澳門人鮮少察覺自己的社會已被大多數廣東人占據，在這個現代社會，他們注定會走向滅亡，因為接手他們家園的統治者對他們的歷史和傳統，以及他們生命中所珍視之物缺乏切身之感。

黃碧雲的人物來來去去：他們出生、相愛、受苦、死亡，再由有相似痛苦遭遇的人取代。小說人物初次登場後，往往數段或數頁之後，我們才知道他們是何許人也。小說事件鮮少連結至特定因果，長長的描述性段落也沒有明確指向。激情、背叛與暴力在人物之間反覆上演，卻又不了了之，正如人物不時失神走心那般。歐洲音樂作品的標題不時打斷敘事，繪畫、噴泉與雕塑出現又消失。只有專注的讀者才能看出串連書中兩個部分的隱約線索：酒店在1936到1941年間的歷史，以及第一人稱敘事者的家人在1941至1956年間經營這家酒店的歷史。黃碧雲的敘事讀來或許隨起隨滅，卻又看得出是經過深思熟慮的經營。儘管小說看似沒有太多新意，但她參差交錯的敘述仍然非同尋常、引人入勝。

並非所有關於香港1997的小說都靠奇詭的敘事作文章。例如黃碧雲也曾站在香港的英國僑民與中國家庭的立場——包括那些一九八〇年代移民海外，又在一九九〇年代回到香港的居民——更直接地寫下他們面對回歸的反應。她1994年的短篇小說〈失城〉因為過於挑釁而無法在中國大陸刊行。黃的嘗試在英語世界裡也有對應，蘭徹斯特（John Lanchester, 1962–）得獎之作《香港》（*Fragrant Harbour*, 2002），講述源於作者在殖民與後殖民香港生活經歷的故事，以及有關華人一九九〇年代移民澳大利亞並於1997年後返港的故事。

　　本文所談的三部小說構成有趣的三部曲，它們都反對以模擬寫實方式呈現香港困境。香港的獨特身分如此不可思議，只能訴諸奇幻故事。這樣的認知使這三部作品與眾不同：不論是以浪漫故事、想像鄉愁，還是時空交錯，奇詭的敘事方式是表達香港獨特魅力的不二法門。

　　中國從十九世紀末以來始終動盪不斷，香港這個彈丸之地也總是受到波及，屢起屢落。但香港未必是中國大陸的翻版。從鄉村到城市、從帝國邊陲到殖民前哨，從殖民統治到特區政治，在這林林總總的過渡中，香港同時也經歷著自身的傷痛。

　　在殖民時期的初始，香港是不毛之地，但地方文化卻蓬勃發展。多少年來，香港早就以全球視野作為自身定位，轉換成為一個現代多元文化匯聚的國際都會，與單一文化、固步自封的中國大陸成為強烈對比。香港對世界潮流的回應始終充滿活力且具創造性；它對傳統的尊重雖然強烈，但也只是間或為之。在全球政治上，香港也許無足輕重，但香港錯綜複雜的文學與文化卻不容忽略。時至今日，中國大陸與香港之間的緊張不斷升溫，「我是香港人還是中國人」之爭愈發變本加厲。小說雖然是幻想虛構，然而在後殖民華語書寫脈絡中，它或可提供一個「詮釋香港」的獨特面向。

參考文獻：

董啟章《地圖集：一個想像的城市的考古學》（台北，聯經出版社，1997年）。

李碧華《胭脂扣》（香港，天地圖書出版社，2003年）。

黃碧雲《末日酒店》（含英譯〈Doomsday Hotel〉by M. Klin）（香港，天地圖書出版社，2011年）。

Dung Kai-cheung, *Atlas: The Archaeology of an Imaginary City*, trans. Dung Kai-cheung, Anders Hansson, and Bonnie S. McDougall (New York, Columbia University Press, 2012).

Bonnie S. McDougall, "Diversity as Value: Marginality, Post-colonialism and Identity in Modern Chinese Literature," in *Belief, History and the Individual in Modern*

Chinese Literary Culture, ed., Artur K. Wardega (Newcastle upon Tyne, UK, Cambridge Scholars Publishing, 2009), pp. 137–165.

杜博妮（Bonnie S. McDougall）撰，李浴洋 譯

1997 年

「你不會說話啊！你是什麼種族的？華人，不是？」

—— 蔡明亮《黑眼圈》

《黑眼圈》

　　蔡明亮（1957–）導演的《黑眼圈》，故事發生在1997年亞洲金融危機劫餘之下的馬來西亞首府吉隆坡。影片第三幕，李康生（1968–）飾演的流浪漢，也是兩個主角之一，被一群當地馬來人搭上。他們從某街頭魔術師那裡搞來神奇的彩票號碼，以此為由向他勒索。這裡顯然有一個語言問題，流浪漢不諳馬來語，故不能回應他們的要求。勒索者十分抓狂，最初認為他是華人，無果，遂又猜測他是其他種族，並嘗試以不同語言索取金錢：先是「money, money, money」（英語），然後「baht, baht」（泰語），最後是「peso」(菲律賓語)，幾乎涵蓋了臨近所有東南亞國家的貨幣。如此行之無效，他們便訴諸殘忍暴力。其實，如果他們試試中文口語中的「qian」（錢），亦或是「lui」——詞源是一種荷蘭銅幣的名字——成功機率都會大大提高。儘管這個流浪漢的種族身分並未表明，但種種跡象顯示他應是一個新近的非法華人移民。他不懂馬來語，影片後面也交代他並無身分證或者護照，甚至連如何綁紗籠（馬來圍裙）都不曉得。

　　這一場景意義有三。第一，一個身無分文的華人形象，極為不符海外華人在商言商的形象，或者作為資本人格化的再現。這種再現，常出現在兩種對「中國性」截然不同甚至有時相互矛盾的概念認知之中：東南亞殖民勢力的官方話語，因為華人作為中間人在殖民地經濟中所起的關鍵作用，通過殖民控制，將統治下的華人塑造為「經濟人」（homo oeconomicus）；以及關

於華僑民族主義的論述，這種對東南亞（中國把這一區域稱為南洋）華人有廣泛吸引力的民族主義，被用來掘取他們的金融資源、知識資本和經濟技巧，以用於民族國家種種目的。後一種話語來源自晚清政府，提倡社會改良的文人，以及共和派革命家的諸種努力，他們動員海外華人以求鞏固現有的國家政府或者再造新邦。共和派的努力，最可體現在據傳是孫文（1866-1925）的稱頌，「華僑為革命之母」這一對海外華人的著名描述中。

第二，流浪漢所遭遇的身體暴力，在中國以經濟強國的姿態躍上世界舞台之時，是對東南亞華人在當地社會地位的諷刺性評論。1997年香港回歸中國，象徵著從第一次鴉片戰爭至二十世紀上半葉帝國主義霸權之下的屈辱受難史終得雪恥，但這一年亦發生亞洲金融危機。東南亞許多國家經濟上遭受的困境，引發許多悲劇性的社會後果，其中包括日漸高漲的反華情緒。1998年5月，印尼爆發了大規模的反華暴力運動，惡行橫世，包括華人婦女慘遭姦淫。如此反華情緒，就是根源於華人在經濟上壓迫東南亞原住民的印象。這樣的形象與中國自我塑造的西方帝國主義受害者的身分截然不同，卻早已層層積澱於東南亞國家的社會意識之中。

在「分而治之」的政策之下，殖民當局鼓勵將華人汙名化，視其為掠奪原住民經濟利益的入侵者。而這個經濟上的壓迫者形象，卻又和傳統的大中國主義相互交錯。革新派梁啟超（1873-1929）曾言：「嗚呼，海以南百數十國，其民口之大部分，皆黃帝子孫，以地勢論、以歷史論、實天然我族之殖民地也。」在鄧小平（1904-1997）經濟現代化綱領實施的早期階段，中國政府為了引進外資，吸收創業經驗，將華僑重新定義為擁有經濟實力的海外熱心愛國人士。在東南亞反華情緒的大環境之下，這個由市場利益驅動的「重新漢化」不幸地又使華人唯利是圖而且政治上有二心的形象死灰復燃。事實亦然，當代中國的崛起，伴隨著跨國資本的向外流通和新一波的移民潮，更加固化了東南亞對於華人為不擇手段競爭者和經濟剝削的代理人的恐懼。

第三，影片聚焦馬來華人日常生活以及他們和其他種族的關係，由此也觸碰了近年來華語語系文學研究學術爭論中的核心問題：中國文學傳統的壓迫性，以及當代中文文學語言與華語語系世界經驗的關係。優秀的馬華作家和評論家黃錦樹（1967-）注意到現代中文的書寫規範來自於普通話（北方

官話），以至於無法刻畫馬來華人中客家話、粵語、潮州話以及其他方言的聲音。他同時認為現有的中國文學體裁無法捕捉東南亞社會的現實，因其並未和那裡的社會環境發生完全的關聯。黃錦樹和蔡明亮有著相似的社會、文化以及教育背景。他們相差十歲，同為在台灣接受高等教育的大馬華人，並都以台灣作為他們藝術生產的基地和家園。儘管蔡明亮早期的電影並未特別關注「中國性」的問題，《黑眼圈》卻凸顯了華語語系內部不同文化及語言之間的等級關係。

電影場景調度的一部分，是關於馬華人口與其他種族之間不對等的社會經濟意義下的權力關係。蔡明亮注意到，許多來馬來西亞從事建築工作的外來勞工的悲劇，在金融危機的衝擊下，這些建築項目都被中止：「他們被九〇年代中期蓬勃發展的經濟所誘惑，如今卻在這大蕭條中失去所有，連帶著初時的美好夢想……這些工人發現自己在一夜之間失業，許多人躲了起來，成了非法勞工。」當地的華人社群都對這些工人持懷疑態度。影片中，某華語電台新聞指責非法建築勞工是種植園大火的始作俑者。與此同時，這些直接剝削外來勞工的建築公司大多為華人所持有。當影片中的流浪漢被好心的建築工人拉旺（Rawang）收留時，和拉旺同住在逼仄不潔的公寓中的同事再三強調萬不可讓女房東知曉此事，女房東的華人身分被特別提及：「千萬不能讓那個華人房東太太知道，要不然我們就麻煩了。」

影片戲劇化地呈現了一個華人咖啡店女服務生（陳湘琪〔1967-〕飾）被殘酷剝削的遭遇，打破了華人與非華人之間涇渭分明的二元對立。除了服務生的工作，她還要照顧她小資產階級中國雇主臥床不起的植物人兒子（同樣李康生飾）。她住在店內狹窄的閣樓裡，老闆娘和她的兒子住在樓下。從咖啡店窗戶切入的長鏡頭讓樓層之間充滿象徵意味，尖銳的空間區隔演繹成了階級關係的視覺化呈現：燈火通明的房間裡，老闆娘坐在梳妝台前進行她晚間的護膚儀式，而女服務生則在黑燈瞎火的閣樓裡摸索著。

儘管如此，影片也暗示了日常生活中那些無關金錢利益、種族界限的微小的愛與關懷的姿態，可以超越種族和階級之間壁壘森嚴的隔閡，打造一個可以相濡以沫的安全島，讓島上之人可以暫時逃避席捲全球的資本主義和它對於華人身分在政治上的衝擊。雖然存在著巨大的語言障礙，拉旺還是照料

流浪漢至康復。他悉心照料的姿態和女服務生對植物人軀體的粗暴對待呈鮮明對比。而女服務生在日夜勞作之外，也在流浪漢的臂彎中得到情愛的歡愉。和影片中其他的外來勞工一樣，三個主人公身處一個籠罩在鄰國印尼森林大火濃煙中的城市，而他們通過一些微不足道的活動打造一個小小的共棲地，一時興起，獲得歡愉。他們用色彩鮮豔的海報裝飾住處，豎起了一個臨時的印度神龕，還撿來了別人遺棄的舊床墊以物盡其用。

這樣相濡以沫的關係也有隨時分崩離析的危險。流浪漢和女服務生之間的私情惹來了拉旺的嫉恨，他企圖用金屬罐的鋸齒邊砍斷流浪漢的脖子。儘管如此，蔡明亮用精心設計、高度美學化的鏡頭化解緊張，結束了影片。三個人物在一個與世隔絕，美麗魔幻的空間中溫柔相擁。廢棄建築工地內注滿水的地下室中，他們三人一起躺在一張漂浮的床墊上。如此一個奇幻空間出現在資本主義全球化橫掃過後的荒涼廢墟中，儼然是一個小小奇蹟。然而，這樣一個免於種族糾葛的空間是對電影開頭流浪漢遭遇暴力毆打的烏托邦式否認。儘管流浪漢的另一個植物人分身是馬來華人，但他從頭至尾並未發聲以至觀者無法確定他的華人身分。影片將主要人物之間的對話盡量精簡處理，由此切割人物與以往以語言共同體作為種族標記的聯繫，讓人物從種族以及勞工移民的政治糾葛之中抽離、超越出來。而早前的暴力場景卻恰恰指示，種族化是無可避免的。流浪漢無法確定的種族，卻讓馬來小混混認定他為華人，以此去理解他的行為。而這樣的行徑在多種族的東南亞社會中似乎不可避免。

蔡明亮電影中所呈現的馬來華人日常生活中在社會經濟方面的權力關係，與華語語系研究試圖挑戰和質疑的等級制度並不完全吻合。華語語系研究控訴中國文學史以正統是尚的優越感，每每以「不夠中國」排除異質性主題或經驗。比如說，處於多種族社會中的馬華方言和非漢語特性就很難在中國文學的書寫方式及其體裁中獲得一席之地。蔡明亮電影的精妙處即在於暴露了這些文學爭論背後所隱藏的階級架構。華語語系論述多半訴諸語言在文學書寫中的表達，自然偏重文學性的文化。可問題是，馬華社會以及諸多的海外華人社群的文化大宗並不是文學性的，甚至也和中文書寫關聯不大。

蔡明亮的影片令人震驚之處，是我們從未見到任何一個華人寫字，甚至讀書看報。誠然，老闆娘、流浪漢、女服務生三者之間全無任何形式上的中

文溝通。蔡明亮的電影一向鮮少人物對話，但在《黑眼圈》裡有了更加重要的意義。它暗示了中國的語言文化流傳多半仰賴消極的視聽關係。我們之所以理解電影刻畫的是馬來華人，靠的是影片內無所不在的中文廣播：像是粵語、國語新聞和資訊節目、粵劇和李香蘭（1920-2014）的流行歌曲。在影片DVD特輯《沉睡在黑水上》中，蔡明亮提到童年時他常和祖父一起聽粵劇，而且他本人也很喜愛國語流行曲，特別是李香蘭的〈恨不相逢未嫁時〉，至今仍是他的摯愛。

蔡明亮的影片強調，馬華經驗最恰當的再現形式不是文學和書寫，而是視聽文本，如流行歌曲和電影。視聽文化無孔不入，傳播全球華語資訊和文化產品，以及馬來、印度語流行文化的眾聲喧嘩。這樣的視聽形式彌補華語語系文學的不足；正如黃錦樹所指出：「白話書寫是如此蒼白無力，限制重重，東南亞華人方言文化難以被如實呈現（遑論其他民族的語言了）。」構成馬華生命世界關鍵的，不是它與文化中國的關係，也不是官方認可的文學傳統、或已經進入博物館的文化遺產，而是全球華語流行文化與種種在地回響所形成的繁複網絡。它只有藉視聽管道的摹擬再現，才能得到充分的刻畫。

參考文獻：

蔡明亮執導《黑眼圈》，2006年。

蔡明亮執導《你那邊幾點》，2001年。

Lim Song-Hwee, *Tsai Ming-liang and a Cinema of Slowness* (Honolulu, University of Hawaii Press, 2014).

Zakir Hossain Raju, "Filmic Imaginations of the Malaysian Chinese: '*Mahua* Cinema' as a Transnational Chinese Cinema," in *Journal of Chinese Cinemas* 2, no.1 (2008): 67-79.

Shu-mei Shih, Chien-hsin Tsai, and Brian Bernards, eds., *Sinophone Studies: A Critical Reader* (New York, Columbia University Press, 2013).

謝永平（Pheng Cheah）撰，陳抒 譯

1999 年 2 月
夏宇買了一台電腦

機器裡的詩人

　　人們理所當然地認為，藝術作品的內容會受藝術家可使用的工具所影響，亦即「媒介即訊息」。而數位技術和網路將為詩歌創作帶來何種更大的意義？觀念藝術家戈德史密斯（Kenneth Goldsmith, 1961–）認為，正如攝影技術帶給繪畫的挑戰，寫作也由於網路的興起而進入重要轉折時期。不僅數碼技術為文本的複製、編輯、再利用和操縱提供了有力的工具，網路也創造了全新的創作媒介和接收平台，這無疑對寫作的意義和作者的角色構成深遠挑戰。最重要的是，網路是一個海量文本的儲存庫，即使最優美的詩歌置之其中，也不過如滴水之於大海。詩人將如何回應正發生在閱讀和寫作技術上的進化？

　　這個問題受到一些作者，如台灣女詩人夏宇（1956–）的重要關切：早在個人電腦和網路將複製和傳播過程變得容易和即時之前，她的作品已經致力於複製和傳播技術這一主題。依觀念藝術之觀點，夏宇詩歌的創作方式遠比字詞的意義更加重要。她的詩集傾心關注原料紙張、實物尺寸、字體樣式和排版的三維設計，以至於其中的詩在謄抄和複製的過程中難免會失去些什麼。她所強調的是，一本詩集，無論在任何時候被重印，都能有精微的提升，每一本詩集即使在具有複製屬性的媒介傳播中，也能保有獨特性。她的作品會保留自己不完美的手工製作痕跡，這些痕跡有時甚至也來自讀者：詩集《Salsa》（1999）鼓勵讀者撕開詩集的毛邊；通過刮擦彩色顏料，讀者也參與了詩集《詩60首》（2011）的封面設計。更進一步來說，她的實驗性寫

作技術——拼貼和重組手法的運用，對遊戲化的非文學語言的挪用，和對具象的詩歌形式的偏好——似乎是從詩人抒情化的自我表達轉移至一種機械化的反芻（regurgitation）或複製（不是寫作而是打字，正如卡波提〔Truman Capote, 1924-1984〕對凱魯亞克〔Jack Kerouac, 1922-1969〕的評價）。她甚至曾說，與原作相比，她更喜歡副本。然而，即使她所喜好的機械式再創作技術會對作者及原創性等常見概念構成挑戰，她對不完整的副本的癡迷則是一種將偶然性、人文性和主體性重新引回藝術的努力。

在第二本詩集《腹語術》（1991）中，夏宇開始實驗剪切和拼貼這種可聯繫至二十世紀早期先鋒藝術運動的技術。在詩作〈降靈會III〉裡，她將一頁打印的字符裁剪成碎片後重新組裝在原作裡，發明出無法解讀的字符。在另一首詩中，她借用王弼（226-249）三世紀左右對《易經》的評註（「得象忘言」），以實際的圖像，即表示一種動物或物體（貓、龜、蛇、恐龍、鱷魚、蟹、企鵝、鯨、小雞、瓢蟲、花、菠蘿等）的簡單黑白圖像，代替每個「象」字。最後為了表達反諷之意，夏宇將該詩命名為〈失蹤的像（Image）〉——或〈失蹤的象（Elephant）〉，因中文的「象」同時有「圖像」和「大象」之意，這種語言的歧義性突出了書面語言的不可靠性。

然而，拼貼對於夏宇而言不僅僅是一種遊戲，也是對主體統一性的內在衝突的一種回應。她談及生活在普羅旺斯（1995）的那段時間，當懶散的地中海式夏天逐漸消逝後，秋天不可避免地來臨，當時她是如何被突如其來的不滿情緒所占領——對於詩歌、生活和自我的不滿：

因為是秋天我發現對我寫過的詩我差不多都是不安的因為我沒能把它們寫成另一種樣子。想想我原也可能不是我現在這樣寫著字的這個人。只要同時寄出的兩封信裝錯了信封一切因緣際會稍稍錯失你就再也不知道你是誰的輪迴轉世。

僅僅把過去擾動一點點，你就會獲得一個無法辨認的現在。

某天清晨，夏宇在度過一個無眠之夜後，將目光落到了37公分乘以42公分的大開本詩集《腹語術》上。想到它「太占地方」，夏宇用剪刀將她的詩

剪成1.5公分見方薄片的字符，並將其如枝椏交錯的灌木叢般堆積起來。連續四天，她將這些分開的字符重組成新詩，固定在鋼圈裝訂的剪貼簿上。在自己意識到之前，她已經像這樣完成了30首新詩，它們由看上去臃腫、冗長且乏味的上一本書（《腹語術》）的斷肢縫合而成。這成為她的第三本詩集《摩擦·無以名狀》，一個弗蘭肯斯坦（Frankenstein）般的怪物，但至少有生命。

重新開始，反覆嘗試，夏宇已不再為任何已完成的或不可變的事物花費時間。她的詩〈令物體自行移動〉中包含以下詩句：

> 每一次都鄭重地想：
> 「下一次一定遠比這一次算數。」
>
> 從而定義出的
> 下次的下次
>
> 還是準備衝出去的下次
> 大聲說：
> 「不算。」

下一次總是比這一次算數。下一次之後的下一次甚至更算數。「還是不算」，詩在最後總結道：「連這個『不算』也不算。」

《摩擦·無以名狀》準確地以複製失敗作為它的開始與結束。它是對《腹語術》的「重寫」，但並未保留原件的實質內容；它是對三維拼貼進行的二維影印，能複製出手工拼貼參差不齊的分布狀態，但無法複製其紋理（摩擦）和它的存在所占有的空間。《摩擦·無以名狀》的諷刺意義在於，它遠非對《腹語術》的摧毀，而實際上牢牢將詩集固定，顛覆了夏宇重寫的本能。「《腹語術》不能被修訂，因為《摩擦·無以名狀》中的每一個字都有它的來源。我甚至不能改變字體，否則《摩擦》就不能自行成立，或者即使它成立但也變成了一本完全不同的書，一件不同的物品。」她還談到，副

本完成後再去更改原件就是「回到過去並重寫未來」。但是，夏宇的初衷不就是將一組詩轉變為另一組詩，準確地改寫未來和現在？夏宇對副本的偏愛，豈非已發展至原件需要依賴於副本才能生存的程度──副本反過來要求原件的忠實，而不是倒過來？

　　巧合的是，當夏宇拼拼貼貼的展開自己的詩歌藝術時，台灣正在數位技術的製造和傳播中扮演重要角色。此即半導體──個人電腦的組建組件──技術，它使無損的複製成為可能，在這種技術裡，夏宇所鍾愛的留在作品裡的創作痕跡無法自然地出現。隨著台灣半導體工業的發展，個人電腦以及網際網路滲透全球市場，夏宇又是如何回應這種電腦化的媒介？按伯恩斯坦（Charles Bernstein, 1950-）之說，此種媒介的特性即在於「不變和精確」。隨後的詩集《Salsa》從一本筆記中誕生，裡面積累了超過七、八年的片段，詩人不斷「修改潤飾排列裝置，直到每一個片段找到它們最好的位置。有些片段不停的走遠迷路到了最遠變成另一首詩」。這一次，不再是影印剪貼後的詩，她用「很黑很黑」的黑墨水謄抄。1999年1月，她在巴黎完成了詩集中的46首詩；2月，她帶著朋友為她打好字、儲存了所有詩的磁碟片回到台北。夏宇其實不會打字，但她很快買了電腦，並開始再一次對這些詩進行數位化編輯。她描述這個修改過程就像「每次找到一把鑰匙，但很快鑰匙就沒用了」。傳統詩緩慢地進入了數位化時代。

　　在《Salsa》和下一本詩集《粉紅色噪音》之間的八年中，從數位相機到MP3數位音檔再到電子書的技術，徹底改變了圖像、音樂和文學的消費方式。儘管讀者在巨大的期待中忍耐著夏宇這幾年的沉寂，但《粉紅色噪音》帶給他們的，說好聽點是困惑，說難聽些是憤怒，至今他們仍然在部落格和在線論壇表達自己的反應。這位以其前衛衝動而在文學上受到崇拜的明星，憑借《粉紅色噪音》最終超越了自己，出版了自我界定為「偽詩」和「非詩」的作品。這本書印在完全透明的賽璐珞片上，以至於文字猶如看不透的一堆雜物（所謂的「噪音」），需在每頁後面插入一張白紙才能閱讀，一位網路評論者因而稱其為一本「反閱讀」的書。詩集由33首詩組成，先用英文印出，左對齊，黑色墨水，下一頁則是中文翻譯，右對齊，粉色墨水。這些詩作比書的材質更難於親近：首先，《粉紅色噪音》的英文詩不是由人，而

是由一個名為夏洛克（Sherlock）的電腦程序翻譯成中文，由此產生的無數語法、詞彙、習慣用法上的錯誤自不用說，其中一些還相當滑稽（意味著更多的噪音）；再則，英文原文不是出自夏宇之手，而是剪貼自她在網上找到的文本，它們主要不是來自文學，有些還是半文盲的。緊跟在拉金（Philip Larkin, 1922-1985）和惠特曼（Walt Whitman, 1819-1892）隻字片語之後的是女同性戀色情刊物的廣告和日本情趣玩具的討論串；甚至來自馬克思（Karl Marx, 1818-1883）和柯本（Curt Cobain, 1967-1994）自殺筆記的段落也露面了。詩集第一版很快售罄，但回響有些冷淡。一位部落客將夏宇的姿態改寫為：「我的愛，我已經使我的詩集變得透明（防水，防潮，防蟲，三位一體）。」詩集或許已透明，但同樣極其晦澀；不僅防水，還防讀。

　　夏宇似乎是以一種極大的熱情擁抱數位技術：《粉紅色噪音》完全在電腦內部創作完成，盡最大可能地採用自動化過程。與此同時，作為一件從找來的文本中誕生的拼貼作品，《粉紅色噪音》是對夏宇之前強調手工副本的不完美性的重寫作品《摩擦‧無以名狀》的再次重寫。因此，夏宇和電腦的互動就不再接近「不變和精確」這一理想：顯然，她使用夏洛克不是為了獲取原文的精確中譯，而是希望它能或多或少地產生些什麼。她沒有失望，「他（我的機器詩人）要是對的，他就能比對還要更對；他要是亂來，他就能錯得不能更錯。」夏洛克翻譯的不完美性產生了一些類似智能甚至個性的東西。夏宇提及夏洛克時也逐漸多了一些私人化的措辭，從最初的「機器詩人」很快地變為「機器情人」，她在機器裡發現了詩人。

　　雖然在透明物上進行打印的想法早在她為《摩擦‧無以名狀》選定形式時就已經出現，但「為了塞尚的緣故（最終我可能把自己當油畫家看待）」，夏宇最終還是以繪圖紙完成詩集。就《粉紅色噪音》而言，夏宇不再認同油畫家這種創造性的天才，而是認同一個更接近珀洛夫（Marjorie Perloff, 1931-）所言之「非原創天才」（unoriginal genius）的模型，肯尼斯‧戈德史密斯曾解釋：「傳統的寫作概念首要關注的是『原創性』和『創造性』，數位環境觸發了新的技術裝置，它能夠對既有和不斷增長的語言累積進行『操作』和『管理』。」在一個訪談中，考慮到夏宇既非原文也非譯文的作者，她被問及自身在《粉紅色噪音》中所扮演的角色。她回答：「我

找到詩，我找到形式。」她使用現成的材料挑戰了作者作為創造性天才這一概念，但也同樣將自身提高至組織者的層面。藉由自動化和外包文本的寫作過程，夏宇已經自我提升為詩的管理者。

乍看之下，《粉紅色噪音》之後的詩集似乎已表明夏宇對數位技術使其成為可能的無限量編輯感到厭倦：《60首詩》（2011）的封面材質類似刮刮樂彩券，因此，無論讀者在她的副本上刮出何種設計，都不容她置喙，沒有重來的可能。不過，網路再次介入：照片共享網站Flickr上的一個群組請讀者上傳自己設計的圖片，在本文撰寫之際，已蒐集194張。創造的潛能正在持續地積累壯大。

參考文獻：

Kenneth Goldsmith, *Uncreative Writing: Managing Language in the Digital Age* (New York, Columbia University Press, 2011).

Hsia Yü, *Fusion Kitsch: Poems from the Chinese of Hsia Yü,* trans., Steve Bradbury (Brookline, MA, Zephyr Press, 2001).

Michelle Yeh, "Toward a Poetics of Noise: From Hu Shi to Hsia Yü," *Chinese Literature: Essays Articles Reviews* 30 (December 2008): 167–178.

施開揚（Brian Skerratt）撰，張屏瑾 譯

1999年3月28日
「就寫這個題目！」

韓寒的十六歲

　　「就寫這個題目！」青年雜誌《萌芽》的主編將一張皺巴巴的紙扔到一杯水裡時，對韓寒（1982-）這麼說。十六歲的韓寒是「問題」學生之一，他學習成績不好，因擅長體育勉強上了高中。換言之，他是一個典型的失敗者——那些不適應中國教育體制的眾多孩子之一。但這個一無是處的學生隨後寫下的文章，卻讓首屆全國新概念作文競賽的評審大為驚訝。他的〈杯中窺人〉一文，用皺巴巴的紙球溶解於一杯水的現象，隱喻中國人之溶於中國社會。文中他還引用了拉丁語和中國古典文學，以及魯迅（1881-1936）和錢鍾書（1910-1998）等現代作家。這個不為教育體制所容之學生，何以能寫出如此複雜、成熟而富有哲理的文章？這個問題在網路上引發了一場激烈的爭論，被稱為「韓寒現象」。

　　1999年3月28日星期天，上海正下著雨，這日韓寒在青松城大酒店領取了一等獎。雖然韓寒從1997年初中時期就開始發表作品，但這次獲獎和由此引發的討論才真正成為他成名的機會。正是在這一天，一個高中失敗者搖身一變為文學明星。

　　那時韓寒已經創作一些文學作品。所有小說背景都設定在當代，採用學生視角，具有部分半自傳性質，最具雄心的小說《三重門》（2000）深受錢鍾書《圍城》的影響。由於讀者急於想知曉獲獎作品的背景，這部小說恰好提供了相關的內容，因此成為暢銷書。這部小說很快銷售200多萬冊，成為中國近二十年來最流行的小說。成千上萬的學生從這本小說中找到自己，成

年人也沉浸在它所喚起的懷舊記憶中。小說題目所指的「三重榮譽之門」，呼應中國古代歷史上三座重要的門，也指稱當前學校的大門、教學樓大門和教室的門。這是一個對教育和權威加以反諷的後現代作品。小說中的主人公（林雨翔），未上學前，父親就讓他識字，並僅讓他閱讀1949年前出版的中國古典、現代文學，這種訓練有助於解釋韓寒第一部作品的成功。韓寒運用古典文學典故，讓它們一一在故事中實現，在早期小說中創造出曲折和荒誕的情節。他具有敏銳的頭腦，經常運用文字遊戲、成語和俗語表現幽默感，造成小說，特別是早期小說的難以翻譯。不過他的博客（blog）和小說《1988：我想和這個世界談談》皆有英文版，在中國和世界各地他都是著名的博主（blogger）。

當代中國有一種對年輕作家特別青睞的趨勢。例如蔣方舟（1989-）九歲時就出版了第一本散文集。韓寒不僅是一個年輕作家，小說版稅造就他成為職業賽車手，並於國家級賽車大賽中獲獎，這些都為他帶來聲望。為了表現社會批判良知，他又運用自己的名望在電視節目和採訪中製造公眾輿論。他對當代政治的諷刺性評論，為他贏得一大批狂熱粉絲。

作為一位文化和政治名人，韓寒積極利用蓬勃發展的網路文化，2006年他開始在中國最大的博客入口網站新浪網經營博客《太冷了，可是太熱了》。他不寫長篇鉅作，大部分作品都是短文。他的博客很快成為入口網站上最熱門的一個，吸引了成千上萬的追隨者。當韓寒開通微博，打了一個「你好」，瞬間吸引了七十五萬名粉絲。兩年後，小說《他的國》（2008）在主流文學平台「起點」連載，紙本尚未發行，電子書已極其暢銷——紙本亦然。《三重門》被翻拍成電視劇，小說《1988：我想和這個世界談談》則被翻拍成公路電影。他在自製的MV中演出，並主編文學期刊《獨唱團》。韓寒是新的文藝復興型人物，以不同的媒介形式出版同一個故事，跨越了體裁的邊界。

韓寒利用自己的博客，言說社會各方面的不公。2010年，被關押的異議人士劉曉波（1955-2017）獲得諾貝爾和平獎後，韓寒發表了一個雙引號〈""〉，等同於「奧斯陸的空椅子」，獲得了150萬次點擊。韓寒所寫內容涉及關於審查制度和言論自由壓制、土地拆遷、黨員幹部腐敗、有毒工廠，以及

那些在中國經濟崛起過程中的失敗者。在一個條目中，他對「一黨制」一詞提出質疑，理由是一個政黨根本不能構成一個「系統」。2010年，他在評論中頗具諷刺意味的說，在日記記錄自己濫用職權（包括受賄和包養情婦）的韓峰，其實是個好幹部，因為他濫用職權比一般幹部少。韓寒做了一項民意調查，發現百分之九十七的受訪者同意他的觀點。他還報導了一些小事件，比如他在台灣訪問期間手機遺落在計程車上，計程車司機竟然送回手機，這種事在中國大陸可能不會發生。韓寒不禁問道，像這樣的中國傳統道德價值觀，是否只在台灣才得以倖存。他評論社會上的熱議事件，比如兩歲的小女孩悅悅被車撞倒流血致死，十八位經過路人，卻無人伸出援手。他評論道：「冷漠和自私已經成為了中國國民性的一部分。」他的博客文章〈讓一部分人先選起來〉，參照的是鄧小平（1904-1997）一九八〇年代改革開放政策的著名口號「讓一部分人先富起來」。韓寒的說法指的是烏坎村的村民，這些村民抗議他們的土地被非法奪取後，組織了自己的選舉。在他的一條博文〈韓三篇〉（指涉鄧小平的意識形態理論）中，他抨擊中國改革的局限性，談到了民主和自由，表達了對教育制度、賄賂、腐敗的憎恨，並公開嘲笑它們。他寫得深刻而堅定！

2010年，《時代》（*Time*）雜誌評選韓寒為世界第二大最具影響力人物。中國向來視知識分子為批判性的社會良知，二十一世紀的名人和藝術家接續這一角色，成為意見領袖。專家和外行者紛紛加入線上辯論，公眾參與的更多，雖然討論的話題越來越短命。

韓寒代表了後社會主義時代的青年文化。在一些中國青年眼中，當政府在1989年天安門事件中槍殺自己的人民時，就失去了它的合法性。它被容忍至今，只是因為它走上了資本主義道路，提供了一個美國化的中國前景。一九二〇年代年輕的意見領袖是學生和知識分子，他們吸收了西方的教育和知識，試圖顛覆中國傳統文化的建制。一九四〇年代的年輕人具有強烈的願望，即通過一種烏托邦的意識形態推動中國進步，這一願望熱情高漲，一直持續到一九五〇年代中期「真正存在的社會主義」這一國家隱藏的真面目暴露時。一九六〇年代，青年被動員支持共產主義革命，卻使國家陷入混亂局面。一九八〇年代，在鄧小平的改革開放政策下，湧現出一批比較成熟的年

輕人，他們對外面的世界有相當程度的了解。然而，1989年的民主運動被鎮壓，標誌了一個轉捩點，此後的年輕人遠離政治，轉而專注於自己的教育、出國留學、職業生涯和商業機會。韓寒是少數尚未受到迫害的意見領袖之一。

如同卡夫卡（Franz Kafka, 1883-1924）、果戈里（Nikolai Gogol, 1809-1852）和魯迅，韓寒將小說的虛構元素與地點設置於現實。例如，小說《他的國》中，湖泊的污染使螃蟹異常巨大，當地人不但沒有停止汙染，反而把這些大螃蟹做成最暢銷的出口商品。當腐敗的幹部從這樁騙局中獲利時，他們高興地跳進湖裡，最終死在湖裡——因為一個漁民非法電魚。在另一幕歌唱比賽中，黨的合唱團和商界合唱團幾乎無以倫比。當主人公左小龍想要建立自己的合唱團時，「最後註冊登記的唯一的一位合唱團成員是一個不能生活自理的啞巴孩子」。

雖然韓寒經由激烈的競爭而成名，再加上以他的小說集《很高興遇見你》命名的餐廳也經營成功，但他並不是一件商品。他代表了藉由網路媒體平台向大眾傳遞文學訊息的新一代。韓寒發表的評論尖銳、幽默且具創意，因此令人耳目一新。

參考文獻：

韓寒《1988：我想和這個世界談談》（北京，國際文化出版公司，2010年）。

韓寒《三重門》（北京，作家出版社，2000年）。

韓寒《他的國》（瀋陽，萬卷出版公司，2009年）。

Han Han, *1988: I Want to Talk with the World*, trans., Howard Goldblatt (Seattle, Amazon Crossing, 2015).

Han Han, *Les Trois Portes*, trans., Guan Jian and Sylvie Schneiter (Paris, 2004).

Han Han, *This Generation: Dispatches from China's Most Popular Star (and Race Car Driver)* (New York, Simon & Schuster, 2012).

吳漢汀（Martin Woesler）撰，張屏瑾譯

2002 年 10 月 25 日

「西湖水乾，江湖不起，雷峰塔倒，白蛇出世。」——〈白娘子永鎮雷峰塔〉
（1624）

重見雷峰塔

　　白娘子傳奇為中國家喻戶曉的傳說，「西湖水乾，江湖不起，雷峰塔
倒，白蛇出世」這段虛構偈語出自馮夢龍（1574–1645）《警世通言》
（1624）中的〈白娘子永鎮雷峰塔〉。法海和尚將觸犯天條的白蛇及青蛇鎮
壓在杭州西湖邊的雷峰塔下。從法海立場而言，囚禁白蛇的正當性在於白蛇
犯下滔天大罪：僭越人妖界限，欺騙、勾引他人，水漫金山寺以致生靈塗
炭。「永鎮雷峰塔」意指白蛇、青蛇將永被囚禁於堅不可摧的建築下，但反
諷的事實是：1924 年 9 月 24 日佛塔倒塌了。雷峰塔的倒塌讓二十世紀初叛逆
的反傳統人士印象深刻，甚至將此視為壓迫制度瓦解的隱喻——許多人樂見
佛塔和連帶的迷信徹底崩毀。然而，雷峰塔塔身建築雖脆弱，在大眾想像中
卻是牢不可破。一九九〇年代末，杭州當局決定恢復西湖十景「雷峰夕照」
的景觀，2002 年重建的雷峰塔開放。新塔建於舊塔遺址之上，舊塔的斷垣殘
壁保留於玻璃罩中供旅客參觀，中國工藝美術大師陸光正雕刻的白蛇故事更
是精美、細膩。雷峰塔不再是中國黑暗歷史的象徵，巧妙的設計將舊塔藏
於新塔內，融合傳統和最新建築科技，從門票中獲取利潤，反映出後革命
時代的中國對自身（重新想像的）國家歷史的接受。
　　一如舊塔與新塔無法切割，白蛇故事與其多重敘述也已融為一體。但諸
多異文的共同情節為：白蛇精化身美女白娘子漫遊人間。她與男子許仙於西
湖邊邂逅；兩人進一步相戀、成婚，生活幸福。直到白娘子意外現原形，許

仙驚嚇過度而亡。白娘子成功救活許仙，但幸福已遭遇波折重重的威脅：法海和尚說服許仙離開蛇妻，躲避金山寺。白娘子為挽回許仙，隨後與法海上演史詩般的水戰，波浪淹沒寺院和無辜的群眾。法海最終獲勝將白娘子永鎮雷峰塔下。有些版本增加白娘子之子許夢蛟為母贖罪救母的情節。

　　二十世紀初，五四知識分子如許夢蛟般致力推倒壓迫制度，釋放其中的被囚者。在文學、戲劇和時評中，佛塔成為儒家道德、父子綱常的僵化階序結構的桎梏象徵，塔的崩毀是對傳統社會秩序終結的有力隱喻。當現實中的佛塔傾倒時，叛逆的反傳統者——如魯迅（1881-1936），即就此事撰寫一篇著名文章〈論雷峰塔的倒掉〉——有如獲得平反的感受。另一些作家——如女劇作家白薇（1894-1987）的《打出幽靈塔》（1928）和張愛玲（1920-1995）的《雷峰塔》（*The Fall of the Pagoda*，1963）——則繼續以塔作為腐朽和最終無法逃脫的社會監獄意象。1924年塔的頹圮據說是當地村民從塔基挖走他們信以為有神力的磚塊，此事也預示著多年後文化大革命期間，紅衛兵對代表「四舊」的碑石和器物的暴力處置和惡意破壞。

　　當作家苦苦追尋佛塔傾倒的意義，改革者奮力在舊帝國的廢墟重建新制度時，白蛇故事也流轉在各種傳播媒介，兀自說著自己的故事，彷彿獲得真正的解放。雷峰塔和白娘子傳說與中國現代化核心的重大轉變密切相關，諸如廣播和電影等新科技的出現和擴散，革命浪漫主義的傳播，以及跨國旅行的日益便捷。電影使白蛇故事有了穿越地理和文化邊界的可能，對白蛇故事的變遷有著特殊的貢獻。1926年，主要面向國內市場放映的中國第一部白蛇傳電影上映，數十年後，日本東映動畫讓白蛇有機會跨越太平洋到日本。1958年，當東映將《白蛇傳》改編為日本有史以來第一部全彩長篇動畫電影時，其目標觀眾是受迪士尼動畫吸引的觀眾。這部改編的動畫《白蛇傳》（《白夫人の妖戀》）加入一群魔法動物夥伴，成功地擺脫、消解了與妖魔的黑暗聯繫。對於全世界的觀眾而言，這個傳說變得平易近人，甚至討人喜歡。

　　二十世紀中葉的京劇舞台上，白蛇經歷了同樣劇烈的變化，轉型成正義浪漫的女主人公。作為最晚自十八世紀始的經典劇作之一，《白蛇傳》被劇作家田漢（1898-1968），同時也是激情澎湃的中國國歌〈義勇軍進行曲〉

作詞者，改編成現代革命劇。田漢寫過三個白蛇故事劇本，其中以1955年版的《白蛇傳》為人所熟知。《白蛇傳》一開始，兩位蛇女化為美女登場，幾乎讓觀眾忘了她們原屬妖孽。作品情節的發展宛如一部好萊塢浪漫喜劇：白娘子和許仙一見鍾情而成就良緣，法海則以惡人形象登場。在田漢的敘述中，法海代表的寺院體系是一種腐朽制度的象徵，作品並未以白蛇被囚告終而代之以復仇。白娘子被囚多年後，小青帶領「眾仙」返回打敗塔神救出白娘子。田漢耗費將近十三年時間完成戲曲改革所賦予的任務，剔除封建糟粕、反映新生活、塑造新形象以符合新中國社會主義價值的作品。最終版本1954年上演時，觀眾看見了一個為了愛情自主、熱情反抗一切的白娘子——一場集革命戀愛、浪漫激情、善惡有報於一爐的好戲。田漢的《白蛇傳》不再是警世故事或是舊制度終結的寓言，而是為一代浪漫革命者創造了恰切的女英雄。

　　田漢這部經典京劇在所有中國表演藝術中都可以找到共鳴。與此同時，白蛇故事隨著不同時代和持續不斷的跨國文化而擴散、演繹、翻新。無論是台灣、港台演員演出的連續劇《新白娘子傳奇》（1992），還是根據李碧華（1959- ）暢銷小說改編、潛藏著同性情結的香港電影《青蛇》（1993），都將白蛇推至「泛亞洲」文化生產的前沿。《青蛇》聚焦於白娘子的同伴小青，演繹白娘子、小青和許仙之間的三角戀，片中白蛇與青蛇於溫泉共浴場景，還出現了兩位蛇女的暗示性嬉戲。例如台灣劇作家田啟元（1964-1996）的《白水》（1993）和中國旅美作家嚴歌苓（1958- ）的中篇小說《白蛇》（1999）。《白水》清一色為男性人物，將「白蛇」對人獸界限的弭除引申至當代性別越界上，關注構成人類關係中愛情、忠誠和嫉妒的曖昧命題。嚴歌苓的小說也著眼同性之愛的主題。故事發生在文化大革命時期：一個年輕女子冒充男性軍官，走入一個曾經以白蛇角色知名的女舞者的生命中。故事在「官方版本」和「不為人知的版本」間來回擺盪，揭示文化大革命歷史和記憶像蛇一樣不斷的蛻變。透過這些越界形式，白蛇這一原型脫開重重傳統鎖鏈，為被壓抑的人和被壓制的記憶發聲。

　　就這樣，二十世紀末在新作家、新媒介和跨地理的形式，白蛇展現了它的越界潛力。與不斷幻化的當代表演藝術比較，恰當此時重建的雷峰塔——

仔細複製舊式建築以及配套的老少皆宜的白蛇故事——似乎顯得古板而保守。這種對傳統白蛇傳說維護與正名，其實可以視為對一個「失控的」傳說重新掌控：重建雷峰塔（以其地址和紀念碑性做背書）顯然也重申官方版本。但新塔並未聚焦於與白蛇故事的聯繫。古老傳說對參觀者來說的確迷人，但並非主要賣點。更令遊客動心的，可能是從塔頂攬盡西湖勝景，以及建造新塔時發掘出土的珍貴宗教文物。這些文物曾在各地博物館巡迴展出；禮品店的精美畫冊提醒遊客雷峰塔遺址的考古價值。一些關於新塔建設的報紙文章（有的使用〈雷峰塔不等於許仙加白娘子〉的直白標題）甚至試圖讓新建築完全脫離舊傳說。若說1924年雷峰塔的傾倒讓白娘子獲得行動和改變的自由，那麼2002年的重建則可能矛盾地讓遺址擺脫與傳說的關係，重新書寫了它的歷史和文化意義。

　　逃脫、毀滅、壓抑。倒塌、廢墟、重建。在2002年的新自由主義和後社會主義中國，解放的佛塔和白蛇版本再次成為隱喻：新舊元素不協調的共存取代以往誇張的革命修辭——這不正類似對待歷史的矛盾態度？慶祝新塔落成的出版品稱該工程實現了「看見鍾愛的地標恢復」的「人民願望」。而中英雙語的指示牌、令人驕傲的西湖十景修復，則是為了國際觀光和申請聯合國教科文組織的世界遺產認證（2011年，「西湖文化景觀」獲得認證）。今天，雷峰塔仍然只承認最正統的文學和歷史敘事，但白蛇傳說不斷有迷人的新版本問世。台灣明華園劇團的《超炫白蛇傳》將搖滾和爵士融入劇情，一場宛如「東方百老匯魔幻傳奇」的「白蛇傳」從2004年起每年在戶外上演，每場觀眾甚至超過十萬。2011年，李連杰（1963-）電影《白蛇傳說》；2013年，北京著名導演田沁鑫（1968-）舞台劇《青蛇》，繼續創造了新一批粉絲和西湖朝聖者。因此，雷峰塔的倒塌與重建，一方面與早年中國革命論述產生強烈對照，一方面迎合當代商業旅遊和世界申遺的動機。新的雷峰塔擁有多重的論述可能，無法在當代社會中定於一尊。雷峰塔再次矗立在西湖岸邊，成為對後革命世界的完美後現代隱喻。

參考文獻：

Donald Chang and William Packard, trans., "The White Snake," in *The Red Pear Garden: The Great Dramas of Revolutionary China*, ed., John D. Mitchell (Boston, D. R. Godine, 1973), pp. 49–120.

Wilt L. Idema, trans., *The White Snake and Her Son: A Translation of The Precious Scroll of Thunder Peak with Related Texts* (Indianapolis, Hackett Publishing Company, 2009).

Lu Xun, "On the Collapse of the Leifeng Pagoda," trans., Gladys and Xianyi Yang, in *Selected Works of Lu Xun* (Beijing, 1957), 2:82–85.

Eugene Y. Wang, "Tope and Topos: The Leifeng Pagoda and the Discourse of the Demonic," in *Writing and Materiality in China: Essays in Honor of Patrick Hanan*, ed., Judith T. Zeitlin and Lydia H. Liu, with Ellen Widmer (Cambridge, MA, Harvard University Press, 2003), pp. 488–552.

Geling Yan, *The White Snake and Other Stories* (San Francisco, Aunt Lute Books, 1999).

陳俐敏（Tarryn Li-Min Chun）撰，王晨 譯

2004 年 4 月

「狼真是階級敵人……咱們應該……堅決、徹底地把狼消滅乾淨。」

——姜戎《狼圖騰》

《狼圖騰》與自然寫作

　　2004年姜戎（原名呂嘉民，1946-）的《狼圖騰》在中國一炮而紅，上市幾週就銷售了數萬冊，之後甚至賣了數百萬冊。這部小說在海外也極為暢銷，迄今已譯成二十多種語言。《狼圖騰》是姜戎根據自己1967到1978年間（「文革」及其餘波期）在內蒙古「插隊」十一年經歷的自白。小說主人公陳陣是一名來自北京的知識青年，他被派往內蒙古的生產隊，沒想到竟然為那個地方深深著迷。他見證了漢人湧入內蒙古草原，如何將牧場變成糧田，並展開滅狼行動。數十年後，當陳陣再度回到故地，大草原已然成為沙漠。

　　《狼圖騰》為「文革」批判、環保生態主義與反大漢民族主義之作。小說描繪大部分漢人相信狼既邪惡且具破壞性，此種深入內心的視狼如仇心態，成為他們殺戮這些動物的理由。例如，敘事者引用一名紅衛兵領袖說的話：「狼真是階級敵人，世界上一切反動派都是野心狼……咱們應該組織群眾打狼，對所有的狼實行無產階級專政。堅決、徹底地把狼消滅乾淨。」中國傳統觀念中龍象徵著中華文明，狼卻是罪惡與貪婪的淵藪。此處的「階級敵人」主要指涉中國共產黨內部的反動因素，尤其是技術官僚。紅衛兵提到的「反動派」指的則是那些具有菁英主義和反對平均主義態度的人，他們重視教育和其他資產階級習慣，忽略人民的純粹力量，因而擴大了貧富差距。

　　正如紅衛兵一番話所影射，反動派和階級敵人在「文革」期間果真遭到殘酷的迫害。令人玩味的是，此處紅衛兵利用修辭混同了物種：「狼」是

「階級敵人」，「反動派」不但是狼，而且是「野心狼」。事實上，並非所有內蒙古的漢人都相信狼真的與人敵對，許多下放農村者並沒有為紅衛兵這套修辭所惑。《狼圖騰》的主人公陳陣甚至讚美狼（立場與作者很相似），也探究「狼性」的狡猾、無情和暴力的生存。雖然小說中大部分漢人視狼為罪惡和貪婪的標誌，但狼也具有正面的特質，包括對自由的渴望和頑強的生命力，它們能夠在最惡劣的環境中生存，攻擊其他生物（包括人在內）往往是為了求生存。小說中的漢人批評蒙古人的「原始」，強調中國和世界已進入核子時代，人造衛星繞著地球飛行，像狼這類動物一無用處。然而，小說卻也強調，儘管中國科學突飛猛進，但日漸膨脹的人口卻成為棘手的社會問題。相當諷刺的是，小說大受歡迎的背後卻是「狼性」和驅動中國市場的後社會主義「美德」的連結。《狼圖騰》既是對「文革」期間內蒙古艱苦生活的懷舊回憶，也是中國社會主義和資本主義叢林法則的離奇寓言。

雖然中國讀者往往將《狼圖騰》視為「文革」小說，但海外讀者更關注環境生態批評所引發的共鳴。比如，《狼圖騰》的日譯本編輯強調小說的生態意義，「當自然正在被摧毀，物種數量正在減少，人的精神和性格正在日益衰弱和墮落時，現代讀者能夠讀到這樣一本描繪狼的長篇史詩小說真是有幸。」《狼圖騰》所引起的熱烈回響是一件值得雀躍的事。但更重要的是，我們不應將姜戎的創作視為一種孤例，應該從環境關懷的視角，視其為華語文學發展軌跡的一部分。

《狼圖騰》的問世伴隨著中國環境意識的日漲。一九八〇年代，中國領導人們一反「文革」時期的向自然宣戰，他們印發宣傳海報，呼籲社會大眾「綠化祖國」、「植樹造綠」和「愛護綠化，珍惜古樹名木」。但礙於生態環保理念與經濟成長的扞格不入，阻止環境惡化的努力經常因經濟增長（有時甚至只是生存）的需要而被忽視，中國最終於二十世紀八、九〇年代因經濟發展而大規模破壞自然景觀。另一方面，社會大眾也日益流露出對毒害和生態系統工業汙染的無可忍受。過去二十年間，中國政府頒布了許多環境法規和政策，實施之處多少取得了有限的成效。

環境惡化議題從來就是中國文學的一部分，自中國第一部詩集《詩經》到張應昌（1790-1874）編的《清詩鐸》（1869）皆然。前者於詩中描繪了

草木為糧田所取代，後者收錄如王太岳（1722-1785）的〈銅山吟〉，描寫礦工面對森林被砍伐、礦藏日益匱乏的困境。這類文本藉由書寫代表二十世紀中國人響應了當地和國家，乃至於全球環境惡化的議題。諸如二十世紀初中國最具啟發性的散文家和畫家之一的豐子愷（1898-1975），他的散文與漫畫不僅展現了繁榮的生態，也是自然和人為災難的生動見證。沈從文的著名小說《長河》（1943），是這位首屈一指的鄉土作家對現代化進程導致故鄉環境和文化衰敗的感傷。同樣值得一提的還有陳敬容（1917-1989）的詩作〈都市黃昏即景〉（1946），詩的開頭「市聲淹沒了黃昏」，道盡了時間為城市的喧囂所淹沒的情境。

　　直到一九八〇年代末，「環境健康」才進入中國文學的永續關懷，作家和評論家開始對環境文學、綠色文學以及生態文學嚴正以對。然而，文本與環境議題相涉多深，方能稱為「環境文學」、「綠色文學」或「生態文學」？評論家意見不一。但更重要的是，有關生態破壞的中文作品主題多樣性，包括土壤、空氣汙染、森林砍伐、沙漠化、缺水、洪水、物種滅絕和全球暖化等。

　　一九八〇年代中國環境小說的重要例子可推阿城（1949-）的中篇小說《樹王》（1985），小說描寫「文革」期間的「整改」毀了大自然的生態平衡。同年，諶容（1936-）環境文學力作《死河》，實地考察山東馬踏湖汙染嚴重問題。值得一提的作品還有諾貝爾文學獎得主高行健（1940-）的劇本《野人》（1985）和小說《靈山》（1989）。《野人》凸顯了棲息地喪失、物種滅絕的環境保育問題，也論及傳統文化流失、城市文明的殘暴與人性的貪婪醜陋等；《靈山》則廣泛地批評了肆虐國家和全球的生態問題，「……人掠奪大自然，自然總要報復的。」高行健藉著老植物學家說出社會對自然的迫害。

　　中國作家出於對生態惡化的憂慮和期盼發展環境文學，1991年1月成立環境文學研究會，時間比美國最早的生態批評（ecocritical）組織文學與環境研究協會（Association for the Study of Literature and Environment）早了將近兩年。次年，中國第一本環境文學雜誌《綠葉》創刊，五年間刊登了1,000多篇環境文學作品，至今不遺餘力。《綠葉》的創辦者在創刊號中提及對瑞

秋·卡森（Rachel Carson, 1907-1964）的讚賞，及其作《寂靜的春天》
（*Silent Spring*，1962）對美國環境運動的影響。同一時期，中國也開始出版
「綠色」文學，讓讀者更容易接觸對於國家以致於全球有著迫切意義的作
品。

　　二十一世紀迄今，關心人類對生態環境破壞的中國文學，成果頗豐。新
千禧年的第一部此類長篇小說是賈平凹（1952-）的《懷念狼》（2000）。
小說主人公是一個環保主義記者高子明，他和兩名獵人攜手合作，拍攝中國
中部十五頭倖存的狼，但最終卻害死了牠們。值得一提的還有郭雪波
（1948-）的《大漠狼孩》（2001）和《狼孩》（2006）。中國作家完全未
被「綠化」環境的官方修辭欺騙，而是積極地探討國家景觀日益破壞的議
題。

　　台灣是文學紀錄、批判環境惡化的另一場域。1949年，台灣結束日本殖
民甫四年，國民黨從大陸撤退而至，島上人口激增數百萬。人口增長加上快
速工業化和經濟發展，島上生態因毫無顧忌的開發，土地、水文和空氣遭受
史無前例的汙染。

　　台灣的反汙染抗議和自然保護運動可以上溯至一九八〇年代初，但直至
1987年7月戒嚴令解除，人們始嚴正思考島上景觀破壞問題。台灣作家積極
參與環境運動，加入拯救瀕危物種和空間行列，導正工業發展計畫及人類破
壞生態行為。此外，自一九八〇年代開始，一批生機勃勃的環保詩歌、小說
和非虛構作品躍上檯面。台灣的非虛構環保作品以科學為基礎：強調台灣不
同生態的旅行和歷史報告、生態散文；客觀探討環境問題的作品；以及在台
灣普遍被稱為「自然寫作」的作品。然而，自然寫作的定義莫衷一是。台灣
著名的自然作家劉克襄（1957-）區分了自然寫作和傳統風景文學之別，自
然寫作充滿自然科學和知識元素，作者往往進行大量有關生態的田野考察。

　　吳明益（1971-）是新一代台灣環境文學作家，也是獲獎無數的行動主
義者。他以兩部關於蝴蝶的散文《迷蝶誌》（2000）和《蝶道》（2003）嶄
露頭角，但更引人矚目的則是一部如啟示錄般的小說《複眼人》（2011）。
小說虛構了一個年輕的太平洋島民隨垃圾島漂至台灣，卻發現那裡的人民關
心的只是社會的開發，卻任淤積的蚵田，羊齒、砂土占滿海灘。他曾提及自

已有意識地發展一種新的自然寫作。他在《以書寫解放自然：台灣當代自然書寫的探索》（2011）一書中，對環境文學也進行了理論化的討論。

千百年來東亞文學對生態的變化及惡化一直念茲在茲，一九六〇年代以來更為迫切。但直到2004年姜戎《狼圖騰》的出版和譯介後，中國既東亞區域的生態浩劫才真正為舉世所關注。隨著全球生態每下愈況，對這類文學的重視只會與日俱增。

參考文獻：

Ah Cheng, "The King of Trees," in *The King of Trees,* trans., Bonnie S. McDougall (New York, New Directions, 2010), pp. 1–56.

Hsin-Huang Michael Hsiao, "Environmental Movements in Taiwan," in *Asia's Environmental Movements: Comparative Perspectives,* ed., Yok-shiu F. Lee and Alvin Y. So (Armonk, NY, Routledge, 1999), pp. 31–54.

Jiang Rong, *Wolf Totem,* trans., Howard Goldblatt (New York, Penguin Press, 2008).

Karen L. Thornber, *Ecoambiguity: Environmental Crises and East Asian Literatures* (Ann Arbor, MI, University of Michigan Press, 2012).

唐麗園（Karen L. Thornber）撰，王晨 譯

2004 年

台灣排灣族女作家達德拉凡・伊苞寫下《老鷹，再見》

新加坡作家謝裕民完成《安汶假期》

虛構的原鄉也是真實的原鄉

　　時間大約在1994年，新加坡作家謝裕民（1957- ）在晚清中國域外遊記《小方壺齋輿地叢鈔》（1891）中看到署名「闕名」的文章〈南洋述遇〉。作家訝異於印尼在明代即有中國人足跡，也為其中記載故事所感動。因此萌生把故事傳出去的念頭，小說家說故事的方式就是寫小說。謝裕民從1997年11月開始在〈南洋述遇〉的基本情節上架構《安汶假期》，從初閱這本域外遊記歷時十年，五易其稿始於2004年完成小說。感動有之、感慨有之，他的故事虛構的夠遠夠長，但卻又似近在眼前的「真實」。

　　雖然《安汶假期》內容與作者親身經歷無直接關係，但一如新加坡學者張松建對謝裕民各時期創作的觀察，「他對離散與文化認同的思考有起伏變化、複雜多元的面影。」這樣的思考與作家本身出生於新加坡，祖籍廣東，成長於戰後與獨立前，且為末代華校生的背景不無關聯，他就是一個「新加坡」的「華人」，祖輩卻是「中國」的「中國人／華人／廣東人」，所居的新加坡又經過聯邦離合的複雜性。

　　《安汶假期》作者謝裕民以小說之筆「虛構」了一個既是根源也是路徑之鄉──安汶；文本內容曲折複雜，道盡了十八世紀以來華人的南洋遷徙史。中國東南移民海外自十八世紀已蔚為風潮，幾世紀以來，流寓異鄉的華人在種種歷史情境及世代轉移的蛻變下，形成了王德威所言的移民、遺民、夷民及後遺民幾種不同心理認知上的「民」。小說以兩條跨時空脈絡敘述了

一個家族跨越十代的複雜遷徙史，時間可以上溯1662年鄭氏王朝在台。定居於新加坡的朱氏父子因著一封書信而展開尋根的使命。此家族的十世祖在明、清朝代更迭之際，棄新朝而渡海欲投奔在台灣的鄭成功（1624-1662），不料一場風暴，十世祖漂流至安汶，自此造成了一整個家族混血、根的轉移與尋根的複雜歷程。

小說中留在安汶一脈的朱氏家族，從十世祖謹守故國文化之思，到自稱鳳陽朱姓、聲類京腔、「國土鄉音，還有祖宗族譜，必對兒子口傳心授，不敢忘本」的第六代祖先以闕名為「故人」，稱「故人遠道而來，鄙人竟然不知」。然而闕名所來處是朱未曾踏上的土地，甚至家族幾代以來已生根安汶，其對故土的懷念停留在祖輩口授心傳的明代而不知有清一朝，自然在他的國族想像中不會了解祖輩遠移他鄉正是因為「故」國不再。

從歷史更迭的角度而言，故人、故土皆已成過去，但世代飄移他鄉的移民，因為祖傳的寶物傳承了幾代的遺民情懷而無論朝代，因此留著長辮子的闕名坐實了他們對故國的懷念。其中的吊詭與矛盾顯而易見，十世祖棄新朝而遠離、鄭氏功敗垂成標誌了一個懷想對象與時代的結束。但朱姓後代子孫卻對當初祖輩離棄的朝代產生了抽離時空的鄉愁，而有了故國情懷的歸屬感。時間來到二十世紀的當代，朱氏父子所遇的萊伊伯父，則謹守祖物的傳承，卻不明白為何華人的東西是「祖物」？其中盤根錯節的不僅僅在於家族支脈所衍生的複雜性，還在於不知所歸為何的國族情懷。

不知改朝換代的安汶朱氏家族依舊遙祭明朝祖先，在現實空間上架構一個抽離的空間與虛構的時間安置國族意識，兀自憑弔故國與文化，並且世代相傳。然而日久月深，此種抽離的國族意識漸漸隱入千變萬化的現實中，只有物質遺留物成為追憶與發明所來處的依據。由此，歷史成為隱藏與過度鄉愁的「地方」。然而藏在歷史縫隙中的鄉愁，會在不同時機下出現，有時令想像幻滅，有時又衝動地勾起義肢式的想像。主角最後懷疑是否闕名虛構了一則〈南洋述遇〉，他們又虛構了安汶，安汶的真實是屬於萊伊伯父的，而作家也虛構了《安汶假期》。這多重虛構背後的真實，可以說在某種程度上是謝裕民試圖重構「他的」南洋華人移民史。

就在謝裕民完成《安汶假期》的前一年（2003）8月，台灣原住民排灣

族女作家達德拉凡‧伊苞（1967-）踏上了西藏的旅程。為何有這趟西藏行？作家如是說：「我會來西藏，最大的因素是跟神話有關。」她一直相信神話是人類最原始的智慧。「多少年過去，我以奇特的因緣來到西藏這片貧瘠土地。眼前彷彿是一面大鏡子，它們逼我面對自己隱藏在心中的祕密，這不是我閉上眼睛就可以跟過去劃清界限的。」原是一趟追尋神話源頭之行，沒想到青山部落的祖靈在雪域呼喚她。旅程結束，她寫下了在雪域與祖靈對話的《老鷹，再見》（2004）。

伊苞成長於屏東瑪家鄉青山部落，《老鷹，再見》就書寫表層而言，為一位排灣女子的西藏旅行記敘，但在不期然間，卻是一則則逼視部落消亡的隱喻。雖然九〇年代部分台灣原住民作家已跳脫後殖民書寫情境，而以文學作為重返部落之途徑。事實上，這樣的轉變歷經了一段漫長的自我認同過程，且因世代不同而有異。使得伊苞在異文化的旅程中，衍生了一種移位／易位／錯位的鄉愁與回歸，這樣的情境與台灣原住民族的部落情懷無以分割。

七〇年代，台灣社會經濟快速發展，原住民傳統社會結構隨之崩潰，文化規範受劇烈震盪。許多原住民青年湧入都市，落入物質主義的價值觀。族人離開部落往平地工作，物質生活的變化、新的價值觀，同時面臨著自我認同與融入漢族社會的問題。此種情懷充滿矛盾與困境，一為族人遷徙異地後追尋認同過程中的陌生化。離開部落的族人面對原鄉必須「自我他者化」，去除「部落標籤」，以尋求在地認同。一為原鄉異地化，原鄉為種種現代化價值觀入侵，「你在家，卻是個陌生人」，形成一種原鄉離散。在這樣的情境中，耆老不斷的諭示著部落的消亡。伊苞的父親經常這樣提點她：「有一天我走了，你拿什麼做依靠。」巫師也憂傷地說：「若我從大武山回來人間，你會知道我回來嗎？」

伊苞是原住民「自我放逐」的一代，自幼隨父親奔馳山林，對部落傳統有一定的熟悉度，衣服扎上祈福鷹羽的她，猶記得如何在幼小心靈受挫時因為「拉卡茲」而奮勇前進，「拉卡茲」是守護部落的勇士和獵人。然而離開部落即開始不斷受到漢族價值體系的影響，在原鄉和異地雙文化間拉扯。遙想故土，神靈遠去，因此取下鷹羽擁抱他鄉。然而大多數離開原鄉的原住

民，擁抱他鄉卻不一定能得到在地認同。他們面對部落「自我他者化」，尋求在地認同時卻又被視為「他者」。他們不是定義上的「跨境、跨國移民」，但卻遭遇著如奈波爾（Vidiadhar Surajprasad Naipaul, 1932-2018）筆下的移民「靠不了岸的認同、回不了的鄉園故土、釐不清的文化遺緒」。

伊苞是個把「家園」埋在心底的排灣人，遠離部落看似「遺忘」與「死去」，實而並非真正死去也非徹底遺忘。因此，當她踏上西藏轉山行第一站尼泊爾，意識便流動返回部落。沿途所見如此親近，當她看到藏族婦女披著鮮豔奪目色彩的披肩，「我們認識，我們真的認識。同時，心裡十分明白，我在另一個世界遺漏了什麼。」西藏——一個被歌頌的神聖地方，仿如想像的歷史現場跨越時空來到，成為再尋排灣幸福空間的啟動力量。西藏神山的莊嚴肅穆與朝聖者寧捨生命也要邁向幸福空間的影像，成為引渡伊苞回返青山部落的象徵空間。

《安汶假期》和《老鷹，再見》一為虛構小說，一為紀行散文，二者恰恰構成微妙的對話。《安汶假期》在尋根的虛構層面上，異鄉成為故土；《老鷹，再見》則在遠離故土、思緒不斷游移的過程中，異鄉無意間成為落實既想望又抗拒的尋根追求所在。兩個文本不約而同分別探討移動族群因「歷史現場」的作用，而重新開啟個人或群體有關離散與認同的不同視角。

《安汶假期》以虛構為文本，也以虛構成就真實。安汶或祖先原只是存在於文獻上的想像可能性，古衣冠畫像、古劍、金爵、刻著崇禎年代的墓碑等文物卻坐實了祖先的「真實存在」。古文物架構了一座近於歷史現場的象徵空間，對來自新加坡的父子意義各不相同。因家族歷史而對尋根產生浪漫想像的父親，卻因歷史現場的衝擊而逃離；不諳歷史為何的兒子，調笑間來到安汶，卻因歷史現場而感動。

台灣原住民的原鄉與異地認同在社會發展中曾經形成一種違和的相似性，原住民來到漢族社會在被視為他者的過程中拒絕自我認同，進而選擇棄絕原鄉，而成為伊苞筆下「在異鄉、在部落，我是個孤兒」。《老鷹，再見》原非尋根之作，是出走再出走的紀行。然而歷史象徵空間的奧妙正在於其時刻無法預料的作用，瑪旁雍錯湖、皚皚白雪的藏族神山、無畏死亡的藏

族轉山者，共同構組且落實了想像的歷史現場。

《安汶假期》中物質文化建構的歷史現場，《老鷹，再見》中西藏聖山形塑的位移的想像歷史現場，對新加坡朱姓父子及伊苞而言，在於原鄉／異地，故鄉／他鄉早已在流動的鄉愁中盤根錯節，異地卻為故鄉、原鄉而有離散鄉愁、易位的他鄉認同，看似流逝的「原位」在「義肢式」（prosthetic）的族群想像及歷史隱微的滲透下，離散可以終結也可以忽焉而至。

一切是虛構也是真實！無論是《安汶假期》或《老鷹，再見》，其中所建構的歷史現場，想必是個人的、也是集體召喚力量之所來，使我們思考身分定位時，更加理解潛藏其中的欲望使然與歷史偶然。虛實之間產生的聯動性有政治意義，也有倫理意義，促使我們不斷思考在時間長河裡，我們為何與如何找尋身分定位，也反省這樣的找尋必須時時調動、調整我者與他者的關係，而不論身分物化為標記。

一九二〇年代，台灣新文學（鄉土文學）崛起，重視地域性的原鄉想像一直和現實主義掛鈎。二十一世紀的兩位華語作家以移位／易位／錯位的返鄉敘事，鬆動了以往的鄉土文學論述與實踐。

參考文獻：

王德威《後遺民寫作》（台北，麥田出版，2007年）。

加斯東・巴什拉（Gaston Bachelard）《空間詩學》（台北，張老師文化，2003年）。

高嘉謙〈城市華人與歷史時間：梁文福與謝裕民的新加坡圖像〉，收於鄭毓瑜主編《文學典範的建立與轉換》（台北，台灣學生書局，2011年）。

張松建〈家國尋根與文化認同：新華作家謝裕民的離散書〉，《清華中文學報》第12期（2014年12月）。

劉秀美，〈「異」鄉「原」位：〈安汶假期〉、《老鷹，再見》中移位、易位與錯位的鄉愁〉，《清華中文學報》第24期（2020年12月）。

Anzaldúa, Gloria, "To Live in the Borderlands Means You," *Borderlands La Frontera: The New Mestiza* (San Francisco, Aunt Lute Books, 1999).

Landsberg, Alison, *Prosthetic Memory: The Transformation of American Remembrance in the Age of Mass Culture* (New York, Columbia University Press, 2004).

劉秀美

2006年
賈樟柯完成《三峽好人》

從李白到UFO

　　賈樟柯（1970-）在電影《三峽好人》中引用李白（701-762）一首靈感來自長江三峽的詩作，從這首詩或可了解電影所要傳達的主題。李白、劇中主角以及賈樟柯都不是來自長江三峽，但他們都對三峽神奇壯觀的自然景色念念不忘。電影裡，煤礦工人三明和護士沈紅，從山西到四川奉節尋親。三明的妻子是用錢買來的，十六年前妻子帶著女兒離開了他。沈紅則有兩年沒見到丈夫，她的丈夫辭去國營工廠工作，轉而經營拆除公司。三明和沈紅就像兩個漂泊者，踏上各自艱難的尋親之旅。電影透過他們的視角向觀眾展現三峽不斷變化的景色，李白詩中的抒情性也在這裡得到了後現代的解讀。〈早發白帝城〉這麼寫著：

> 朝辭白帝彩雲間，千里江陵一日還。
> 兩岸猿聲啼不住，輕舟已過萬重山。

　　從電影可以看到一些細微的寓意，但賈樟柯特別強調的是，李白的時代和當代的差距。這樣的差距體現在李白詩被朗誦的那一段。沈紅乘坐的渡船從奉節開往宜昌，順流而下。而這條路線曾經也是李白的旅程，他因此寫下〈早發白帝城〉。電影裡，詩句在渡船上由廣播唸出，制式語調夾在介紹三峽水壩的內容之中。這是一個早已錄好、不斷循環播放的聲音。一首古典天才的即興詩作就此淪為當代國家宣傳的陳腔濫調。這首詩原本是詩人的切身

感受，如今這些感受已變得庸俗、被動且二手。

　　而詩人獨特卓越的視野也被用於描繪國家受到「舉世矚目」，就像渡船上的電視不斷誇耀，三峽的自然風景因為建了水壩而有了巨大的改變。正如勒菲弗（Martin Lefebvre）所說，風景是一種「意識形態上的概念」，「特定階層的人想像自己與大自然之間存在著關係，並以此來表明自己和自己的世界觀。他們尊重外部的大自然，同時強調及傳達自己及他人在社會上所扮演的角色。」李白詩中的三峽也是意識形態上的風景，並與官方的說詞形成強烈對比。李白抱持敬意及不打擾的心態經過這個自然奇觀。然而，官方說的卻是這個由孫文（1866–1925）倡議，後來獲得中國共產黨青睞的三峽水壩計畫，完成了征服大自然的創舉，象徵中國已晉身為現代國家。事實上，水壩興建以後，李白所說的奇景以及那順流而下的超凡體驗已不復存在。水上的輕舟也已被巨大、由馬達驅動的渡船所取代。三峽水壩只不過是一個代表，在中國還有無數個類似的大型工程。這項計畫使得當地人口外流，卻吸引了外地移工和投資者前來。因此，電影名為《三峽好人》，也可以引申為中國人。

　　電影特別選擇三峽作為故事背景，這一設定帶有一種寓言性的企圖。《三峽好人》讓廢墟有了形象上和聲音上的重要性，而許多影評都忽略了這一點。謝楓（Shelly Kraicer）指稱「三峽水壩附近毀壞的建築物，呈現出那種壯觀的醜陋」是一種「不願靜止的生命放大摧毀的過程」。劇中「自然精壯的男體代表著堅韌以及永無休止的體力活」。這構成了兩個「過於強烈的意象」，不斷在電影裡穿插出現。這兩個意象不僅透過在廢墟中移動的身體「讚頌人類奇蹟般的堅持不懈」，我認為，它們也強調著衝突、互動和身分的高下易位。

　　建築物和人類的身體同樣遭遇破壞、遷徙與破碎。老建築面臨暴力拆解，變成一堆堆的磚塊瓦礫，而這樣的暴力也施加在當地居民身上，他們拒絕搬離自己待拆的房子。小馬哥是電影裡主要的角色之一，喜歡模仿周潤發。他是被拆除公司雇來驅趕那些不願搬走的住戶。暴力最終帶來了反效果，他的屍體淹沒在拆除工地的磚石堆下。劇中並沒有解釋他的死因，但就像是那些被擊碎的磚石，對他進行的一場報復。

　　如果這些從屋子拆解下來的碎石具有這樣被動的暴力，那麼那些被迫撤離自己家園和小區的人，更渴望著無政府狀態，電影裡處處充斥著這樣荒謬卻感傷的片段。我們透過三明和沈紅這兩位外來者的眼睛觀看三峽水壩。他們在尋找自己失散的配偶時，目睹了老百姓與政府之間難分難解的紛爭、也參與了被解雇的員工與投機雇主之間的爭執。但更多的是，他們看見底層人民荒誕、長久累積的憤恨。其中一例是，三明找到了妻舅的船，問妻舅自己孩子的下落。但妻舅與另外三個男人坐在床上吃麵，並沒有正面回答三明的問題。突然，其中一個頭上包著沾有血跡紗布的男人站了起來，開始踹三明，或者應該說他只是做出想踹他的動作，而另外的幾個男人則是裝裝樣子出來制止。

　　賈樟柯的《三峽好人》傳達了不管是在風景、小區或甚至價值觀上的稍縱即逝。這部原具紀實風格的電影，突然變得帶有超現實的末日感，這不禁讓我們想起李白，這位既魔幻又超現實的詩人。除了走鋼索的人外，電影鏡頭裡還能看見科幻電影的場景，譬如，一座移工居住的醜陋建築物突然像火箭一般升空，或者當三明望向河流時，一架UFO橫越天空，當它消失在鏡頭時，畫面來到沈紅看見了同樣的UFO，UFO連結了這兩個素未謀面的主角。

　　賈樟柯對於超現實的解釋有兩個：它是地方上的民俗傳說；是人用以回應他們無法解釋的現代化驚人改變。賈樟柯的超現實結合了民間獨有的荒謬性與科幻作品中的未來性。在《三峽好人》中，有兩個相互關聯的類別，其一我稱之為「消失中的美好風景」，它與末日和未來有關；另外，我引用詩人西川（1963-）提出的「下里巴人的超現實」，它表現的是偏鄉僻壤的土著對於資本主義及科技的「魔術」所做出的荒謬抵抗。

　　電影裡，三峽水壩附近居民的末日無非就是水患。當三明初來乍到時，他雇了一台摩托車載他前往尋找老婆以前的住處。當他們抵達目的地時，面前卻是一大片水域。騎士指著中央凸起的一小塊草地，跟三明說那就是他要找的地址。在那樣一個世界，家園不再有圍籬的保護和區隔，牆也不再約束當地的住戶和小區，牆和土地的隱喻很快便被水壩和水域的隱喻所取代。電影裡的男性移工彼此稱兄道弟，就像武俠小說中的「江湖」，他們之間的關係取代了家人的關係。丈夫將妻子典給嫖客，妻子成為妓女以維生。男女之

間的關係已淪落為買方與賣方或者買家與商品，像是濫交、嫖妓或者是性奴隸。三明最後發現自己的妻子也當了別人的性奴隸。

如果華語電影真有那麼一點把家園比喻成國族的傳統，就像《小城之春》那樣，那麼賈樟柯則沉迷於一個更廣卻更精確的概念：「故鄉」或者「故里」。許多批評家包括西川和李陀（1939-）都曾使用「故里寫實主義」這個詞彙。我將之翻譯為「heimat realism」。德國的「heimat」（故鄉）電影經歷了一次轉變，從經典傳說轉為大眾歷史的憂傷編年史。我們在中國電影也能看見這樣一種歷史性的轉變。第五代導演所描繪的想像中的中國，背景多設在一般的鄉下或者小鎮。而第六代導演則是紀錄片似的，作為一種「反思性的鄉愁」，記錄著他們的世界是如何快速地瓦解及變遷。

賈樟柯電影中的故鄉面臨存在危機。故鄉的建築被拆卸、被抹除。而在這些建築裡建立起的倫理關係也無法倖免，遭受崩解命運。除了國家贊助的拆除計畫及其所帶來的水患之外，人民還得去碰撞全球資本主義的奇怪邏輯，並去適應它所形塑的精神及物質世界，同時根據自己的需求改造它所帶來的科技。電影不斷詰問的是：人該如何在這個不適宜居住的世界重建他們的家園？大災難之後，人們要如何活著──如同張藝謀（1950-）的《活著》，而不只是苟且偷生？當舊有的價值觀粉碎以後，人們要如何當個好人？若電影的中文片名《三峽好人》提出了這個問題，那麼電影的英文片名「Still Life」（靜物、靜止的生活）或許給出了答案。

李潔 撰，黨俊龍 譯

2006年9月30日
詩歌走向赤裸

網路詩歌

　　假使中國現代詩一直懷抱著一種脫離古典傳統影響的願望，那麼2006年9月30日這天，將成為不循傳統、一絲不掛的「裸誦」同義詞。那夜，一群詩人以「支持趙麗華，保衛現代詩歌」的朗誦會為名聚集，乍看與全國每週數以百計的詩歌聚會並無不同。舉行朗誦會的咖啡館坐落於北京西北的第三局書屋，觀眾很少，環境樸素，似乎注定這次朗誦必將有如石沉大海。事實不然：詩人蘇非舒（1973-）決定加碼以脫衣秀方式演繹他的詩歌，在脫至完全赤裸的情況下朗誦他的詩〈僅此而已〉。朗誦前他脫去為這個場合準備的十六層衣服。諷刺的是，儘管蘇非舒已經解釋表演是象徵「去掉詩歌的枷鎖」，最後他仍以淫穢行為被警察上銬帶走並拘留。

　　蘇非舒——後來以「裸體朗誦」或「裸體表演」為人所知——的表演，在當時是對現代詩所受批評的一次公開抵抗，而此種批評已經廣泛流傳於網路和新聞媒體中。9月11日，一名網路ID為「Redchuanbo」的網友，在一個海外網路論壇上張貼詩人趙麗華（1964-）的一系列作品，發文的標題為「史上最汗的詩」。這位網友寫道：「無意間，搜索某個名字的時候，找到了某個大詩人。然後拜讀了她的大作。幾近昏厥，勉強留下一絲氣息，做完此篇，再思黃土。」並簡短羅列了趙麗華的個人簡介，提到她在國家級刊物上發表詩歌作品，曾擔任一系列文學獎的評審，自己的詩歌作品也得過獎。帖子中包含12首詩，其中一首名為〈一個人來到田納西〉，網路上全文如下：

毫無疑問
我做的餡餅
是全天下
最好吃的

該網友用自己的詩在帖子最後總結道：

原來
詩
還可以
這樣
寫
!!!!!!!!

　　後來的發展證明Redchuanbo的發文成為現代詩歌史上先兆性的事件，一次詩歌與網路相遇後產生的意外結果。短短幾小時內，發文就被轉回中國大陸的網路論壇，其中還包括清華大學SMTH（水木清華）論壇。於是，它在網路上開始了一場病毒式的擴散傳播。這種口語體的白話風格寫作被稱為「梨花體」，與趙麗華的名字諧音雙關，詩人本人也被封為「詩壇芙蓉」，堪比一位以「S形曲線」知名，並試圖以跳肚皮舞考取中國頂尖大學碩士的網路紅人「芙蓉姊姊」。數十萬網友加入這個後來演變成大規模惡搞的事件，許多人還創作自己的「梨花體」詩歌，他們以此表達的驚恐是中國曾經傑出的詩歌傳統竟已演變成如此。其中一首惡搞的詩如下：

如果
你鍵盤上的回車鍵
特別好用
那麼

就請隨便加入我們吧

如果你

碰巧也是個口吃

或者患有慢性便祕

那麼

用不了多久

你就會成為

出類拔萃的詩人

　　一方面，事態如此發展在很大程度上是一種當代產物。在這個時代，文本通過數位媒體技術流傳，超出了作者的控制，網民在充當被動消費者的同時，也是文化的積極生產者；同時，「甚至連」詩人也懂得獲取媒體免費宣傳之道，包括提供醜聞。另一方面，若不對現代詩的歷史加以回顧，就無法說清楚裸體詩的來龍去脈，特別是它根植於晚清的「詩界革命」和二十世紀早期的「五四」新文化運動。

　　二十世紀早期，白話詩寫作的目標是吸引更多讀者，並使詩歌寫作參與民族建構的過程。而近幾十年來，這一目標在某些作家的手中更形成理直氣壯的發展：詩要用一種更加通俗的語言書寫，表達更為切身的問題，無論是涉及學院生活（由一九八〇年代中期四川「莽漢」詩派所展現）、性（由二十一世紀早期「下半身運動」展現），或者屎（「垃圾派」的共同主題，網路「低詩歌運動」的一部分）。面對當前詩歌寫作狀態，網上讀者議論紛紛。這說明了儘管詩在當代社會已是邊緣文類，讀者仍保有自己對詩的標準。他們的潛台詞是，詩不應只是中國作為「詩國」想當然耳的文學，還應該是更複雜、更細緻的文字溝通形式。只用些支離破碎的詩行吹噓烹飪技巧或性能力，這哪裡稱得上是詩：詩應該是困難的，應該引起讀者的思考，更應該努力達到日常語言中所缺少的某種不可捉摸的美感。換言之，儘管透過現代白話文寫作，使詩更通俗是件好事，但也不能毫無原則，否則任何人都能聲稱自己是詩人，這反而是恐怖了！

　　諷刺的是，讓白話現代詩真正流行的不是白話本身而是網路，白話詩一

開始是屬於知識分子的菁英形式，反映了他們在現代初期致力於變革的意識形態。與這些革命者的主張和流行的看法相反，傳統詩歌儘管為菁英階層所用，本質上卻不是一種菁英形式。的確，在民初或以前，只要能夠依照規定的形式——標準形式是五言或七言的四行詩，通常採用aaba的韻腳格式——任何人都可以稱自己是詩人。一首詩可以被稱為好或壞，但就像現代作家廢名（1901-1967）所說：「不能說它不是一首『詩』」——至少不像讀者面對一首現代白話詩那般，可以說它根本達不到他／她對於什麼「是」詩的標準。古典詩歌可以是旁徵博引的，但它同樣也可以是簡單直接的，即使一個文盲或者僅接受過基本教育的人也能夠理解。認為詩歌應該難以理解或抗拒簡單的闡釋，這本身就是一種現代觀念。

　　現代白話詩以「反傳統」自居，作為一種否定性的文學運動登上歷史舞台。因此這種「新詩」又被稱為「自由詩」（意思稍微有別於西方詩歌的術語「自由體詩」〔vers libre〕），可以採用除了古典形式以外的任何形式。但在1990年代初，詩人們開始逐步強調詩歌主題和用語的「日常性」，顯示出一種要祛除詩歌的神聖光環，使其重回「黃土地」的渴望。在二十世紀中國，大半有一種對於「高等文化」的普遍反感，而所謂「高等文化」詩歌包括官方話語，文人菁英意識，以及現代白話詩由浪漫到煽情的組合。像「下半身」、「垃圾派」這類詩歌團體，將白話詩誕生以來就由否定意識推至極端。這一詩歌新潮流一方面是對「五四」文學革命推動新詩願景的再次出擊，另一方面也與當代席捲世界的傳媒革命意外的結合。

　　在現代詩的急速發展過程中，全球資訊網路扮演了關鍵角色，與印刷媒介相比，它是個更為新奇和迷幻的詩歌生產及消費載體。首先，它強有力地揭示了一般人習而不查的事實：在這個「詩歌的國度」，人們不僅與詩的接觸相當普遍，也仍然癡迷傳統詩歌形式。「天涯社區」是中國頂級論壇網站之一，據說代表全國最大的線上社群，其中各有一個現代詩和舊體詩的論壇。截至2013年3月18日為止，現代詩論壇已有371,708則原創文字和2,271,021條回文，舊體詩論壇也有294,559則原創文字和2,470,774條回文。另一個被稱為「對聯雅座」的天涯論壇，也有217,911則原創文字和3,026,281條回文。眾所周知，對聯正是舊體詩中「格律詩」的關鍵組成部

分。

　　其次，網路重現了「詩社」現象——詩社的形成可以追溯到十二世紀——而同時也有所變形。如果傳統詩社大多只是一種地方現象，那麼線上社團就是一個全國性、甚至全球性現象。最後，很重要的一點是，「平民大眾」的聲音開始出現——亦即那些不一定是學者或專業文學評論家，但對詩有話要說的人，網路是其能公開發聲且能被聽到的所在。不可否認的是，這些人可能多半屬於城市白領（雖然到2012年末，中國農村地區的網路使用者數量已經超過1.56億，占總網路使用者數量27.6%），但仍然表現出顯著的變化，因為在印刷媒介當道的時代，詩歌批評基本由學界或國家文化機構所把持。而當代詩已經不再屬於一個自我隔絕的菁英圈。在公眾眼裡，文學機構正迅速地喪失以往的權威，資本主義和科技正蠶食昔日文化菁英的地盤，而這也是民主的癥候之一。

　　然而反諷的是，當白話詩想要走向「赤裸」，與高等文化分道揚鑣時，平民大眾們卻希望他們寫的詩要穿戴整齊。提倡反菁英價值觀的總是菁英階層，而這些菁英所渴望回歸的大眾卻往往要保守得多。對大眾而言，舊體詩歌就是可以安頓他們日常的食糧和「土壤」。另一方面，白話詩總被賦予了「走向世界」的任務——畢竟它是一種為了在世界立足而由官方設定的形式，以「諾貝爾文學獎」為終極依歸。與此相較，儘管近年中國致力於振興古典文學，提升民族自豪感，卻沒有寫舊體詩的現代詩人有志為中國在世界詩壇奪冠。在全球化的文學市場裡，舊體詩似乎已注定成為一種新的地方性詩歌，白話詩必須承擔起代表中國的重擔。但「垃圾」和「下半身」都無法進入國人認可的「詩國」。然而對這些新詩詩人而言，為了迎向世界，大眾的觀感似乎無足輕重。他們認為要想穿上新衣服，首先得將舊衣服脫到底。

參考文獻：

Michel Hockx, *Internet Literature in China* (New York, Columbia University Press, 2015).

Heather Inwood, *Verse Going Viral: China's New Media Scenes* (Seattle, University of

Washington Press, 2014).

Christopher Lupke, ed., *New Perspectives on Contemporary Chinese Poetry* (New York, Palgrave Macmillan, 2008).

Stephen Owen, "Stepping Forward and Back: Issues and Possibilities for 'World' Poetry," in "Toward World Literature: A Special Centennial Issue," *Modern Philology* 100, no. 4 (May 2003): 532-548.

Xiaofei Tian, "Muffled Dialect Spoken by Green Fruit: An Alternative History of Modern Chinese Poetry," *Modern Chinese Literature and Culture* 21, no. 1 (April 1, 2009): 1-45.

Maghiel Van Crevel, *Chinese Poetry in Times of Mind, Mayhem and Money* (Leiden, Netherlands, brill, 2008).

殷海潔（Heather Inwood）、田曉菲 撰，張屏瑾 譯

2007年

漢族新疆作家李娟回憶在哈薩克家庭生活的日子

突然間出現的我

　　小時候我家在城裡開著一個小商店，生意並不是很好。那時的縣城沒有多少人口，街道安安靜靜，空空蕩蕩。我家所在的整條大街上除了林蔭道、圍牆及兩、三個工廠大門之外，再空無一物。更別說別的什麼商鋪了。我們的商店像是一百年也不會有人光顧。但推開寂靜的門邁進去，總是會發現店裡滿滿當當一屋子人。全是喝酒的。

　　我們店有著高高的櫃台，鋪著厚厚的木板。喝酒的人一個挨一個靠在上面高談闊論，一人持一隻杯子或拎一瓶酒。房間正中有一張方桌，四周四條長凳。也坐滿了人。桌上一堆空酒瓶和花生殼。這是我最早接觸的哈薩克人。

　　小時候的我非常好奇，不能理解到底是什麼話題能夠從早談到晚，從今天談到明天，從這個月談到下個月——一直談過整個冬天……而冬天長達半年。這麼偏遠的小城，這麼單調的生活。他們談話時，語調平靜，聲音低沉。輕輕地說啊說啊，偶有爭端，卻少有激動。

　　在更遙久的年代裡，大地更為漫遠，人煙更為微薄。大約還是這樣的交談，這樣的耐心，堅韌地遞送資訊，綿延著生息與文化。

　　那時我一點也不懂哈語，雖說每日相處，但還是感覺距離遙遠，像面臨踞天險為關的城池。

　　可如今，我會說一些哈語了，起碼能維持最基本的一些交流。但仍面臨著那個城池，難以往前再走一步。

　　卡西有自己的朋友，斯馬胡力有自己的朋友。札克拜媽媽當然也有自己的朋友，那就是加孜玉曼的媽媽沙里帕罕。兩人之間還會互贈照片什麼的。每次我要給大家照相的時候，她倆就趕緊站到一起。

　　兩人一有空就湊在一起紡線、搓繩子、熬肥皂，縫縫補補。手裡的活計不停，嘴也不停，說啊說啊，直到活幹完了，才告辭分手。但回家轉一圈。又沒別的事情可做，便持著新的活計，轉回來坐在一起繼續聊。

　　不知道都聊了些什麼，那麼入迷！紡錘滴溜溜地飛轉，語調不起波瀾。只有提到蘇乎拉時，才停下手裡的活，驚異地議論一陣。又扭頭對我說：「李娟！蘇乎拉昨天又哭了！今天就騎馬去縣城了！」

　　我問：「哭什麼？」

　　「那一次有人把電話打到阿依努兒家找她，她也哭了！然後也去了縣城。」

　　「那這次為什麼？」

　　沙里帕罕媽媽強調道：「上一次是在拖依上哭的！還喝了酒！」

　　我覺得有些沒頭沒腦。又不是十分好奇，便不吭聲了。

　　但兩個人一起轉向我，努力地對我無窮無盡地表達。其中的曲折與細節，向我黑暗地封閉著。蘇乎拉是孤單的，她身懷強大的欲求。札克拜媽媽和沙里帕罕媽媽也是孤單的，只能做遙遠的猜測與評說。最孤單的卻是我，我什麼也不能明白。

　　又記得剛剛進入札克拜媽媽的家庭生活時，在春牧場吉爾阿特，一天傍晚媽媽讓我去看看駱駝在不在那面大山那邊。

　　我跑到山上巡視了一番，跑回家氣喘吁吁地報告：「駱駝沒有！只有『山羊』！」

　　但當時我還不會「山羊」的哈語，那個詞便用漢語說的，媽媽聽不懂。我便絞盡腦汁地解釋道：「就是……白白的那個！和綿羊一樣的那個，頭上尖尖的、長長的那個……」

　　媽媽聽得更糊塗了。

　　我一著急，就用手摸了一把下巴，做出捋鬍子的樣子：「這樣嘛，有的！這個樣子的嘛，多多地有！」

媽媽恍然大悟，大笑而去。當天晚飯時，大家聚在一起的時候，她把這件事起碼講了五遍。從此以後，每當派我去趕山羊的時候，大家都會衝我捋鬍子……

「李娟，快去！白白的，頭上長長的！」

這當然只是一個笑話。但時間久了，這樣的笑話一多，就不對勁了。我這算什麼？

每平方公里不到一個人，這是不孤獨的原因。相反，人越多，越孤獨。在人山人海的彈唱會上，更是孤獨得近乎尷尬。

在冬庫爾，我們石頭山駐地寂靜極了，寂靜也掩飾不了孤獨。收音機播放著阿肯對唱，男的咄咄逼人，女的語重心長。卡西帕嘖嘖讚嘆：「好得很！李娟，這個女的好得很！」我不知道「好」在哪裡，更不知卡西情識的門窗在哪裡。

閒暇的時候，總是一個人走得很遠很遠，卻總是無法抵達想去的那個地方。只能站在高處，久久遙望那裡。

每次出門，嚮往著未知之處無盡地走，心裡卻更惦記著回家。但是去了很久之後，回來看到一切如舊。羊群仍在駐地附近吃草，斯馬胡力、哈德別克兩個仍躺在草地上一聲不吭。半坡上，三匹上了絆子的馬馱著空鞍靜靜地並排站在一起。溪水邊的草地上，媽媽和卡西帕正在擠牛奶。看了一會，再回過頭來，斯馬胡力和哈德別克已經坐了起來，用很大的嗓門爭論著什麼，互不相讓。

我高高地站在山頂，看了這邊，又看那邊。天氣暗了下來。那時最孤獨。

所有的黃昏，所有欲要落山的夕陽，所有堆滿東面天空的粉紅色明亮雲霞，森林的呼嘯聲，牛奶噴色空桶的「嗞嗞」聲，山谷上游沙里帕罕媽媽家傳來的敲釘子的聲音，南邊山頭出現的藍衣騎馬人……都在向我隱瞞著什麼。我去趕牛，那牛也隱約知道什麼。我往東趕，它非要往西去。

媽媽在高處的岩石上「咕嚕咕嚕」地喚羊，用盡了溫柔。氈房裡卡西帕衝著爐膛吹氣，爐火吹燃的一瞬間，她被突然照亮的神情也最溫柔。

山坡下，溪水邊，蒲公英在白天濃烈地綻放，晚上則仔細地收攏花瓣，

像入睡前把唯一的新衣服疊得整整齊齊放在枕邊。潔白輕盈的月亮浮在湛藍明亮的天空中，若有所知。月亮圓的時候，全世界再也沒有什麼比月亮更圓。月亮彎的時候，全世界又再沒有什麼比月亮更彎。有時候想：也許我並不孤獨，只是太寂靜。

還是黃昏，大風經過森林，如大海經過森林。而我呢，卻怎麼也無法經過，千重萬重的枝葉擋住了我。連道路也擋住了我，令我迷路，把我領往一個又一個出口，讓我遠離森林的核心。苔蘚路上深一腳淺一腳地走，腳印坑裡立刻湧出水來。走著走著，一不留神，就出現在了群山最高處，雲在側面飛快經過。心中豁然洞開，啪啪爆裂作響，像成熟的莢果爆裂出種子。也許我並不孤獨，只是太熱情……

無論如何，我點點滴滴地體會著這孤獨，又深深地享受著它，並暗地裡保護它，每日茶飯勞作，任它如影相隨。這孤獨懦弱而微妙，卻又永不消逝。我藉由這個孤獨而把持自己。不悲傷，不煩躁，不怨恨。平靜清明地一天天生活。記住看到的，藏好得到的。

我記錄著雲。有一天，天上的雲如同被一根棒子狠狠亂攪一通似的，眩暈地胡亂分布。另外一天，雲層則像一大幅薄紗巾輕輕抖動在天空。還有一天，天上分布著兩種雲，一種虛無縹緲，在極高的高出瀰漫、蕩漾。另一種則結結實實地浮游在低處，銀子一樣鋥亮。

我記錄著路。那些古牧道，那些從遙遠的年代裡就已經纏繞在懸崖峭壁間的深重痕跡。我想像過去的生活，暗暗地行進在最高最險之處，一絲一縷重重疊疊地深入森林……那時的身體更鮮活，意識更敏銳。那時食物和泥土難分彼此，肉身與大地萬般牽連，那時，人們幾乎一無所有……荒蠻艱辛，至純至真。但是，無論他們，還是我們，都渴望著更幸福更舒適的生活，這一點永遠沒有改變。

我記下了最平凡的一個清晨。半個月亮靜止在移動的雲海中，我站在山頂，站在朝陽對面。看到媽媽正定定地站在南邊草坡上。更遠的地方，斯馬胡力牽著馬從西邊走來。更更遠的地方，稀疏的松林裡，卡西帕穿著紅色的外套慢慢往山頂爬去。這樣的情景之前無論已經看到過多少次，每一次還是會被突然打動。

　　我收藏了一根羽毛。一個陰沉的下午，天上的太陽只剩一個發光的圓洞，大約快下雨了，大家都默默無語。趕牛的卡西帕回到家後，顯得非常疲憊，頭髮上就插著這根羽毛。

　　我開始還以為是她穿過叢林時不小心掛上的，誰知她一到家就小心取下來，遞給了媽媽。原來是撿到後沒處放，怕這輕盈的東西在口袋裡壓壞了，特地插在頭上的。我突然想到，這大約就是貓頭鷹毛吧。據說哈族將貓頭鷹羽毛和天鵝羽毛視為吉祥的事物，常把它們縫在新娘、嬰兒或割禮的孩子身上，司機們也會把它們掛在後視鏡上，保佑一路平安。我想問卡西帕是不是，卻不知「貓頭鷹」這個詞怎麼說，就衝她睜隻眼閉隻眼地模仿了一下。她一下子明白了，卻說不是。但扎克拜媽媽卻說是。媽媽仔細地撫摸它，把弄彎的羽毛捋順了，然後送給我，讓我夾進自己的本子裡。我不禁歡喜起來，真心地相信著這片羽毛的吉祥。那是第一次感覺自己不那麼孤獨。

　　有一次我出遠門，因為沒電話，大家不知道我回家的確切日期，斯馬胡力就每天騎馬去汽車走的石頭路邊看一看。然後還真讓他給碰到了。可是馬只有一匹，還要馱我的大包小包，於是他讓我騎馬，自己步行。我們穿過一大片森林、一條白樺林密布的河谷，還有一大片開闊的坡頂灌木叢，走了兩個小時才回到冬庫爾的家中。

　　雖然騎著馬，但怎麼也趕不上走路的斯馬胡力，每到上坡路，他很快就消失進高高的白花叢不見了。不知為何，任我怎麼抽打，馬兒也不理我。慢吞吞邊走邊在路邊啃草。叢林無邊無際，前面的彎道似乎永遠也拐不過去，似乎已經和斯馬胡力走散了……後來，我一個人來到坡頂的花叢中，小路仍在延伸。斯馬胡力紅色外套的背影在小路盡頭閃耀了一秒鐘，立刻消失。

　　一路上不停地追逐，若隱若現的小路越走越清晰。以為它即將明確地抵達某處時，轉過一道彎，往下卻越走越模糊，並漸漸消失。我和我的馬兒出現在一片石頭灘上。眼下流水淙淙。前方不遠處跑過一種黑背的索勒。跑著跑著，回過頭看我。

　　漸漸又進入一條沒有陽光的山谷，越往前，越狹窄。這時，斯馬胡力突然從旁邊的大石頭後跳出來，衝我明亮地笑著。我連忙勒住馬兒，問他這是哪裡。他笑道：「前面有好水。」

我不明白何為「好水」，便跟著去了，但這時馬兒突然死活也不聽話了，折騰半天也不肯離開原來的道路。我只好下了馬，牽著馬兒遠遠跟去。腳邊還有一條細細的水流，前面有嘩嘩的水聲，並且聲音愈來愈大。轉過一塊大大石頭——瀑布！

前方是個死角，被幾塊十多公尺高的大石頭堵得結結實實。石壁光潔，地面也是一塊平平整整的巨大石頭。水流只有一股，水桶粗細，從石頭頂端高高甩下來。水流衝擊處的石面上有凹下去的一眼水潭，估計是天長日久沖刷而成的。附近沒有泥土，只有白色的沙地，寸草不生。這一方天地雖水聲喧囂，看在眼裡卻無比沉寂。

斯馬胡力站在水流邊，炫耀一般地望著我笑。他引我偏離正道，繞到這裡，果然給了我一個驚喜。我感受到了他滿當當的歡喜與情誼。他才孤獨呢。

還是在冬庫爾，我們北方的駐地，有一隻羊晚歸時一瘸一瘸，大家都看著牠嘆息。兩個小時後，牠的兩條後腿就站不起來了。趴在地上，以兩條前腿掙扎著爬行。第二天早上，羊群出發時，只有牠獨自躺在溪水邊呻吟、痙攣，很快死了。之前令人揪心，之後讓人鬆一口氣。似乎沒有什麼歸宿比死亡更適合牠。牠的罪終於受完了。斯馬胡力剝下羊皮，埋了羊屍。其他的羊正遙遠地、喜悅地走向青草。在這豐饒的夏牧場，我那點孤獨算什麼呢？

李娟

2008 年
「每個人心裡一畝一畝田……每個人心裡一個一個夢」

——李永平，《大河盡頭》

迢迢

　　二十世紀下半葉華語文學中一些最成熟、最引人入勝的作品，竟然來自一個似乎令人有些意外的地方——馬來西亞。馬來西亞華人約占這個多語言、多種族國家總人口的四分之一。儘管自1957年馬來亞獨立以來，中華文化的表述就一直遭政府邊緣化，但馬華作家依然創建了一個充滿活力的文學寶庫，他們探索不同主題以展現自己獨特的文化根源，並與中文及其背後的文學傳統建立新的聯繫。馬華文學凸顯了寫作者自身認同的複雜性；他們經歷馬華故鄉與中國原鄉想像的雙重認同。更為複雜的是，許多普遍被視為「馬華文學」的作品其實出自生於馬來西亞卻移居台灣的作家之手。李永平（1947-2017）是這一群體的代表人物之一，同時也是典型的離散華人作家。本文卷首題詞引自其小說《大河盡頭》的序言，出自台灣作家三毛（1943-1991）填詞的流行歌曲〈夢田〉，它道盡了李永平的寫作精神。李永平較其他境況類似的作家都更能深刻反思自身的文化傳承，並在美學上以創新形式處理域外位置。他在創作中以婆羅洲為例，孜孜不倦地探討道德、離散、流亡、身分認同、定居殖民主義（settler colonialism）、種族和國際關係等議題。這是他對現代中國文學的貢獻，或許也只能出自像他具有這樣的背景和文學想像力的作家。

　　馬華文學的發展與當地華文報紙和華校息息相關。早在1919年，馬來亞殖民地的華文報紙副刊就已刊登本地和大陸作家的白話文創作。一九二〇、

三〇年代中國政局混亂，迫使許多作家南下，他們或出任報紙編輯，或任教華校，其中最知名的莫過於郁達夫（1896-1945），1939年他在新加坡擔任報紙編輯，1945年於蘇門答臘島離奇失蹤後遇害。如今馬來西亞華文報紙大加鼓勵本地作家在文學副刊上發表作品，以支持本地文學事業的發展。最大華文媒體之一的《星洲日報》所主辦的「花蹤文學獎」，旨在培育青年作家，增強其與各地作家之間的聯繫，以期將華文文學推向世界。馬華文學發展另一重要因素為十八世紀末已開始的華文教育，並且與時俱進。在後殖民語境下的馬來西亞，華文教育的持續極為不易，畢竟華文學校的運作有賴於小區經費的支持，但不可否認其存在對培育新一代華語作家至關重要。

1947年李永平出生於英屬砂勞越古晉（婆羅洲北部，今為馬來西亞領土），在此度過童年歲月。他曾就讀華文小學、初中以及英文高中。李童年時期即浸淫在中國古典文學和書寫系統，開始了一生對中國的迷戀和追尋。在1992年的一次訪談中，他坦誠自己對中國文字的著迷，並回憶起五、六歲初讀《紅樓夢》的經驗。他迅速掌握了中國文字，隨之而來的是對祖國的嚮往。他日後飽受批評的「中國情結」在《吉陵春秋》和《海東青：台北的一則寓言》中都十分顯著，這或許與他幼年時不期然邂逅傳統中國文學有關。

1963年，砂勞越加入獨立的馬來西亞聯邦。1967年，李永平離開婆羅洲前往台灣求學，那時台灣只不過是數以千計嚮往中國、卻不得其門而入的馬華青年的替代品。1969年5月13日，馬來西亞在大選後爆發種族衝突，政府採取了一系列偏袒馬來人升學和就業的政策，前往台灣升學的馬來華人愈來愈多。1971年，李永平畢業於台灣大學，並分別在美國紐約州立大學奧本尼分校和華盛頓聖路易斯大學取得比較文學碩士和博士學位，1987年他成為中華民國公民。除了寫作外，他還同時擔任教師和雜誌編輯，並翻譯了為數不少的英文評論家如哈羅德‧布魯姆（Harold Bloom, 1930-）、保羅‧奧斯特（Paul Auster, 1947-）以及奈波爾（V.S. Naipaul, 1932-）的著作。

李永平多重的家園與故鄉——婆羅洲、台灣與他的精神原鄉中國文學傳統，都在其小說中反覆出現，凸顯他的「浪子」和「迢迢」身分。他在早期作品中選擇直面家鄉的種族衝突和暴力，思索其中的痛苦和考驗。1968年發表的短篇小說〈拉子婦〉，描寫一個砂勞越華人家庭的三兒子娶了一名土著

為妻。中國宗族血緣觀念深重的老父親對新媳婦充滿歧視，久而久之丈夫也對妻子苛刻以對，終使她成為棄婦，淒涼去世。小說敘事以家族晚輩的第一人稱展開，回憶往事，頗有魯迅（1881-1936）小說的影子。敘事者面對家族對土著女性歧視無能為力，成為沉默的共謀，之後雖然懺悔卻無濟於事。敘事者「阿平」的名字也很容易引起讀者聯想。

《吉陵春秋》（1986）是台灣現代主義的經典作品，也奠定了李永平的文壇聲譽，收錄的故事共同喚起了有關古晉、東南亞和中國的遐想。第一個故事〈萬福巷裡〉，敘述棺材鋪老闆的年輕貌美妻子，被地方流氓強暴後上吊自盡，她的丈夫殺死強暴者的妻子及情婦作為報復。故事也述及地方人物、故舊往事，織就了吉陵小城多年的歷史。李永平自述經營文字可謂殫精竭慮，他的語言脫胎於中國話本小說，連同故事所具有的文化指涉，李打造的吉陵饒有傳統中國小鎮印象。或許，《吉陵春秋》體現了李永平從文學尋找中國原鄉的歷程；只有書寫才能一解他的鄉愁渴望。文本中的其他指涉，如豔陽、燠熱和潮溼，卻又讓人想起婆羅洲的氣候。就這點而言，《吉陵春秋》預演了往後的發展，南洋獨特的異國情調和他的故國情懷相互交織。儘管吉陵的具體所指始終曖昧難辨，但李以此創造了獨特想像的原鄉。

李永平後期作品流浪與移動範圍更加擴大：離散、認同、殖民主義、後殖民主義，以及包括婆羅洲、台灣、日本、中國、荷蘭和英國之間的關係。在半自傳小說集《雨雪霏霏：婆羅洲童年記事》（2002，2013）中，李永平以同名第一人稱敘事回憶他在婆羅洲的成長歲月，以及日後遷居台北的生活，如同現實中的自身經歷。小說以敘事者和一個年輕小女孩朱鴒——他的繆思——在台北夜晚街頭遊蕩時的對話展開。在〈望鄉〉中，敘事者向朱鴒坦露了一段故事：當年在古晉，他曾認識幾個二戰時期從台灣被賣到婆羅洲的慰安婦，但最終背叛了她們。在虛構的自傳性小說《大河盡頭》中，他再次召喚朱鴒。十五歲的少年「永」於1962年夏天初次離家，往西加里曼丹造訪一處莊園，主人克莉絲汀娜・房龍是一名荷蘭女子，她也曾是永父親的情人，二戰時淪為慰安婦。克里斯廷娜和永一同參加歐洲多國旅行者組成的探險隊，沿著婆羅洲第一大河卡布雅斯河（Kapuas River）溯流而上，前往達雅克人的聖山「峇都帝阪」（Batu Tipan）。儘管生於斯長於斯，這趟旅程卻

暴露出永對當地風土人情知之甚少。少年永也見識到自己和他人奇詭的人性黑暗面。朱鴒在《大河盡頭》中幫助了永回溯、講述那段深入「黑暗之心」（the heart of darkness）、震撼身心的奇詭旅程。

　　《大河盡頭》中的許多童年往事都有李永平的個人烙印。其中一個描寫永中學時和同學擠在學校布告欄前看本地華文報紙的場景，老師張貼報紙的原意是讓同學熟知國際時事，但大家都爭相閱讀副刊所連載的台灣、香港小說，如瓊瑤（1938-）的言情小說和金庸（1924-2018）的武俠小說（李永平拒絕性別的刻板印象，和女孩子一起迷戀瓊瑤更甚於金庸）。他甚至暗示去台灣讀大學的決定始於他對瓊瑤小說的愛：他想去台北實地走訪瓊瑤小說《船》中所詳細描述的那些大街小巷。

　　李永平如此形容他赴台讀書的動機，也許令人側目。畢竟大多數馬華青年到台灣讀書的目的堂皇的多。與馬來西亞相比，台灣文壇欣欣向榮，出版、文學獎機會也多，像李這樣有志文學的年輕人自然如魚得水。除了李永平，生於砂勞越的張貴興（1956-）一九七〇年代到台灣，日後作品極為生動地描繪了婆羅洲的熱帶雨林及其歷史和人民。生於馬來西亞柔佛州居鑾的黃錦樹（1967-）則以後設形式諷刺馬來西亞的歷史和政治。同樣出生在古晉的著名導演蔡明亮（1957-）在台灣讀大學並開始了他的電影之路。其他曾在台灣求學的重要馬華作家還包括潘雨桐（1937-）、王潤華（1941-）、商晚筠（1952-1995）、溫瑞安（1954-）、陳大為（1969-）和鍾怡雯（1969-）。他們當中有些人定居台灣，另外一些則前往海外或回到馬來西亞。

　　馬華作家中有兩個異數：李天葆（1969-）從二十世紀早期鴛鴦蝴蝶小說中找到靈感，黎紫書（1971-）處理馬來西亞的歷史議題，同時也探討情欲和性別等其他主題。他們二人都不曾來台灣求學，雖然作品也在台灣出版，但大部分時間居住馬來西亞（黎紫書近年旅居英國和中國）。馬華在地作家和旅台馬華作家之間有些分歧，馬華文學讓「馬來西亞」以充滿異域風情進入台灣文學界，但馬來西亞本土作家和評論家往往批評旅台作家無法如實呈現當代大馬面貌。馬來華人在一九六〇、七〇年代前往台灣升學時，中國大陸仍然對世界封閉。如今馬來西亞人可以自由地前往中國旅行和求學，

旅居中國的馬華作家人數也逐漸攀升。這一改變讓中國得以加入台灣、香港、新加坡、其他東南亞國家，以及整個世界的陣容，共同形塑當代的馬來西亞華人意識。

　　雖然馬華文學的發展向來和中國、台灣的文學傳統保持著對話關係，但這些千絲萬縷的聯繫在馬華社群中也引起爭議。馬華文學史因而揭示了其力搏認可的掙扎過程，以及面對實際情況和認知中的位階次序所產生的焦慮，這一階序問題最為離散作家所關心，也是伴隨著現代中國文學全球性的發展而來。馬華作家長期以來總是在尋求認可，力求馬華文學能成為一種平等、自主而不依附在中國或台灣文學之下的文學。在馬華文學圈中，有關是否要剔除中國文學和台灣文學之影響的論辯，以及培育更加地道的本土馬華文學的運動，一再重複上演。馬華作家同時也在爭取馬來西亞國家的承認，因為馬華文學不是用馬來西亞的國語馬來文寫就，因而不被承認是國家文學。馬華作家拒絕走上可獲得國家資源的創作途徑（即用馬來文寫作），而這些資源只提供給馬來裔或以馬來文寫作的作家。

　　即便如此，李永平和他的馬華作家同伴仍持續創造馬華敘事，以發揮、利用其在成長過程中所經歷的政治和文化上的雙重邊緣化處境。更進一步說，他們的離散位置也使其對移民史、殖民主義、帝國主義、後殖民主義的發展有著獨到的文化見解，而這些議題與我們所處的全球化時代息息相關。當讀者隨著李永平踏遍他回憶中的那「一畝一畝田」，那筆下原鄉也就出落得更加豐饒，更加真實。

參考文獻：

李永平《吉陵春秋》（上海，上海人民出版社，2013年）。

Alison M. Groppe, *Sinophone Malaysian Literature: Not Made in China* (Amherst, NY, Cambria Press, 2013).

Jing Tsu, *Sound and Script in Chinese Diaspora* (Cambridge, MA, Harvard University Press, 2010).

David Der-wei Wang, "Imaginary Nostalgia: Shen Congwen, Song Zelei, Mo Yan and

Li Yongping," in *From May Fourth to June Fourth: Fiction and Film in Twentieth-Century China*, ed., David Der-wei Wang and Ellen Widmer (Cambridge, MA, Harvard University Press, 1993), pp. 107-133.

古艾玲（Alison M. Groppe）撰，陳抒 譯

2008-2009 年
中國媒體粉絲通過戲仿日本網路漫畫表達愛國主義

《為龍》

以下幾句對話摘自2009年1月1日面世的中國大陸同人漫畫《為龍》：

「你有天命在身，自當千秋萬代，你會活得跟這世界一樣長久。」

「你生而為龍。即使一朝折斷掌牙，拔裂鱗片，瞎目斷爪，墜入淺灘，龍依然是龍。」

「你的願望？」「願我有生之年，得見您君臨天下！」

這組漫畫是同名的同人誌出版物中的高潮，由一批中國動漫業（ACG：動畫〔animation〕、漫畫〔comics〕和遊戲〔games〕）年輕藝術家所構思。當時正值北京夏季奧運會剛結束，汶川地震災後救援工作仍在進行，兩項事件帶來或興奮、或肅穆的感受，同時衝擊中國社會。《為龍》的人物和概念來自一部日本網路系列漫畫，這一系列以重現世界歷史而引人側目，甚至在創作過程中就引發了漫畫粉絲群體的不同反應。漫畫面世後，圍繞著媒體粉絲圈、民族身分和愛國主義的性質，上述對話成為熱烈討論的主題。

《為龍》講述的故事呼應了中國從一九九〇年代的政治焦慮中走出，繼而擁抱二十一世紀民族復興和自豪的大敘事。前述所引之句是麒麟（中國神話中的奇獸）對一個名為王耀的年輕人所說，王耀在日本漫畫中代表中華民族。漫畫一開始，王耀遍體鱗傷，奄奄一息地倒臥沙路上。麒麟出現，王認為那是自己終將「回歸」塵土、獲得安息的象徵。王耀敘述所曾遭受的背叛

和錯失；環繞周遭惡勢力虎視眈眈，分別代表美國、法國、英國和日本。直白地指涉了鴉片戰爭以來中國的「羞辱世紀」。一九八〇年代之後，主流媒體和公共教育一直以此喚起和灌輸民族主義情感。

不過，麒麟並未讓王耀安息，而是提醒他「有天命在身」，必然熬過痛苦和羞辱——「龍依然是龍」。王耀聞言而起，彷彿領會麒麟話中真理，他問道：「你的願望？」漫畫的最後一幅是麒麟和王耀的跨頁，描繪了一條龍和身著龍袍、高坐神殿的君王。畫面右下角是麒麟的回答：「願我有生之年，得見您君臨天下。」雖然這些話不免讓人想起古裝劇中的陳詞濫調，但它們從中國悠久歷史和傳統中借取力量，仍然極具感染力和正當性。它們代表了二十世紀末民族主義的轉向，從忍辱負重到重獲自信。

二十一世紀的民族創造神話和當代中國的官方民族主義話語當然產生共鳴。事實上，它也得力於動漫次文化，一則由中國動漫粉絲講述、對象也是動漫粉絲的故事。媒體粉絲文化在一九七〇年代獨立形成於日本和北美，現已然成為一個開放、自由的跨文化互動空間。粉絲的創造力跨越文本、情感和地緣政治，對美學理論或文化產業守則不屑一顧。它從源文本（source text）中未了結的部分入手，追逐文本引發的強烈反應，利用一切能得到的資源——無論是生產技術、文化知識、語言能力、個人經驗和技能、傳播平台——延伸、衍生、再造源文本各種元素的潛力。由此產生的音樂影像、小說、cosplay（身著角色服裝的角色扮演）、藝術品、同人誌、漫畫、動畫、編輯、翻譯、說明文字、文章或聲明等，完全是為貢獻給粉絲圈而作，而粉絲圈是由志趣相投的參與者自發組成。由於粉絲活躍於版權與機構性藝術價值標準的灰色地帶，故其產品經常被排除在正統文化的經濟之外。粉絲創造延伸品的動機形形色色而且相互矛盾，但用他們自己的話來說，粉絲圈所作所為只是出於「愛」。

粉絲的生產活動在中國並非全新現象。晚清流傳的明清白話小說的未授權「續書」或「外傳」不僅是衍生小說的例證，同樣展現其對體裁實驗和推斷情節「如果……會怎樣」（what if）的熱中，一如二十世紀末網路作品所形成的熱潮。又如二十世紀初中國默片文化，同聲傳譯者只是大致詮釋／翻譯影片內容並即興修改（包括用語、評論和在地化等表演元素），粉絲翻譯

的動畫也經常會創造性地解讀源文本，在配音時融入地方色彩和洋涇濱粉絲特殊用語，在字幕中使用圖像元素以及譯者註。這些超文本營造了粉絲群的幽默、社群的親密，在在呼應作為文化實踐的粉絲生產所具有的合作和互動特性。

當代中國的媒體粉絲文化深受戰後日本媒體產業的影響。1980年，日本動漫隨著央視播映的《原子小金剛》（中國大陸名《阿童木》）正式進入中國。此後數十年間，雖然中日關係時有起伏，日本傳媒產品一面通過官方授權播送，一面也經由盜版光碟、黑市出版，以及近來的網路等非官方管道輸入中國。對二十世紀八、九〇年代成長於中國大陸、台灣和香港的一代，動漫可能是他們共享的文化記憶。此類記憶影響所及體現在大量日本流行口語，以及原創作品主題和人物的挪用甚至抄襲。

一九九〇年代中期開始，華語語境裡的粉絲共同體範圍更廣，也更有組織。此時第一波大規模的動漫市場（comic markets）、動漫展出現，同人誌和粉絲製作的物品在此銷售和流通，動漫內容和新聞也以印刷雜誌的形式積極流通。這些早期出版物一方面提供粉絲分享創作和評論，另一方面也作為報導流行系列、體裁和潮流。中港台粉絲從日本動漫中獲得靈感和知識，編輯和譯介其內容，推出「最佳」榜單等。動漫粉絲互動在社交媒體和網絡平台上不斷擴張，新世紀初種種雜誌出版品如雨後春筍般出現，大大滿足日益具體化和多樣性的粉絲興趣。

《為龍》戲仿的系列漫畫名為《義呆利》（*Axis Powers Hetalia*，2006-）。隨著動畫版本通過網路串流媒體（online streaming）播放，這部四格漫畫從2008年左右開始吸引全球粉絲。觀眾感興趣之處在於作品標榜將國家擬人化為年輕男人和男孩（還有少數女人和女孩），以歷史事件為契機描繪他們之間離奇且時帶性暗示的互動。雖然第一季講述了兩次世界大戰的歷史，但《義呆利》迴避了戰爭衝突的暴力現實，轉而嘲弄各個國家的無能與可笑。在北美發行的漫畫系列DVD以「做義大利麵，不搞戰爭！」為宣傳語，標榜該系列的主人公義大利的投降主義——他在整個二戰期間都在生產白旗。動畫片尾合唱：「畫個圓圈，那是地球」，各個國家列隊進入，在圓圈周圍各就其位，其樂融融，猶如迪士尼的「小小世界」。這幅畫面融合各

色人等，你死我活的政治衝突成了賣萌要寶。這些人物透過多媒體商品廣為傳播，成為粉絲消費對象。

2009年開始，《義呆利》的同人作品在日本、中國大陸、香港和台灣的動漫展上掀起熱潮。作為衍生作品之一，《為龍》的銷量特別出色，在中港台都一掃而空。發行後的前四個月裡就數次重印。在淘寶等中國拍賣網站上，二手《為龍》的標價高達2,000元人民幣。

在某些方面，《為龍》的流行反映了民族自豪感以及青少年文化產業的變化。到2005年，中國國產漫畫和動畫市場已然成型。儘管植根於日本動漫風格，中國大陸藝術家採納中文源文本、美學以及技法，努力開發具有「中國」特色的動漫敘述形式。至今「國產」一詞不僅意味作品在中國生產，而且是對中國動漫內容的中國化，過去日本「原作」衍生品已經被中國原創作品所取代。《為龍》的許多供稿者是中國國內動漫業第一批享受商業成功的粉絲藝術家。同樣的，刊載其作品的雜誌也從流行動漫粉絲新聞雜誌轉型為只發表「國產」漫畫的刊物。

《為龍》作為由一群有意識地參與「國產」漫畫生產的藝術家主導的作品，在許多方面可以被解讀為對主人翁王耀的再創造，而非對《義呆利》簡單的同人戲仿。《為龍》結合了漫畫風格、數位奇幻藝術元素，以及中國水墨畫和武術美學。封面呈現的是王耀騰空而起的英姿。他左手抓著卷軸的一頭，卷軸跨過書脊連到封底，在那裡他的另一隻手上拿著墨筆。這種封面設計暗示，同人誌本身就是一個卷軸，上面畫著中國年輕人所講述的故事。

雖然《為龍》利用民族特色迴避王耀由日本動漫創造的背景，但它仍複製了《義呆利》的商業拜物傾向，處處為刺激粉絲消費而設計。其中漫畫和彩圖皆未提到任何中國的物質現實，而是把王耀置於眼花撩亂的文化語境中，所謂的中國特色也成為物化的標籤。《為龍》利用中國的文化遺產、官方愛國話語、古裝劇美學，戲劇化地呈現了一個永遠青春的英雄故事。其他的同人作品則分別將王耀描繪成百折不撓的黑幫首領、多情的美少年、受傷的士兵、秦始皇（公元前260-公元前210）、年輕的都市人、熊貓看護員，以及亞裔人物的家長。但《為龍》並沒有直接表達什麼愛國情緒，而是通過王耀無所不愛的能量構建了中國民族身分的自我證成。

　　粉絲的參與讓動漫人物更貼近當代中國青少年的生活，也因此更接近晚期資本主義和都市消費文化。《為龍》最後一個畫面──重新坐上王座的榮耀和一旁「君臨天下」的文字──暗示了人物（和粉絲）的虛榮想像，甚至如《義呆利》中已然可見的，對國際政治現實的迪士尼化，以及對暴力和帝國盛世的羨慕。隨著中國官方話語調動個人欲望，追逐民族偉大復興的「中國夢」，動漫中的愛國情懷也呼之欲出。

參考文獻：

王德威《被壓抑的現代性：晚清小說新論》，宋偉杰譯（台北，麥田出版，2003年）。

Sandra Annett, *Anime Fan Communities: Transcultural Flows and Frictions* (London, Palgrave Macmillan, 2014).

Toshio Miyake, "Doing Occidentalism in Contemporary Japan: Nation Anthropomorphism and Sexualized Parody in *Axis Powers Hetalia*," in "Transnational Boys' Love Fan Studies," eds., Kazumi Nagaike and Katsuhiko Suganuma, special issue, *Transformative Works and Cultures* 12 (2013), http://journal.transformativeworks.org/index.php/twc/article/view/436/392.

David Der-wei Wang, *Fin-de-Siècle Splendor: Repressed Modernities of Late Qing Fiction, 1849–1911* (Stanford, CA, 1997).

Kinnia Yau Shuk-ting, "Meanings of the Imagined Friends: Good Japanese in Chinese War Films," in *Imagining Japan in Post-war East Asia: Identity Politics, Schooling, and Popular Culture*, eds., Paul Morris, Naoko Shimazu, and Edward Vickers (London, Routledge, 2013), pp. 68–84.

李雯心（Casey Lee）撰，王晨 譯

2009年7月7日
齊邦媛《巨流河》出版

2010年10月1日
駱以軍《西夏旅館》獲得世界華文小說「紅樓夢獎」

從西夏到東北

文學如何想像地理？當代台灣文學如何想像中國大陸地理？

齊邦媛（1924-）回憶錄《巨流河》和駱以軍長篇小說《西夏旅館》（2008）以不同形式回應這樣的問題。齊邦媛是台灣最受尊敬的前輩學者之一；《巨流河》記述她的東北家世，抗戰時期的漂流經驗，以及落腳台灣的歷程。駱以軍是台灣當代小說界的佼佼者；《西夏旅館》以十一世紀西夏帝國（1038-1227）興亡始末為背景，投射後現代一座名為西夏的旅館內詭異的情境。

《巨流河》於2009年七七抗戰紀念日在台灣出版，立刻引起矚目，一年後大陸版同樣轟動，十年來兩岸銷售近一百萬冊。《西夏旅館》於2010年獲得世界華文小說「紅樓夢獎」，也是駱以軍式風格集大成之作。兩部作品立足台灣，卻各自以中國西北或東北為靈感寄託。東北是齊邦媛的出身之地，也是鄉愁的源頭。西北則是駱以軍欲望的異域，在那裡漢與胡、正統與外族此消彼長。藉此，兩部作品思考當代台灣面對離散與認同的多重選擇，也辯證何以文學就是地理，地理就是歷史。

　　齊邦媛出生於遼寧鐵嶺，六歲隨家人流亡關內，抗戰期間跋涉到四川就學，以後輾轉大江南北。一九四七年，她在偶然機會下來到台灣，任教台大外文系，就此定居超過六十年。從東北到台灣，從六年到六十年，一個是她魂牽夢縈的原籍，一個是她安身立命的所在，二者都是她的故鄉。而這兩個地方所產生的微妙互動，和所蘊藉的巨大歷史憂傷，是《巨流河》全書力量的來源。

　　東北與台灣距離遙遠，幅員地理大不相同，但在近現代中國史上的命運，何其相似。東北原為滿清龍興之地，地廣人稀，直到一八七〇年代才開放漢人屯墾定居。台灣孤懸海外，則遲至十九世紀才有大宗閩南移民入住。這兩個地方在二十世紀之交，都成為東西帝國主義勢力覬覦的目標。一八九五年甲午戰後，中日簽訂《馬關條約》，台灣與遼東半島同時割讓給日本。列強勢力一旦介入，兩地從此多事。以後五十年台灣成為日本殖民地，而東北歷經日俄戰爭（1905）、九一八事變（1931），終由日本一手導演建立偽滿洲國（1932-1945）。

　　不論文化或政治，東北和台灣歷來與「關內」或「內地」有著緊張關係。兩地都是移民之鄉，早期充滿草莽氣息。兩地也都曾是不同形式的殖民地，面對宗主國的無力和殖民者的壓迫，從來隱忍著一種悲情和不平。讀者如果不能領會作者對這兩個地方的複雜情感，就難以理解《巨流河》字裡行間的心聲。而書中串連東北和台灣歷史、政治的重要線索，是齊邦媛的父親齊世英（1899-1987）。

　　齊世英是民初東北的菁英分子。早年受軍閥張作霖（1875-1928）提拔，曾經赴日、德留學。一九二五年他自德國回到瀋陽，結識張作霖部將、新軍領袖郭松齡（1883-1925）。郭憤於日俄侵犯東北而軍閥猶自內戰不已，策動倒戈反張，齊世英以一介文人身分慨然加入。但郭松齡沒有天時地利人和，未幾兵敗巨流河——即遼河，東北東南部最大的河流——並以身殉。這段公案成為《巨流河》的大背景。功虧一簣的豪情壯志，時不我予的風雲變幻，一句「渡不過的巨流河」，道盡一個世紀多少東北人的感喟。

　　齊世英日後進入政界，參加抗日，成為國民黨內代表東北的意見領袖，一九四九年後到台灣。《巨流河》敘述了一九五四年齊世英因反對籌措軍餉

政策觸怒蔣，竟被開除國民黨籍；一九六〇年更因與雷震及台籍人士吳三連、許世賢、郭雨新等人籌組新黨，幾乎繫獄。齊為台灣的民生和民主付出了後半生代價，鬱鬱以終，但他骨子裡的反蔣也出於東北人的憾恨。無論東北或台灣，都不過是蔣政權的棋子罷了。

《巨流河》也寫下齊邦媛和東北子弟張大飛（1918–1945）的因緣。張大飛的父親在滿洲國成立時任瀋陽縣警察局長，因協助抗日，被日本人公開潑漆燒死。張大飛逃入關內，進入中山中學而與齊家相識；七七事變他加入空軍，勝利前夕在河南一場空戰中殉國。張大飛的故事悲慘壯烈，他對少年齊邦媛的呵護成為兩人最深刻的默契，他的宿命式死亡，為生者留下永遠的遺憾與懷念。

上個世紀末，七十五歲的齊邦媛造訪南京陣亡將士紀念碑，在千百犧牲者中找到張大飛的名字。五十五年的謎底揭開，驚天動地歸為寂天寞地。張大飛的一生短暫如曇花，卻成為齊邦媛東北原鄉的化身，「在最黑暗的夜裡綻放，迅速闔上，落地」，卻是「那般無以言說的高貴，那般燦爛潔淨」。

駱以軍於九〇年代崛起台灣文壇。他的文字奇詭豔異，既有直觀現實的尖銳自剖，也有遁入超寫實的想像冒險，揮之不去的是憂傷抒情基調。九〇年代台灣的文化政治已日漸改變，本土論述成為主流。作為外省第二代（父親原籍江西，母親則是台灣人），駱以軍不能無惑，小說成為他抒發感觸的管道。《月球姓氏》中一個少年迷失在台北街頭，夜半來到一處墳塋般的工地──竟是蔣公紀念堂；《遠方》中微近中年的敘述者趕赴江西，搶救回鄉探親、一病不起的父親，千辛萬苦，終於護送父親回台就醫。

在《西夏旅館》裡，駱以軍進一步將感觸地理化，以西夏文明對照台灣經驗。西夏源於松潘高原黨項族，經過唐末及五代十國，在黃河中、上游一代坐大。1038年李元昊建立西夏，統治西北地區長達二百年之久，一度威脅宋朝安危，最後為蒙古帝國所滅。西夏滅亡後族人流離四散，不知所終。西夏全盛時期文治武功極其可觀，曾幾何時，一切蕩然無存。借著西夏，駱以軍似乎影射一代台灣外省族群、甚至島國體制的宿命，自然引人側目。實則他更在意表達自己對本體存在與否的惶惑，對此生已然墮落的憂傷。

　　駱以軍早年詩集《棄的故事》，以周代始祖后稷出生為母姜嫄所棄的神話，描寫他的執念。「遺棄是一種姿勢」，「是我蜷自閉目坐於母胎便決定的姿勢」，是與生俱來的宿命；但另一方面，遺棄也是一種不斷「將己身遺落於途」的姿勢，「其實是最貪婪的，／企圖以回憶／躡足擴張詩的領域。」換句話說，遺棄不只是一個位置，也是一種痕跡，而這痕跡正是詩或文學的源起——或作為一種「存有」消失、散落的記號。

　　駱以軍幾乎所有作品都一再重寫「棄的故事」，像族群身分的錯置（《月球姓氏》），親密關係的患得患失（《遠方》、《女兒》），身體的毀損頹敗（《遣悲懷》）。《西夏旅館》可說將「棄」的情結發揮到極致。面對大歷史的潰散，不由你不放棄，遺棄，廢棄，或是自暴自棄。與此同時，一種叫做「小說」的東西緩緩成形。駱以軍的敘事者每以無賴或無能者（或他所謂的人渣）出現，且戰且逃，因為打一開始就明白，生命敘事無他，就是不斷離／棄的故事。在「紅樓夢獎」頒獎典禮上，駱以軍說道：

　　　　在我所承接的小說時光，另有一條不同時間鐘面的「夢的甬道」，因為百年來的戰亂、大遷移、與離散，有另一群人被歷史的錯謬，脫錨離開了「中國」這個故事原鄉（這其中包括我的父親），他們在一個異鄉、異境，一個再也回不去的拋離處境中，慢慢變貌、異化，在他們的追憶故事中長出獸毛和鱗片，形成另一種「歪斜之夢」的孵夢蜂巢。

　　到了當代台灣，西夏王國成為西夏旅館。駱以軍不諱言他對旅館的迷戀：「我覺得旅館和土地的關係就如同我這樣遷移者第二代面對嚴格檢查認同之主體形貌的困惑：注定缺乏足夠的時光資產……這裡的人全是過路客、侵入他人土地者、無主之鬼、在時空暫時拋錨的漂浮感恓惶地尋求庇護。」西夏旅館是不折不扣的異托邦：風沙湮沒的西北文明，南方島嶼的豔異風情，一間間客房通往詭譎、華麗、淒涼、或變態的裝置，投宿者在各自的房間裡「填塞、修改、變形著這整座旅館的邊界」。

　　從台灣到西夏到東北：齊邦媛和駱以軍各自以一片中國土地和文明，對

接他們的台灣經驗，從中思考文學台灣的意義。齊邦媛少小離家，但東北的土地，還有土地上的人和事是她畢生回望的對象。渡不過的巨流河——那場戰役早已灰飛煙滅，當年的熱血青年齊世英歷盡顛僕，已經安息。而他那六歲背井離鄉的女兒因緣際會，成為白先勇口中守護台灣「文學的天使」。驀然回首，齊邦媛感嘆擁抱台灣之餘，她「又何曾為自己生身的故鄉和為她而戰的人寫過一篇血淚紀錄？」《巨流河》是一個女兒與父親跨越生命巨流的對話，也是齊邦媛為不能回歸的東北，不再離開的台灣所作的告白。

相對於《巨流河》，《西夏旅館》如駱以軍所言，「是一個亂針刺繡，一個南方的，離散的，因為徹底失去原鄉而絕望妖幻長出的繁麗畸夢」。駱以軍承認，比起齊邦媛或他父親一輩，他沒有那樣刻骨銘心的流亡經驗，也缺乏大陸中原或台灣島上文明的教養。他尋尋覓覓，從西夏廢墟裡完成一個人的考古學，一則有關「脫漢入胡」，成為永遠的異類、外族，流浪者，終歸消失於歷史風沙的寓言。本土主義者不會歡迎這樣的寓言，但《西夏旅館》其實埋藏不同解讀方法。它啟發我們在國族地理的盡頭，看見另一種空間：「一種將時光凍結，讓我們可以慢速微觀人類黑暗之心的紋脈；對美的豔異驚嘆；對超過單一個體的劫毀崩壞心生恐懼與哀戚；一個微物之神所照看的繁華文明。只有小說才可能演義的，迷宮般的完滿宇宙。」

參考文獻：

齊邦媛《巨流河》（台北，天下文化，2009年）。

駱以軍《西夏旅館》（台北，印刻出版社，2008年）。

駱以軍「紅樓夢」世界華文小說大獎獲獎感言 http://redchamber.hkbu.edu.hk/tc/winners/3rd/dream。

王德威

2010 年 1 月 10 日

「不大像舞女，要是演電影話劇的，又不面熟。她倒是演過戲，現在也還是
在台上賣命，不過沒人知道，出不了名。」——張愛玲《色‧戒》

李安的偽裝和變形

　　王佳芝是張愛玲（1920-1995）中篇小說《色‧戒》的女主角。張愛玲
透過王佳芝身旁的陌生人來描繪她。在陌生人眼中，王佳芝沒有大紅大紫但
似乎有些名氣。從第一句話中「演電影話劇的」到第二句中「演過戲」的，
王佳芝的形象有了改變。作為一位特務，王佳芝更像是變色龍，不斷改變顏
色以融入環境、小心翼翼避免被發現。她有高超的適應能力、求生本能，甚
或有一定程度的機會主義。這隱喻著另一層面的細微之處，她天賦過人且世
故圓融。她擁有出入不同語言、風俗或劇本的能力。這種能力對間諜和探險
家比如勞倫斯（T. E. Lawrence, 1888-1935）和伯頓（Richard Burton, 1821-
1890）特別受用。李安（1954-）也同樣能在不同的文類、主題和風格之間
來去自如。2010年1月，為了準備拍攝《少年Pi的奇幻漂流》（Life of Pi），
李安在貝里斯（Belize）取得了水肺潛水證照。當地報紙以頭條熱烈宣揚：
「奧斯卡獎得主的李安在聖佩德羅島（San Pedro）考過潛水證照！」
　　李安以合格潛水員之姿亮相之所以有趣，是因為照片裡的他就像中國裏
小腳的女人在瑞士阿爾卑斯山滑雪（張愛玲世故的母親就做過這樣的事），
顯得不大搭調。李安品味超群，有些書卷氣，但很受歡迎，他的聲譽與他偏
愛文學改編有關。相對於許多沒那麼細膩的好萊塢導演，李安獻身影藝，待
人真誠。始終不變的是運籌帷幄，準備周全。溫文儒雅的李安與威爾斯
（Orson Welles, 1915-1985）、懷德（Billy Wilder, 1906-2002）和塔倫提諾

（Quentin Tarantino, 1963-）等喜愛賣弄的導演南轅北轍。故弄玄虛對導演─魔術師來說是恰如其分，特別是在好萊塢。然而，變色龍的敏捷機智也不遑多讓，李安的電影──或稱以假亂真的戲劇──可以替他變色龍的形象作證。李安之所以是變色龍並非他天生多才多藝，而是他的電影敘事著重一種私密的表演性（intimate performativity），和恐怕曝露真實身分的壓力。無時無刻的角色扮演固然帶來變化多端，但當多變成了常態，反而成為不變的尋常。轉化和多變性的辯證是李安電影中反覆出現的主題，反映著他的電影改編與文學源本的關係。

　　動物本能的吸引力（animal magnetism）──一種與社會規範不斷抗拒卻又糾結的私密衝動──在李安的電影中司空見慣。《色·戒》（2007）、《斷背山》（*Brokeback Mountain*, 2005）、《綠巨人浩克》（*Hulk*, 2003）和《囍宴》（*The Wedding Banquet*, 1993），甚至是《冰風暴》（*The Ice Storm*, 1997）都是例子。這些作品探索了間諜、牛仔、科學家或布爾喬亞的祕密生活，他們內在的激情萬一爆發，勢必招來猛烈的後果。在《少年Pi的奇幻漂流》中有一堂「殺手課」，還是個小男孩的主人公被擔任動物園園長的父親強迫觀看老虎獵殺活山羊。血淋淋的教訓是為了確保小男孩不再接近野獸。在《斷背山》中，戴爾瑪（Ennis Del Mar）也同樣無法忘懷父親所展示的景象：一名被迫出櫃的男同志遭到虐殺。恩尼斯將這個夢魘牢藏心中，也將他自己的性傾向深鎖櫃中。沒什麼比這些告誡禁令更令人膽寒。

　　從生物性到神性（Animal-to-theological）的轉變是典型的李安走向。這牽涉狀態之間，紙頁與銀幕之間的轉化或過渡，就像邁布里奇（Eadweard Muybridge, 1830-1904）著名的奔馬攝影研究。他經由一系列的相機確認疾馳中的馬確實會有一瞬間四腳離地，雖然肉眼看不見。另一種的過渡或轉換可在鴨兔錯覺（rabbit-duck illusion）中得見。圖示中的形象到底是鴨子或兔子會根據觀看者心理的取向而改變，但永遠不會同時是鴨又是兔。另一個例子則是一位年輕女孩的肖像，視角的突然改變會讓她搖身成為醜陋的巫婆。同樣地，在《色·戒》中，當王佳芝發現自己正在上海一家珠寶店外時，她的感知變了。她說「快走！」，向易先生發出重要的信號，也因此暴露了自己是暗殺陰謀的誘餌。她似乎觸碰了某個開關：「人行道上熙來攘往，馬路

上一輛輛三輪馳過，就是沒有空車。車如流水，與路上行人都跟她隔著層玻璃，就像櫥窗裡展覽皮大衣與蝙蝠袖爛銀衣裙的木美人一樣可望而不可及。」小說中，不同於她的所在，行人和車輛「閒適自如」的通過，彷彿處在另一個次元。然而在電影中，我們必須從視覺意象來推斷這點。鏡頭沿著商店櫥窗移動，木美人、豪華的毛皮大衣和一旁的獵豹布偶逐一入鏡。店內，一對身影模糊不清的男女，顯然正在約會。李安以櫥窗中的假人對比王佳芝，而王佳芝在諜報活動中也的確成了一個誘人的展示品。我們不是看到了王佳芝就是看到假人，但兩者從未同時出現。

索魯（Paul Theroux, 1941–）曾談及將文字改編成圖像的過程。當他用神學術語來說明這種變形時，他同樣也按下了開關：

我〔小說家〕夢想了這一切。但就像聖父曾經說的，事物必須變得可觸可見。你必須同意上帝：太初有道，道成肉身。這種轉換並不總是容易，但那就是電影的變體（transubstantiation），化小說為影象。

李安《色‧戒》的所作所為，正是化文字為肉身，而這肉身承載了誘惑與征服的手段。李安和他的團隊讓張愛玲變得可觸可見，但也吞噬了她，向所有人暴露了肉身臣服所帶來的快感（和恐懼）。臣服假定了某種主張，它意味著從冷淡到傾心的遞嬗、折衝或轉圜。

這裡存在著一種「蛻皮」（如蛇、甲蟲或蝴蝶）和轉向（conversion）的倫理學或神學。在這個脈絡裡，「過關」（passing）這個概念假設了觀眾或對話者會評判其所見所聞。隨轉向或變化而來的，是棄舊更新的調適。這套神學關涉著原諒、信任、適應和改善，而觀眾也能夠認可和接受轉向後的狀態。在討論《臥虎藏龍》時，李安談到袁和平（1945–）的動作指導把武術變成了表演藝術。此外也有另一種變化，例如李安說他坐上導演椅時，便開始下意識渴望專制，而從溫和的作家和慈父變成片場裡專橫的完美主義者。

《色‧戒》炫耀著自己的偽裝，並揭示佯裝和表演不外乎是種種「裝腔作勢」（acts），無情甚至剝削。銀幕上的性愛或讓人聯想到赤裸裸的色情片，但影片確信觀眾不會覺得那是假戲而是真實。李安認為張愛玲「將演戲

和模仿理解為某種自然而然的殘忍與兇暴，在她筆下人物即動物，懂得利用保護色來逃避天敵和引誘獵物」。張愛玲在小說中寫道：「他們是原始的獵人與獵物的關係，虎與倀的關係，最終極的占有。她這才生是他的人，死是他的鬼。」李安很看重動物磁性，他也提到了「虎倀」，意即人被虎吃掉後，鬼魂反倒助虎引誘其他獵物。

　　追索過往殺戮遺留下的各種蛛絲馬跡，其中一種異教觀念認為吞噬即是權力。吞噬者將獲得獵物的肉身和心智能力。這是一種圖騰信仰，也就是原始社會的替身，藉此召喚或成為另一個人、另一個部族或聖靈。在基督教的聖餐儀式中，餅是象徵也是肉體，而酒是血。《色·戒》的開頭出現了德國警犬的特寫。負責檢查入侵或分辨假冒者的看門犬，體現了掠食者與生俱來的特質：直覺靈敏且善追蹤。這些特質與影片中的監視、設陷、審問和「慢慢地逼供」等有條不紊的技藝融為一體。擔任製片和編劇的夏慕斯（James Schamus）更進一步指出，易先生（目標）雖然不是沒有懷疑過王佳芝（誘餌）是間諜，但還是想得到她：「正是因為他懷疑她，才渴望她……所以色與戒，在張愛玲的作品中，乃是彼此的結果，而這並非因為我們渴望危險的東西，而是因為我們的愛，無論它多麼真摯，都是某種裝腔作勢，因此總會遭到懷疑。」

　　在《少年Pi的奇幻漂流》、《色·戒》和《臥虎藏龍》中，我們看到某種吃或被吃的吞噬衝動。偽裝的派、王佳芝和玉嬌龍都是鋌而走險的祕密誘餌，可能落入她們的目標或其爪牙手中，然後被吞噬。與驚悚小說中的臥底警員相似，她們的角色扮演異常危險，因為她們可能被自己扮演的角色反噬。警察必須取信罪犯同夥，讓他們知道他和他們一樣強悍、背德與墮落。但警察的角色扮演會損害然後改變他原本的人格嗎？持續傳神的模仿會帶來什麼影響？偽裝何時會取而代之？臥底必須先說服自己才能取信於同夥？或者這些都不過是某種技巧、扮裝和言行舉止的把戲？在這些影片中，人物都必須有偽裝的能力，比如馴獸師、獨守空閨的太太（情婦）、好名聲的女兒或者武俠弟子。遊戲的目標是過關，也就是被視為團隊中可信賴的成員。因為露出馬腳後果不堪設想，所以至關重要的是成為真正的角色，而不只是扮演。

　　一如所有電影，李安的影片面對文字文本，自有一套方法去選擇並放大某些細節，讓故事的深意一覽無遺。述及《蚊子海岸》（*The Mosquito Coast*）的電影改編時，原作者索魯如此說：「一部好電影的關鍵不就是自作主張嗎？」我們可以說，李安的電影刻意背叛其所援用的文學作品，將觀眾的注意力引向原作或有或無的元素。例如，《臥虎藏龍》喚起長久以來為人遺忘的文學作品並將武術復興於全球的銀幕之上。王度廬（1909-1977）卷帙浩繁的作品，時至今日已沒多少知音了，並不像金庸（1924-）和古龍（1938-1985）的創作，一直是武俠片的標準素材。此外，李安還背離了原作的規模：王度廬一九三〇年代的大河武俠小說被濃縮成心理劇、女性陰謀甚至是親密小劇場（Kammerspielen）（在私密的懷疑、否認與猶豫的情節上停留）。電影改編也呈現出唯有透過犧牲才能馴化玉嬌龍，如此即稍微偏離了王度廬故事核心所蘊含的五四自由戀愛價值觀。李安沒有在武俠電影的設定中重新搬演自由戀愛，而是利用王度廬的故事來揭示師道傳承的重要。玉嬌龍這個角色的核心所突出的，是學習改正，是知識的破壞力以及隨之而來的領悟。

　　李安對文學文本的處理促使我們將改編視為文學殘骸的新生，所謂的殘骸也召喚了肉食動物捕獵，電影中伺機而動的鬣狗以及啃噬文學獵物等意象。但這種想法可能失之偏頗，因為文學擁有電影永遠無法篡奪的地位。俄羅斯著名導演索科洛夫（Alexander Sokurov, 1951-）說過，儘管身為導演，但他仍然是文學的孩子。文學對他來說依舊是最重要的藝術形式，而電影至少還落後三到四步。電影中不可能有任何東西是文學還不曾涉獵的。在他看來，這點正是電影永遠不能釋懷的。

　　據此，文學與電影的關係與其說像變色龍，不如說像變形者（shapeshifter）。如果說變色龍基於環境而改變外表，那麼變形者的內裡與外表都能質變。透過變形者，我們可以理解藝術的過程——就像白紙黑字的故事變成影音、動畫，亦或端莊的女演員沒了自我而成為她所飾演的角色；又如充滿知性的電影導演成了合格的潛水員，《綠巨人》溫柔的主角班納（Bruce Banner）變為可怕的綠巨人。由《斷背山》改編而成的歌劇中，普露（Annie Proulx）創作了新的唱詞，賦予戴爾瑪一個翱翔俯瞰的視角：

我們飛得比其他鷹高
我們飛得比松樹林高
我們是雕，傑克

參考文獻：

Eileen Chang, *Lust, Caution,* with afterword by Ang Lee and special essay by James Schamus (New York, Anchor Books, 2007).

Emilie Yueh-Yu Yeh and Darrell William Davis, *Taiwan Film Directors: A Treasure Island* (New York, Columbia University Press, 2005).

戴樂為（Darrell William Davis）撰，王晨 譯

2011年6月26日

「*汝被翻譯了。*」

在華語語系世界邂逅莎士比亞戲劇

2011年6月26日，中國總理溫家寶（1942-）訪英三日期間，造訪了莎士比亞（William Shakespeare, 1564-1616）出生地，此行吸引大批媒體關注。他在對英國首相卡麥隆（David Cameron, 1966-）演講中提到，自己童年時期是多麼喜愛莎士比亞。溫家寶出訪主要目的是展示中國的軟實力，但國際經濟關係、政治資本和旅遊收入也同樣是重要考慮。英國文化大臣杭特（Jeremy Hunt, 1966-）表示：「我希望十億中國人能在電視上看到他們的總理造訪莎士比亞出生地的畫面」，然後蜂擁到英國觀光。藝術就是政治。

自一九八〇年代以來，英國和中國舞台上大量出現中國和華語語系（Sinophone）的莎士比亞演出，蔚為風潮。2002年，皇家莎士比亞劇團也曾於北京和上海巡演英格拉（Loveday Ingram）製作的《威尼斯商人》（*The Merchant of Venice*）。莎士比亞的文化資本與中國的現代性相互映襯。一如其他藝術領域，民族國家的介入重新界定了中國、華語語系社群、英國以及全球各地之間的關係。

如同許多日本和西方其他經典詩人和作家，莎士比亞與其作品遍及中國大陸、香港和台灣，在中國和華語語系文化發展中占有重要地位。「莎士比亞」作為一個文化符碼，經改編後又成了「中國」的符號價值，豐富了華文的傳統以及全球的莎士比亞表演史。

歐洲文藝復興傳入中國的歷史可追溯到明代。1582年第一批耶穌會傳教士的到來首次將文藝復興引進中國，1630年代道明會（Dominicans）和方濟

各會（Franciscans）教士接踵而至。英國人撰寫的附插圖遊記，記錄了英國使者——包括隸屬喬治・馬戛爾尼勳爵（Lord George Macartney, 1737-1806）的使團等——觀看乾隆年間（1736-1795在位）天津和北京的戲劇表演的經歷。其中一名使者在日記提到，一部名稱不詳的中國戲劇與莎士比亞《理查三世》（*Richard III*）何其相似。隨著十九世紀清帝國的衰敗，中國對西方思維模式和政治體制的興趣與日俱增。晚清一方面應對各種不兼容的現代化意識形態，另一方面開始審視傳統價值。在兩者交互作用下，莎士比亞和中國同在十九世紀晚期被「翻譯」。此處「翻譯」指的是「轉換」（transformed），或用昆斯（Peter Quince）在《仲夏夜之夢》（*A Midsummer Night's Dream*）中的話來說，「變化／變形」（metamorphosed）。1839年，鴉片戰爭中的關鍵人物林則徐（1785-1850）命人翻譯慕瑞（Hugh Murray）的《世界地理大全》，編輯為《四洲志》，其中談到英國文學時，首次提到莎士比亞之名。雖然人們早已接受並經常用莎士比亞的名字來支持或反對特定議題，譯本與言之有物的研究要在半個世紀後才出現。

有幾個主題反覆出現在莎士比亞的華文改編中。在大多數中國導演和譯者眼裡，莎士比亞戲劇原有的藝術形式與背景放諸四海皆準。他們不會為了本國觀眾而將人物、情節和背景本土化。這種策略著重「不偏不倚」（straight），沿用公認權威演出中（例如奧利佛〔Lawrence Olivier, 1907-1989〕的版本）的視覺呈現和文本典故。上海早期的演出便習慣遵循這種模式。以首齣華語莎士比亞劇《女律師》為例，包天笑（1875-1973）改編自《威尼斯商人》的《女律師》由上海城東女學學生演出。對支持者來說，劇本的洋腔洋調意在呈現原汁原味，為了讓觀眾耳目一新。

第二種策略是將劇情和背景本土化，讓莎士比亞融入本土世界觀以及本土表演體裁。例如，黃佐臨（1906-994）根據《麥克白》（*Macbeth*）改編的崑曲《血手記》（1986）。表演者和支持者愈來愈不把中國戲曲形式難懂的台詞視為障礙，反倒認為那是一種財富，創造出對傳統戲劇形式的國際需求。

第三種策略包含仿作、戲劇拼接，以及大幅、解構性地改寫。有時通過幾個世紀來被盎格魯中心式（Anglocentric）批評和表演傳統邊緣化的冷門主

題來改變劇作的類型。戲仿的出現標誌著莎士比亞的全球影響已經進入了新階段。他的故事對「跨境」觀眾變得如此耳熟能詳，以至於這些劇作可以作為探索藝術新類型的平台。李國修（1955-2013）的作品是一例。李國修成名於一九八〇年代，是台灣最富創意的劇作家和導演之一。中國在1907年後，把受到西方影響的念白戲劇稱為話劇。李國修創作的話劇《莎姆雷特》（1992）將崇高悲劇（high tragedy）或者文藝復興時期讀者所謂的「悲劇史」（tragic history）變成了戲仿喜劇。他在節目單提到，《莎姆雷特》是一部復仇喜劇，「與《哈姆雷特》無關，與莎士比亞有染」。

　　這種策略反對刻板地構建本土和外國文化的二元對立關係，因此希望在國際市場上確立跨文化劇作品牌的藝術家便經常使用這種策略，例如吳興國（1953- ）融入佛教色彩與個人成長經驗的單人京劇《李爾在此》（2000）。在這部受莎士比亞啟發的悲劇中，吳興國一人分飾十角。劇中主題如家庭衝突、對自我和他者的構建、對家國的責任等，並將其自傳融於其中。〈暴風雨中的李爾〉一幕尤其令人難忘，沮喪的李爾王站在舞台中央，在滿堂觀眾的注視下褪下自己的京劇行頭。李爾王在暴風雨中發狂的攝人場景還歷歷在目，吳興國才剛換裝不久，此刻竟穿得像後台的演員。他拂拭著自己的眼睛，詰問自身以及摘下來的無眼頭飾。這陰沉的時刻呼應著葛羅斯特失去視力的情節，以及在這齣關於視覺和真相的戲劇中觀眾四處游移（undirected）的目光。在莎士比亞的劇中，李爾詰問：「我是誰，這裡有人認識我嗎？這不是李爾。李爾會這樣走路，這樣說話嗎？他的眼睛哪裡去了？」舞台上的演員曉得自己的眼睛是李爾的眼睛。這兩雙重疊的眼睛，卻也代表了許多表演者在台上必然的分裂。表演者在演出過程中必先抹去自我，才能化為劇中角色。吳興國對莎士比亞的改編豐富了我們對傳統中國戲劇表演的理解。

　　以上三種改編策略在整個中國以及華語語系莎士比亞作品中經常被混合運用。如同幾乎所有跨國挪用的例子，一組經挑選、有本土共鳴「備受矚目」的劇作在華文世界中持續產生影響。《威尼斯商人》是最早在中國上演的莎劇，至今觀眾對它仍然興致盎然。在二十世紀早期新女性運動中，波西亞（《威尼斯商人》中的「女律師」）作為接納女性進入法律職業和高等教

育的辯論中的象徵登上中心舞台。這部劇還被改編為滑稽劇，比如塔爾福德（Francis Talfourd, 1828-1862）的 *Shylock; or, The Merchant of Venice Preserved* 在香港為英國僑民搬演。《威尼斯商人》因帶有商業主題，符合殖民地的貿易與重商社會氛圍，1871年香港業餘劇社（Hong Kong Amateur Dramatic Club）因而重新上演該劇。隨著時間進展，普通話演出逐漸成為舞台首選。《威尼斯商人》至今仍是高中和大學課程的重點之一，也是中國大陸和台灣的大學畢業話劇演出的熱門劇目。

　　在表演風格上，莎士比亞對當代中國戲劇的形成——從傳統中國戲曲、表演藝術到話劇——有顯著影響。中國傳統戲曲史上第一次現身的莎士比亞是1916年王國仁根據《哈姆雷特》改編而成的川劇《殺兄奪嫂》。1925年，易俗社（1912年成立的進步組織，旨在通過新的秦腔推動社會改革）排演了源自《威尼斯商人》，具有中國秦腔風格的《一磅肉》。雖然莎士比亞作品從二十世紀初便已存在於不同種類的中國戲曲中，但一九八〇年代是個轉折點，從此莎士比亞作品開始頻繁地以中國、台灣和香港等地的戲曲風格演出，進入演員和觀眾的集體文化記憶。受中國大陸演員同離散華人演員間日益頻繁的交流的促進，對京劇版莎士比亞作品的興趣得到復興。

　　華語世界的莎士比亞表演也凸顯語言的差異。2003年5月，在「莎士比亞在台北」藝術節演出的《玉梅與天來》（台語—華語雙語版的《羅密歐與茱麗葉》〔*Romeo and Juliet*〕）中，語言成為族群差異的標誌。戲中安排玉梅（The Montagues）與天來（The Capulets）二人家族語言的差異，凸顯了華人離散藝術家的複雜經歷，以及該劇作為國族寓言的盤根錯節。《羅密歐與茱麗葉》的幾個關鍵場景也出現在《羅密歐與祝英台》（2008）這部劇中劇。該劇由寧財神（1975-）編劇，何念（1980-）導演，上海話劇藝術中心製作，使用了法語、日語、英語和華語。寧財神「用喜劇方式說悲劇」，讓無緣的戀人穿越1937年的上海和當代紐約，尋找新的個人和文化身分。

　　中國大陸後革命莎士比亞熱潮展現於1986年和1994年國家資助的莎士比亞戲劇節。二十世紀八、九〇年代台灣戲劇節中的莎士比亞演出與此不同。2003年，持續一個月的「莎士比亞在台北」藝術節著重為藝術創新和具備商機的實驗作品提供平台。台灣是個多語社會（華語、台語、客家話和原住民

語言），許多主流表演或完全以一種方言，或混合普通話和方言，甚至使用英語。某些作品反映了台灣歷史的多元，另一些則質疑歷史以及島嶼身分中備受爭議的「中國性」，與中國大陸藝術家想像中國的方式形成了有趣的反差。中國大陸雖然也是多語社會，但較少如同台灣或香港一般，刻意使用一種或多種方言演出莎士比亞。台灣和香港戲劇多語的傳統展開了獨特視野，可供思索「莎士比亞」和「中國」的意義。

因強大的英語話劇莎士比亞、粵劇莎士比亞雙傳統，香港戲劇反映了嶺南文化和英國遺緒之間的張力。1842年《南京條約》讓香港落入英國統治長達150年，此後「英國性」在整個社會結構中占有舉足輕重的文化地位。莎士比亞戲劇是活躍於十九世紀六、七〇年代的香港業餘劇社的劇目之一。港英政府特別支持鼓勵戲劇表演，因為能夠「為枯燥軍旅生活提供有益消遣」。英國文學是殖民地教育體系中的必修科目，學生們從1882年開始為了考試研讀莎士比亞作品，是殖民地人民「心甘情願接受支配」（domination by consent）的例子。從一九八〇年代開始，1997年香港「回歸」成為日益緊迫的話題、香港最大的專業劇團——香港話劇團——的作品，以及香港演藝學院等大學的學生演出，更著重的是未來香港的全球地位以及中華遺產的議題，而非後殖民狀況。

儘管莎士比亞與英國性的關聯無可否認，但莎士比亞並未作為殖民形象而遭到抵制。政局更迭對其地位幾乎沒有影響。一些當代香港學者非常驚訝，「後現代主義和中國風格莎士比亞的在地實驗在香港依舊生龍活虎」。論者指出莎士比亞名聞遐邇，「已然超越英國遺產的局限，成為香港中國傳統的一部分」。這種觀點雖然言之有理，但也忽略了早期演出的歷史條件。莎士比亞看似超越了英國身分的一個關鍵原因在於，英國從未像對待印度一樣殖民香港。這一特殊的歷史條件——毛澤東（1893–1976）後來稱這種間接殖民結構為「半殖民主義」——影響了十九世紀末和二十世紀初的香港表演文化。《南京條約》開放的其他口岸如上海亦如此，上海出現多國租界，但未曾有真正支配一切的殖民制度。新戲劇若要抵制來自外國的影響，抵制的也只能是中國的過去。

從中國話劇和戲曲對莎士比亞劇作的挪用可以看出，戲劇典範逐漸從追

求正宗轉變為突出藝術主體性。莎士比亞的各種主題和人物塑造，讓豐富、挑戰、改變華語戲劇和體裁。中國和華語語系地區的莎士比亞，無疑成了土生土長的異鄉人。

參考文獻：

Alexa Huang, "'It Is the East': Shakespearean Tragedies in East Asia," in *The Oxford Handbook to Shakespearean Tragedy*, eds., Michael Neill and David Schalkwyk (Oxford, Oxford University Press, 2016).

Alexa Huang, "Thou Art Translated! How Shakespeare Went Viral," *Conversation,* April 23, 2015, https://theconversation.com/thou-art-translated-how-shakespeare-went-viral-40044.

Alexa Huang and Peter Donaldson, eds., *MIT Global Shakespeares*, open-access digital video archive, http://globalshakespeare.org.

Alexa Huang and Elizabeth Rivlin, eds., *Shakespeare and Ethics of Appropriation* (New York, Palgrave Macmillan, 2014).

黃詩芸 撰，王晨 譯

2012年

莫言獲得諾貝爾文學獎

「長度、密度和難度，是長篇小說的標誌，也是這偉大文體的尊嚴。」

捍衛長篇小說的尊嚴

　　所謂長度，自然是指小說的篇幅。沒有二十萬字以上的篇幅，長篇小說就缺少應有的威嚴。就像金錢豹子，雖然也勇猛，雖然也剽悍，但終因體形稍遜，難成山中之王。我當然知道許多篇幅不長的小說其力量和價值都勝過某些臃腫的長篇，我當然也知道許多篇幅不長的小說已經成為經典，但那種猶如長江大河般的波瀾壯闊之美，卻是那些精巧的篇什所不具備的。長篇就是要長，不長算什麼長篇？要把長篇寫長，當然很不容易。我們慣常聽到的是把長篇寫短的呼籲，我卻在這裡呼籲：長篇就是要往長裡寫！當然，把長篇寫長，並不是事件和字數的累加，而是一種胸中的大氣象，一種藝術的大營造。那些能夠營造精緻的江南園林的建築師，那些在假山上蓋小亭子的建築師，當然也很了不起，但他們大概營造不來故宮和金字塔，更主持不了萬里長城那樣的浩大工程。這如同戰爭中，有的人指揮一個團可能非常出色，但給他一個軍、一個兵團，就亂了陣腳。將才就是將才，帥才就是帥才，而帥才大都不是從行伍中一步步成長起來的。當然，不能簡單地把寫長篇小說的稱作帥才，更不敢把寫短篇小說的貶為將才。比喻都是笨拙的，請原諒。

　　一個善寫長篇小說的作家，並不一定要走短—中—長的道路，儘管許多作家包括我自己都是走的這樣的道路。許多偉大的長篇小說作者，一開始上手就是長篇巨著，譬如曹雪芹、羅貫中等。我認為一個作家能否寫出並且能夠寫好長篇小說，關鍵的是要具有「長篇胸懷」。「長篇胸懷」者，胸中有

大溝壑、大山脈、大氣象之謂也。要有莽蕩之氣，要有容納百川之涵。所謂大家手筆，正是胸中之大溝壑、大山脈、大氣象的外在表現也。大苦悶、大悲憫、大抱負、天馬行空般的大精神，落了片白茫茫大地真乾淨的大感悟——這些都是長篇胸懷之內涵也。

大苦悶、大抱負、大精神、大感悟，都不必展開來說，我想就「大悲憫」多說幾句。近幾年來，「悲憫情懷」已成時髦話語，就像前幾年「終極關懷」成為時髦話語一樣。我自然也知道悲憫是好東西，但我們需要的不是那種剛吃完紅燒乳鴿，又趕緊給一隻翅膀受傷的鴿子包紮的悲憫；不是蘇聯戰爭片中和好萊塢大片中那種模式化的、煽情的悲憫；不是那種全社會為一隻生病的熊貓獻愛心但置無數因為無錢而在家等死的人於不顧的悲憫。悲憫不僅僅是「打你的左臉把右臉也讓你打」，悲憫也不僅僅是在苦難中保持善心和優雅姿態，悲憫不是見到血就暈過去或者是高喊著「我要暈過去了」，悲憫更不是要迴避罪惡和骯髒。《聖經》是悲憫的經典，但那裡邊也不乏血肉模糊的場面。佛教是大悲憫之教，但那裡也有地獄和令人髮指的酷刑。如果悲憫是把人類的邪惡和醜陋掩蓋起來，那這樣的悲憫和偽善是一回事。《金瓶梅》素負惡名，但有見地的批評家卻說那是一部悲憫之書。這才是中國式的悲憫，這才是建立在中國的哲學、宗教基礎上的悲憫，而不是建立在西方哲學和西方宗教基礎上的悲憫。長篇小說是包羅萬象的龐大文體，這裡邊有羊羔也有小鳥，有獅子也有鱷魚。你不能因為獅子吃了羊羔或者鱷魚吞了小鳥就說牠們不悲憫。你不能說牠們捕殺獵物時展現了高度技巧、獲得獵物時喜氣洋洋就說牠們殘忍。只有羊羔和小鳥的世界不成世界；只有好人的小說不是小說。即便是羊羔，也要吃青草；即便是小鳥，也要吃昆蟲；即便是好人，也有惡念頭。站在高一點的角度往下看，好人和壞人，都是可憐的人。小悲憫只同情好人，大悲憫不但同情好人，而且也同情惡人。

編造一個苦難故事，對於以寫作為職業的人來說，不算什麼難事，但那種非在苦難中煎熬過的人才可能有的命運感，那種建立在人性無法克服的弱點基礎上的悲憫，卻不是能夠憑藉才華編造出來的。描寫政治、戰爭、災荒、疾病、意外事件等外部原因帶給人的苦難，把諸多苦難加諸弱小善良之身，讓黃鼠狼單咬病鴨子，這是煽情催淚影視劇的老套路，但不是悲憫，更

不是大悲憫。只描寫別人留給自己的傷痕，不描寫自己留給別人的傷痕，不是悲憫，甚至是無恥。只揭露別人心中的惡，不袒露自我心中的惡，不是悲憫，甚至是無恥。只有正視人類之惡，只有認識到自我之醜，只有描寫了人類不可克服的弱點和病態人格導致的悲慘命運，才是真正的悲劇，才可能具有「拷問靈魂」的深度和力度，才是真正的大悲憫。

關於悲憫的話題，本該就此打住，但總覺言猶未盡。請允許我引用南方某著名晚報的一個德高望重的、老革命出身的總編輯退休之後在自家報紙上寫的一篇專欄文章，也許會使我們對悲憫問題有新的認識。這篇文章的題目叫〈難忘的斃敵場面〉，全文如下：

中外古今的戰爭都是殘酷的。在激烈鬥爭的戰場上講人道主義，全屬書生之談。特別在對敵鬥爭的特殊情況下，更是如此。下面講述一個令我畢生難忘的斃敵場面，也許會使和平時期的年輕人，聽後毛骨悚然，但在當年，我卻以平常的心態對待。然而，這個記憶，仍使我畢生難忘。

1945年7月日本投降前夕，敵軍所屬一個大隊，瞅住這個有利時機，向「北支」駐地大鎮等處發動瘋狂進攻，我軍被迫後撤到駐地附近山上。後撤前，我軍將大鎮潛伏的敵軍偵察員4人抓走。抓走時，全部用黑布蒙住眼睛（避免他們知道我軍撤走的路線），同時綁著雙手，還用一條草繩把四個傢伙「串」起來走路。由於敵情緊急，四面受敵，還要被迫背著這四個活包袱行進，萬一雙方交火，這4個「老特」便可能溜走了。北江支隊長鄔強當即示意大隊長鄭偉靈，把他們統統處決。

鄭偉靈考慮到槍斃他們，一來浪費子彈，二來會驚動附近敵人，便決定用刺刀全部把他們捅死。但這是很費力，也是極其殘酷的。但在鄭偉靈眼裡看來，也不過是個「小兒科」。

當部隊撤到英德東鄉同樂街西南面的山邊時，他先呼喝第一個蒙面的敵特俯臥地上，然後用鋤頭、刺刀把他解決了。

為了爭取最後機會套取敵特情報，我嚴厲地審問其中一個敵特，要他立即交代問題。其間，他聽到同伙中「先行者」的慘叫後，已經全身發抖，無法言語。我光火了，狠狠地向他臉上摑了一巴掌。另一個敵特隨著也狂叫起

來，亂奔亂竄摔倒地上。鄭偉靈繼續如法炮製，把另外三個敵特也照樣處死了。我雖首次看到這個血淋淋的場面，但卻毫不動容，可見在敵我雙方殘酷的廝殺中，感情的色彩也跟著改變了。

事隔數十年後，我曾問鄭偉靈，你一生殺過多少敵人？他說：百多個啦。

原來，他還曾用日本軍刀殺了六個敵特，但這是後話了。

讀完這篇文章，我才感到我們過去那些描寫戰爭的小說和電影，是多麼虛假。這篇文章的作者，許多南方的文壇朋友都認識，他到了晚年，是一個慈祥的爺爺，是一個關心下屬的領導，口碑很好。我相信他文中提到的鄭偉靈（1924-2007），也不會是凶神惡煞模樣，但在戰爭這種特殊的環境下，他們是真正的殺人不眨眼。但我們有理由譴責他們嗎？那個殺了一百多人的鄭偉靈，肯定是得過無數獎章的英雄，但我們能說他不「悲憫」嗎？可見，悲憫，是有條件的；悲憫，是一個極其複雜的問題，不是書生的臆想。

一味強調長篇之長，很容易招致現成的反駁，魯迅（1881-1936）、沈從文（1902-1988）、張愛玲（1920-1995）、汪曾祺（1920-1997）、契訶夫（Anton Chekhov，1860-1904）、波赫士（Jorge Luis Borges, 1899-1986），都是現成的例子。我當然不否認上列的作家都是優秀的或者是偉大的作家，但他們不是托爾斯泰（Lev Tolstoy, 1828-1910）、杜斯妥也夫斯基（Fyodor Dostoyevsky, 1821-1881）、湯瑪斯·曼（Thomas Mann, 1875-1955）、喬伊斯（James Joyce, 1882-1941）、普魯斯特（Marcel Proust, 1871-1922）那樣的作家，他們的作品裡沒有上述這些作家的皇皇巨作裡那樣一種波瀾壯闊的浩瀚景象，這大概也是不爭的事實。

長篇越來越短，與流行有關，與印刷與包裝有關，與利益有關，與浮躁心態有關，也與那些盜版影片有關。從苦難的生活中（這裡的苦難並不僅僅是指物質生活的貧困，而更多是一種精神的苦難）和個人性格缺陷導致的悲劇中獲得創作資源可以寫出大作品，從盜版影片中攫取創作資源，大概只能寫出背離中國經驗和中國感受的也許是精緻的小玩意兒。也許會有人說，在當今這個時代，太長的小說誰人要看？其實，要看的人，再長也看；不看的

人，再短也不看。長，不是影響那些優秀讀者的根本原因。當然，好是長的前提，只有長度，就像老祖母的裹腳布一樣，當然不好，但假如是一匹繡著清明上河圖那樣精美圖案的錦緞，長就是好了。

長不是抻麵，不是注水，不是吹氣，不是泡沫，不是通心粉，不是燈心草，不是紙老虎，是真傢伙，是仙鶴之腿，不得不長，是不長不行的長，是必須這樣長的長。萬里長城，你為什麼這樣長？是背後壯闊的江山社稷要它這樣長。

長篇小說的密度，是指密集的事件，密集的人物，密集的思想。思想之潮洶湧澎湃，裹挾著事件、人物，排山倒海而來，讓人目不暇接，不是那種用幾句話就能說清的小說。

密集的事件當然不是事件的簡單羅列，當然不是流水帳。海明威（Ernest Hemingway, 1899–1961）的「冰山理論」對這樣的長篇小說同樣適用。

密集的人物當然不是沙丁魚罐頭式的密集，而是依然要個個鮮活、人人不同。一部好的長篇小說，主要人物應該能夠進入文學人物的畫廊，即便是次要人物，也應該是有血有肉的活人，而不是為了解決作家的敘述困難而拉來湊數的道具。

密集的思想，是指多種思想的衝突和絞殺。如果一部小說只有所謂的善與高尚，或者只有簡單的、公式化的善惡對立，那這部小說的價值就值得懷疑。那些具有哲學思維的小說，大概都不是哲學家寫的。好的長篇應該是「眾聲喧嘩」，應該是多義多解，很多情況下應該與作家的主觀意圖背道而馳。在善與惡之間，美與醜之間，愛與恨之間，應該有一個模糊地帶，而這裡也許正是小說家施展才華的廣闊天地。

也可以說，具有密度的長篇小說，應該是可以被一代代人誤讀的小說。這裡的誤讀當然是針對著作家的主觀意圖而言。文學的魅力，就在於它能被誤讀。一部作家的主觀意圖和讀者的讀後感覺吻合了的小說，可能是一本暢銷書，但不會是一部「偉大的小說」。

長篇小說的難度，是指藝術上的原創性，原創的總是陌生的，總是要求讀者動點腦子的，總是要比閱讀那些輕軟滑溜的小說來得痛苦和艱難。難也

是指結構上的難，語言上的難，思想上的難。

長篇小說的結構，當然可以平鋪直敘，這是那些批判現實主義的經典作家的習慣寫法。這也是一種頗為省事的寫法。結構從來就不是單純的形式，它有時候就是內容。長篇小說的結構是長篇小說藝術的重要組成部分，是作家豐沛想像力的表現。好的結構，能夠凸現故事的意義，也能夠改變故事的單一意義。好的結構，可以超越故事，也可以解構故事。前幾年我還說過，「結構就是政治」。如果要理解「結構就是政治」，請看我的《酒國》和《天堂蒜薹之歌》。我們之所以在那些長篇經典作家之後，還可以寫作長篇，從某種意義上說，就在於我們還可以在長篇的結構方面展示才華。

長篇小說的語言之難，當然是指具有鮮明個性的、陌生化的語言。但這陌生化的語言，應該是一種基本馴化的語言，不是故意地用方言土語製造閱讀困難。方言土語自然是我們語言的富礦，但如果只局限在小說的對話部分使用方言土語，並希望藉此實現人物語言的個性化，則是一個誤區。把方言土語融入敘述語言，才是對語言的真正貢獻。

長篇小說的長度、密度和難度，造成了它的莊嚴氣象。它排斥投機取巧，它笨拙，大度，泥沙俱下，沒有肉麻和精明，不需獻媚和撒嬌。

在當今這個時代，讀者多追流俗，不願動腦子。這當然沒有什麼不對。真正的長篇小說，知音難覓，但知音難覓是正常的。偉大的長篇小說，沒有必要像寵物一樣遍地打滾，也沒有必要像鬣狗一樣結群吠叫。它應該是鯨魚，在深海裡，孤獨地遨遊著，響亮而沉重地呼吸著，波浪翻滾地交配著，血水浩蕩地生產著，與成群結隊的鯊魚，保持著足夠的距離。

長篇小說不能為了迎合這個煽情的時代而犧牲自己應有的尊嚴。長篇小說不能為了適應某些讀者而縮短自己的長度、減小自己的密度、降低自己的難度。我就是要這麼長，就是要這麼密，就是要這麼難，願意看就看，不願意看就不看。哪怕只剩下一個讀者，我也要這樣寫。

莫言

2012 年
張承志的《心靈史》再版

2014 年
阿來的《瞻對》在魯迅文學獎評選中得到零票

多元文化？少數民族？

中華人民共和國的少數民族問題，根本上是一個代表性問題（an issue of representation）。即便是「少數民族」分類，也不能視為理所當然：一個人的民族身分，是透過與其所屬共同體對話之後的自我確認而單方面決定？還是由其所在的共同體所決定？抑或由他／她所處的民族治理機構以自上而下的方式決定？每一種不同的選擇，都有著特定的意涵，足以影響一個人對自我的觀念，對其文化傳統及其附加政治權利的理解。中國共產黨之所以能獲得政權，依靠的是能更廣泛地代表「人民」的承諾。然而，在實踐上也導致一系列的政策性規定，從致力讓少數民族與主流文化全面同化，到推廣少數民族語言和文化，允許其成為主流文化習俗的合法替代，不一而足。在中華人民共和國歷史上，文學一直是承載各種不同意見的載體，因而經常成為探索目前少數民族政治可能選項的管道之一，抑或對某些「統一口徑」的官方政治表達讚美或譴責的傳聲筒。以下討論的是此類文學反映的兩個例子：一為回族穆斯林作家張承志（1948-）的重要小說《心靈史》於2012年的再版，此書原出版於1991年；一為嘉絨藏族作家阿來（1959-）2014年非虛構獲獎作品《瞻對》。這兩個文本對國家霸權下少數民族敘述作出回應，也反映了目前多元文化主義結構中，少數民族自我「表述」的政治困境。

　　自從1949年人民共和國成立，中共政權曾經幾次試圖對中國民族多樣性的程度進行登記造冊。他們在中國西部民族混居程度較高的省分，如四川、雲南進行大量田野調查和人口普查，結果顯示中國人口多樣性的程度大大超出預期。接受這樣的結果在政治上未必是明智之舉。此前中國傾向於採用蘇聯模式確立民族身分（natsia），即以某一人口群體距離實現資本主義生產方式之遠近作為評估標準。意識到這一方法的不足後，他們另闢蹊徑，將中國少數民族人口進行系統化，最終創建了由官方認定的（有時候是虛構的）五十六個民族。其中五十五個是少數民族，並在憲法中保障其在全國人民代表大會以及相關的省、地區政府中的代表權，有的少數民族還獲授權組建自治區，允許推行當地語言和風俗習慣。今日中國儘管少數民族整體只占全中國人口不到10%，遠遠不如唯一的非少數民族漢族，但其總數卻也相當可觀，約有1.23億。

　　然而，這一看似賦予全部人口代表權的嘗試，並非沒有爭議。為了整頓多樣性的混亂現實，中共決定設立人數門檻，並將法定少數民族外的「少數」納入與其民族相關、風俗類似，而規模較大的群體。此一做法引起部分群體的抗議，如摩梭人被當成納西族的一支。摩梭人對這一分類——或同化——制度無視實際情況頗有微詞。即使在一些規模更大、更具凝聚力的民族，如回族（說中文的漢族穆斯林）和藏族，這一在不同群體中尋找統一性的做法，也讓很多少數民族個體難以認同。

　　後毛澤東時代少數民族論述有了較多發聲機會，這激發了像張承志等作家尋找自身傳統的嘗試。張承志1948年出生於北京，成長於文化大革命期間。他和同學創造了「紅衛兵」的稱號，為以革命之名進行的學生大串聯活動。1976年毛澤東逝世，張承志失去意識形態偶像，經歷了一段失落與追尋。之後，他成為一九八〇年代「尋根運動」的肇始人之一。但張承志要尋的不是漢人而是回族之根。他的追尋讓他上溯至伊斯蘭哲合忍耶教派，一個1760年在中國建立的伊斯蘭蘇菲派門宦（order）。哲合忍耶雖然得到官方承認，實際上卻被邊緣化。一九八〇年代末，張承志尋找自己起源和文化傳統的渴望愈發強烈，他嘗試著表述哲合忍耶這一少數群體成員的心路歷程，《心靈史》因而誕生。

　　作為對漢族本質中心回應的「尋根運動」，《心靈史》敘述了中國大西北伊斯蘭哲合忍耶教派將近兩百年間的發展，以及漢人對這一群體的壓迫。儘管小說立場容易引起論爭，甫一出版就熱評如潮。對它的接受，可理解為兩種相反的社會趨勢的結果。一方面，它滿足了漢族讀者的需求，他們好奇一種另類文化傳統的作品。《心靈史》以其迷人的筆調和虔誠敘述令人癡迷。另一方面，它也成為在毛主義淡出後的精神真空中，回族，尤其是哲合忍耶教派成員，重新尋找寄託的指南。無論何種原因，小說的成功不可否認：它是1994年全中國第二暢銷的小說。

　　儘管小說大獲成功，許多對其意圖的扭曲讓張承志飽受困擾，最終決定修訂和再版小說。他的憂慮來自多方面，從漢族讀者對異域情調的消費，到回族穆斯林對小說真諦的曲解。他決心正本清源，花費將近二十年研究小說背後的真實的歷史，又花了三、四年時間修訂手稿，直到2010年才完成。然而，他在為修訂版尋找出版商時處處碰壁，因為這一故事在政治上已經變得太敏感。

　　張承志覺得自己的信念在中國難以被完全認同，於是另求共鳴於他方。他改訂、印製《心靈史》紀念版，私人發行，並將所得捐贈給心目中遙遠的同胞：巴勒斯坦的難民。張承志的論戰政治使他聲名日隆，並成為中國回族的代言人，但他的非正統立場既展現了他與「模範少數民族回族」這一形象的距離，也揭示了一個少數民族個體為同化於中國文化而必須做出的個人犧牲。自年輕時代起，張承志就一直對巴勒斯坦人有著強烈的親近感（文化大革命時代的高音喇叭每天都反覆播放對巴勒斯坦和所有帝國主義侵略受害者的支持），覺得自己作為一個在中國遭受歧視和忽略的階層，其遭遇與巴勒斯坦人可謂同病相憐。他從中國穆斯林群體中籌集超過10萬美元的善款，親自送到位於約旦傑拉什（Jerash）和伊爾比德（Irbid）的巴勒斯坦難民營。除了慈善目的，他認為自己有道德上的義務去幫助那些「西亞阿拉伯世界」的同胞。這一地方雖然遠離中國，但最終令他找到某種與根相似的、一種真正的歸屬感。

　　張承志發現自己在中國境外能找到更好的共鳴，而嘉絨藏族作家阿來則

在中國的歷史檔案中發現了自己的根。阿來1959年出生於中國西南四川的馬爾康市，父親是回族穆斯林，母親則是嘉絨藏族。阿來的第一語言是嘉絨方言situ，因此他花了許多工夫才能掌握漢語。文化大革命結束後，阿來開始寫詩，並成為小有名氣的作家。一九八〇年代後期，如同張承志一般，阿來渴望找到一種與自己相關的文化傳統，因而走上尋根之旅。他耗費將近十年完成小說《塵埃落定》，小說講述嘉絨地區一個土司家族在中華人民共和國成立前的興衰史。小說獲得2000年茅盾文學獎，一夕之間阿來馳名全國，成為中國最令人稱羨的藏族子民。

　　獲獎後的阿來，經常被要求作為中國境內藏族中國人共同體的代表，他一再地公開拒絕這樣的責任。在阿來的訪談中，任何對這一沉重負擔的輕微暗示，都能讓他侃侃而談，如「藏族人」看似統一，實則內部包含多樣群體，或自己專業知識有限，對藏族的了解也僅限於皮毛等等。他曾公開陳述對中國西藏自治區首府拉薩的生活和習慣一無所知，對擁有重要歷史地位的藏區文化中心安多也了解不多。即便自己的家鄉康巴，他也表示蘊含著個人經驗所無法了解的多樣性，因此拒絕任何讓他成為「康巴」代言人的要求。他的消極姿態揭示了現代中國地理疆界和族群身分的人為本質，促使我們重新審視近幾十年民族多元文化主義的得失。

　　2014年，阿來自己的「心靈史」，《瞻對》出版。一部確立其家鄉人民歷史根源及與漢人關係的作品。他所寫的並不是如獲獎作品《塵埃落定》似的小說，而是非虛構文體，這一體裁使他得以深入文獻檔案，整合歷史和個人經驗。「瞻對」是清政府對今四川西部一個以藏族人口為主地區的行政稱呼，也是藏語「鐵疙瘩」的意思。評論家讚揚《瞻對》證明了非虛構文學在中國也能寫得引人入勝，受到讀者的喜愛。此作入圍該年度的魯迅文學獎報告文學類名單。作為四川省作家協會的主席及茅盾文學獎的得主，阿來的作品不負眾望地進入最後一輪。然而，最後統計選票時《瞻對》竟然一票未得，這一結果也引發了不小的爭議。

　　儘管隨後阿來的回應和評獎委員會的言論聚焦於體裁問題，特別是非虛構作品和報導文學的區別，雙方對作品內容的緘默同樣也值得探討。阿來針對體裁之爭背後更大的政治考慮提出質疑：若他的作品一開始就不具備八股

式「報導文學」的規範，為何還進入決選？近年文藝檢查日趨嚴格，在張承志的《心靈史》再版遭拒不到兩年下，我們不能不猜想阿來的《瞻對》是否也有類似命運。也許當局認為作品背後的歷史色彩太具爭議性，如果獲獎，可能牽動56個民族間的「和諧」關係。更何況《瞻對》介於虛構和歷史之間，難免引起文學與歷史合法性之爭。最終，《瞻對》的命運淪於眾說紛紜，但阿來和評獎委員會之間縈繞不去的緊張關係，已經暗示了那些未曾言明的話語。

　　我們仍然可以說張承志和阿來分別「代表」各自所屬的中國少數民族，但並不是因為他們接近某種理想類型。他們二人都浸潤於中國文化和歷史敘事，但這些敘事不是收編他們，就是將其異國情調化，因而他們不得不在中國內外另尋自己的根。張承志是愛國主義者，但在多個場合他分殊自己與中國漢族的立場，轉而強調跨國文化宗教傳統。而阿來則選擇直面嘉絨地區的中國傳統，並試圖從同質化的國家神話中發掘本地歷史。儘管他們採取迥異的途徑來協商個人的民族身分，但他們共有的焦慮，彰顯了現代中國多元文化的困境，即其結構遠不足以充分反映和表述其多樣化的人口構成。從這一點看，我們可以將張承志和阿來理解為不僅代表了自身的民族，也表達了中國境內所有的少數民族成員的共同願望，即希望能在一個多元的層面上進一步辯證少數與多元，地方與國家，自為與承認。

參考文獻：

阿來《瞻對》（成都，四川文藝出版社，2014年）。

張承志《黑駿馬》（北京，中國文學出版社，1990年）。

張承志《心靈史》（廣州，花城出版社，1991年）。

Alai, *Red Poppies* (Boston, Mariner Books, 2002).

Thomas Mullaney, *Coming to Terms with the Nation: Ethnic Classification in Modern China* (Berkeley, CA, University of California Press, 2011).

佘仁強（Kyle Shernuk）撰，唐海東 譯

2013 年 1 月 5 日

香港詩人梁秉鈞（也斯）去世

也斯與抒情

　　2013年1月5日星期六，在與肺癌搏鬥了三年多後，作家梁秉鈞（筆名也斯，1949-2013）辭世。這位卓越的作家離世得太早了，他對戰後華語文學的貢獻尚未充分得到肯定。

　　從一九六〇年代到二〇一〇年代初，梁秉鈞在跨越數個年代的寫作生涯中，出版了詩歌，散文，長、短篇小說和專欄等各類文集，以及有關文學、電影和文化的評論集。他極為多才多藝，嘗試不同寫作風格的實驗，同時遊走於藝術創造和學術研究之間。他還與許多攝影家、視覺藝術家、音樂家、編舞家、譯者和學者合作各種跨媒介項目。梁秉鈞的作品充分證明知識分子的工作毋須脫離社會，恰恰相反，和社會有著緊密的關聯。梁秉鈞並不是以純理論表述這種聯繫，而是一次次地展示兩個領域間極大的合作可能性。

　　梁秉鈞的寫作中反覆出現的是他對文學與藝術範式（mode）所投注的心力，他稱之為「抒情」——這一點至今只有少數讀者有所討論。雖然「抒情」常被翻譯成「lyrical」或「lyricism」，但梁秉鈞所要傳達的顯然超過這些譯名。為表達對他志業的敬意，我想以他所鍾愛的範式，提出關於其內涵與意蘊的一些觀察。

　　梁秉鈞以一種獨特的方法描述周遭世界的日常生活。不論主題是一場展覽、一次表演、一種景觀、一次與人群的相遇，還是廚具日用品、物質元素，或者一頓飯，梁秉鈞不僅描述，而且試圖發現每一個他偶遇的實體和現象的獨異性（singularities）。他對事物的追求，就像〈關於詠物詩的筆記〉

一文所說，可溯及中國詩歌類型中的「詠物詩」。這一對物質世界的好奇心與一位博學的閱讀者的想像力結合。雖然「詠物」有著古典的傳承，但梁秉鈞也研究現代詩人，從里爾克（Rainer Maria Rilke, 1879-1926）、龐德（Ezra Pound, 1885-1972）、艾略特（T. S. Eliot, 1888-1965）到奧登（W. H. Auden, 1907-1973）和聶魯達（Pablo Neruda, 1904-1973）；現代小說家如吳爾芙（Virginia Woolf, 1882-1941）、沈從文（1902-1988）、廢名（1901-1967）和汪曾祺（1920-1997）；以及當代的文學批評家如普實克（Jaroslav Průšek, 1906-1980）、弗里曼（Ralph Freeman, 1920-2016）和德曼（Paul de Man, 1919-1983）。所有針對梁秉鈞作品的討論，也都會提及電影對他產生的重大影響。作為一名狂熱的電影迷，梁秉鈞熟悉二十世紀各式各樣的民族電影，而在詩歌和敘事作品中他對電影拍攝的手法「擷取」和「蒙太奇」的運用是如此令人驚豔，從而創造出新穎的空間連結和壓縮的效果。

因此，梁秉鈞的寫作首先值得注意的特徵，是一種對形式美感的強烈感知。若說詩歌擅長於在時間中沉思（語言作為中介），而電影的視覺化技術，如縮放、特寫、長鏡頭等，則使空間實驗成為可能。當梁秉鈞用一種令人驚喜的方式來刻畫一片樹葉、一隻苦瓜的模樣、海草的顏色，或者石榴的香氣，他的筆正是一副鏡頭，一種儀器，用以揭示德國猶太裔批評家班雅明（Walter Benjamin, 1892-1940）在論攝影與電影時，稱之為視覺無意識的無止盡序列。除了純粹的形式創新以外，梁秉鈞也堅持情感的重要意義，他在一張技術—感官詞彙表中描繪了這一點，此表由下列這些詞語構成：「象徵」、「氛圍」、「語調」、「聚合」、「省略」、「跳過」，以及「輕柔之觸」。梁秉鈞認為這些做法對於製造出非戲劇化、間接以及輕描淡寫的效果而言相當重要。總而言之，他尋求用抒情範疇表明的，一方面是詩歌和電影形式主義式的結合，另一方面是（自我）節制以及（自我）紀律的一種情感及其訓練的綜合。與一種更為流行的、浪漫意義上的自由表達相反，「抒情」對梁秉鈞而言是一種反身性的風格，一種內向的視野，而在此視野中，藉由謀篇布局，這一自我成為客體，並與這個世界相融。

梁秉鈞討論小說和電影時，多次提到這種抒情範式。然而這一抒情範式是如何落實在他自己的書寫中？而他的書寫與文學文化生產總居於邊緣的香

港，又有如此密切的連結。另一方面，因為多重決定的地緣政治（overdetermined geopolitical）因素形塑著香港——英國的殖民歷史、東方主義、商業營利主義、人口過多、資源稀少以及與中國大陸的緊張關係等等——梁秉鈞如何在他鍾愛的抒情與殘酷現實間取得平衡？對於某些作者而言，抒情意味著沉浸在主觀世界裡，與社會的其他部分隔離而且無法相互滲透，然而梁秉鈞對抒情的追求與此截然不同。

在一篇訪談中，當談到香港缺乏對作家的官方資助時，梁秉鈞提出這樣的假設：「如果有一天狀況有所改善，足夠允許這樣的職業作家存在，他可以只活在自己的圈子裡，享受各種條件，不必掛念各種實際的事務，在真空裡寫作以及為此而獲得讚許，沒必要面對任何困難——是不是在這樣的情況下寫作會變得更好？」他的回答是：「我表示懷疑。」這種能看見事情另一面的能力，去質疑一種針對壓抑處境的膚淺解決方案——這一處境曾影響他整個職業生涯——給予梁秉鈞的作品令人欽佩的強大適應力。即使當他批判香港在體制上對作家的漠不關心時，他也理解寫作並非僅僅獲得官方資助就能自動提升。他個人的寫作是最好的例子，它表現出寫作是多麼強而有力地創造出一個沒有空間和養分存在的空間。

因此，他詩歌中的「靜止」所散發的魅力，與其說來自於詩學自覺的孤芳自賞，不如說來自對物件最微不足道處，意想不到的色調與特點的投入。看似靜止不動的狀態其實是「走開」，讓他人的世界得以顯現的詩學自覺。這種「走開」帶來梁秉鈞稱之為「遊」的運動，一種不僅僅是物理意義上，而且是精神和心智意義上的旅行。雖然其他人可能將抒情主義（lyricism）與迅速推移的感受予以聯繫，梁秉鈞的抒情卻更與遊蕩徘徊相關：他的詩學意識不是對那些已消失現象的戀物，而是耐心地逗留而讓物體和場景有機會為自己說話。這就是為何在梁秉鈞的抒情體裡，詩人的聲音很少是獨語的。更常見的是，梁秉鈞創造了不同的想像聲音間的對話；不僅僅是木屐、家具、大樓、街道、塑像、碼頭、群鳥、樹木、鬼魂以及山鬼，甚至那些對香港的環境惡化須負重責的惹人厭的房地產開發商，在他的世界裡也有聲音和位置。

毫不意外地，我們在梁秉鈞的許多詩歌中都可以發現他很有意思地嵌入

了一個第二人稱「你」，並與之展開想像的對話。就著這一簡單的傾述，一首詩就成為一套詩人及其對象在當中展開關係的地方。重點是，梁的詩中總有一個在我們自身之外對待世界的另一種位置、觀點與角度。如同〈鳳凰木〉一詩所寫，「你不要我用既定的眼光看你」，以及「我不要你用既定的眼光看我」。和他人的關係即梁秉鈞抒情範式的核心，在這一意義上，其書名經常出現的連接詞「和」、「與」也就成為他的個人標誌——《島和大陸》、《雷聲與蟬鳴》、《書與城市》、《後殖民食物與愛情》、《顯與隱》、《蠅頭與鳥爪》僅是其中幾例。即使在未明確使用「和」或「與」之處，其涵義也經常隱含在梁秉鈞對邊緣性、流亡、離散和後殖民性等問題的關注中。他以讓這些題材同時在感覺及語言上都變得具體的方式來處理，從而將移動的人群和轉瞬即逝的現象安放於一套新穎的空間裝置中。不斷地讓出位置給他人，這在一開始乃是一種通過不尋常的視角而打造、增生空間的美學實驗，後來則成為一種民主風格（democratic ethos），而這種容納性可以梁秉鈞經常使用的另一個詞彙作為最佳總結，亦即他常常將之與抒情相連的「寬容」。

梁秉鈞與香港的關係最終應藉由其美學和民主風格的相互關係來理解。這座城市的封存，不僅透過攝影圖像的形式，還經由它的不斷被拆除又重建，它的流動和難以分辨的階級差別，它的無情改變與其無處不在的商品，以及集所有不可愛於一身，卻悖論般地激發出一種我們只能稱之為愛的持久溫柔和依戀感。對城市與抒情辯證關係的把握，使梁秉鈞的作品與同輩和其他漢語作家形成明顯區隔，因對其他作家而言，抒情風格通常仍是一種表達至高無上期盼的載體，它服務於民族、人民、革命和與此相應的英雄主題。中國大陸的知識分子像其他地方一樣，日益遭遇全球化與城市化所帶來的實質後果。他們或許會在某一時刻，對梁秉鈞那徹底的內在視域具有的先見之明有所體認。

在梁秉鈞筆下，各類感官、事物以及關係被帶入一齣戲劇或一場遊戲中形成匯集——既是在藝術典藏的意義上，也在於形構共同體的意義上。如何匯集所有可能的感受、事物、人群及其故事，並將之傳遞給未來的世世代代？梁秉鈞作品裡有許多令人難忘的意象，其中一個相當鮮明地象徵了這一

具有挑戰性的傳遞或傳承。那是梁秉鈞在香港某條街道上發現的一棵外形十分古怪的大榕樹，他將這棵樹的意象與他最喜愛的那些主題加以交織，包括歷史的根源、機遇、變形、混雜和偶然的群聚。想像跨世代的說故事人和聽眾群聚於此，梁秉鈞非常溫柔地向他的讀者訴說，引導他們至他最深切的關懷：該如何書寫？用他自己的話來說：

> 也許我們的現實本身是荒謬而不貫徹的呢！我抬頭看見：我們找到的也是一棵古怪的大榕樹呢，不僅因為它根莖繁密，而是因為它的枝幹間夾纏著磚牆，還依稀有門框的形跡，彷彿可以開門住進樹裡面去。原來那本來是長在屋旁的榕樹，日本人來的時候，屋裡人跑光了，樹毫無阻攔地恣意生長，把屋子都壓扁了，樹把屋子吞到肚裡，長成這樹不像樹，屋不像屋的東西。坐在這樹下聽故事，過去習慣聽故事的氣氛和關係不同了。若說故事是虛構的，聽故事的人會發覺，本身所處的背景也不穩定，所見的符號也不貫徹，訊息大概也不同了。
>
> 我們站在這樣一棵大樹下，怎樣開始說我們的故事呢？……
>
> 在這樣的情況下，一向被認為是中國現代小說主流的寫實主義，不免顯得局促，難以說盡心志與世界之間的種種複雜關聯，唯有依賴其他各種方法補充。我自己對中外抒情小說的嘗試十分嚮往……

參考文獻：

陳惠英〈抒情小說與實驗（節選）〉，收錄於陳素怡編《也斯作品評論集》（香港，香港文學評論出版社有限公司，2011年），頁149-156。

葉輝〈「與」的中間詩學〉，《文學評論》2011年第6期，頁13-18。

鄭政恆〈也斯，在人間寫作〉，《明報》2013年1月11日。

Rey Chow, "Things, Common / Places, Passages of the Port City," in *Ethics after Idealism* (Bloomington, IN, Indiana University Press, 1998), pp. 168–188.

Douglas Kerr, "Leung Ping-Kwan's *Amblings*," *Cha: An Asian Literary Journal* 15 (November 2012).

Leung Ping-kwan, *Amblings*, trans., Kit Kelen et al. (Macao, Association of Stories in Macao, 2010).

Leung Ping-kwan, *City at the End of Time*, ed., and intro. Esther M. K. Cheung, trans., Gordon T. Osing and Leung Ping-kwan (Hong Kong, Hong Kong University Press, 2012).

Leung Ping-kwan, *Fly Heads and Bird Claws*, trans., Brian Holton and John Minford, eds., Christopher Mattison (Hong Kong, mccm, 2013).

Leung Ping-kwan, *Islands and Continents*, eds., John Minford with Brian Holton and Agnes Hung-chong Chan (Hong Kong, Hong Kong University Press, 2007).

Leung Ping-kwan, *Travelling with a Bitter Melon*, ed., Martha P. Y. Cheung (Hong Kong, Asia 2000 Limited, 2002).

周蕾 撰，張屏瑾 譯

2013 年 5 月 12 日晚 7:30
來自中國四個少數民族的詩人們聚集於成都，朗誦其以「母語」創作的詩歌

少數民族「母語」詩歌

　　2013年5月12日晚間七點半，一個特別的詩歌活動在四川省省會成都舉行：來自中國四個少數民族的詩人聚集在一個市中心高級商場，朗誦以各自「母語」創作的詩歌。活動在時髦的西西弗書店舉辦，符合那些一心上進、面向未來，且具有全球化和環保意識的都市年輕人品味。面向大螢幕，椅子排排擺放在滿是國內外文學作品的書架間，架上擺放了各式從投資證券管理到愛情生活建議的書籍，應有盡有。大螢幕上顯示著當天活動的主題，一份裝幀考究的新雜誌，封面由粗體印刷字母拼寫的MIND名稱，雜誌內容以當代文學與藝術為主，創辦者是一群二十多歲的年輕女性，她們皆具有國外背景，畢業於里茲、諾丁漢和巴黎等地的大學。編輯者期待藉著這份雜誌豐富當代文化生活，目標之一即是提高對少數民族作家和藝術家作品的關注。當晚主題是「詞句與孤島」，「詞句」是指詩人用本民族語言書寫和朗誦的詩歌，「孤島」即少數民族詩人用彼此難以相互理解的語言發出各自的聲音。藉由口頭表演並列這些文本，舉辦人期待透過詩歌，彌補觀眾與詩人間的語言和文化隔閡。

　　當代中國的民族構成與二十世紀初採用西方共和制的中華民國的建立，特別是1949年中華人民共和國建國後所推行的民族政策密切相關。一九五〇年代初，政府對少數民族的認定已經制度化，這一政策借鑒了早期蘇聯的民族政策。如今中國有55個官方認定的少數民族，約占總人口的百分之九。中國絕大部分人口為漢族，在外國人眼中漢族就等同於中國人，其起源可追溯

至漢代（公元前206-公元220）。大多數被歸類為少數民族者，活動於中國北部、西部和西南部等邊境地區。壯族、彝族、藏族、苗族、蒙古族、回族（穆斯林）和滿族人數皆達數百萬，是規模較大的少數民族；其他如赫哲族、鄂溫克族、撒拉族、羌族和仫佬族則屬於人口數較少的民族。與漢族相仿，這些民族都具有豐富的民歌和口頭敘事傳統，儘管其中許多傳統已漸漸衰落。維吾爾族、藏族、蒙古族等幾個族群是以中東和印度語系為基礎的書寫傳統。真正屬於本土文字系統的，包括漢字書面語（中國的主要文字系統），古彝文（湖南農村小範圍地區使用的女書文字），以及納西族和水族等中國西南少數民族由祭祀者和占卜者使用、發展程度較低的文字系統。一九五〇年代以來，少數民族語言大多已發展出羅馬拼音書寫系統，儘管努力推廣，但由於經濟和文化壓力，一些少數民族已開始使用普通話作為日常交流語言。事實上，如今大部分民族作家都以標準漢語創作，以使讀者遍及全國，其中少數如西藏小說家阿來（1959-）甚至走入國際。成都市已成為主要的民族寫作中心，這座充滿活力的經濟和文化重鎮，吸引了大量來自相鄰的西南高原地區少數民族群體。

　　自一九八〇年代中國實施改革開放以來，成都成為「非非詩歌運動」的陣地，這是一場由年輕先鋒詩人們掀起的浪潮，他們有志於振興文革（1966-1976）浩劫後的中國文壇。如今，這座城市仍然是當代中國詩歌的地方重鎮。「非非詩歌運動」成員幾乎全為漢族詩人，吉木狼格（1963-）是例外，他的詩歌雖然大多與主流社會生活相關，但仍有一些作品觸及他所屬的彝族文化。彝族約有八百萬人口，多居住在四川南部和雲南的高緯度山區，至今維持以畜牧和農耕為主的傳統生活方式。在充滿活力的一九八〇年代，吉木狼格是彝族獲得國家認可的第一代詩人之一。另一個被喚醒的彝族聲音來自吉狄馬加（1961-），他的抒情漢語詩飽含傳統服裝、舞蹈和音樂的意象，傳達獨特的彝族身分感。他的作品為西南諸多彝族及其他民族的詩人，提供了創造性的策略和啟發。身為中國西部青海省的高官，吉狄馬加近幾年利用職務之便，在青海湖壯美的湖岸舉辦大量多民族詩歌朗誦會，吸引了國內外各地的參與者。其他採用漢語寫作的中國少數民族詩人，包括苗族詩人何小竹（1963-，與「非非詩歌運動」有關）、白族詩人兼畫家栗原小

获（1964-）、彝族女詩人巴莫曲布嫫（1964-）和魯娟（1982-），他們都來自四川。居住於雲南省中緬邊界附近的佤族詩人，則有布饒依露（1981-，其散文和詩歌經常涉及女性問題）和男詩人聶勒（1968-）。這些少數民族詩人的創作主題涵蓋現代主義的自我探尋、對民族身分的謳歌，以及文化喪失、文化互滲和環境問題等。

然而，5月12日的詩歌活動，民族詩人所要朗誦的不是漢語詩歌，而是「母語」詩歌。

首位朗誦者是來自雲南的回族民謠音樂人施穎；隨後在舞台背景音樂下，來自甘肅的藏族詩人旺秀才丹（1967-）朗誦了藏語詩歌〈一隻從世俗走向真理的虎〉，觀眾可以同時觀看節目手冊中的漢語翻譯。這首詩以瀕危生物的隱喻開始，這個意象在中國西南地區的詩歌中並不少見：「一隻虎，從一首詩歌的詞句中，走到這裡／她穿著華麗的皮毛，邁著自信的步子／伸展著嗜血的舌頭，甩動著致命的尾巴。」曾經貴為森林之王的野獸淪為人類動物園觀賞的玩物，受控於人類一時的興致。隨著詩歌的展開，敘事者與一隻雌虎游移而夢幻的形象融合，直到完全融入虎之命運的想像中。

接下來的節目輪到蒙古族詩人哈森（1971-），她同時以蒙文和標準漢語創作。但由於她無法到場，由一位來自內蒙古東部的年輕蒙古女士代她朗讀，她的蒙語和達斡爾語（另一種東北地區少數民族的語言）都十分流利。朗讀者用蒙語朗讀哈森的詩歌，聲音清脆明朗，聽眾從她的語言魅力感受、體驗了詩歌的生動，儘管沒能理解詩歌的意義。純粹而高亢的聲音吸引著觀眾，這就是詩歌獨有的現象，他們能透過翻譯掌握這些字詞的意思。

在寧靜輕快的抒情詩之後，緊接著是彝族詩人拉瑪伊佐（1987-）如雷擊般的表演，他是首位使用現代彝語創作的詩人阿庫烏霧（1964-）的弟子。拉瑪伊佐的〈昨夜有人死於酗酒〉的詩歌，是以一種主要彝語方言──尖嘯的「諾蘇」──所朗誦，伴隨著撕扯靈魂般的歇斯底里，詩人高喊一系列在城市居民身上看見的「死亡」。首句「昨夜有人死於酗酒，在這個城市／就在這個城市」，詩歌藉由弱勢的少數民族流動工人在城市的處境，指出社會弊病。這段表演僅提供英文翻譯。

最後一位表演詩人是阿庫烏霧，他是術語「母語文學」的創造者，同時

帶給更年輕的母語寫作者許多激勵和啟發。阿庫烏霧（漢名羅慶春）是成都西南民族大學彝學學院教授兼院長。他七歲開始學習標準漢語，同時也說彝族的「諾蘇」方言。他呼籲民族復興，代表作〈招魂〉寫於一九八〇年代中，是第一首以現代彝文創作的重要詩歌。當他站在舞台中央時，他屏氣凝神以便詩篇迸發而出，這首詩召喚的是古代英雄的靈魂，他擊落了炙烤著地球的多餘太陽，並馴服了閃電。詩作含蓄地呼籲掙扎於身分認同和文化互滲問題中的彝族人民，在精神上的覺醒。此詩部分地借鑒了彝族巫師招回患病孩童遊蕩魂魄的聖歌，這是阿庫將自己青年時期和研究所習得的知識，與其詩學視域中狂喜的幻想相結合的一個範例。儘管整個朗誦會存在著語言隔閡（舉辦方提供的英文縮印本緩解這種情況），整個場域仍然生氣勃勃。多個民族群眾受到鼓舞加入，齊聲朗誦：「噢，回來吧！噢，回來！」這種能量的生發是阿庫「母語」寫作哲學的自然呈現，如他所言：「我的母語和我的生活是一樣的，兩者不可分割。沒有它，我便如同一具行屍走肉。」為了促進少數民族語言的使用和「母語」詩歌創作，阿庫經常在農村學校和社區活動中朗誦。他的一些彝語詩歌，包括一首回憶母親的詩歌，曾在農村彝族兒童教科書中多次出現。

　　阿庫的表演結束後，空間靜了下來。身材嬌小的主持人傾身向觀眾徵求詩歌。片刻猶豫之後，一位《MIND》的編輯提供了哈代（Thomas Hardy, 1840-1928）的一首詩，她在英格蘭時曾深受其鼓舞。經過暖場，另一位觀眾背誦了一首紀念四川大地震週年的動人詩歌，2008年的那場地震奪走了四川北部近八成羌族人的性命。詩人使用羌族語言和漢語朗誦詩歌，空間頓時陷入一片寂靜，許久氣氛才恢復。一位年輕的觀眾朗誦手機裡一首西藏的詩，以免自己民族的風頭被彝族詩人全部搶走。最後，幾位詩人受邀解釋各自的作品，並回答觀眾的提問。

　　活動最後是交換書籍、地址以及相互簽名。現場座椅和設備整理完畢，詩人和《MIND》的編輯們撤到附近小飯館，一邊喝啤酒、吃辣麵，一邊談論晚上的活動，並計畫接下來的多場朗誦會，他們計畫邀請更多的少數民族詩人和更多種類的母語朗誦。

　　2013年5月12日朗誦會的特殊，在於強調以母語作為創作和表現詩歌的

媒介。大都市的讀者多元且世故，這使得少數民族詩人和作家可能由此獲得一種新的能動性。少數民族詩人愈趨頻繁地出現在地方性和全國性的詩歌朗誦會中，而由當地詩人舉辦的地方朗誦會則更為常見。由於少數民族詩人與許多漢族同輩詩人積極來往，並利用書店和文化活動展示作品的商業價值，少數民族文化在傳統語言和獨特文化屬性正面臨全面衰落之際，在農村和城市語境中開展出新的視野。隨著更多以漢語和少數民族語言創作的民族作品出現，越來越多少數民族作品被翻譯成其他語言。另一方面，城市讀者與漢語土壤之外令其感到陌生的文化、語言、觀念和習俗相遇後，文學品味也受其陶冶，這有益於形成對少數民族和主流民族文學的新認識，並促進二者之間的文化交流。

馬克・本德爾（Mark Bender）撰，張屏瑾 譯

2015 年 7 月 12 日 – 22 日
吳明益騎著單車到你家鄉的書店

2019 年 8 月 5 日 – 9 日
張貴興首次在家鄉婆羅洲介紹自己的小說

動物與「動」物，物事與物「勢」

　　2015年7月12日，為配合新作《單車失竊記》發表，台灣小說家吳明益（1971–）騎著自己修復「救」回的年邁幸福牌腳踏車從台北出發南下，前往桃園、竹東、苗栗南庄、台中、南投、嘉義、台南、美濃和高雄的十家獨立書店，進行主題各異的講座，為時十日。內容含括台灣單車史、二戰史、舊物美學、物的文化和象徵以及戰場上的腳踏車和動物等，幾乎面面俱到地概括了小說的所有主題。2019年8月8日，已入籍台灣的華人小說家張貴興（1956–）返回家鄉婆羅洲，於古晉接受電台訪問，介紹自己醞釀了十七年的新作《野豬渡河》。

　　吳明益是當代台灣生態書寫的先鋒，也是環保活動家。自2000年以降，吳的小說和非虛構寫作，或涉及海洋垃圾或著眼蝴蝶生態，皆不離人和環境的關係。2015年的《單車失竊記》沿襲前作生態關懷之餘，復以單車失竊為線索，串聯對二戰、家族和物件歷史的討論。張貴興生於東馬婆羅洲砂拉越，二十歲赴台求學，為台灣馬華文學雨林敘事的代表。《野豬渡河》一書同樣回顧「南進」中日軍和華民、野豬和鐵馬、武士刀和帕朗刀，萬物相爭的物「史」。並讀二書，作家們的生態視野和人文關懷，游移於台灣、緬北、馬來半島和婆羅洲間，在人、獸、植、靈、器等各類物色中兀自彰顯。

　　「後人類」和「新唯物主義」近來在全球學界和文壇蔚為風尚。無論是台灣生態書寫先鋒的吳明益，還是馬華文學雨林敘事代表的張貴興，他們對後人類風潮下的科技救亡和環境保護呼聲，並不陌生。然而，後人類不是非人、惡人或超人。在華語語系文學的脈絡下，兩位作家的戰爭敘事和「南向」關懷，不僅僅重覆戰殤國史、離散殖民、華夷之辨或資源掠奪等熟悉的主題。吳的「南下」，引發我們思考如何通過小說「即物」的觀點，重審二戰中日軍「南進」的歷史？此歷史又如何重塑「南洋」世界？吳由「物」即「事」的論述又怎樣擴展（後）人類複眼觀世界的可能？張貴興極盡暴力書寫之能事，又如何挑戰了讀者對於（和諧）自然的臆想和成見？《文心雕龍·物色》已有「四時之動物深矣」之說，當四時失序，生態破壞的「人類世」降臨時，我們能否運用從新唯物主義中興起的「動」物觀（vibrant matter），去重審「南進」戰史中的人情和物意？我認為，吳明益和張貴興對於「後人類」書寫的意義和「物論」的貢獻，正在於他們的小說從「動物」到「動」物，「物事」到物「勢」的推展和演進。

　　兩本小說皆牽引出多種動／物紛擾雜陳的關係，卻各有側重。《單車失竊記》中的三個動物主角都有名有姓。首先，一隻來自婆羅洲的小猩猩「一郎君」，從台灣總督府國語附小的鐵籠，被折井老師順著敕使大道，一路牽至新家圓山動物園；其次，在動物慰靈祭中擔任主祭的明星大象「馬小姐」，戰爭中竟面臨被「處置」、分食的危險，三位動物園員工（滕沼、浜崎、谷）搭上性命，將馬小姐藏於河底的一個祕密空間，未料空襲中洞窟坍塌，滕沼身亡，但馬小姐得救；最後，一頭原受訓於克倫族馴象人比奈和半原住民義勇軍巴蘇亞的緬甸青年公象，於日軍潰敗後落入中國後勤部隊，成為小說另一主角穆班長口中的「阿妹」。穆班長原本應驅象回國，但阿妹最終來到台灣，成為台北圓山動物園中的林旺。從戰場到城市，雨林到動物園，人和動物間的關係再也不能籠統化約為捕獲俘虜、關押虐待。小說通過「一郎君」、「馬小姐」和「林旺」告訴我們，承受戰亂創傷的豈只是人類？也說明對於生命個體的尊重不能泛泛空談，終究應落實到此物、此人、此事。

　　《野豬渡河》中人豬殊途，世代恩怨更不局限於戰事，二戰前後，各有

風波。1911年前人類在豬芭村開荒落戶，「植」民豬地，原生豬民就以游擊戰形式反擊。1911年後豬王率隊開始有計畫地頻繁驅逐人類，啃食人肉，結下梁子。1920年2月19日己未除夕前夜，千豬渡河攻村，詩史級大戰中豬方大敗，豬王逃匿雨林。1945年11月豬群「戰後」算帳，捲土重來。人豬世代恩怨，眼看不共戴天，小說尾聲卻反諷一筆，最後三百頭野豬大亂村莊是因為禍起蕭牆。村民口角，誰知家豬野性未泯，趁機奪圈而出。馴化？豢養？都是笑談。吳和張的動物敘事早已超越了單純動物保護主義的「權」「益」論述。不管是通過基本權利理論要為動物爭平權的雷根（Tom Regan, 1938-2017），還是要通過偏好效益高呼動物解放的辛格（Peter Singer, 1946- ），只怕都詮釋不了野豬為何渡河。

　　動物故事，固然有趣，但在戰爭中被發動、煽動、湧動的又何止是人物和動物，工具兵器等人造物都是「動」物（vibrant matter），這是「去人類中心」的後人類視角。吳和張的小說對單車皆多有著墨，但「動」物之法各有千秋。《單車失竊記》中敘事主角阿巴斯和「我」儼然是作家的分身，都有一個「消失的」父親：鄒族人阿巴斯騎著一輛「銀輪部隊款」單車進入馬來半島雨林，最後竟然感覺和車「合為一體」，這難道僅僅是為了尋找他攝影業餘愛好的意義？敘述者「我」不辭辛勞要尋找和修補，不，「救」回父親的幸福牌老鐵馬，難道只是一時物癖？小說開頭和結尾都出現踩動單車的意象，隨著運轉中的車輪，「失父」和「尋車」兩條主線形成「人」、「物」交織的軌跡。

　　《野豬渡河》中三代父子（關耕雲、關亞鳳、關柏洋）間也有父親騎車載兒子的動人描寫，主人翁亞鳳和妻子惠晴以及胎疤女孩何芸的愛情也涉及單車，最後全部罹難的「籌賑祖國難民委員會」成員的百人「義踏」也是單車，更不提入侵豬芭村的銀輪部隊。親情、愛情、愛國情和無情都由運動的單車承載。如果吳的單車還需藉由人力踩動，張的單車已有了生物的動能和自化的潛力。書中一幕描寫單車涉水，車輪碾過淺潭生「翼」，輻條遇水化「魚」，鐵馬不再是鐵，「筋膜」、「肌肉」、「脊椎骨」歷歷在目，這是吳不曾有過的「動」物法。但不管是吳明益結合鐵馬、大自然和人力的唯物史觀，還是張貴興人造物（單車和刀、槍和子彈）和動植物都有生有氣有知

的物活觀，都呼應且擴展了當代理論家們的「物力感人說」。吳和張的小說提醒我們，唯物論不僅關於生產和經濟，更需要修補挽救的「工夫」，以及「生」和「無生」共同見證歷史的自然觀。

這樣的生態觀不排除人類和人造物，小說以此矯正了我們在「去人類中心主義」帶領下的過激偏見。它間接批判的既是在「超人類」思潮下滋生的通過科技捨身（體）取義（體）的妄想，也是在某些玄學思潮下推崇的放棄「人－主體性」而直接探究「物－客體性」的所謂先鋒。這誠然是論自然，引物事以驗其行的實踐。吳的《單車失竊記》中出現了幾次刻意顛倒詞語順序的用法，譬如「物事」。「物事」一詞並不稀奇，古今皆有，可指事情、東西或者用於對他人的蔑稱。從字源講，物，從牛；牛，事也理也，談物就要說事，也在情理之中。由此可見，兩本小說「即物」之功不止於「物」自身，而是由「物」即「事」，從而引人反思在回溯歷史時被史學家忽略的非人的種種，從而昭揭更為廣義的人間情境。

這是華語語系文學提供眺望南方的又一方法。我們知道物有命有意，人有運有情，但不必將「動」物和「物事」論述化約為一種倫常的溫情主義。讀者既要看到兩本小說中「天地不仁」的戰爭殘殺，野豬嗜血啖肉的獸性，也要看見物動時的盎然生意。此處的「生」可以是親人父子之間的承接與斷裂，追尋與拋棄，也可以是一道不帶絲毫感情的自然律令，由此帶出從「物事」到物「勢」的轉向。

「物勢」一詞見於王充《論衡‧物勢》。開宗明義反駁儒家天地生人和天有意志等天人感應說，不但提出「人偶自生」還強調「物偶自生」。後半部又反駁了五行家說萬物依靠五行而相生相克的定論。王充強調「天物之相勝，或以高力，或以氣勢，或以巧便」。此處的「物」，是萬物，並不排除人。此處的「勢」，是物與物之間強弱勝負的形勢。有「物競」而無「天擇」，更不需要「進化」到哪裡去，這才是「物勢」的無情規則，卻也動人。在此，我們聯想到近來華語語系研究論述提出的「勢的詩學」。作為歷史功能、政治形勢和文論範疇的「勢」的意涵涉及歷史能動、權力部署和文辭體勢，是姿態位置，亦是潛力傾向。當代學者對「勢」的討論已有建樹，但還無人涉及從《單車失竊記》和《野豬渡河》中帶出的「物勢的自然

觀」。如果從審美效應來說「勢」是「一種厚積薄發的準備，一種隨機應變的興發」，那麼從生態關懷上看：「勢」更是一種自然萬物賊害勝服的變化。

　　兩本小說在華語語系的空間下共同聚焦歷史和戰事中的人物、動植物和人造物（物之型），也描摹了野豬的獸性，象的憂鬱，刀的敏銳和樹的強大（物之形），而最終為我們展示了一個無法用普通倫理衡量的動態天地（物之行）。至此，天無意志，何來不仁？「動」物成「勢」，人誰獲安？單車啊，「緊轉去」！

參考文獻：

Coole, Diana and Samantha Frost, *New Materialisms: Ontology, Agency, and Politics.* (Durham, Duke University Press, 2010).

Matthew Calarco, *Thinking through Animals: Identity, Difference, Indistinction* (Stanford Briefs, an imprint of Stanford University Press, 2015).

Jane Bennett, *Vibrant Matter: A Political Ecology of Things* (Durham, Duke University Press, 2010).

Cary Wolfe, *What Is Posthumanism?* (Minneapolis, MN, University of Minnesota Press, 2010).

Karen Laura Thornber, *Ecoambiguity: Environmental Crises and East Asian Literatures* (Ann Arbor, MI, The University of Michigan Press, 2012).

陳濟舟

2019年11月26日
《慶餘年》於騰訊、愛奇藝網路首播

2015年2月26日
《平凡的世界》於北京衛視、東方衛視首播

什麼是文學的世界？

　　要是文學史都留給學者論斷，事情可就簡單多了。然而，讀者對「經典」的取捨自有他們的口味，作家靈感的資源也往往出人意表。

　　就說貓膩（本名曉峰，1977-），一個網紅寫手，寫的還是玄幻小說，談起自己受到的影響，竟以路遙（1949-1992）── 一位出身陝西、記述改革年代變遷的現實主義作家──為偶像。在《間客》後記裡，貓膩讚美路遙名作《平凡的世界》，稱之為「我看過的最好一本YY小說，是我學習的兩大榜樣之一」。他不僅視路遙為個人寫作的榜樣，而且根據網路文學的語匯重新定義了路遙的傑作。從今天角度來看，路遙式小說呈現的社會主義政治，鄉土自然敘事，還有高尚與卑劣、英雄與惡徒誇張的二元對立人物⋯⋯似乎有點過時了。但貓膩卻在他枝葉蔓生、妙想天開的玄幻小說裡，讓路遙的世界重生。

　　路遙的小說深受中國文壇推崇。1991年路遙以《平凡的世界》獲得茅盾文學獎，作品被改編成廣播劇、電視連續劇和電影。阿里巴巴創始人馬雲（1964-）曾說路遙的《人生》「改變了我的人生」，激勵他參加高考、屢挫屢試，終於成功進入大學窄門。習近平（1953-）於文化大革命期間曾下放到路遙成長的陝西延川縣，他多次公開讚頌這位作家。

　　路遙原名王衛國，1949年出生於陝西清澗縣農村。他剛進高中就遇上文

化大革命爆發，繼而成為當地紅衛兵領袖；1968年被下放到自幼成長的村子時，他已升為延川縣革命委員會副主席。爾後路遙被延安大學錄取為工農兵學員，並在風雲驟變的1976年畢業。1992年路遙去世，年僅四十三歲——這年鄧小平南巡，確立了中國市場經濟的道路，以及對世界其他地區更積極的開放交流。

路遙崇拜陝西同鄉柳青（1916-1978）——早期社會主義現實主義重要作家之一——講述農村巨變的史詩式作品。路遙不僅閱讀柳青的小說，而且在擔任《延河》雜誌編輯任內，編輯了柳青的作品。他親炙於柳青，得其指點。幾乎所有於一九七〇、一九八〇年代初開始寫作的作家，都經過這一體系的塑造，但是，路遙是一個特別虔誠的信徒。在紀念延安文藝座談會四十週年時，路遙宣稱他「作為一個年輕的文學工作者」，「想歸根結柢只能在〈講話〉的基本精神指導下從事我們的工作，才不會迷失方向，才能創作出為大多數人民群眾所歡迎的作品來」。甚至到了一九八〇年代，目睹作家們井噴式的創作激情，讓人眼花撩亂的想法，路遙還是繼續堅持作家作為勞動者的觀念，認為作家的任務是為讀者反映他們的世界。

也許因為路遙從這個體系所得太多，他的小說講改革時代的種種可能，總是抹上一層浪漫色彩。他彷彿經營一個社會主義版成長小說：來自陝西農村的年輕人，懷抱憧憬，通過勤勉、天賦和奉獻，終於成就遠大前程。1982年的長篇小說《人生》裡，年輕的高加林，高中畢業回到村裡工作，情感上面臨在美麗的農村姑娘劉巧珍和昔日同儕黃亞萍間的抉擇；兩個女孩所代表的正是不同的未來。《人生》獲得成功後，路遙花了數年時間撰寫三卷本百萬字的《平凡的世界》（1986-1988）。這部巨作圍繞著孫少安和孫少平兩兄弟的努力，描繪他們如何實現自己的夢想，如何從出生的農村創造一個更廣大的世界。小說包容了方方面面的事物，從村內的政治鬥爭到當地的詩歌朗誦，從煤礦採掘到天體物理。

貓膩其實可以被視為路遙筆下那種白手起家的主人公。他1977年出生，在湖北宜昌長大，1994年進入四川大學修習電子系統和自動化，卻退學回到家鄉，以修電腦為業。 2003年，他開始在「起點」網路文學平台上發表小說，2005年以《朱雀記》一舉成名。 塑造貓膩的網路文學系統，是路遙作

夢也想像不到的「未來」。「起點」為一向讀者收費的網絡平台；讀者閱讀某部小說的起始章節之後，欲續讀作品則需付費，網絡平台再與作者共享利潤。這一機制刺激網路小說家為他們的讀者寫作，且為了吸引長期固定讀者，篇幅都相當長。貓膩目前有585.81萬讀者推薦他的最新作品，還有522萬的忠實粉絲。這些是貓膩粉絲團的頂層，他們通過與作者互動，以及購買作品和打賞作者的花費證明自己的忠誠。如果路遙只是把寫作視為是另一種勞動，那麼貓膩則把這種觀念發揮到了極致。　他最短的作品也比《平凡的世界》長了五十萬字，並且堅守一個累死人的時間表，每一天、每一週都寫作——有時候，一天就要寫多達三章、一萬字。

貓膩的故事所發生的地點，和路遙所描寫的陝西農村完全是不同世界。2008至2009年讓他大紅大紫的《慶餘年》裡，主人公范閒是個罹患末期重肌無力症的宅男，一次發病後醒來，已經穿越到了慶國，一個有如古中國的神祕大國。范閒保留了現代的記憶，也利用他的知識和身分——他身世神祕的母親被暗殺前，就已經重塑了那個世界——插手慶國王位之爭，最後把和平帶給整個世界。全書書寫一個絕症患者和一個瀕危的王朝如何重獲新生。現代思維與封建制度、廟堂和江湖相互碰撞，最後化險為夷，充滿了理想主義色彩。

乍看之下，貓膩在玄幻世界裡馳騁冒險，路遙關注當下現實人生，兩者似乎沒有太多關聯。但他們也許共享類似的勞動倫理，和對「平凡的世界」的渴望。但如何定義「平凡」和「世界」？貓膩的世界和現實世界的距離，很可能讓研究中國網路的學者失望。但我們必須面對事實。在中國就和在世界其他地方一樣，絕大多數人上網為的是購物、觀看運動賽事、追星，或者純粹只是從一個辛辛苦苦、沒有半點權力的世界裡逃出來透口氣。

貓膩說過網路文學是「先滿足他最基本、最直接的需求」。它的角色「就是要替人們有效率地、喜悅地、情緒起伏盡量大地把業餘時間殺掉，把他們的人生空白填上」。貓膩對赤裸裸生命需求的投注，也在他的主人公那裡得到回應。小說中范閒冒險的終極目標與其說是創造世界，不如說是在他所生存的世界裡創造一個安穩的一隅，在那個空間裡他可以與家人平安享受個人生活：「他死後哪怕洪水滔天，他只求自己活著的時候，這個世界像是自己喜歡的世界。有花有樹有草有蟲有鳥有人有詩有畫有酒有金，無痛無災

無血……」

　　北京大學研究中國網路文學的邵燕君教授把路遙到貓膩的變化，描述為從烏托邦到異托邦的轉變。然而貓膩對現代中國文學史的修正有更多啟示。他把路遙的社會主義現實主義和玄幻小說的避世主義、YY文學聯繫起來，促使我們重新思考社會主義體制裡，文學和大眾意識的關係。在人民共和國最初的幾十年，作家和文化官員誠摯地討論，要寫作「人民大眾所喜聞樂見的文學」，而當路遙在改革開放時代採用這種寫作模式時，他的目標遠遠超過宣傳革命，而是對「生活」提出本體性思考。《人生》裡的黃亞萍抱怨她面對的社會不公，黃父卻厲聲說：「不要抱怨生活！生活永遠是公正的！你應該怨你自己！」貓膩的作品裡其實呼應，卻也同時扭轉了，這樣的教訓：比起怎麼改變世界，更重要的是怎麼調整、怎麼生活。

　　當代中國文學如何定義、形塑「平凡的世界」這一命題，從來就充滿張力。作者和讀者在逃避現實和面對現實的選項間，必須持續作出回應，不是只因為網路，或電視，或任何大眾媒體技術的出現才突然改變。大眾想要什麼，作家甚至官方認為他們應該要什麼，雙方對話不斷。到了當代，文學在網絡文學公司與作家協會，正統文學期刊訂閱和網絡付費打賞，官方文學大獎和IP智慧產權，網紅作家和苦行僧般樣板作家，文字與影像，現實主義與懸想虛擬之間，不斷重畫「世界」的圖景。

參考文獻：

厚夫《路遙傳：重新開啟平凡的世界》（北京，人民文學出版社，2014年）。

貓膩《慶餘年》，起點中文網，2008-9.https://book.qidian.com/info/114559。

邵燕君〈在「異托邦」裡建構「個人另類選擇」幻象空間：網絡文學意識形態功能之一種〉，《文藝研究》2012年第4期，頁16-25。

Michel Hockx, *Internet Literature in China* (New York, Columbia University Press, 2015).

蘇和（Dylan Suher）撰，陳婧祾 譯

2066 年
火星照耀美國

科幻中國

　　2066年，中國作為唯一統治世界的超級大國，國家派遣圍棋手前往貧窮的美國，展現中國的文化優越性。這是韓松（1965-）2000年的科幻小說《2066年之西行漫記》（2012更名《火星照耀美國：2066年之西行漫記》）。中國科幻小說自二十世紀第一個十年面世以來，「中國將成為世界大國」一直是創作的核心主題。科幻小說當時被稱為「科學小說」，是梁啟超（1873-1929）於1902年創辦《新小說》時推動的新文類之一。經由梁啟超及其同時代人的努力，晚清科幻小說確立以烏托邦敘事為主，將中國改革的政治願望投射到理想化和科技更加先進的世界。梁啟超《新中國未來記》（1902）旨在勾勒晚清改革者為中國的自強、民族復興和最終崛起為世界強國而繪製的藍圖。雖然小說未完成，但其中對中國未來的精采想像，為諸多晚清科幻小說作家所借用。於是，中國科幻小說這一文類與新興民族主義的話語密切相關，在政治和科技上煥然一新的未來中國形象，成了該文類文化活力的啟動能量。

　　將近一世紀後，關於中國崛起的烏托邦式想像再次成為主題，為當代中國科幻小說所重述和戲仿。二十一世紀初，此一文類在中國突然捲土重來，這也正是中國尋求「和平崛起」，民族主義方興未艾的時候。對變革的熱切期待和對中國未來的深刻焦慮形成新一波中國科幻小說的特色。

　　這波新浪潮有陰暗和顛覆的一面。它藉由加入反烏托邦的異常元素破壞了烏托邦理想，質疑中國現代化的某些關鍵詞，如進步、發展、民族主義和

科學主義。新浪潮最激進處在於，秉持了一種鼓勵讀者質疑現實和超越思維慣例的先鋒文化精神。這波浪潮最重要的三位作家是王晉康（1948-）、韓松和劉慈欣（1963-），他們的作品影響了後續的陳楸帆（1981-）、飛氘（1983-）、寶樹（1981-）、夏笳（1984-）、遲卉（1984-）和長鋏（1984-）等年輕一代作家。

標誌著中國科幻小說新浪潮到來的是劉慈欣的未出版小說《中國2185》。小說結合政治與科學幻想，描繪網絡空間無限複製導致現實世界的癱瘓。劉慈欣專注於嘗試構思一種人類未來的他異性（alterity）指向「後人類的」異托邦。《中國2185》寫作十年過去，劉慈欣才開始發表科幻作品，但很快的他成了暢銷科幻作家，代表作《三體》三部曲為他贏得中國最著名的科幻作家之名。三部曲講述一個史詩般的故事：故事始於文化大革命期間，有位中國天文學家與生活在不穩定星系的敵對外星文明建立了祕密聯繫，而以宇宙的毀滅告終。劉慈欣在小說中呈現的顯然不是一個理想世界，反之，可能是最糟糕的世界。但如同他的其他短篇小說，他在《三體》系列中再次想像後人類的未來，挑戰了人性、理性、科學、科技、進步和統治等傳統觀念。

太陽系的毀滅是三部曲的高潮。小說中的主要角色在冥王星目睹人類世界的消亡後，建造了人類文明的最後紀念碑。此刻，一切灰飛煙滅，中國的崛起、地球的永恆和平——所有最美妙的烏托邦夢想都不復存在。然而，劉慈欣把讀者帶到這樣的時刻，真正要引領他們的是面對未知。夏志清（1921-2013）曾批評中國現代文學過猶不及的道德負擔，謂之「情迷中國」（obsession with China）。劉的文學想像則超越了此一局限。他在《三體》三部曲中，直接向宇宙的無限發話。

在劉慈欣的科幻世界中，相較於宇宙的雄偉規模，人類社會往往被當成一個小問題。人類的存續可能完全取決於某個最高外星物種的仁慈，人類滅絕對宇宙並不會造成太大影響。因其高度科技化和無所不知的視角，劉慈欣的大部分作品可以被稱為「後人類的」。他嘗試挑戰現實中的物質世界，創造全新的宇宙並描繪它們。情節主要圍繞著人類面對宇宙理解的陌生與未知。劉慈欣科幻小說的想像極其宏偉、崇高和令人敬畏，充滿了宏大的超人

類、跨人類或後人類想像。

　　韓松的《火星照耀美國》也是這波科幻新浪潮中的關鍵作品，內容呈現了後人類科技的未來世界。小說表面圍繞著未來中國的崇高形象，但揭示的卻是成功故事背後的可怕一面。就像小說所描繪的，到了二十一世紀中葉，中國已經擁有世界最先進的科技：一種名為阿曼多的超強人工智慧網絡，將每個人像蜘蛛一樣連結到中央處理器，控制著他們的思考、感覺和行為。相較於梁啟超未完成的《新中國未來記》，韓松對中國未來富強道路的描繪要具象得多。然而，這是相當令人沮喪的一幕：由於阿曼多控制著中國，超級大國現在也被機器操縱了。從梁啟超的儒家新中國到韓松的阿曼多程序化的中國，顯示出明顯的巨大差異。整個國家喪失主權，屈從於一個操控公民意識、情感和感覺的系統，晚清改革者的民族復興和自強理想因而幻滅了。

　　然而，小說的矛盾顯而易見，一邊是對民族驕傲的未來主義展示，一邊是批判中國政治和文化的強烈自我反思。韓松筆下2066年的中國，「強國」意識形態遭到辛辣的戲謔，因為中國的崛起建立在對公民的系統化操控。沒有任何自主性，服從是唯一法則。

　　從毛澤東（1893-1976）的遺產看2066，反諷性更為強烈，因為這不是隨機選擇的數字，而是文化大革命爆發的一百週年。事實上，小說全名《火星照耀美國：2066年之西行漫記》第一部分「火星照耀美國」，指涉的是中國共產主義革命最具影響力的西方著作*Red Star over China*（《紅星照耀中國》）這是美國記者史諾（Edgar Snow, 1905-1972）所寫。1937年史諾的報導讓西方讀者首次看見毛澤東和紅軍的正面形象。1938年，該書中譯本以《西行漫記》為題出版，韓松以其作為小說書名的第二部分。

　　「西行」指的是斯諾遊歷中國西北毛澤東革命政權的根據地。隱含著——從西方尋求「真理」——又影射中國古典神魔小說《西遊記》。小說虛構高僧玄奘（約602-664）前往西方佛國取經的故事，「西遊」意味著尋找引導中國人走向佛陀精神工國的終極真理。晚清以降，在全球政治版圖重繪的語境下，「西遊」象徵著中國知識分子思想轉向現代西方理念。作為毛澤東的共產主義革命，「紅星照耀中國」同樣是現代語境下向西方取經的結果。

　　韓松的《火星照耀美國》審慎地借用了上述的多重涵義。雖然「西行」目的地不再是古印度，但仍然是通向真理的旅程，與民族主義者呼籲中國自強的要求密切相關。更重要的是，韓松的《火星照耀美國》改變了西行的涵義。中國圍棋手們並非到西方尋求「真理」，而是將「真理」帶到西方。圍棋是中國國粹，在小說中被視為和平與和諧的關鍵，未來中國政府希望通過圍棋的輸入以確保實現它們。然而，小說呈現的故事卻是年輕的中國主人公意外發現了所謂的「真理」。這位年輕圍棋手旅美期間與阿曼多失去聯繫，因此不得不學習「現實」的本質。故事成為描繪這個年輕人，如何獨立於人工智慧科技而獲得自我意識的成長小說。最後，阿曼多系統崩潰，水落石出。主人翁見證了第三個千禧年裡天下大亂——這亂象原本是人工智慧設定排除在和諧世界之外的。

　　當我們看到韓松小說多為怪異畫面盤據時，中國的未來顯得更加反烏托邦。已經七十六歲的主人公倒敘自己六十年前的美國行。小說來到未來的未來——2126年——暗示中國和美國已經被2066年登陸地球的更高等外星生物毀滅，整個行星變成了「福地」——即亡靈之地，死後永遠安息的地方。通過此曲折敘述，中國未來變得不確定。

　　韓松曾說「中國的現實比科幻還要科幻」。韓松所指出的可能是科幻只不過是再現中國的「現實」。這也表明他所寫的並不是隱喻、象徵或詩性的事物，相反，它清晰揭露出冷酷的現實，也只有科幻小說才能再現現實的真相。通過韓松的寫作，科幻文本和中國現實之間建立了隱喻性的關係，對中國現實的描寫被編織為承載科學奇想的文本，後者替代了在寫實層面「不可見」的現實。在這種情況下，科幻小說描寫的現實比任何現實主義方法所容許的寫作更具有真實感。在主流現實主義中缺失的有關現實的真相，只有在科幻小說話語中才能得到再現，這決定了科幻成為一種顛覆性的文類，它抗拒「看的恐懼」。

　　如同一個世紀前的梁啟超，當科幻小說再次成為中國的流行文類時，韓松在科幻小說的世界看到了足以啟發民族的神奇力量：「科幻是一個做夢的文學，是一種烏托邦。」（《宇宙墓碑》後記）但韓松與劉慈欣等人，藉由鞏固和重新發明一系列類型傳統、文化元素和政治想像——從太空歌劇到賽

博龐克（Cyberpunk）小說，從烏托邦主義到後人類主義，從對中國崛起的戲謔想像到對國家發展神話的解構——使得該文類重獲活力。中國科幻小說以其獨特的方式進入了自己的黃金時代，同時也開啟該文類新一波的顛覆浪潮。它為新中國的未來夢帶來了生氣，而當代的新浪潮也揭示了其可怕的陰影。

參考文獻：

王德威《被壓抑的現代性：晚清小說新論》，宋偉杰譯（台北，麥田出版，
　　2003年）。

Mingwei Song, ed., "Chinese Science Fiction: Late Qing and the Contemporary,"
　　special issue, *Renditions 77/78* (2012).

Yan Wu and Veronica Hollinger, eds., "Chinese Science Fiction," special issue, *Science
　　Fiction Studies* 40, no. 1 (2013).

宋明煒 撰，王晨 譯

作者簡介（依姓氏筆劃排序）

方秀潔（Grace S. Fong），加拿大麥吉爾大學東亞研究系教授。研究方向為中國古典詩歌與詩學、性別和生命寫作的理論與實踐以及中華帝國晚期的女性作家研究。著有《吳文英與南宋詞的藝術》（*Wu Wenying and the Art of Southern Song Ci Poetry*. Princeton University Press, 1987），《她自己為作者：晚清時期的性別、能動力與書寫之互動》（*Herself an Author: Gender, Agency, and Writing in Late Imperial China*. University of Hawaii Press, 2008）。另與魏愛蓮（Ellen Widmer）合編 *The Inner Quarters and Beyond: Women Writers from Ming Through Qing*（Brill, 2010）（中文版《跨越閨門：明清女性作家論》，北京大學出版社，2014），與伊維德（Wilt L.Idema）合編《美國哈佛大學哈佛燕京圖書館藏明清婦女著述彙刊》（廣西師範大學出版社，2009）。

王仁強（Richard King），加拿大維多利亞大學亞太研究系副教授，亞太研究中心（CAPI）主任。研究方向為中國文學、電影、語言和大眾媒體教學，並研究特別關注毛澤東時代的小說、文學理論和視覺文化。著有《「金光大道」上的里程碑：為中國社會主義而寫作（1945–1980）》（*Milestones on a Golden Road: Writing for Chinese Socialism 1945-1980*. UBC Press, 2013）和多卷翻譯小說。

王安憶，作家，復旦大學中文系教授，中國作家協會副主席。著有《本次列車終點站》（1981），《小鮑莊》（1985），《紀實與虛構》（麥田出版，1900），《長恨歌》（麥田出版，2005），《上種紅菱下種藕》（麥田出版，2006），《啟蒙時代》（麥田出版，2007），《天香》（麥田出版，2011）等。王安憶的作品曾獲得包括茅盾文學獎、台灣聯合報文學獎、紅樓

夢獎、華語文學傳媒大獎、魯迅文學獎、施耐庵文學獎、汪曾祺華語小說獎等多項大獎。2013年，王安憶獲得法蘭西文學藝術騎士勳章。

王宏志，香港中文大學翻譯系人文學教授，香港中文大學中國文化研究所翻譯研究中心主任。研究方向為中國現代文學和政治，現代中國翻譯史和香港研究。著有《重釋「信、達、雅」——二十世紀中國翻譯研究》（東方出版中心，1999），《翻譯與創作：中國近代小說翻譯論》（北京大學出版社，2000），《魯迅與「左聯」》（新星出版社，2006），《翻譯與文學之間》（南京大學出版社，2011），《翻譯與近代中國》（復旦大學出版社，2014）等。主編《翻譯學報》（*Journal of Translation Studies*）和《翻譯史研究》（*Studies in Translation History*）。

王敖，詩人，美國衛斯理安大學東亞研究副教授，耶魯大學博士。研究方向為中國古典詩詞。著有《絕句與傳奇》（作家出版社，2007），《王道士的孤獨之心俱樂部》（南京大學出版社，2013）等。作品曾獲劉麗安詩歌獎（he Anne Kao Poetry Prize）和《人民文學》新詩歌獎。

王斑，美國史丹福大學William Haas中國研究教授，比較文學教授。研究方向為中國現代思想史、中國近現代美學、比較文學等。著有 *The Sublime Figure of History: Aesthetics and Politics in Twentieth-Century China*（Stanford University Press, 1997）（中文版《歷史的崇高形象：二十世紀中國的美學與政治》，上海三聯書店，2008）、《歷史的啟示》（*Illuminations from the Past: Trauma, Memory, and History in Modern China*. Stanford University Press, 2004），《歷史與記憶：全球現代性的質疑》（牛津大學出版社，2004）。

王智明，台灣中央研究院歐美研究所副研究員，台灣國立交通大學社會與文化研究所合聘教授。研究方向為跨國美國文學與文化、文學理論與建制史、亞洲現代思想等。著有《跨太平洋表述：學生移民與亞裔美國的重塑》（*Transpacific Articulations: Student Migration and the Remaking of Asian America.*

University of Hawaii Press, 2013）。

王蒙，著名中國當代作家、學者。 曾任文化部部長，中國作家協會名譽主席，並任南京大學等多所院教授、名譽教授，及中國海洋大學文新學院院長。著有長篇小說《青春萬歲》、《活動變人形》等近百部小說；對《紅樓夢》有深入研究。王蒙曾獲義大利蒙德羅文學獎、日本創價學會和平與文化獎、俄羅斯科學院遠東研究所與澳門大學榮譽博士學位、約旦作家協會名譽會員等榮銜。作品翻譯為二十多種語言在各國發行。2019年王蒙長篇小說《青春萬歲》入選「新中國70年70部長篇小說典藏」。

王德威，美國哈佛大學東亞語言與文明系暨比較文學系Edward C. Henderson 講座教授。中央研究院院士，美國國家藝術與科學院院士。著有《小說中國：晚清到當代的中文小說》（麥田出版，1993），《如何現代，怎樣文學？》（麥田出版，2008），《後遺民寫作》（麥田出版，2007），《現代「抒情傳統」四論》（國立台灣大學出版中心，2011），*Fictional Realism in 20th Century China: Mao Dun, Lao She, Shen Congwen.* Columbia University Press, 1992（中文版《茅盾・老舍・沈從文：寫實主義與現代中國小說》，麥田出版，2009），*Fin-de-Siècle Splendor: Repressed Modernity of Late Qing Fiction, 1849-1911.* Stanford University Press, 1997（中文版《被壓抑的現代性：晚清小說新論》，麥田出版，2003），*The Monster That Is History: History, Violence, and Fictional Writing in Twentieth-Century China.* University of California Press, 2004（中文版《歷史與怪獸：歷史・暴力・敘述》，麥田出版，2004），*The Lyrical in Epic Time: Modern Chinese Intellectuals and Artists Through the 1949 Crisis.* Columbia University Press, 2015（中文版《史詩時代的抒情聲音：二十世紀中期的中國知識分子與藝術家》，麥田出版，2017），*Why Fiction Matters in Contemporary China*等。

王曉玨，美國羅格斯大學副教授。研究方向為現代中國和德國文學、電影和媒介研究、冷戰文化研究、文學理論和比較文學。著有《現代性的冷戰面

孔：重新想像1949年前後中國文學中的國族》（*Modernity with a Cold War Face: Reimagining the Nation in Chinese Literature across the 1949 Divide.* Harvard University Asia Center, 2013）。

王璞，美國布蘭戴斯大學中國文學與文化 Helaine and Alvin Allen Chair 副教授。著有《革命的可譯性：郭沫若與二十世紀中國文化》（*The Translatability of Revolution: Guo Moruo and Twentieth-Century Chinese Culture.* Harvard University Asia Center, 2018）。

王麗麗，北京大學中文系教授，北京大學文學博士。研究方向為中國現當代文學理論與批評、西方文學理論與美學。著有《在文藝與意識形態之間：胡風研究》（中國人民大學出版社，2003），《歷史・交流・反應：接受美學的理論遞嬗》（北京大學出版社，2014），《王元化評傳》（黃山書社，2016），《七月派研究》（新華出版社，2017）等。

古艾玲（Alison M. Groppe），美國俄勒岡大學東亞語言與文學系副教授。研究方向為當代馬華文學、後殖民與離散理論、華語語系文學等。著有《馬來西亞華語文學：非「中國製造」》（*Sinophone Malaysian Literature: Not Made in China.* Cambria Press, 2013）。

古柏（Paize Keulemans），美國普林斯頓大學東亞研究系副教授，美國芝加哥大學博士。研究方向為文本和聲音媒介的交互影響，包括文學與其他媒介（如電影和遊戲）的關係。著有《紙上聲：19世紀武俠小說和中國的聲音想像》（*Sound Rising from the Paper: Nineteenth-Century Martial Arts Fiction and the Chinese Acoustic Imagination.* Harvard University Asia Center, 2014）。

田曉菲，美國哈佛大學東亞語言與文明系教授。研究方向為中國古典文學與文化。著有 *Tao Yuanming and Manuscript Culture: The Record of a Dusty Table*（University of Washington Press, 2005）（中文版《塵幾錄：陶淵明與手抄本

文化研究》，中華書局，2007），*Beacon Fire and Shooting Star: The Literary Culture of the Liang*（502-557）（Harvard University Press, 2007）（中文版《烽火與流星：蕭梁王朝的文學與文化》，台灣清華大學出版社，2009），*Visionary Journeys: Travel Writings from Early Medieval and Nineteenth-Century China*（Harvard University Asia Center, 2012）（中文版《神遊：早期中古時代與十九世紀的旅行寫作》，三聯書店，2015），《赤壁之戟》（*The Halberd at Red Cliff: Jian'an and the Three Kingdom.* Harvard University Asia Center, 2018）。

白安卓（Andrea Bachner），美國康奈爾大學比較文學教授。研究方向為運用跨文化理論、性別研究和媒介研究等方法探索華語文學、拉美文學和歐洲文化之間的交互影響。著有《超越漢學：漢語寫作和筆跡的文化》（*Beyond Sinology: Chinese Writing and the Scripts of Culture.* Columbia University Press, 2014），《理論的印記》（*The Mark of Theory: Inscriptive Figures, Poststructuralist Prehistories.* Fordham University Press, 2018），並參與編纂《牛津中國現代文學手冊》（*The Oxford Handbook of Modern Chinese Literatures.* Oxford University Press, 2016）。

白睿文（Michael Berry），美國加州大學洛杉磯分校亞洲語言與文化教授。著有*Speaking in Images: Interviews with Contemporary Chinese Filmmakers*（Columbia University Press, 2005）（中文版《光影言語：當代華語片導演訪談錄》，麥田出版，2007），*A History of Pain: Trauma in Modern Chinese Literature and Film*（Columbia University Press, 2008）（中文版《痛史：現代中國文學與電影的歷史創傷》，麥田出版，2016），*Jia Zhangke's Hometown Trilogy*（British Film Institute, 2009）（中文版《鄉關何處：賈樟柯的故鄉三部曲》，廣西師範大學出版社，2010），《煮海時光：侯孝賢的光影記憶》（印刻出版社，2014）。合編《重返現代：白先勇、〈現代文學〉與現代主義》（麥田出版，2016），《破碎的鏡頭：東亞戰爭的銀幕記憶》（*Divided Lenses: Screen Memories of War in East Asia.* University of Hawaii Press, 2016），並翻譯了多部中國當代小說作品。

石井剛（Ishii Tsuyoshi），日本東京大學教授，研究方向為中國現代思想史和哲學研究。著有《戴震與中國近代哲學：從漢學到哲學》（《戴震と中國近代哲學：漢學から哲學へ》，知泉書館，2014），《敢問「天籟」：中文哲學論集》（*The University of Tokyo Center for Philosophy*, 2013），《齊物的哲學：章太炎與中國現代思想的東亞經驗》（華東師範大學出版社，2016）。

石靜遠（Jing Tsu），美國耶魯大學東亞語言文學和比較文學教授。研究方向為比較文學、華語語系文學、中國現代文學與思想史。著有《失敗、民族主義和文學：中國現代文化認同的建構，1895-1937》（*Failure, Nationalism, and Literature: The Making of Modern Chinese Identity, 1895-1937*. Stanford University Press, 2005），《離散中國人的聲音和文字》（*Sound and Script in Chinese Diaspora*. Harvard University Press, 2010）。與王德威合編《全球華語文學》（*Global Chinese Literature: Critical Essays*. Brill, 2010）。

伊維德（Wilt L. Idema），美國哈佛大學榮休教授，荷蘭皇家藝術和科學院院士，曾任哈佛大學費正清中國研究中心主任（2002-2005）。研究方向為中國傳統白話小說、中國早期戲劇與民謠、近現代中國女性文學等。著有《〈天仙配〉的「變形記」：革命中的地方戲（1949-1956）》（*The Metamorphosis of「Tianxian pei」:Local Opera under the Revolution (1949-1956)*. The Chinese University Press, 2014）。合著有《中國文學指南》（*A Guide to Chinese Literature. Center for Chinese Studies*. The University of Michigan, 1997）等。另主編《彤管：中華帝國的女性書寫》（*The Red Brush: Writing Women of Imperial China*. Harvard University Asia Center, 2004），《清初文學中的創傷與超越》（*Trauma and Transcendence in Early Qing Literature*. Harvard University Asia Center, 2006）等。

宇文所安（Stephen Owen），美國哈佛大學James Bryant Conant校級榮休教授（University Professor），哈佛大學東亞語言與文明系和比較文學系雙聘榮休教授。研究方向為中國古典詩詞、前現代文學理論和世界文學。著有*The*

Poetry of the Early T'ang（Yale University Press, 1977）（中文版《初唐詩》，廣西人民出版社，1987），*The Great Age of Chinese Poetry: The High T'ang*（Yale University Press, 1981）（中文版《盛唐詩》，北京三聯書店，2004），*Traditional Chinese Poetry and Poetics: Omen of the World*（University of Wisconsin Press, 1985）（中文版《中國傳統詩歌與詩學：世界的徵象》，中國社會科學出版社，2013），*Remembrances: The Experience of Past in Classical Chinese Literature*（Harvard University Press, 1986）（中文版《追憶：中國古典文學中的往事再現》，上海古籍出版社，1990），*Mi-Lou: Poetry and the Labyrinth of Desire*（Harvard University Press, 1989）（中文版《迷樓：詩與欲望的迷宮》，北京三聯書店，2004），*Readings in Chinese Literary Thought*（Harvard University Press, 1996）（中文版《中國文論：英譯與評論》，上海社會科學院出版社，2003），*The End of the Chinese 'Middle Ages': Essays in Mid-Tang Literary Culture*（Stanford University Press, 1996）（中文版《中國「中世紀」的終結：中唐文學文化論集》，北京三聯書店，2006），*The Late Tang: Chinese Poetry of the Mid-Ninth Century*（Harvard University Press, 2009）（中文版《晚唐：九世紀中葉的中國詩歌（827-860）》，北京三聯書店，2011）等。翻譯《杜甫詩》（*The Poetry of Du Fu. De Gruyter,* 2015）等。

安敏軒（Nick Admussen），美國康奈爾大學亞洲研究系副教授，普林斯頓大學博士。研究方向為現當代中國詩歌、詩歌翻譯、文學理論等。著有《背誦與辭演：當代中國散文詩》（*Recite and Refuse: Contemporary Chinese Prose Poetry.* Hawaii University Press, 2016）。另外，安敏軒也是中國當代詩歌的英譯者，主要翻譯有四川詩人啞石的作品。

安德魯 F. 瓊斯（Andrew F. Jones），加州大學柏克萊分校Louis B. Agassiz講座教授，研究方向包括現代文學及大眾傳媒文化。著有*Like a Knife: Ideology and Genre in Contemporary Chinese Popular Music* (1992), *Yellow Music: Media Culture and Colonial Modernity in the Chinese Jazz Age* (2001), *Circuit Listening: Chinese Popular Music in the Global 1960s*(2020)，及《發展童話：進化思維與現代中國

文化》等。

朱天心，台灣作家。台灣大學歷史系畢業。著有《擊壤歌》（遠流出版社，1989），《想我眷村的兄弟們》（麥田出版，1992），《古都》（麥田出版，1997），《朱天心作品集》（聯合文學出版社，2001），《三十三年夢》（印刻出版社，2015）等。

江克平（John A. Crespi），美國科爾蓋特大學東亞語言文學系the Henry R. Luce中國文學副教授、系主任。研究方向為民國以來中國諷刺漫畫雜誌、中國現當代詩歌、華語文學與電影、文學翻譯等。著有《革命的聲音：現代中國的詩歌與聽覺想像》（*Voices in Revolution: Poetry and the Auditory Imagination in Modern China*. University of Hawaii Press, 2009），《插圖轉向與中國的漫畫現代性》（*The Pictorial Turn and China's Manhua Modernity*, 1925–1960）。

何曼，美國威廉姆斯學院助理教授。研究方向為中國現當代文學、視覺文化與表演研究。著有論文《當他／她不是娜拉：洪深，世界性知識分子，1910年代中國戲劇在中美》（*When S / He Is Not Nora: Hong Shen, Cosmopolitan Intellectuals, and Chinese Theaters in 1910s China and America*）發表於《中國現代文學與文化》（*Modern Chinese Literature and Culture*）。目前正在撰寫《在漢語戲劇創造的幕後：從海外留學生到全體工人，1910–1990年代》（*At the Backstage of Chinese Play-Making: From Overseas Students to Workers Ensembles, 1910s–1990s*）。

佘仁強（Kyle Shernuk），美國耶魯大學東亞研究中心研究員，哈佛大學中國現當代文學博士。研究方向為當代華語文學、中國文學和文化認同，特別關注弱勢群體研究，包括種族、性別和經濟與社會少數族群（socioeconomic minorities）研究。

余華，作家。著有《活著》（麥田出版，1994），《呼喊與細雨》（麥田出

版，2009），《許三觀賣血記》（麥田出版，2011），《兄弟(上下)》（麥田出版，2005），《第七天》（麥田出版，2013）等。余華曾獲得1998年義大利格林棻納・卡佛文學獎（Premio Grinzane Cavour）、2014年義大利朱塞佩・阿切爾比國際文學獎（Giuseppe Acerbi Literary International Prize）、2004年法國文學和藝術騎士勳章（France's Chevalier de L'Ordre des Arts-et des Lettres）和2008年法國國際信使外國小說獎。

吳文思（John B. Weinstein），美國巴德學院先修學院副教授兼教務長，哥倫比亞大學博士。研究方向為東西方戲劇、酷兒理論、女性主義等。主編《台灣女性之聲：三部當代戲劇》（*Voices of Taiwanese Women: Three Contemporary Plays*. Cornell University East Asia Program, 2015）等。

吳盛青，香港科技大學人文學院教授。研究方向為現代時期的古詩創作、情感研究、以及圖像和文本的關係。著有《現代之古風：中國抒情傳統的繼承與創新，1900-1937》（*Modern Archaics: Continuity and Innovation in the Chinese Lyric Tradition, 1900-1937*. Harvard University Asia Center, 2013）。

吳漠汀（Martin Woesler），德國維藤／海德克大學文學和中國文化交流系教授，北京師範大學和南京師範大學客座教授，南京大學中文系訪問學者。研究方向為中國現當代文學、中國散文、《紅樓夢》翻譯研究、比較文學和文學理論；並關注中國文學的經典化進程和中西方文學的早期翻譯情況。

宋安德（Andrew Schonebaum），美國馬里蘭大學語言、文學與文化學院副教授。研究方向為中國傳統文化、文學和日常生活史研究。著有《新藥：早期現代中國的治療、文學與民間知識》（*Novel Medicine: Healing, Literature and Popular Knowledge in Early Modern China*. University of Washington Press, 2016）。

宋明煒，美國衛斯理學院東亞系副教授。研究方向為現代中國文學、科幻文學、現代中國思想史、電影研究等。著有《少年中國：民族復興和成長小

說：1900–1959》（*Young China: National Rejuvenation and the Bildungsroman, 1900–1959*. Harvard University Press, 2016）。與胡志德（Theodore Huters）合編《轉生的巨人：二十一世紀中國科幻小說選集》（*The Reincarnated Giant: An Anthology of Twenty-First-Century Chinese Science Fiction*. Columbia University Press, 2018）。

宋偉杰，美國羅格斯大學文理學院副教授。研究方向為中國現代文學與電影、都市研究、武術和大眾文化、比較圖像學、環境想像、華語和離散文學研究。著有《描繪現代北京：空間、情感與文學地形學》（*Mapping Modern Beijing: Space, Emotion, and Literary Topography*. Oxford University Press, 2017）。

李如茹，英國里茲大學中國戲劇研究榮休教授。研究方向為中國戲劇、比較戲劇學、跨文化表演藝術、京劇。著有《京劇魂：變動世界中戲劇的創造性和延續性》（*The Soul of Beijing Opera: Theatrical Creativity and Continuity in the Changing World*. Hong Kong University Press, 2010），《莎士比亞：在中國上演莎士比亞》（*Shashibiya: Staging Shakespeare in China*. Hong Kong University Press, 2004）。主編《表演中國：21世紀的新戲劇》（*Staging China: New Theatres in the Twenty-First Century*. Palgrave Macmillan, 2015）。

李娟，作家。籍貫四川，出生於新疆生產建設兵團，成長於四川和新疆，曾在新疆哈薩克牧民聚居區短暫生活。出版作品包括《阿勒泰的角落》（萬卷出版公司，2010）、《走夜路請放聲歌唱》（新星出版社，2015）、《羊道》（中信出版社，2017）、《冬牧場》（新星出版社，2012）等。曾獲得「人民文學獎」、「天山文藝獎」、「魯迅文學獎」等。

李浴洋，北京師範大學文學院講師，北京大學文學博士。主要研究領域為晚清民國時期的文學與學術思想，以及一九八〇年代以來中國大陸的學術潮流。發表論文十餘篇，主編《時代重構與經典再造》。

李海燕，美國史丹福大學東亞研究與比較文學教授。研究方向為中國現當代文學、法律與文學、認知科學、情感研究、性別文化研究等。著有*Revolution of the Heart: A Genealogy of Love in China, 1900-1950*（Stanford University Press, 2006）（中文版《心靈革命：現代中國愛情的譜系》，北京大學出版社，2018），該書獲2009年「列文森中國研究書籍獎」；《陌生人與中國的倫理想像》（*The Stranger and the Chinese Moral Imagination*. Stanford University Press, 2014）。

李惠儀，美國哈佛大學東亞語言與文明系1879中國文學講座教授，台灣中央研究院院士。研究方向為早期中國文學（西元三世紀及以前），明清中國文學。著有《引幻與警幻：中國文學的情愛與夢幻》（*Enchantment and Disenchantment: Love and Illusion in Chinese Literature*. Princeton University Press, 1993），*The Readability of the Past in Early Chinese Historiography*（Harvard University Asia Center, 2008）（中文版《〈左傳〉的書寫與解讀》，江蘇人民出版社，2016），《中華帝國晚期文學中的女性與國族創傷》（*Women and National Trauma in Late Imperial Chinese Literature*. Harvard University Asia Center, 2014）。其中，《中華帝國晚期文學中的女性與國族創傷》獲2016年「列文森圖書獎」。另與田曉菲、Wiebke Denecke合編《牛津中國古典文學手冊》（*The Oxford Handbook of Classical Chinese Literature*. Oxford University Press, 2017）。

李雯心（Casey Lee），美國哈佛大學博士候選人。研究方向為當代媒介文化和文化現代性的關係。博士學位論文：思考中國的日本動漫和遊戲（ACG）「二次元」粉絲群體的文化創作與活動如何影響了中國在世界地位的變化、社會政治和人際交往等。

李奭學，台灣中央研究院中國文哲研究所研究員，輔仁大學跨文化研究所研究員，台灣大學外國語文學系暨研究所兼任教授。研究方向為中外比較文學、宗教與文學的跨文學研究、現代文學、中國翻譯史等，著有《中西文學

因緣》（聯經出版社，1991），《書話台灣：1991–2003文學印象》（九歌出版社，2004），《經史子集：翻譯、文學與文化評論》（聯合文學出版社，2005），《中國晚明與歐洲文學：明末耶穌會古典型證道故事考詮》（聯經出版社，2005），《得意忘言：翻譯、文學與文化評論》（三聯書店，2007），《譯述：明末耶穌會翻譯文學論》（香港中文大學出版社，2013），《中外文學關係論稿》（聯經出版社，2015）等。與梅謙立（Thierry Meynard）合著《晚明耶穌會的「世說」文學》（*Jesuit Chreia in Late Ming China: Two Studies with an Annotated Translation of Alfonso Vagnone's "Illustrations of the Grand Dao"*. Peter Lang AG, 2014）。

李歐梵，香港中文大學Sin Wai Kin榮休講座教授，美國哈佛大學榮休教授，台灣中央研究院院士。研究方向為現代中國文學與文化、華語電影、香港文學等。*The Romantic Generation of Chinese Writers*（Harvard University Press, 1973）（中文版《中國現代作家的浪漫一代》，新星出版社，2005），*Voices from the Iron House: A Study of Lu Xun*（Indiana University Press, 1987）（中文版《鐵屋中的吶喊》，三聯書店（香港）有限公司，1991），*Shanghai Modern: The Flowering of a New Urban Culture in China, 1930-1945*（Harvard University Press, 1999）（中文版《上海摩登：一種新都市文化在中國，1930–1945》，北京大學出版社，2001），《中國現代文學與現代性十講》（復旦大學出版社，2002），《蒼涼與世故》（上海三聯書店，2008），《人文六講》（中國人民大學出版社，2012）等。

李潔，美國哈佛大學東亞語言與文化系John L. Loeb副教授。研究方向為東亞電影和現代中國文學、媒介和文化研究。著有《上海家庭：私人生活的「重寫本」》（*Shanghai Homes: Palimpsests of Private Life*. Columbia University Press, 2014），合編《中國的紅色遺產：共產革命的文化來世》（*Red Legacies in China: Cultural Afterlives of the Communist Revolution*. Harvard Asia Center, 2016）。

杜博妮（Bonnie S. McDougall），英國愛丁堡大學榮休教授，澳大利亞雪梨大學訪問教授（2010-2013）。研究方向為中國現當代文學、通俗文學、性別研究等。著有《毛澤東〈在延安文藝座談會的講話〉譯評》（*Mao Zedong's "Talk at the Yan'an Conference on Literature and Art": A Translation of the 1943 Text with Commentary.* University of Michigan Center for Chinese Studies, 1980），《中國通俗文學與表演藝術，1949-1979》（*Popular Chinese Literature and Performing Arts in the People's Republic of China, 1949-1979.* University of California Press, 1984），《現代中國的情書與隱私：魯迅與許廣平的愛情生活》（*Love Letters and Privacy in Modern China: The Intimate Lives of Lu Xun and Xu Guangping.* Oxford University Press, 2002），《虛擬的作者與想像的讀者：二十世紀的現代中國文學》（*Fictional Authors, Imaginary Audience: Modern Chinese Literature in the Twentieth Century.* The Chinese University Press, 2003）等。

杜愛梅（Amy Dooling），美國康乃狄克學院教授。研究方向為中國現當代小說與戲劇、華語女性文學、中國女性運動與女性主義史、翻譯研究等。著有《現代中國的女性書寫：革命歲月，1936-1976》（*Writing Women in Modern China: The Revolution Years, 1936-1976.* Columbia University Press, 2005），《二十世紀中國的文學女權主義》（*Women's Literary Feminism in Twentieth-Century China.* Palgrave Macmillan, 2005）。合編《現代中國的女性寫作：二十世紀早期女性文學選集》（*Writing Women in Modern China: An Anthology of Women's Literature from the Early Twentieth Century.* Columbia University Press, 1997）。

汪暉，清華大學中文系與歷史系教授。研究方向為中國現當代文學、中國思想史。著有《反抗絕望：魯迅及其文學世界》（久大文化出版社，1990），《汪暉自選集》（廣西師範大學出版社，1997），《死火重溫》（人民文學出版社，2000），《現代中國思想的興起》（北京三聯書店，2004），《去政治化的政治：短二十世紀的終結與九〇年代》（北京三聯書店，2008），《聲之善惡》（北京三聯書店，2013），《短二十世紀：中國革命與政治的

邏輯》（牛津大學出版社，2015）等。

沈雙，美國賓夕法尼亞州立大學比較文學系副教授。研究方向為中國現當代文學、二十世紀華語語系文學、華語離散文學、亞裔美國人文學、後殖民文學與文論。著有《世界公民：半殖民上海的英語出版文化》（*Cosmopolitan Publics: Anglophone Print Culture in Semi-colonial Shanghai.* Rutgers University Press, 2009）。

阮斐娜，美國科羅拉多大學亞洲語言文化系教授，美國加州大學柏克萊分校博士。研究方向為近現代日本文學文化與電影、中日比較文學、台灣日治時期文學等。著有《帝國的太陽下：日本的台灣及南方殖民地文學》（麥田出版，2010），《過境：東亞文化圈的形成》（*In Transit: The Formation of an East Asian Culture Sphere.* University of Hawaii Press, 2014）。

周文龍（Joseph R. Allen），美國明尼蘇達大學雙城分校中國文學和文化研究榮休教授。研究方向為華語詩學、台灣文學、後殖民影像等。著有*Taipei: Cities of Displacements*（University of Washington Press, 2012）（中譯本《錯置台北城》，麥田出版，2018），該書榮獲2014年「列文森中國研究書籍獎」。

周成蔭，美國杜克大學客座副教授，杜克大學故事實驗室（Story Lab）主任之一，台北世新大學舍我紀念館館長。研究方向為文學翻譯，新聞實踐與公共領域，跨文化粉絲群體，以及全球唐人街的起源和傳播歷史。與羅鵬（Carlos Rojas）合編《反思中國流行文化》（*Rethinking Chinese Popular Culture: Cannibalizations of Canon.* Routledge, 2009）和《牛津華語電影手冊》（*The Oxford Handbook of Chinese Cinemas.* Oxford University Press, 2013）。

周慧玲，台灣國立中央大學英美文學系特聘教授，美國紐約大學博士。研究方向為二十世紀表演理論、性別研究與表演理論、中國話劇與電影史、戲劇創作及評論。主編《表演台灣彙編：劇本，設計，技術，1943》系列叢書

（台灣國立中央大學黑盒子表演藝術中心，2013），《第三屆全球泛華青年劇本競賽得獎作品集》（國立中央大學戲劇表演研究室，2017），《東亞現代戲劇：台灣、香港與韓國》（*Modern Theatre in East Asia: Taiwan*. Hong Kong & Korea. Routledge）。

周蕾，美國杜克大學三一文理學院Anne Firor Scott文學講座教授，美國藝術與科學院院士（AAAS Fellow）。研究方向為比較文學、現代主義與現代性、文學與文化研究、全球化與後殖民理論、電影與新媒體等。著有*Woman and Chinese Modernity: The Politics of Reading Between West and East*（University of Minnesota Press, 1991）（中文版《婦女與中國現代性》，麥田出版，1997），《書寫離散：當代文化研究中的介入策略》（*Writing Diaspora: Tactics of Intervention in Contemporary Cultural Studies*. Indiana University Press, 1993），*Primitive Passions: Visuality, Sexuality, Ethnography, and Contemporary Chinese Cinema*（Columbia University Press, 1995）（中文版《原初的激情：視覺、性欲、民族志與中國當代電影》，遠流出版社，2001），*Ethics After Idealism: Theory, Culture, Ethnicity, Reading*（Indiana University Press, 1998）（中文版《理想主義之後的倫理學》，河南大學出版社，2013），《情感的虛構與當代華語電影》（*Sentimental Fabulations, Contemporary Chinese Films*. Columbia University Press, 2007），*The Age of the World Target: Self-Referentiality in War, Theory, and Comparative Work*（Duke University Press, 2006）（中文版《世界標靶的時代：戰爭、理論與比較研究中的自我指涉》，麥田出版，2011），《周蕾讀本》（*The Rey Chow Reader*. Columbia University Press, 2010）等。

林姵吟，香港大學中文學院副教授，倫敦大學亞非學院（SOAS）博士，哈佛大學燕京學社訪問學者（2015-2016），倫敦大學亞非學院博士後研究員。研究方向為現當代華語文學，並特別關注台灣文學。著有《殖民台灣：文學中身分與現代性的折衝》（*Colonial Taiwan: Negotiating Identities and Modernity through Literature*. Brill, 2017），《從帝國到國家：台灣與韓國的流

行文化生產，1930-1960》（*Empire to Nation: Production of Popular Culture in Taiwan and Korea, 1930s-1960s*. Hong Kong University Press）。

林培瑞（Perry Link），美國普林斯頓大學榮休教授，美國加州大學河濱分校校長特聘講座教授。研究方向為中國現當代文學、中國社會史、大眾文化、相聲等。著有《鴛鴦蝴蝶派：二十世紀初中國城市的通俗小說》（*Mandarin and Butterflies: Popular Fiction in Early Twentieth-Century Chinese Cities*. University of California Press, 1981），《文學的功用：中國社會主義文學體系中的生活》（*The Uses of Literature: Life in the Socialist Chinese Literary System*. Princeton University Press, 2000），《漢語解破學：韻律、隱喻、政治》（*An Anatomy of Chinese: Rhythm, Metaphor, Politics*. Harvard University Press, 2013）等。

金介甫（Jeffrey C. Kinkley），美國波特蘭州立大學歷史、世界語言和文學資深教授。研究方向為中國現當代文學。著有 *The Odyssey of Shen Congwen*（Stanford University Press, 1987）（中文版《沈從文傳》，北京時事出版社，1990），《中國的正義與小說：當代中國的法治與文學》（*Chinese Justice, the Fiction: Law and Literature in Modern China*. Stanford University Press, 2000）《中國新歷史小說中的反烏托邦想像》（*Visions of Dystopia in China's New Historical Novels*. Columbia University Press, 2014）等。

金環，香港科技大學人文學部助理教授，美國哈佛大學博士。研究方向為中華帝國晚期至民國初年（約1500年-1930年）中國文學與歷史的共生關係。目前的研究計畫為《天國崩塌之時：太平天國時期的文學與文化（1851-1864）》（*When Heaven Collapsed: Literature and Culture during the Taiping Civil War* (1851-1864)）。

哈金，美國華裔作家，美國波士頓大學William Fairfield Warren傑出講座教授。著有《沉默之間》（*Between Silence: A Voice from China*. University of

Chicago Press, 1990），*Waiting: A Novel*（Vintage, 2000）（中文版《等待》，時報文化，2000），*The Writer as Migrant*（University of Chicago Press, 2008）（中文版《在他鄉寫作》，聯經出版社，2010），*Nanjing Requiem: A Novel*（Pantheon, 2011）（中文版《南京安魂曲》，江蘇文藝出版社，2011）等。其中，《等待》獲得美國國家圖書獎（1999）和福克納獎（1999）。

姚錚（Steven Yao），美國漢彌爾頓學院Edmund A. LeFevre文學教授。研究方向為全球現代主義、二十世紀美國文學、中美比較文學、翻譯理論等。著有《翻譯與現代主義語言：性別、政治、語言》（*Translation and the Languages of Modernism: Gender, Politics, Language*. Palgrave Macmillan, 2002），《外國口音：從排外到後種族時代的美國華裔詩歌》（*Foreign Accents: Chinese American Verse from Exclusion to Postethnicity*. Oxford University Press, 2010）。

施開揚（Brian Skerratt），台灣國立中興大學台灣文學與跨國文化研究所助理教授，美國哈佛大學博士。研究方向為現代華語詩歌、生態詩歌批評、比較詩學等。

柏右銘（Yomi Braester），美國西雅圖華盛頓大學Byron W. and Alice L. Lockwood人文科學教授，比較文學、電影和媒介研究教授，古根海姆基金獎獲得者（2013）。研究方向為文學與視覺藝術，尤為關注中國大陸與台灣的電影、現代舞台藝術、廣告及其他視覺媒體。著有《目擊歷史：二十世紀中國的文學、電影和公共話語》（*Witness against History: Literature, Film, and Public Discourse in Twentieth-Century China*. Stanford University Press, 2003），《染紅城市：中國電影和城市契約》（*Painting the City Red: Chinese Cinema and the Urban Contract*. Duke University Press, 2010）。其中，《染紅城市》一書獲得2012年「列文森中國研究書籍獎」。

柯夏志（Lucas Klein），美國亞利桑那州立大學副教授，美國耶魯大學博士。譯有《蚊子志：西川詩選》（*Notes on the Mosquito: Selected Poems of Xi*

Chuan. New Directions, 2011），獲得2013年Lucien Stryk亞洲文藝翻譯獎。參與合譯芒克《十月的獻詩》（*October Dedications*. Chinese University Press, 2017）。

柯雷（Maghiel van Crevel），荷蘭萊頓大學中國語言文學教授。研究方向為中國當代詩歌、翻譯文學、中國現當代文學史，著有*Chinese Poetry in Times of Mind, Mayhem and Money*（Brill, 2008）（中文版《精神與金錢時代的中國詩歌》，北京大學出版社，2017）。

洪子誠，1939年生於廣東揭陽，1956年考入北京大學中文系文學專業，畢業後留校任教，一直從事中國當代文學、中國新詩的教學和研究工作。1993年評為教授、博士生導師。著有《中國當代文學史》、《問題與方法：中國當代文學史研究講稿》、《我的閱讀史》、《材料與注釋》等，有「洪子誠學術作品集」（八卷）行世。

胡志德（Theodore Huters），美國加州大學洛杉磯分校中國研究榮休教授。2010年起任香港中文大學翻譯研究中心《譯叢》（*Renditions*）雜誌主編。胡志德的研究方向為中國近現代文學與思想史。著有*Qian Zhongshu*（Twayne Publishers, 1982）（中文版《錢鍾書》，中國廣播電視出版社，1990），《把世界帶回家：中國晚清與民初時期的西學中用》（*Bring the World Home: Appropriating the West in Late Qing and Early Republican China*. University of Hawaii Press, 2005）。另主編《中國歷史上的文化與國家》（*Culture and State in Chinese History: Conventions, Accommodations, and Critiques*. Stanford University Press, 1997）等。

胡纓，美國加州大學爾灣分校教授。研究方向為晚清文學、女性主義理論和翻譯研究。著有*Tales of Translation: Composing the New Woman in China, 1899-1918*（Stanford University Press, 2000）（中文版《翻譯的傳說：中國新女性的形成（1899-1918）》，江蘇人民出版社，2009），《葬秋：詩歌，友情

與失落》（*Burying Autumn: Poetry, Friendship and Loss*. Harvard University Asia Center, 2016）。與季家珍（Joan Judge）合編*Beyond Exemplar Tales: Women's Biography in Chinese History*（Global, Area, and International Archive, 2011）（中文版《重讀中國女性生命故事》，五南圖書，2011）。

若岸舟（Andy Rodekohr），美國維克森林大學副教授，哈佛大學博士。研究方向為中國現當代文學和視覺文化、1960年代以來的台灣文學、華語語系文學等。

唐小兵，香港中國文大學文學院院長。研究方向為當代中國視覺文化、文學與藝術理論、現代中國文化史等。著有《英雄與凡人的時代》（上海文藝出版社，2001），*Chinese Modern: The Heroic and Quotidian*（Duke University Press, 2000），*Origins of the Chinese Avant-Garde: The Modern Woodcut Movement*（University of California Press, 2007）（中文版《現代木刻運動：中國先鋒藝術的起源》，中國美術學院出版社，2000），*Visual Culture in Contemporary China: Paradigms and Shifts*（Cambridge University Press, 2015）（中文版《流動的圖像：當代中國視覺文化再解讀》，復旦大學出版社，2018）。主編《再解讀：大眾文藝與意識形態》（北京大學出版社，2007）。

唐麗園（Karen L. Thornber），美國哈佛大學東亞語言與文明系和比較文學系Harry Levine 講座教授，哈佛大學亞洲研究理事會主席，哈佛大學全球研究院環境與人文計畫負責人。研究方向為比較文學、世界文學、東亞文學、性別研究、環境人文、醫學人文、後殖民研究等。著有《移動的文本帝國》（*Empire of Texts in Motion: Chinese, Korean, and Taiwanese Transculturations of Japanese Literature*. Harvard University Asia Center, 2009），《生態含混》（*Ecoambiguity: Environmental Crises and East Asian Literatures*. University of Michigan Press, 2012）。其中，《生態含混》一書獲2013年美國比較文學協會「勒內‧韋勒克獎」。

夏曉虹，北京大學中文系榮休教授。研究方向為文學思想變遷、女性生活、晚清和民國初年的社會與文化。著有《覺世與傳世：梁啟超的文學道路》（上海人民出版社，1991），《晚清女性與近代中國》（北京大學出版社，2004），《梁啟超：在政治與學術之間》（東方出版社，2014），《晚清文人婦女觀》（北京大學出版社，2016），《晚清女子國民常識的建構》（北京大學出版社，2016）等。

奚密，美國加州大學戴維斯分校東亞語言文化系和比較文學系資深教授。研究方向為中國古典與現代詩歌、比較詩學、現代主義、翻譯。著有 *Modern Chinese Poetry: Theory and Practice Since 1917*（Yale University Press, 1991）（中文版《現代漢詩：1917年以來的理論與實踐》，上海三聯書店，1917），《芳香詩學》（聯合文學出版社，2005），《台灣現代詩論》（天地圖書有限公司，2009）等。與張誦聖、范銘如合編《哥倫比亞台灣文學資料集》（*The Columbia Sourcebook of Literary Taiwan*. Columbia University Press, 2014）。

孫康宜，美國耶魯大學Malcolm G. Chace'56東亞語言文學講座教授。研究方向為中國古典文學與比較詩學、文學批評、性別研究等。著有 *Six Dynasties Poetry*（Princeton University Press, 1986）（中文版《抒情與描寫：六朝詩歌概論》，上海三聯書店，2006），*The Late-Ming Poet Ch'en Tzu-Lung: Crises of Love and Loyalism*（Yale University Press，1991）（中文版《情與忠：陳子龍、柳如是詩詞因緣》，北京大學出版社，2012），《詞與文類研究》（北京大學出版社，2006），《孫康宜自選集》（上海譯文出版社，2013）等。另與宇文所安（Stephen Owen）合編 *The Cambridge History of Chinese Literature*（Cambridge University Press, 2010）（中文版《劍橋中國文學史》，北京三聯書店，2013）。

徐蘭君，新加坡國立大學中文系副教授，美國普林斯頓大學博士。研究方向為二十世紀中國文學及電影、現代中國都市文化史、十七年時期的地方戲曲及民間文化、現代中國兒童的文化史與冷戰時期中國、香港及東南亞之間的

文化網路。著有《兒童與戰爭：國族、教育及大眾文化》（北京大學出版社，2015）。

殷海潔（Heather Inwood），劍橋大學亞洲與中東研究系講師，劍橋大學三一學院研究員。研究方向為中國當代詩歌、港台文學、文學社會學、網路文化、流行文化等。著有《網紅詩：中國的新媒體語境》（*Verse Going Viral: China's New Media Scenes*. University of Washington Press, 2014）。

涂航，哈佛大學東亞系博士，新加坡國立大學中文系助理教授。研究領域為中國當代文學與思想，知識分子研究，政治文化等。當前正在從事一本關於政治情感如何影響當代中國文化爭鳴和記憶政治的專著寫作。

班傑明・艾爾曼（Benjamin A. Elman），美國普林斯頓大學Gordon Wu'58漢學講座教授、東亞研究和歷史系榮休教授。研究方向為中國思想與文化史、中國科學史、晚清教育史、中日文化交流史等。著有*From Philosophy to Philology: Intellectual and Social Aspects of Change in Late Imperial China*（Harvard University Asia Center, 1985）（中文版《從理學到樸學：中華帝國晚期思想與社會變化面面觀》，江蘇人民出版社，1995），*Classicism, Politics, and Kinship: The Ch'ang-chou School of New Text Confucianism in Late Imperial China*（University of California Press, 1990）（中文版《政治、經濟和宗族：中華帝國晚期常州今文學派研究》，江蘇人民出版社，1998），*On Their Own Terms: Science in China, 1550-1900*（Harvard University Press, 2005）（中文版《科學在中國（1550-1900）》，中國人民大學出版社，2016），*A Cultural History of Modern Science in China*（Harvard University Press, 2006）（中文版《中國近代科學的文化史》，上海古籍出版社，2009），《中華帝國晚期的科舉與任賢》（*Civil Examinations and Meritocracy in Late Imperial China*. Harvard University Press, 2013）。與石靜遠（Jing Tsu）合編《現代中國的科學與技術》（*Science and Technology in Modern China, 1880s-1940s*. Brill Academic Pub, 2014），與吳才德（Alexander Woodside）合編《中華帝國晚期的教育與社

會，1600-1900》（*Education and Society in Late Imperial China, 1600-1900. University of California Press, 1994*）。

馬克・本德爾（Mark Bender），美國俄亥俄州立大學東亞語言與文學教授。研究方向為中國傳統表演藝術、中國口頭文學、中國當代少數民族詩歌等。著有《梅與竹：中國蘇州評彈傳統》（*Plum and Bamboo: China's Suzhou Chantefable Tradition.* University of Illinois Press, 2003），《蝴蝶媽媽：中國貴州的苗族創世史詩》（*Butterfly Mother: Miao（Hmong）Creation Epics form Guizhou, China.* Hackett Pub Co, 2006），《亞洲的邊境：文化、地方與詩歌》（*The Borderlands of Asia: Culture, Place, Poetry.* Cambria Press, 2017）。與梅維恒（Victor Mair）合編《哥倫比亞中國民間與通俗文學選集》（*The Columbia Anthology of Chinese Folk and Popular Literature.* Columbia University Press, 2011）。

馬悅然（Nils Göran David Malmqvist），瑞典斯德哥爾摩大學榮休教授，瑞典學院院士，曾任歐洲漢學協會會長。著有《另一種鄉愁》（聯合文學出版社，2002），《俳句一百首》（聯合文學出版社，2002），《我的老師高本漢》（吉林出版集團，2009）等。馬悅然以瑞典文翻譯了包括《詩經》、《西遊記》、《水滸傳》、《道德經》等中國古典文學作品，以及魯迅、沈從文、高行健、北島等中國現當代作家的作品。

高嘉謙，台灣政治大學中國文學博士，現任台灣大學中文系副教授，曾於捷克布拉格查理士大學客座講學。主要研究領域為中國近現代文學、漢詩、民國舊體詩詞、馬華文學。研究成果曾獲科技部吳大猷先生紀念獎。著有《國族與歷史的隱喻：近現代武俠傳奇的精神史考察（1895-1949）》（花木蘭出版社，2014）、《遺民、疆界與現代性：漢詩的南方離散與抒情（1895-1945）》（聯經出版社，2016）、《馬華文學批評大系：高嘉謙》（元智大學中語系）。

康開麗（Claire Conceison），美國麻省理工學院戲劇藝術教授，Quanta中國文化教授。研究方向為中國當代戲劇、跨文化交流與表演藝術、中美比較戲劇等。著有 *Voices Carry: Behind Bars and Backstages during China's Revolution and Reform*（Rowman & Littlefield Publishers, 2008）（中文版《水流雲在：英若誠自傳》，中信出版社，2016），《重要的他者：在中國舞台上演美國人》（*Significant Other: Staging the American in China*. University of Hawaii Press, 2004）。另主編《〈我愛XXX〉及其他：孟京輝劇作選》（*Love XXX and Other Plays*. Seagull Books, 2017）。

張建德（Stephen Teo），新加坡南洋理工大學黃金輝傳播與資訊學院副教授。研方向為亞洲華語電影。著有《香港電影：額外的維度》（*Hong Kong Cinema: The Extra Dimensions*. British Film Institute, 1997）、《王家衛》（*Wong Kai-Wai: Auteur of Time*. British Film Institute, 2005），*King Hu's "A Touch of Zen"*（Hong Kong University Press, 2006）（中文版《胡金銓與女俠》，復旦大學出版社，2014），*Director in Action: Johnnie To and the Hong Kong Action Film*（Hong Kong University Press, 2007）（中文版《杜琪峰與香港動作電影》，復旦大學出版社，2013）、《中國武俠電影：武俠傳統》（*Chinese Martial Arts Cinema: The Wuxia Tradition*. Edinburgh University Press, 2009），《亞洲電影經驗：形式、空間、理論》（*The Asian Cinema Experience: Styles, Spaces, Theory*. Routledge, 2012）。

張英進，美國加州大學聖地牙哥分校文學系主任，比較文學與中國學研究特聘教授。研究方向為中國現代文學、比較文學、電影與媒體研究、視覺文化、文學與文化史、跨文化政治等。著有 *The City in Modern Chinese Literature and Film*（Stanford University Press, 1996）（中文版《中國現代文學與電影中的城市》，江蘇人民出版社，2007），*Screening China: Critical Interventions, Cinematic Reconfigurations, and the Transnational Imaginary in Contemporary Chinese Cinema*（University of Michigan Press, 2002）（中文版《影像中國：當代中國電影的批評重構及跨國想像》，上海三聯書店，2008），《中國民族電影》

（*Chinese National Cinema*. Routledge, 2004），《全球化時代中國的電影、空間與多地性》（*Cinema, Space, and Polylocality in a Globalizing China*. University of Hawaii Press, 2009）等。主編《中國電影手冊》（*A Companion to Chinese Cinema*. Wiley-Blackwell, 2012），《中國現代文學手冊》（*A Companion to Modern Chinese Literature*. Wiley-Blackwell, 2015）等。與畢克偉（Paul G. Pickowicz）合編《從地下到獨立：當代中國的另類電影文化》（*From Underground to Independent: Alternative Film Culture in Contemporary China*. Rowman & Littlefield Publishers, 2006），與邱貴芬合編《華語新紀錄片》（*New Chinese-Language Documentaries*. Routledge, 2014）。

張誦聖，美國德克薩斯大學奧斯汀分校亞洲研究系教授。研究方向為華語電影與文學、台灣文學、現代主義等。著有《現代主義與本土的抵抗：當代台灣華語小說》（*Modernism and the Nativist Resistance: Contemporary Chinese Fiction from Taiwan*. Duke University Press, 1993），《文學場域的變遷》（聯合文學出版社，2001），《當代台灣文學場域》（江蘇大學出版社，2015），《台灣文學生態：從戒嚴法則到市場規律》（江蘇大學出版社，2016）等。

莊華興（Chong Fah Hing），馬來西亞博特拉大學外文系中文組高級講師，馬來亞大學中文系博士。研究方向為馬華文學、東南亞和東亞文學、民族和文學遷移問題，特別關注自1920年代至冷戰初期的馬來西亞左翼華文文學運動。著有《伊的故事：馬來新文學研究》（有人出版社，2005），《國家文學：宰製與回應》（雪隆興安會館與大將出版社聯合出版，2006）等。

莊愛玲（Eileen J. Cheng），美國波莫納學院副教授。研究方向為中國現當代文學與魯迅研究。著有《文學的遺骸：死亡、創傷和魯迅對哀悼的拒絕》（*Literary Remains: Death, Trauma, and Lu Xun's Refusal to Mourn*. University of Hawaii Press, 2013）。與鄧騰克（Kirk Denton）合作編纂英譯魯迅散文集《燈下漫筆：生命和現代文化的隨筆》（*Jottings under Lamplight: Essays on Life and Modern Culture*. Harvard University Press, 2019）。

莫言，作家，諾貝爾文學獎得主，北京師範大學教授，中國作家協會副主席。主要作品有《春夜雨霏霏》（1981），《透明的紅蘿蔔》（麥田出版，2008），《紅高粱》（洪範書店，2007），《天堂蒜薹之歌》（洪範書店，1989），《酒國》（洪範書店，1992），《豐乳肥臀》（洪範書店，1996），《檀香刑》（麥田出版，2001），《生死疲勞》（麥田出版，2006），《蛙》（麥田出版，2009）等。除諾貝爾文學獎外，莫言的作品曾獲得茅盾文學獎、美國紐曼華語文學獎、台灣聯合報文學獎、日本福岡亞洲文化獎、馮牧文學獎等獎項。

許潔琳（**Géraldine Fiss**），美國南加州大學東亞語言與文化系講師，美國哈佛大學博士。研究方向為中國與跨國現代主義、中德比較文學與文化研究、中國女性文學與電影、現代華語視覺影像研究等。目前撰寫著作《文本旅行和旅行的文本：二十世紀早期中國的德國文化和思想》（*Textual Travels and Traveling Texts: German Culture and Ideas in Early Twentieth Century China*）。

陳大為，台北大學中文系教授。著有《亞細亞的象形詩維》（萬卷樓，2001）、《亞洲閱讀：都市文學與文化》（萬卷樓，2004）、《中國當代詩史的典律生成與裂變》（萬卷樓，2009）、《馬華散文史縱論》（萬卷樓，2009）、《神出之筆：當代漢語詩歌敘事研究》（馬大中文系，2016）、《鬼沒之硯：當代漢語都市詩研究》（馬大中文系，2016）等十二部學術論文集。

陳小眉，美國加州大學戴維斯分校東亞語言與文化系教授。研究方向為現代中國文學、女性文學、現代中國戲劇、比較文學、文學理論、表演藝術等。著有*Occidentalism: A Theory of Counter-discourse in Post-Mao China*（Oxford University Press, 1995）（中文版《西方主義》，南京大學出版社，2014），《恰當表演》（*Acting the Right Part: Political Theater and Popular Drama in Contemporary China*. University of Hawaii Press, 2002），《舞台上的中國革命：戲劇，電影和宣傳的餘生》（*Staging Chinese Revolution: Theater, Film, and the*

Afterlives of Propaganda. Columbia University Press, 2016）。編著《閱讀「正確文本」》（*Reading the Right Text.* University of Hawaii Press, 2003），《哥倫比亞中國現代戲劇選》（*Columbia Anthology of Modern Chinese Drama.* Columbia University Press, 2010）。

陳平原，北京大學博雅講座教授，中國教育部「長江學者」特聘教授，中央文史研究館館員。曾任北京大學中國語言文學系主任（2008-2012），香港中文大學講座教授。研究方向為中國近現代文學與文化、中國近現代思想史與學術史、中國小說史、文學與圖像等。著有《中國小說敘事模式的轉變》（上海人民出版社，1988），《千古文人俠客夢：武俠小說類型研究》（人民文學出版社，1992），《小說史：理論與實踐》（北京大學出版社，1993），《陳平原小說史論集》（河北人民出版社，1997），《中國現代學術之建立》（北京大學出版社，1998），《從文人之學到學者之文：明清散文研究》（三聯書店，2004），《晚清文學教室：從北大到台大》（麥田出版，2005），《左圖右史與西學東漸：晚清畫報研究》（三聯書店（香港）有限公司，2008），《觸摸歷史與進入五四》（北京大學出版社，2005）（英文版 *Touches of History: An Entry into 'May Fourth' China.* Brill, 2011），《中國現代小說與文化七講》（法文版 *Sept leçons sur le roman et la culture modernes en Chine.* Brill, 2015）等。

陳建華，上海交通大學人文學院致遠講座教授，復旦大學文學博士，哈佛大學文學博士，香港科技大學榮譽教授。著有《十四至十七世紀中國江浙地區社會意識與文學》（學林出版社，1992），《「革命」的現代性：中國革命話語考論》（上海古籍出版社，2000）（英文版 *Revolution and Form: Mao Dun's Early Novels and Chinese Literary Modernity.* Brill, 2018），《革命與形式：茅盾早期小說的現代性展開》（復旦大學出版社，2007），《從革命到共和：清末至民國時期文學、電影與文化的轉型》（廣西師範大學出版社，2009）等。

陳思和，復旦大學特聘教授，復旦大學圖書館館長，中國教育部「長江學者」特聘教授。研究方向為中國現當代文學和中外文學關係、比較文學、文學批評。著有《雞鳴風雨》（學林出版社，1994），《犬耕集》（上海遠東出版社，1995），《中國新文學整體觀》（上海文藝出版社，2001），《不可一世論文學》（人民文學出版社，2003），《無名時代的文學批評》（廣西師範大學出版社，2004），《中國當代文學史教程》（復旦大學出版社，2008），《思和文存》（黃山書社，2013），《陳思和文集》（廣東人民出版社，2017）等。

陳國球，台灣清華大學玉山講座教授，香港教育大學中國文學與文化研究中心總監。研究方向為中國詩歌和詩學研究、文學史編纂學、香港文學等。著有《胡應麟詩論研究》（華風書局有限公司，1986），《中國文學史的省思》（三聯書店（香港）有限公司，1993），《感傷的旅程：在香港讀文學》（學生書局，2003），《文學香港與李碧華》（麥田出版，2000），《抒情中國論》（三聯書店（香港）有限公司，2013），《香港的抒情史》（香港中文大學出版社，2016）等。

陳婧祾，美國伊利諾大學厄巴納-香檳分校助理教授，美國哈佛大學博士。研究方向為中國與希臘比較文學、中國現當代敘事學和中國現代思想史。即將完成關於希臘想像、中國知識分子和文化現代性的著作。

陳琍敏（Tarryn Li-Min Chun），美國聖母大學電影、電視與戲劇系助理教授，劉氏亞洲研究院研究員，密西根大學李侃如-羅睿馳（Lieberthal-Rogal）中國研究中心博士後研究員。研究方向為中國現當代文學、戲劇與電影，比較戲劇，流行文化，華語語系文學等。文章刊於《亞洲戲劇研究》（*Asian Theatre Journal*）、《TDR：戲劇評論》（*TDR: The Drama Review*）、《文學》（*Wenxue*）等刊物，並參與編纂《表演中國：二十一世紀的新戲劇》（*Staging China: New Theatres in the Twenty-First Century*. Palgrave Macmillan, 2015）。

陳毓賢（**Susan Chan Egan**），美籍菲律賓華裔作家及歷史研究者。著有*A Latterday Confucian: Reminiscences of William Huang, 1893-1980*（Harvard University Asia Center, 1988）（中文版《洪業傳》，聯經出版社，1992）。與周質平合著《一個實用主義者和他的自由思想》（*A Pragmatist and His Free Spirit: The Half-Century Romance of Hu Shi and Edith Clifford Williams.* The Chinese University Press, 2009）。另與白睿文（Michael Berry）合譯王安憶長篇小說《長恨歌》（*The Song of Everlasting Sorrow: A Novel of Shanghai.* Columbia University Press, 2008）。

陳榮強（**E. K. Tan**），美國紐約州立大學石溪分校文化研究和比較文學系副教授。研究方向為中國現當代文學，華語語系文學研究，東南亞研究，亞洲酷兒和後殖民理論研究。著有《反思「中國性」：南洋文學世界中被翻譯的華語語系身分》（*Rethinking Chineseness: Translational Sinophone Identities in the Nanyang Literary World.* Cambria Press, 2013）。

陳綾琪，美國聖路易華盛頓大學東亞語言與文化系教授，美國哥倫比亞大學博士。研究方向為中國現當代文學、華語文學、華語離散文學、後殖民主義、後現代主義等。著有《書寫中文：重塑中華文化身分》（*Writing Chinese: Reshaping Chinese Cultural Identity.* Palgrave Macmillan Publishing, 2006）。

陳廣琛，美國艾默瑞大學東亞系助理教授，哈佛大學比較文學博士。研究方向為現代中國文學與物質文化、思想史，文學與音樂之關係，音樂現象學等。陳廣琛為阿爾伯特‧施韋澤（Albert Schweitzer）《論巴赫》（*Johann Sebastian Bach.* Breitkopf & Härtel, 1979）的中譯者之一，並正在翻譯大衛‧達姆羅什（David Damrosch）的《如何閱讀世界文學》（*How to Read World Literature.* Wiley-Blackwell, 2008）。

陳濟舟，新加坡國立大學中文系榮譽學士學位，哈佛大學區域研究（東亞）碩士學位，現為哈佛大學東亞語言和文明系博士候選人，哈佛亞洲中心學生

研究員。著有小說集《永發街事》（聯經出版社，2019）。主要研究領域：
現當代中國文學與文化、華語語系文學、環境人文，後人類研究。

陳麗汶（Jessica Tan），畢業於新加坡南洋理工大學中文系，獲香港科技大
學人文學哲學碩士。現為美國哈佛大學東亞語言與文明系博士候選人。主要
研究興趣包括現當代中國與東南亞華文文學、冷戰時期的跨國文化生產、東
南亞華人歷史與文化。

陸敬思（Christopher Lupke），加拿大阿爾伯塔大學教授。研究方向為華語
電影、中國現當代文學等。著有《命之重：命令、分配以及中國文化中的命
運》（*The Magnitude of Ming: Command, Allotment, and Fate in Chinese Culture.*
University of Hawaii Press, 2004），《侯孝賢的華語電影：文化、風格、聲音
與動作》（*The Sinophone Cinema of Hou Hsiao-hsien: Culture, Style, Voice, and
Motion.* Cambria Press, 2016）等。

傅朗（Nicolai Volland），美國賓夕法尼亞州立大學亞洲研究系副教授。研
究方向為現代中國文學的跨國維度、視覺文化和印刷文化。著有《社會主義
世界主義》（*Socialist Cosmopolitanism: The Chinese Literary Universe, 1945–1965.*
Columbia University Press, 2017）。與雷勤風（Christopher Rea）合編《文化商
業》（*The Business of Culture: Cultural Entrepreneurs in China and Southeast Asia,
1900-1965.* University of Washington Press, 2014）。

勞倫‧哈特利（Lauran R. Hartley），美國哥倫比亞大學C. V. Starr東亞圖書
館藏學研究館館員，東亞語言與文化系藏語文學兼職講師，美國印第安那大
學藏學研究博士。研究方向為十八世紀至今的藏族文學生產和知識分子話
語。與人合編著作《現代藏族文學與社會變遷》（*Modern Tibetan Literature
and Social Change.* Duke University Press, 2008）。

彭小妍，台灣中央研究院中國文哲研究所榮休研究員，美國哈佛大學比較文

學博士。研究方向為台灣現代文學、中國現當代文學、跨文化研究、比較文學等。著有《超越寫實》（聯經出版社，1993），《歷史很多漏洞：從張我軍到李昂》（中央研究院中國文哲研究所籌備處，2000），《海上說情欲：從張資平到劉吶鷗》（中央研究院歷史語言研究所，2001），*Dandyism and Transcultural Modernity: The Dandy, the Flâneur, and the Translator in 1930s Shanghai, Tokyo, and Paris*（Routledge, 2010）（中文版《浪蕩子美學與跨文化現代性：二十世紀三〇年代上海、東京及巴黎的浪蕩子、漫遊者與譯者》，聯經出版社，2012）。

童慶生，中山大學（廣州）博雅學院和外國語學院雙聘教授，英國倫敦大學英國文學博士，哈佛大學燕京學社研究員，曾任香港大學英文學院院長。研究方向為英國文學、世界文學、文學理論等。著有《重建「浪漫主義」》（*Reconstructing Romanticism: Organic Theory Revisited.* Poetry Salzburg, 1997），《漢語的意義：語文學、世界文學和西方漢語觀》（北京三聯書店，2018）等。

舒允中，美國紐約城市大學皇后學院副教授，古典、中東與亞洲語言文化系主任，哥倫比亞大學博士。研究方向為現代中國小說與文化研究。著有 *Buglers on the Home Front: The War Time Practice of the Qiyue School*（State University of New York Press, 2000）（中文版《內線號手：七月派的戰時文學活動》，上海三聯書店，2010）。

費南山（**Natascha Gentz**），英國愛丁堡大學教授，漢學系主任。研究方向為中國新聞史和中國媒體概念、全球概念史和跨國知識生產，以及現代中國戲劇理論與實踐上的演進。參與編著《全球化、文化身分與媒體呈現》（*Globalization, Cultural Identities, and Media Representations.* State University of New York Press, 2006）。

賀麥曉（**Michel Hockx**），美國聖母大學東亞與文化系教授，劉氏亞洲研究

院院長。研究方向為中國現當代文學社團研究、中國網路文學研究、中國詩歌與詩學研究。著有*Questions of Style: Literary Societies and Literary Journals in Modern China,1911-1937*（Brill, 2003）（中文版《文體問題：現代中國的文學社團和文學雜誌》，北京大學出版社，2016），《中國網路文學》（*Internet Literature in China*. Columbia University Press, 2015）。

賀瑞晴（Kristine Harris），美國紐約州立大學新帕爾茨分校副教授，歷史系副主任。研究方向為中國現代文化史，特別是電影、媒介和性別研究。論文見於《牛津中國電影手冊》（*The Oxford Handbook of Chinese Cinemas*. Oxford University Pres, 2013）和《影像中的歷史：現代中國的圖像與公共空間》（*History in Images: Pictures and Public Space in Modern China. Institute of East Asian Studies*. University of California, Berkeley, 2013）。

黃心雅，台灣國立中山大學外國語文學系教授。研究方向為文學理論、美墨邊境文學、原住民研究、美國少數族裔文學、當代女性文學等。著有《從衣櫃的裂縫我聽見：現代西洋同志文學》（書林出版有限公司，2008），主編《北美鐵路華工：歷史、文學與視覺再現》（書林出版有限公司，2017）等。

黃淑嫻，香港嶺南大學中文系副教授，香港大學博士。研究方向為香港文學與文化、香港電影史、女性主義文學研究等。著有《香港影像書寫：作家、電影與改編》（香港大學出版社，公開大學出版社，2013），《女性書寫：文學、電影與生活》（浙江大學出版社，2014）。

黃愛玲，電影批評家和獨立電影文化工作者。曾是香港國際電影節目策畫人和香港電影資料館研究主任。曾任香港中文大學客座講師。研究方向為1930年代到1940年代的中國電影。著有《戲緣》（香港電影評論學會，2000）、《邵氏電影初探》（香港電影資料館，2003），《夢餘說夢》（牛津大學出版社，2012）。編著《詩人導演費穆》（香港電影評論學會，1998），《費

穆電影〈孔夫子〉》（香港電影資料館，2010）。

黃詩芸，美國喬治華盛頓大學教授。研究方向為東亞語言文學、數位人文、莎士比亞研究等。著有《莎士比亞的中國旅行：從晚清到二十一世紀》（華東師範大學出版社，2017），主編《莎士比亞在好萊塢、亞洲與網路空間》（*Shakespeare in Hollywood, Asia, and Cyberspace*. Purdue University Press, 2009）。

黃樂嫣（Gloria Davies），澳大利亞莫納什大學中國研究教授，澳大利亞墨爾本大學博士。研究方向為近現代中國知識分子研究、近現代中國文學史、中國現代思想、比較文學和批評理論，以及數位時代的文化流動研究。著有《魯迅的革命：暴力時代的書寫》（*Lu Xun's Revolution: Writing in a Time of Violence*. Harvard University Press, 2013）。

楊小濱，耶魯大學博士，中央研究院文哲所研究員，政治大學台文所教授。著有《否定的美學》（麥田出版，2010）、《中國後現代》（上海三聯書店，2013）、《感性的形式》（北京三聯書店，2016）、《欲望與絕爽》（麥田出版，2013）、《你想了解的侯孝賢、楊德昌、蔡明亮（但又沒敢問拉岡的）》（印刻出版社，2019）等。

楊海倫（Helen Praeger Young），美國史丹福大學東亞研究中心訪問學者。研究方向為中國現代革命史中的女性經驗。著有*Choosing Revolution: Chinese Women Soldiers on the Long March*（University of Illinois Press, 2007）（中文版《選擇革命：長征中的紅軍女戰士》，中共中央黨校出版社，2011）。

葉月瑜，香港嶺南大學講座教授。研究方向為華語電影、香港電影史等。著有《歌聲魅影：歌曲敘事與中文電影》（遠流出版社，2000），主編《華語電影工業：方法與歷史的新探索》（北京大學出版社，2011）。

葉凱蒂（Catherine Vance Yeh），美國波士頓大學中國文學和比較文學教

授。研究方向為十九至二十世紀中國的文學、媒體和視覺藝術，文學形式的全球遷徙，跨文化交流中戲劇美學的轉型，以及作為社會變遷症候的娛樂文化。著有*Shanghai Love: Courtesans, Intellectuals and Entertainment Culture, 1850-1910*（University of Washington Press, 2006）（中文版《上海・愛：名妓、知識分子與娛樂文化（1850-1910）》，北京三聯書店，2012），《中國的政治小說：一種世界性文類的遷徙》（*The Chinese Political Novel: Migration of a World Genre*. Harvard University Asia Center, 2015）。

葉維廉，美國加州大學聖地牙哥分校中國文學與比較文學榮休教授。研究方向為中西比較詩學、翻譯理論、東西方現代主義等。著有《華夏集》（*Ezra Pound's Cathy*. Princeton University Press, 1969），《比較詩學》（東大圖書股份有限公司，1983），《道家美學與西方文化》（北京大學出版社，2002），《中國詩學》（人民文學出版社，2006），《龐德與瀟湘八景》（國立台灣大學出版中心，2008）等。

董啟章，香港作家，香港大學比較文學碩士，香港中文大學兼職講師。著有《安卓珍尼》（聯合文學出版社，1996），《地圖集》（聯合文學出版社，1997），《雙身》（聯經出版社，1997），《天工開物・栩栩如生》（麥田出版，2005），《心》（聯經出版社，2016），《神》（聯經出版社，2017）等。其中，《雙身》獲得聯合報文學獎長篇小說特別獎（1995），《天工開物・栩栩如生》獲得首屆紅樓夢獎評審團獎（2006）及首屆施耐庵文學獎（2011），《心》獲得第十屆香港書獎（2017），《神》獲得第十一屆香港書獎。2014年，董啟章獲選為香港書展年度作家。

廖炳惠，美國加州大學聖地牙哥分校文學與批評研究教授，Chuan Lyu台灣研究講座教授。研究方向為台灣文學、後現代理論、文學批評、文化研究等。著有《回顧後現代》（麥田出版，1994），《吃的後現代》（廣西師範大學出版社，2005），《關鍵詞200：文學與批評研究的通用詞彙編》（江蘇教育出版社，2006）等。

劉秀美，台灣國立東華大學華文文學系副教授、《中國現代文學》（THCI 核心期刊主編）、中國現代文學學會祕書長、中國口傳文學學會理事、秀威出版社《民間文學叢書》及《原民／台灣原鄉繪本故事系列》叢書主編。研究方向：海外華文文學、台灣文學、民間文學。著有《五十年來的台灣通小說》（文津出版社，2011）、《從口頭傳統到文字書寫：台灣原住民族敘事文學的精神蛻變與返本開新》（文津出版社，2010）、《火光下的凝召：Sakizaya人的返家路》（花蓮市公所，2011）、《山海的召喚：台灣原住民口傳文學》（國立台灣文學館，2011）、《火神眷顧的光明未來：撒奇萊雅族口傳故事》（秀威資訊，2012）等書。

劉奕德（Petrus Liu），美國波士頓大學世界語言與文學系副教授，美國加州大學柏克萊分校博士。研究方向為現代中國文學、比較文學、數字媒體、冷戰文化美學等。著有《無國籍的主體：中國武俠小說與後殖民歷史》（*Stateless Subjects: Chinese Martial Arts Literature and Postcolonial History.* Cornell University Press, 2011），《兩岸酷兒馬克思主義》（*Queer Marxism in Two Chinas.* Duke University Press, 2015）等。

劉劍梅，香港科技大學人文學部中國文學和比較文學教授。研究方向為中國現當代文學、性別研究、流行文化、電影等。著有*Revolution Plus Love: Literary History, Women's Bodies, and Thematic Repetition in Twentieth-Century Chinese Fiction*（University of Hawaii Press, 2003）（中文版《革命與情愛：二十世紀中國小說史中的女性身體與主題重述》，上海三聯書店，2009），*Zhuangzi and Modern Chinese Literature*（Oxford University Press, 2016）（中文版《莊子的現代命運》，商務印書館，2012）等。

蔡建鑫，哈佛大學博士。研究方向為現代中國文學與文化、華語語系文學、台灣殖民時期文學研究等。著有《言歸中國：殖民地台灣的文學與遺民主義》（*A Passage to China: Literature and Loyalism in Colonial Taiwan.* Harvard University Asia Center, 2017）。

蔣暉，南非約翰尼斯堡金山大學高級訪問學者，北京大學國際批評理論中心研究員，美國紐約大學比較文學博士。研究方向為小說理論、馬克思主義、非洲的文學運動和思想。

蔣維國，香港演藝學院榮譽院士，曾任香港演藝學院戲劇學院院長（2001–2009），中央戲劇學院客座教授，上海戲劇學院客座教授，香港大學榮譽教授。導演作品包括古典戲劇、當代戲劇、音樂劇和中國戲劇。

鄧津華（**Emma J. Teng**），美國麻省理工學院人文、藝術與社會科學部The T. T. and Wei Fong Chao亞洲文明講座教授。研究方向為中國文化、中國移民歷史、美國亞裔移民研究、旅行寫作、種族與族裔研究和性別研究。著有 *Taiwan's Imagined Geography: Chinese Colonial Travel Writing and Pictures, 1683-1895.* Harvard University Asia Center, 2006）（中文版《台灣的想像地理：中國殖民旅遊書寫與圖像（1683–1895）》，國立台灣大學出版中心，2018），《歐亞人：美國、中國和香港的混合認同，1842–1943》（*Eurasian: Mixed Identities in the United States, China and Hong Kong,1842-1943.* University of California Press, 2013）。

鄧騰克（**Kirk A. Denton**），美國俄亥俄州立大學東亞語言與文學系教授，《中國現代文學與文化》（*Modern Chinese Literature and Culture*）期刊主編。研究方向為中國現代文學、大中華歷史記憶、華語電影等。著有《現代中國文學中的「自我」問題》（*The Problematic of Self in Modern Chinese Literature.* Stanford University Press, 1998），《中國：旅行者的文學指南》（*China: A Traveler's Literary Companion.* Wherabouts Press, 2008），《展示過去：後社會主義中國的歷史記憶和博物館政治》（*Exhibiting the Past: Historical Memory and the Politics of Museums in Postsocialist China.* University of Hawaii Press, 2013）。主編《現代中國文學思想：論文學，1893–1945》（*Modern Chinese Literary Thought: Writings on Literature,1893-1945.* Stanford University Press, 1996），《哥倫比亞中國現代文學指南》（*The Columbia Companion to Modern Chinese*

Literature. Columbia University Press, 2016），與賀麥曉（Michel Hockx）合編《民國文學社團》（*Literary Societies of Republican China*. Lexington Books, 2008）。

魯道夫・瓦格納（Rudolf G. Wagner），德國海德堡大學漢學系資深教授，哈佛大學費正清東亞研究中心研究員。研究方向為中國思想史和中國文化與世界的交流。著有《當代中國歷史劇》（*The Contemporary Chinese Historical Drama: Four Studies*. University of California Press, 1990），*The Craft of a Chinese Commentator: Wang Bi on the Lao Zi*（State University of New York Press, 2000）（中文版《王弼〈老子注〉研究》，江蘇人民出版社，2008）等。主編《加入全球公共性：早期中國報紙中的文字、圖像與城市》（*Joining the Global Public: Word, Image, and City in Early Chinese Newspapers*. State University of New York Press, 2008）等。合編《全球新知識的中文百科全書》（*Chinese Encyclopaedias of New Global Knowledge (1870-1930)*. Springer, 2013），《現代性經典》（*Modernity's Classics*. Springer, 2013）。

黎子鵬（John T. P. Lai），香港中文大學文化及宗教研究系副教授，英國牛津大學博士。研究方向為宗教、文學與翻譯的跨學科研究，華語基督教文學，《聖經》在中文語境中的接受，宗教文本翻譯等。著有《宗教鴻溝的協商：十九世紀中國新教傳教士翻譯基督教小冊子的事業》（*Negotiating Religious Gaps: The Enterprise of Translating Christian Tracts by Protestant Missionaries in Nineteenth-Century China*. Institute Monumenta Serica, 2012），《經典的轉生：晚清〈天路歷程〉漢譯研究》（基督教中國宗教文化研究社，2012年），《福音演義：晚清漢語基督教小說的書寫》（國立台灣大學出版中心，2017），《描繪神聖：晚清民國時期基督教神學的文學呈現》（*Sketching the Sacred: Literary Representations of Christianity in Late Qing and Republican China*. Brill）。另編著《中國基督教文字事業編年史》（基督教文藝出版社，2017）等。

橋本悟（Satoru Hashimoto），美國約翰霍普金斯大學比較文學助理教授，美國哈佛大學博士。研究方向為東亞文學跨地區研究、比較美學、批評理論和世界文學。發表論文《世界的文學典籍：魯迅，班雅明和〈道德經〉》（*World of Letters: Lu Xun, Benjamin, and Daodejing*），刊於《世界文學通訊》（*Journal of World Literature*）。正在撰寫《無國籍時代：戰後東亞跨文化史，1945–1953》（*Stateless Time: A Transcultural History of Postwar East Asia, 1945-1953*）。

諾曼・史密斯（Norman Smith），加拿大圭爾夫大學歷史教授。研究方向為現代中國文學史，現代中國婦女史，滿洲研究等。著有*Resisting Manchukuo: Chinese Women Writers and the Japanese Occupation*（UBC Press, 2008）（中文版《反抗「滿洲國」：偽滿洲國女作家研究》，北方文藝出版社，2017），《「醉人」滿洲：中國東北的酒、鴉片與文化》（*Intoxicating Manchuria: Alcohol, Opium and Culture in China's Northeast.* University of Washington Press, 2012）。主編《滿洲建構過程中的帝國與環境》（*Empire and Environment in the Making of Manchuria.* UBC Press, 2016）。

錢理群，北京大學中文系資深教授。研究方向為中國現代文學，特別是魯迅、周作人的作品、生活和文學視野，以及五四運動後中國知識分子研究和毛澤東研究。著有《周作人傳》（北京十月文藝出版社，1990），《豐富的痛苦：堂吉坷德與哈姆雷特的東移》（時代文藝出版社，1993），《1948：天地玄黃》（山東教育出版社，1999），《心靈的探尋》（北京大學出版社，1999），《大小舞台之間：曹禺戲劇新論》（北京大學出版社，2007），《魯迅九講》（福建教育出版社，2007），《我的精神自傳》（灕江出版社，2011），《周作人論》（北京三聯書店，2014）等。另與溫儒敏、吳福輝合著《中國現代文學三十年》（北京大學出版社，1998），與陳平原、黃子平合著《二十世紀中國文學三人談・漫談文化》（北京大學出版社，2004）。主編三卷本《中國現代文學編年史：以文學廣告為中心（1915—1927）》（北京大學出版社，2013）等。

錢廣昌（Clint Capehart），美國哈佛大學東亞系語言和文化研究中心博士候選人。研究方向為中國現當代文學，中國古代文學、歷史和哲學，特別關注於先秦歷史文本的發掘和重建工作。

錢穎，美國哥倫比亞大學東亞語言與文化系助理教授，哈佛大學博士。研究方向為比較視野下的紀錄片研究、中國革命和社會主義，以及少數民族書寫和電影創作。即將完成著作《視覺現實主義：中國革命世紀的紀錄片》（*Visionary Realities: Documentary Cinema in China's Revolutionary Century*），旨在探索紀錄影片在激進轉型的社會中調適現實和理想視景的能力。

應磊，美國哈佛大學博士，美國安姆赫斯特學院東亞系助理教授，曾獲美國總統學者獎（Presidential Scholar）。研究方向為佛教與現代中國文學和思想史的關聯。博士學位論文「Shadows of Karma: Buddhism, Literature, and the Modern Chinese Revolution」（2018）。

戴沙迪（Alexander Des Forges），美國麻塞諸塞大學波士頓分校教授，美國普林斯頓大學博士。研究方向為中國文學、比較文學、文化研究等。著有《上海的媒體界：文化生產的美學》（*Mediasphere Shanghai: The Aesthetics of Cultural Production*. University of Hawaii Press, 2007）。

戴樂為（Darrell William Davis），香港嶺南大學視覺研究系客座副教授。研究方向為東亞電影史、香港華語電影。合著有《東亞影視產業：東亞電影傳奇──中港日韓》（書林出版有限公司，2010），《台灣電影百年漂流》（書林出版有限公司，2016）等。

謝永平（Pheng Cheah），美國加州大學柏克萊分校教授，東南亞研究中心主任。研究方向為修辭學、十八至二十世紀歐陸哲學與批評理論、後殖民理論與英美後殖民文學、世界文學、全球化理論、世界主義與民族主義、當代中國電影等。著有《世界主義：超越國家的思考與感覺》（*Cosmopolitics:*

Thinking and Feeling Beyond the Nation. University of Minnesota Press, 1998），《德里達與政治時間》（*Derrida and the Time of the Political*. Duke University Press, 2009），《何謂世界？論以後殖民文學為世界文學》（*What Is a World? On Postcolonial Literature as World Literature*. Duke University Press, 2016）等。

鍾秩維，國立台灣大學政治學系畢業，並於台大台灣文學研究所獲得碩、博士學位。曾任美國哈佛大學費正清中國研究中心Hou Family Fellow。研究興趣包括台灣文學、抒情傳統與當代批判理論，著有博士論文《抒情與本土：戰後台灣文學的自我、共同體和世界圖像》。

韓子奇（Tze-ki Hon），香港城市大學中文和歷史系教授。研究方向為中國古代典籍、中國思想史。著有《易經與中國政治》（*The Yijing and Chinese Politic: Classical Commentary and Literati Activism in the Northern Song Period, 906-1127*. State University of New York Press, 2004），《作為復辟的革命》（*Revolution as Restoration: Guocui xuebao and China's Path to Modernity, 1905-1911*. Brill, 2013），《易經講義》（*Teaching the I Ching*. Oxford University Press, 2014）和《國家的魅力》（*The Allure of the Nation: The Cultural and Historical Debates in Late Qing and Republican China*. Brill, 2015）。

韓南（Patrick Dewes Hanan），美國哈佛大學Victor S. Thomas中國文學榮休講座教授，哈佛大學燕京學社第五任社長（1987–1995）。研究方向為二十世紀前的中國白話小說。學術專著包括《中國短篇小說》（*The Chinese Short Story: Studies in Dating, Authorship, and Composition*. Harvard University Press, 1973），*The Chinese Vernacular Story*（Harvard University Press, 1981）（中文版《中國白話小說史》，浙江古籍出版社，1989），*The Invention of Li Yu*（Harvard University Press, 1988）（中文版《創造李漁》，上海教育出版社，2010），*Chinese Fiction of the Nineteen and Early Twentieth Centuries: Essays by Patrick Hanan*（Columbia University Press, 2004）（中文版《中國近代小說的興起》，上海教育出版社，2004），《韓南中國小說論集》（北京大學出版

社，2008）等。

韓倚松（John Christopher Hamm），美國華盛頓大學亞洲語言與文學系教授。研究方向為期刊研究、印刷文化、流行文化、視覺文化等。著有《紙上劍客：金庸和現代中國武俠小說》（*Paper Swordsmen:Jin Yong and the Modern Chinese Martial Arts Novel.* University of Hawaii Press, 2006）。

韓嵩文（Michael Gibbs Hill），美國威廉瑪麗學院教授。研究方向為十九至二十世紀中國文學史和思想史、翻譯史、中國與中東文化關係史等。著有《林紓公司：翻譯與中國現代文化的製造》（*Lin Shu, Inc.: Translation and the Making of Modern Chinese Culture.* Oxford University Press, 2012）。譯有汪暉《中國：從帝國到民族國家》（*China from Empire to Nation-State.* Harvard University Press, 2014）及葛兆光《何為「中國」》（*What Is China?* Harvard University Press, 2018）。

韓瑞（Ari Larissa Heinrich），澳洲國立大學東亞文學與傳媒研究教授。研究方向為現代中國文學、比較文學、文化研究。著有《圖像的餘生：翻譯中西之間的身體病理》（*The Afterlife of Images: Translating the Pathological Body between China and the West.* Duke University Press, 2008），《中國的剩餘：生態政治美學和醫療商品化的身體》（*Chinese Surplus: Biopolitical Aesthetics and the Medically Commodified Body.* Duke University Press, 2018）等，亦為邱妙津《蒙馬特遺書》（*Last Words from Montmartre*）一書的英文譯者。

簡夏儀（Har Ye Kan），美國達特茅斯學院地理系講師，哈佛大學博士。專長為中國現當代城市化研究和泛東亞地區研究。合著有《中國的城市社區》（*China's Urban Communities: Concepts, Contexts, and Well-being.* Birkhauser, 2016）。

魏愛蓮（Ellen Widmer），美國衛斯理學院Mayling Soong中國研究講座教

授。研究方向為明清女性文學、傳教士研究和中國古典小說。著有*The Beauty and the Book: Women and Fiction in Nineteenth-Century China*（Harvard University Press, 2006）（中文版《美人與書：十九世紀中國的女性與小說》，北京大學出版社，2015），《小說家族：詹熙、詹塏與晚清的婦女事業》（*Fiction's Family: Zhan Xi, Zhan Kai and the Business of Women in Late-Qing China*. Harvard University Press, 2016）。

魏豔，香港大學中文系助理教授，美國哈佛大學博士。研究方向為中國現當代文學，大眾文學和華語文學研究。

羅福林（**Charles A. Laughlin**），美國維吉尼亞大學東亞語言、文學與文化系 Ellen Bayard Weedon講座教授、系主任。研究方向為中國現當代文學、華語電影、報告文學等。著有《中國報告文學：歷史經驗的美學》（*Chinese Reportage: The Aesthetics of Historical Experience*. Duke University Press, 2002），《休閒文學與中國現代性》（*The Literature of Leisure and Chinese Modernity*. University of Hawaii Press, 2008）。另主編《中國文學中的競爭現代性》（*Contested Modernities in Chinese Literature*. Palgrave Macmillan, 2005）。

羅鵬（**Carlos Rojas**），美國杜克大學亞洲與中東研究系教授，杜克大學性別、性與女性主義研究中心研究員，杜克大學移動圖像藝術研究中心研究員。研究方向為中國現當代文學、比較文學、性別研究、視覺藝術等。著有 *The Naked Gaze: Reflection on Chinese Modernity*（Harvard University Press, 2009）（中文版《裸觀：關於中國現代性的反思》，麥田出版，2015），《懷鄉病：現代中國的文化、傳染病和國家轉型》（*Homesickness: Culture, Contagion, and National Transformation in Modern China*. Harvard University Press, 2015）等。與白安卓（Andrea Bachner）合編《牛津中國現代文學手冊》（*The Oxford Handbook of Modern Chinese Literatures*. Oxford University Press, 2016）。

關詩佩（**Uganda Sze Pui Kwan**），新加坡南洋理工大學漢語部副教授，倫敦

大學亞非學院（SOAS）博士。研究方向為現代中國文學、中日比較文學、十九世紀英國漢學、香港文學等。

蘇文瑜（Susan Daruvala），英國劍橋大學三一學院亞洲與中東研究所榮休資深講師，三一學院院士（College Fellow）。研究方向為二十世紀中國文學與電影。著有*Zhou Zuoren and an Alternative Chinese Response to Modernity*（Harvard University Press, 2000）（中文版《周作人：自己的園地》，麥田出版，2011）。

蘇和（Dylan Suher），香港大學人文社會學會研究員，美國哈佛大學東亞語言與文明系博士。研究方向為流行文化的意識形態研究，尤其關注二十世紀九〇年代中華人民共和國文學的影視化問題，並從事文學翻譯期刊《漸近線》（*Asymptote*）的編輯工作。

蘇真（Richard Jean So），加拿大麥基爾大學英語系副教授。研究方向為現代美國、中國文學和數字人文學研究。著有《跨太平洋共同體：美國、中國與文化網路的起落》（*Transpacific Community: America, China and the Rise and Fall of a Cultural Network*. Columbia University Press, 2016）。

「本書作者簡介」中譯者

翟猛，文學博士，天津師範大學文學院講師，研究方向為中國現代文學史、現代文藝期刊與翻譯文學。在《中國現代文學研究叢刊》等刊物發表文章多篇。

國家圖書館出版品預行編目資料

哈佛新編中國現代文學史 = A new literary history of modern China/王德威（David Der-wei Wang）主編.
-- 初版. -- 臺北市：麥田出版，城邦文化事業股份有限公司出版：英屬蓋曼群島商家庭傳媒股份有
限公司城邦分公司發行, 2021.02
面；　公分. --（人文；17）
ISBN 978-986-344-862-4(上冊：平裝). --
ISBN 978-986-344-873-0(全套：平裝). --
ISBN 978-986-344-872-3(下冊：平裝)

1.中國現代、當代文學　　2.中國文學史　　3.文學評論

820.908　　　　　　　　　　　　　　　　　　　　　　　　　109018870

人文 17

哈佛新編中國現代文學史（下）
A new literary history of modern China

主　　　　編	王德威
編　　　　修	劉秀美
助 理 主 編	陳婧禩　李浴洋
編 輯 委 員	Kirk Denton(鄧騰克)　Michel Hockx(賀麥曉)　Theodor Huters(胡志德)　Carlos Rojas(羅鵬)
	Xiaofei Tian(田曉菲)　Jing Tsu(石靜遠)　Ban Wang(王斑)　Michael Yeh(奚密)
譯　　　　者	王珂　王晨　李浴洋　季劍青　金莉　唐海東　張治　張屏瑾　陳抒　陳婧禩　翟猛
	劉子凌　盧冶　黨俊龍
書 名 題 字	陳平原
校　　　　訂	沈如瑩　邱怡瑄　蔡建鑫　賴佩暄　黨俊龍
責 任 編 輯	林秀梅

版　　　　權	吳玲緯　楊靜
行　　　　銷	闕志勳　吳宇軒　余一霞
業　　　　務	李再星　李振東　陳美燕
副 總 編 輯	林秀梅
編 輯 總 監	劉麗真
事業群總經理	謝至平
發 行 人	何飛鵬
出　　　　版	麥田出版
	台北市南港區昆陽街16號4樓
	電話：886-2-25000888　傳真：886-2-25001951
發　　　　行	英屬蓋曼群島商家庭傳媒股份有限公司城邦分公司
	台北市南港區昆陽街16號8樓
	客服專線：02-25007718；25007719
	24小時傳真專線：02-25001990；25001991
	服務時間：週一至週五上午09:30-12:00；下午13:30-17:00
	劃撥帳號：19863813　戶名：書虫股份有限公司
	讀者服務信箱：service@readingclub.com.tw
	城邦網址：http://www.cite.com.tw
	麥田部落格：http://ryefield.pixnet.net/blog
	麥田出版Facebook：https://www.facebook.com/RyeField.Cite/
香港發行所	城邦（香港）出版集團有限公司
	香港九龍九龍城土瓜灣道86號順聯工業大廈6樓A室
	電話：852-25086231　傳真：852-25789337
馬新發行所	城邦（馬新）出版集團 Cite（M）Sdn. Bhd.（458372U）
	41, Jalan Radin Anum, Bandar Baru Seri Petaling,
	57000 Kuala Lumpur, Malaysia.
	電話：+6(03)-90563833　傳真：+6(03)-90576622
	電子信箱：services@cite.my
設　　　　計	莊謹銘
印　　　　刷	沐春行銷創意有限公司

初 版 一 刷	2021年02月21日	著作權所有‧翻印必究(Printed in Taiwan)	
初 版 五 刷	2024年09月10日	本書如有缺頁、破損、裝訂錯誤，請寄回更換	
定　　　　價	600元		
ISBN：978-986-344-872-3			

城邦讀書花園
www.cite.com.tw